数え方の辞典【目次】

CONTENTS

絵で見るものの数え方
1 生き物の数え方
　1-A [動物の数え方] … I
　1-B [魚介の数え方] … II
　1-C [鳥の数え方] … II
　1-D [虫の数え方] … II
2 植物の数え方 … III
3 食べ物の数え方
　3-A [野菜・果物の数え方] … III
　3-B [料理や菓子の数え方] … IV
4 乗り物の数え方 … IV
5 家具の数え方 … V
6 身につけるものの数え方 … V
7 知っていると得するものの数え方 … VI

はじめに … 1
凡例 … 3
第1章 ものの数え方 … 9
第2章 助数詞・単位一覧 … 329
執筆者紹介・協力者一覧 … 399

コラム目次
❶ なぜイカやカニは「1杯」と数える？ … 21
❷ ウサギは鳥の一種？名前と数え方の由来の謎 … 31
❸ 缶ジュースとアスパラガスの缶詰の数え方の違い … 67
❹ 人魚は「1人」？それとも「1匹」？ … 75
❺ 数える物がなくなると、数え方もなくなる？ … 101
❻ 捕っても豊富！ 魚の数え方 … 117
❼ 助数詞「台」の意味は自動車の出現で大きく変化 … 131
❽ 樋口一葉のお札は「1葉」「2葉」？ … 133
❾ 「1かん」は歴史の浅い数え方 … 155
❿ チョウの数え方 … 189
⓫ 手の動きで測る調味料の使用量の目安 … 191
⓬ 「匹」と「頭」の以外なルーツ … 211
⓭ 「10羽」は「じっぱ」が正しい？ … 217
⓮ ペアになるものを数える助数詞 … 265
⓯ 「仏の顔も三回」と言える？ … 275
⓰ 商品の見栄えを良くする数え方 … 285
⓱ 景気付けの「ラーメン1丁！」 … 313
⓲ 数え方で分かるロボットの身近さ … 325

数え方の使い分けチャート

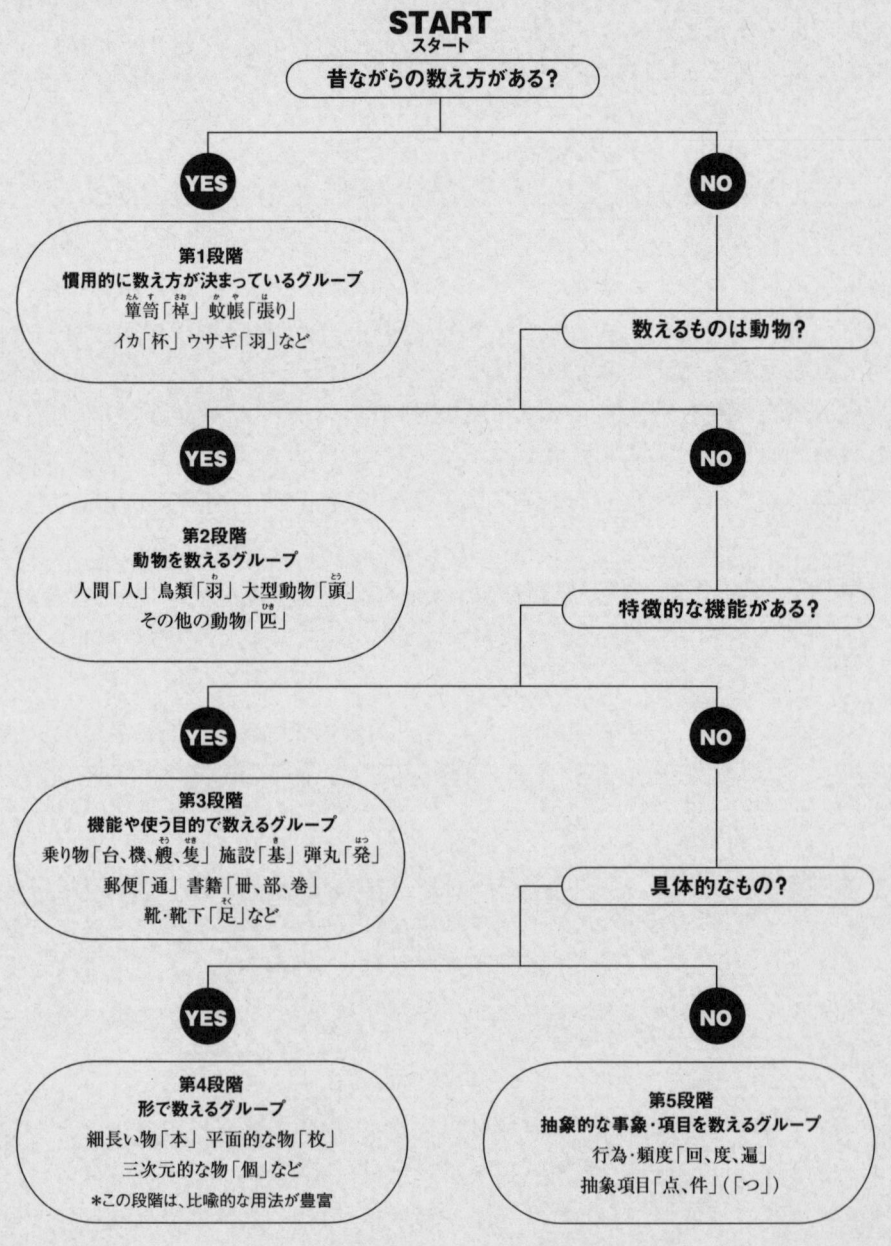

数え方の辞典

小学館

飯田朝子 ●著 ［中央大学教授］

町田 健 ●監修 ［名古屋大学大学院教授］

絵で見るものの数え方

象(頭)
トラ(頭)
人間
オオカミ(匹、頭)
ワニ(匹、頭)
ウサギ(匹、羽)
猫(匹)
リス(匹)

＊表示以外の数え方がありますので、詳しくは第1章をご覧ください。

1 生き物の数え方

1-A [動物の数え方] (匹・頭など)

● 人間の大きさを基準に動物を数え分けます。人間より大きい動物は「頭」、人間より小さい動物は「匹」、人間と同じくらいの大きさの動物は「頭」でも「匹」でも数えます。
● 「ウサギ」は習慣的に「羽」で数えることもできます。

I

絵で見るものの数え方

1-B [魚介の数え方] (匹、尾、本、枚、杯、個など)

- 生きている魚介は「匹」で数えます。
- 釣りの獲物や鮮魚店の商品になると「尾」で数えます。
- 魚介の形によってさまざまな数え方があります。細長い魚は「本」、平べったい魚は「枚」で数えることがあります。貝は形に応じて「個」や「枚」で数えます。
- イカやタコ、カニ、アワビなどは、形状がふくらんだ形の器に似ているので、その器を表す「杯」で数えることもできます。

アワビ（枚、個、杯）

エビ（匹、尾、本）

ヒラメ（匹、尾、枚）

イカ（匹、杯、本）

ニジマス（匹、尾、本）

1-C [鳥の数え方] (羽、頭など)

- 鳥は「羽」で数えます。
- ダチョウは大きいので「頭」で数えることがあります。
- コウモリは鳥の翼に似た前足を広げて飛ぶので「羽」で数えることがあります。

ダチョウ（羽、頭）

オオルリ（羽）

1-D [虫の数え方] (匹、頭、個など)

- 虫は「匹」で数えます。
- チョウや貴重な虫は「頭」で数えることがあります。
- さなぎは動かないので「匹」よりも「個」で数えます。

チョウの成虫（匹、頭）

チョウのさなぎ（個）

カブトムシ（匹）

絵で見るものの数え方

2 植物の数え方 (本、木、樹、株、輪など)

- 植物は「本」「株」などで数えます。
- 樹木は「本」「木」「樹」「株」などで数えます。
- 鉢植えの植物は「鉢」で数えます。
- 葉は「枚」「葉」などで数えます。
- 花は「輪」「個」などで数えます。
- 種は「顆」「粒」「個」、球根は「個」「玉」「球」などで数えます。

ヒマワリの種（顆、粒、個）
花（輪、個）
葉（枚、葉）
鉢植え（鉢）
ユリの球根（個、玉、球）
テコマリア（本、株）

3 食べ物の数え方

3-A [野菜・果物の数え方] (個、本、玉、株、粒、顆、房など)

- 野菜や果物は、形に応じて数えます。
- 細長いものは「本」、細長くないものは「個」で数えます。
- レタスやキャベツは「玉」、カリフラワーやブロッコリーは「株」で数えます。
- 丸い果物は「個」「玉」などで数えます。
- ブドウのように房状になった果物は「房」で数えます。
- イチゴやサクランボウのようにひと口で食べられる小さい果物は「粒」などで数えます。

カキ（個、玉）
ブドウ（房）
ブロッコリー（株）
ピーマン（個）
トウモロコシ（本）
キャベツ（玉）
イチゴ（粒）

Ⅲ

絵で見るものの数え方

鉢料理（品、鉢）

③-B［料理や菓子の数え方］

●料理の品数は「品」「品」で数えます。
●料理は器によって数え方が異なります。皿に盛った食べ物は「皿」、鉢に盛ったものは「鉢」で数えます。折り箱に入ったものは「折」、重箱だと「重」で数えます。
●飯は「膳」「杯」「椀」などで数えます。

●菓子は、形によって数え方が異なります。「個」で数えるものの他に、平面的なものは「枚」、長いものは「本」で数えます。切り分けたものは「切れ」「枚」などで数えます。

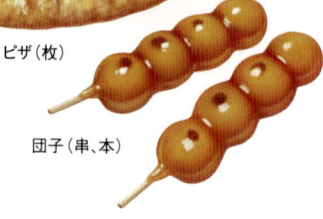

ピザ（枚）

ピザ 切り分けた部分（切れ）

団子（串、本）

皿料理（品、皿）

④ 乗り物の数え方（台、両、隻、艘、艇、機など）

●原則として、道路を走るものは「台」で、線路を走るものは「両」、飛行するものは「機」で数えます。
●競技用のヨット・ボートは「艇」で数えます。
●地面や建物に据えてある乗り物は「基」で数えます。

エスカレーター（基）

ヨット（艇、艘）

気球（機、台）

絵で見るものの数え方

5 家具の数え方 (台、脚、棹、枚、本、点など)

- 家具は「台」で数えます。
- 棚のように薄い家具は「枚」でも数えます。箪笥は「棹」、長持は「棹」「合」で数えます。脚のついた椅子・テーブルは「脚」で数えることができます。
- 商品として家具を扱う場合は「点」で数えます。

ベッド（台）

椅子（脚、台）

箪笥（棹、台）

ジャケット（着）

6 身につけるものの数え方 (着、枚、足、双、個、点など)

- 衣類（洋服・着物）は種類によって数え方が異なります。
- 上着は「着」、下着は「枚」で数えます。シャツ・セーター・スカートなどは「枚」でも数えます。ズボンは「本」でも数えます。
- 着物は「枚」「着」「領」「揃い」などで数えます。
- 靴・靴下・下駄などは左右で「一足」、手袋は両手で「一双」と数えます。眼鏡は「本」、帽子は「個」で、アクセサリーは「個」「本」「点」などで数えます。鞄は「個」で数えます。

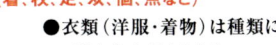

手袋（一双）

スカート（枚）

V

絵で見るものの数え方

7 知っていると得するものの数え方

蔵（戸前）
五重塔（基）
提灯（張り）
臼（据え）
バイオリン（挺）
兜（刎）
供え餅（重ね）
仏像（体、軀、座）
筆（管、茎）

- 鎧（領）
- 袴（腰）
- 硯（面、石）
- 矢（筋、条）
- 琴（面、張り）
- 位牌（柱）
- 仏壇（基）
- 印籠（合、具）
- 地図（舗）
- 烏帽子（頭）
- 和歌（首）
- 鐘（口）
- 鳥居（基）
- テント（張り）
- 三味線（棹）
- ピラミッド（基）
- 山（座）
- 橋（橋）
- 灯籠（基、茎）
- 鮨（貫）*1
- 明太子（腹）
- 豆腐（丁）
- 箸（膳）*2

*1 「貫」は「巻」と書くとする説もあります。また、普通は二個で一貫と数えますが、一個で一貫とするという説もあります。

*2 食事に使う箸は「膳」で数えますが、火箸や菜箸など、食事に使わない箸は「組」「揃い」などで数えます。

はじめに

　日本語でものを数える際、原則として助数詞や単位が必要になります。日本語には、「1本」「1個」「1台」「1基」「1棟」「1張り」といった様々な数え方が存在し、これらはことばの表現の豊かさの一端を担っています。と同時に、日本語の数え方はとても難しく面倒なものとして敬遠され、最近では「駅3つ」「年齢が1個上」「短歌2つ」のように、何を数えるのにも「1つ」「1個」で済ませてしまう傾向があります。

　日本語の数え方　―特に助数詞―　は、話し手が数える対象をどのように捉えているかを映し出す"鏡"のような役割があります。例えば、犬を「匹」で数えるか「頭」で数えるかによって犬をどう捉えるか違ってきます。また、人間は「人」「名」「氏」などで数えますが、その数え方で人間の捉え方の違いを反映させることができます。もし、このような区別を無くして限られた種類の助数詞だけで数えたら、さぞ簡単で便利でしょう。しかし、それは、日本語の話し手が数える対象をどのように捉えているのかを映し出す大切な"鏡"を曇らせてしまうことになるのです。

　助数詞が単純化する原因にはいろいろありますが、その1つに、数え方が分からない時にヒントを与えてくれる本格的な辞典がなかったことが挙げられます。これまでの助数詞の解説はというと、特殊なものだけを集めたリストが国語辞書の巻末に掲載される程度に留まっていました。皆さんも「これはどう数えるのだろう？」「なぜこう数えるのだろう？」といった疑問がわいて辞書を引いても、なかなか満足できるヒントが見つからないという経験をお持ちではないでしょうか。それはちょうど、"鏡"を磨きたくてもそれをどう磨いていいのか分からない、といった状況です。そうなると、数え分けるのが面倒になり、つい「1つ」「1個」で済ませてしまうことになります。

本書の目的は、失われつつある昔ながらの数え方を日本語の"文化"とし、これらの保存・維持を試みると同時に、近年使われるようになった新しい数え方を日本語の"進化"として、その意味や由来、使い方のポイントを明確に記述することにあります。昔からの数え方にはこういうものがある、最近ではこういう数え方がある、という新鮮な驚きをもって、数え方から見た日本語表現の豊かさ、古くからの日本語の財産、そしてことばの発展性を見いだし、日本語の"鏡"を一層磨いて下さい。

　数え方は年代や地域によって異なる場合もあるため、絶対的な正解やルールというものがありません。本辞典には可能な限りの数え方の提案を挙げておきましたので、「これはどう数えるのだろう？」と疑問に思ったら第1章を、また「なぜこう数えるのだろう？」と疑問に思ったら第2章をご覧になって下さい。きっと数え方のヒントが見つかるはずです。何分、これまでにない辞典ですので、至らぬ点も多々あるかと存じます。読者の皆様からご批正を頂戴できれば幸いです。

　最後に、監修を快くお引き受け下さった町田健先生、研究を長年に渡って指導して下さった湯川恭敏先生を始めとする大学院の諸先生方に謹んで御礼申し上げます。そして「これって何て数えるのだろう？」という私の尽きない疑問に日々根気良く付き合ってくれた家族・友人の皆さんに心からの感謝の気持ちを記します。

2004年2月　　飯田朝子

凡例
編集の基本方針

1. 本書は、第1章「ものの数え方」と第2章「助数詞・単位一覧」とで構成されています。
2. 第1章では、日常的に数える対象となる名詞項目約4,600語について、それらを数える際、どのような助数詞（ならびに助数詞と同じ働きをする名詞）を用いるかを示しました。これらの項目には商標名も含まれますが、本書は言葉の解説を目的とした辞典ではないため、その区別を表示しませんでした。
3. 数え方について調べるにあたり、近代から現代までの文献を調査して語彙・用例を採取するとともに、1995年から2003年にかけての新聞・雑誌・放送・インターネットなどの情報媒体を利用しました。併せて、口語で使われる用例については、日本語母語話者への聞き取り調査を行い、日本語における数え方について網羅的に採録を行いました。
4. 本書は、学校・職場、そして家庭の中で、日本語母語話者または日本語学習者が幅広く使用できるよう、なるべく平易な記述を心掛けました。解説の文章および用字は、「常用漢字表」を基準として難字・専門用語などの使用はできるだけ避けました。
5. 本書は、名詞の数え方を示すだけにとどまらず、解説欄「数え方のポイント」を設け、なぜそのように数えるのか、数える際に気をつける点はどこか、助数詞の意味や由来など、数え方をより深く理解できるよう、用例を多数添えながらわかりやすく解説しました。
6. 数え方の解説にあたっては、原則として使用頻度の高いものを先にし、使用頻度の低いものや古い使用例のものはあとに記述しました。ただし、特定の分野で用いられる数え方や、限られた形での用法などは解説欄に紹介するだけにとどめたものもあります。また、その項目に関連する語の数え方についてもできるだけ言及しました。
7. 第2章では、助数詞や助数詞と同じ働きをする名詞など約600語について、それらが持つ意味および用法を解説しました。随所に小コラム・成句・表組・図版を掲げ、言葉を多角的にとらえるようにしました。
8. 数え方と文化との関わりを重視して、イラストやコラムなどでも関連する情報をなるべく多く添えるようにしました。

第1章-ものの数え方

数えるもの

▼**見出しの表示**

1 見出しは現代仮名遣いで、和語・漢語は平仮名、外来語は片仮名で示しました。

2 外来語はふつうに行われている書き表し方によって、長音「ー」や拗音「ァ・ィ・ゥ・ェ・ォ」などを用いました。ただし、「ヴァ・ヴィ・ヴ・ヴェ・ヴォ」などは「バ・ビ・ブ・ベ・ボ」に統一しました。

▼**見出しの配列**

1 見出しは五十音順に並べました。1字目の仮名が同じものは2字目の仮名の五十音順とし、以下も同様に扱いました。また、長音符号「ー」は直前の仮名の母音と同じとして扱いました。

2 見出しが同じ仮名のときは、以下の基準で配列しました。

❶ 清音・濁音・半濁音の順に並べました。

例　ホール ▸▸▸ ボール ▸▸▸ ポール

❷ 漢字表記があるときは、1字目の漢字の画数の少ないものを先に並べました。1字目の画数が同じときは、同様に2字目以降の画数によって配列しました。

例　きょうかい【協会】▸▸▸ きょうかい【教会】▸▸▸ きょうかい【境界】

❸ 外来語で同じ片仮名の見出しは、原語の綴りのアルファベット順に並べました。

例　トラック【track】▸▸▸ トラック【truck】

▼**表記**

見出しに当てられる漢字表記、外来語の綴りを【　】の中に示しました。

1 漢字表記

❶ 常用漢字表・人名用漢字にある漢字は、それらの字体を使用しました。

❷ 漢字表記が二つ以上考えられる場合は、原則として広く用いられているものを先に掲げました。

2 外来語の綴り

❶ 英語以外の言語には、その言語名を示しました。

例　ライチー【lychee マレーシア】

❷ 原語音から著しく変化したものや、省略されたもの、外来語に擬して

日本で作られた和製語には綴りを表示しませんでした。和製語には見出しのあとに＜和製語＞と表示しました。

例　**カレーライス　パソコン　マグカップ**＜和製語＞

③ 漢字を当てる慣習のある外来語については綴りのあとに掲げました。

例　**キセル**【khsier^{カンボ}_{ジア}・煙管】

数え方・数え方のポイント

1 「数え方」欄では「数えるもの」から連想する数え方（助数詞、ならびに助数詞と同じ働きをする名詞）をできるだけ多く示しました。例えば「梅」という言葉には、梅の木、梅の花、梅の実という複数の意味があります。これらの意味に対応する数え方（梅の木＝本、株、樹、木）（梅の花＝輪）（梅の実＝個、粒）を示しました。また、その使い分けを「数え方のポイント」で解説しました。

＊助数詞「つ」は多数の項目について口語などでの「数え方」として示すことができますが、本書では書き言葉でも積極的に使う場合を中心に表示しました。

2 「数え方」は次の場合に改行して、「数え方のポイント」欄の解説に対応する位置に表示しました。

❶「数え方のポイント」の説明が長く、解説と数え方の対応がわかりにくくなる場合。

❷ 多義語で、意味の違いによって数え方が違う場合。

＊ここでいう多義とは、先に挙げた「梅」の例のような意味の違いではなく、「カーブ（曲がった道）（野球の球種）」のように、国語辞典などで語義番号を付け、別のブランチとして扱われている意味の違いのことです。

例

| カーブ【curve】 | ▲本、•つ | 曲がった道は「本」「つ」で数えます。 |
| | ▲球^{きゅう}、個、•つ | 野球の投球を数える場合、「2球続けてカーブ」のようにいいます。「カーブ3｛個｜つ｝」とも数えます。 |

＊多義語であっても同じ数え方になる場合はまとめて解説しました。

3 「数え方」の前にくる数詞の種類（漢語数詞・和語数詞・英語数詞）を記号（▲・•・★）で表示しました。例えば、「▲枚^{まい}」は「いちまい」（「い

ち」は漢語数詞)、「•皿」は「ひとさら」(「ひと」は和語数詞)、「★パック」は「ワンパック」(「ワン」は英語数詞)となって、それぞれ違う種類の数詞に付くことを表します。

[注意]「数え方」欄の和語数詞に付く記号「•」は、数詞「1」に付く際に「1」の読み方がどうなるのかを基準に表示しました。例えば「1 皿」は「ひとさら」としか読めませんが、「2 皿」「3 皿」となると、和語数詞に付いて「ふたさら」「みさら」と読む以外に、漢語数詞に付いて「にさら」「さんさら」と読むこともあります。本書では、このような数詞と助詞詞との接続の特性をふまえたうえで、あえて「•」の表示だけにとどめました。

4 「数え方のポイント」では、「数え方」に掲げた語の使い方や由来を示しました。慣用的な数え方や歴史的な数え方も紹介し、使い方をイメージしにくい場合には用例を示しました。一部の用例には複数の数え方を示して、その使い方の違いを｛○｜×｝の記号で表示しました。「○」は使用できることを、「×」は使用できないことを表します。また、｛　｜　｝内のすべての数え方が置き換え可能な場合には記号は付しませんでした。

例

| りょうり[料理] | ▲品、•品、•皿、▲種、•種類 | 料理の種類は「品」「種類」で数えます。別々の皿に盛られた料理の品数は「皿」で数えます。「パスタをふた皿注文する」 同じ皿に複数の料理が盛られた場合は「品」で数えます。「前菜 3 ｛○品｜×皿｝盛り合わせ」 |

5 「数え方のポイント」では、これ以外にも、多義語や略語・外来語などに適宜語義を補ったり、さまざまな角度から数え方に関する補足説明を加えたりしました。また、第 1 章の関連項目・コラムを ➡ → を使って指し示しました。

コラム

1 数え方や助数詞に関する疑問やその由来、豆知識を掲載しました。

例

コラム 8 COLUMN〈樋口一葉のお札は「1 葉」「2 葉」?〉

樋口一葉が紙幣に登場すると、「お札 1 葉」と数えるようになるかもしれない、という…

2 表見返しに目次を掲載しました。

第2章-助数詞・単位一覧

（見出し）

▼見出しの表示
1 第1章の基準と同じです。
2 多くの語義を持つ重要な助数詞は特に大きな見出しにしました。
3 同じ見出し・漢字表記であっても、語源が違う項目や意味が離れていると判断した項目は、別の見出しに分けて解説しました。見出しの末尾に「1」「2」を付して同じ見出しがあることを示しました。

例　てん¹【点】漢
　　❶試験などで評価の目安としてつける…

　　てん²【点】漢
　　❶点・地点を数え示します。「2点を結ぶ…

4 見出し・表記欄のあとに、その語がどの種類の数詞に付くかを示しました。漢語数詞に付く場合は 漢、和語数詞に付く場合は 和、英語数詞に付く場合は 英 と表示しました。この表示基準については第1章の基準と同じです。「**数え方・数え方のポイント 3**」をご覧ください。

▼見出しの配列
第1章の基準と同じです。

▼表記
見出しに当てられる漢字表記、外来語の綴りを【　】の中に示しました。
1 漢字表記
❶ 常用漢字表・人名用漢字にある漢字は、それらの字体を使用しました。
❷ 漢字表記が二つ以上考えられる場合は、原則として広く用いられているものを先に掲げました。
2 外来語の綴り
❶ 英語以外の言語には、その言語名を示しました。

例　アール【are フランス】　　ポンド【pond オランダ・pound】

❷ 漢字を当てる慣習のある外来語については綴りのあとに掲げました。

例　キロメートル【kilomètre フランス・粁】

解説

1 日常よく使われる意味が先にくるようにしました。語義分類を❶、❷、❸…で示しました。さらに細かな分類を必要とするものにはa.b.c.…で分類しました。

2 単位には＜単位＞と表示しました。

3 使い方をイメージしやすくするために、できるだけ用例を加えるように心掛けました。また、古典用例には出典を示し、歴史的仮名遣いには、（ ）で囲ったルビで現代仮名遣いを示しました。一部の用例には複数の数え方を示して、その使い方の違いを {° | × } の記号で表示しました。「°」は使用できることを、「×」は使用できないことを表します。また、{ | } 内のすべての数え方が置き換え可能な場合には記号は付しませんでした。

> 例 **めい【名】**漢
> 人数を数えます。「人(にん)」とは異なり、順番を表す接尾語「目」を伴うことができません。「3 {°人目 | ×名目}」 一方、敬称「様」を伴うことができます。「3 {°名様 | ×人様}のご予約」→**人**(たり) →**人**(にん)

4 第2章の類似・関連項目や第1章のコラムを → を使って指し示しました。

5 数詞に付くと変化する読み方に関する注意を説明しました。

> 例 **にん【人】**漢 読み方注意　　**わ【羽】**漢 読み方注意

6 見出しを含む成句を掲げて解説しました。

> 例 **そく【束】**漢
> ❶＜単位＞紙を数える単位。半紙200枚で「1束」といいます。
> **一束一本**(いっそくいっぽん)
> 杉原紙(すぎはらがみ)1束(10帖(じょう)、200枚)と扇1本のことです。武家時代にこれらを礼物とする習慣がありました。

7 鮨はなぜ「1貫」と数える？　など、助数詞・単位をより深く理解するための「小コラム」を多数掲載しました。

8 「ヤード・ポンド法」「尺貫法」のメートル換算表を掲載しました。また、「枚」「個」「本」などの違いを視覚的に理解できる図版を掲載しました。

第1章 ものの数え方
CHAPTER-1

アース ▶ アイスボックス

数えるもの	数え方	数え方のポイント
アース【earth】	▲本	感電を防ぐための接続線のことで、「本」で数えます。
アーチ【arch】	▲本	
アーティチョーク【artichoke】	▲本、●株(かぶ)、●個	植物としては「本」「株」で数えます。食材にするつぼみは「個」で数えます。
アーム【arm】	▲本	椅子(いす)やミシン、ロボットのアームなどは「本」で数えます。→腕(うで)
アーモンド【almond】	●粒(つぶ)、●個	➡ナッツ
あいかぎ【合い鍵】	▲本	
アイコン【icon】	▲個	コンピューターのディスプレー上に表示されたプログラム機能などの絵柄は「個」で数えます。
あいさつ【挨拶】	●言(こと)	
アイス【ice】	▲個、●片(へん)、●かけ	→氷(こおり) →ドライアイス →アイスクリーム
アイスキャンデー〈和製語〉	▲本	
アイスクリーム【ice cream】	▲個、▲本、●箱(はこ)、●玉(たま)、▲●★パック、▲皿	小売単位は、カップやパックに入ったもの、シューアイス・アイスモナカは「個」、箱入りのものは「箱」「パック」、棒アイスは「本」で数えます。アイスクリーム店で、コーンやカップに盛る球形に成形したアイスクリームは「個」「玉」で数え、1個で「シングル」、2個で「ダブル」、3個で「トリプル」といいます。皿に盛り合わせたものは「皿」で数えます。ソフトクリームは「本」「個」で数えます。シャーベットやジェラートなどもアイスクリームに準じた数え方をします。
アイスピック【ice pick】	▲本	
アイスペール【ice pail】	▲個	
アイスボックス【icebox】	▲個	

▲=漢語数詞〔一(いち)、二(に)、三(さん)…〕などに付く　●=和語数詞〔一(ひと)、二(ふた)、三(み)…〕などに付く

アイスリンク ▶ アカウント

数えるもの	数え方	数え方のポイント
アイスリンク[ice rink]	▲面	アイススケート場のことで、「面」で数えます。
あいづち[相槌]	▲回、●度、●つ	相手の話にうなずく回数は「回」「度」「つ」で数えます。
アイデア[idea]	●つ、▲案	「案」は計画・着想・企画などを数える語です。 →案
アイテム[item]	▲●★アイテム、▲品、●品、▲品目、▲点、▲項目、●つ	商品は「品」「品目」、事項は「点」「項目」で数えます。「つ」で数えることもできます。
アイピーアドレス【IP address】	▲個、●つ	インターネットに接続するために各コンピューターに割り振られる番号のことで、「個」「つ」で数えます。
アイロン[iron]	●台、▲挺（丁）	電気アイロンは「台」で数えます。「挺（丁）」は火熨斗（炭を入れて使う金属製の昔のアイロン）を数える語です。
アウト[out]	●つ、●個	野球で、打席にいる打者が打つ資格、および塁にいる走者が走る資格を失ってしまうことを「つ」「個」で数えます。「アウトあと2つで試合終了」 アウトが1つのときは「ワンアウト」、2つのときは「ツーアウト」、3つのときは「スリーアウト」といいます。
あおな[青菜]	●束、▲把	➡野菜
あおのり[青海苔]	●瓶、●袋、●片、●振り、●つまみ	小売単位は、容器に応じて「瓶」「袋」などを用います。使う際は「振り」「つまみ」などで分量の目安を表します。 →海苔
あおり[障泥]	●枚	馬の腹をおおう泥よけのことで、「枚」で数えます。
あか[閼伽]	●桶	墓や仏壇に供える水のことで、「桶」で数えます。
アカウント[account]	▲通、●口、●件、▲個	勘定書は「通」、勘定口座は「口」、得意先は「件」で数えます。コンピューターネットワーク上のアカウントは「個」で数えます。

★＝英語数詞［1（ワン）、2（ツー）、3（スリー）…］などに付く　➡より詳しい解説のある項目へ　→関連項目などへ

あかし ▶ あざ

数えるもの	数え方	数え方のポイント
あかし【証】	●つ	
あかり【明かり・灯り】	▲灯、▲基、▲点、●つ、●個、▲本、▲台	「灯」は電灯・ガス灯・街灯・船尾灯・水銀灯・電球・ヒーターなどを数える語です。据えてある明かりやランプなどは「基」でも数えます。遠くに見える明かりは「点」「個」「つ」などで数えます。蛍光灯は「本」、電球は「個」、照明器具は「台」「点」で数えます。
あきかん【空き缶】	▲個、●缶	
あきびん【空き瓶】	▲本、●瓶	
あきま【空き間】	▲室、●間、▲部屋	➡ 部屋
あきや【空き家】	▲軒	➡ 家
アクセサリー【accessory】	▲点、●個	商品や所有数を総称している場合は「点」で数えます。➡ イヤリング ➡ 腕輪 ➡ ピアス ➡ ネックレス ➡ 指輪
アクセス【access】	▲件	ホームページへのアクセス数は「件」で数えます。
あくび【欠伸】	●つ、▲回	
あくま【悪魔】	▲匹、●人、▲人	人間的な性格を強く持っている場合や、人を悪魔に見立てる場合は「人」も用います。➡ キャラクター
あげいた【上げ板】	▲枚	
あげど【揚げ戸】	▲枚	
あけに【明け荷】	▲梱、▲荷、▲個	「梱」は竹や柳で編んだかごのことで、行李を数える語です。「荷」は肩にかつぐ荷物を数える語です。
あげまく【揚げ幕】	▲枚	
あげもの【揚げ物】	▲個、▲枚	➡ フライ
アコーディオン【accordion】	▲台	➡ 楽器
あざ【痣】	●つ、●個	昔は、獣の体にある模様を数える「斑」であざを数えました。今は「つ」「個」で数えます。「転んで膝にあざが2つできた」

▲=漢語数詞[一（いち）、二（に）、三（さん）…]などに付く　　●=和語数詞[一（ひと）、二（ふた）、三（み）…]などに付く

数えるもの	数え方	数え方のポイント
あさがお〔朝顔〕	★本、•株、•輪	植物としては「本」「株」で数えます。朝顔の花は「輪」で数えます。露店などで売っている朝顔の鉢は「鉢」で数えます。
あさり〔浅蜊〕	★個、•粒	➡ 貝
あし〔足・脚〕	★本、★脚	原則として足は「本」で数えます。道具に付属している脚は「脚」で数えます。「カメラの三脚」 また、「二人三脚」のように、歩いたり走ったりするために歩幅を刻む足の延べ数を「脚」で数えることもあります。
あし〔葦〕	★本、•本、•むら	生い茂ったアシの茂みは「むら」で数えます。
あじ〔味〕	•味	「味」は「ひと味」「ふた味」などの形で、他のものとの違いをたとえていう場合に用います。「本物はひと味もふた味も違う」
	★味	「味」は薬味などに含まれている香辛料の種類を数える語です。「七味唐辛子」
あしあと〔足跡〕	•つ	影や跡など、形状がつかみにくいものは「つ」で数えます。
あしか〔海驢〕	•頭	➡ 動物
あじさい〔紫陽花〕	★本、•株、•朶、•輪	花は「本」「朶」で数えます。「朶」は木の枝が垂れ下がるという意味で、花のかたまりを数える語です。ガクアジサイは「輪」で数えることもあります。
あずき〔小豆〕	•粒	➡ 豆
アスパラガス〔asparagus〕	★本、•束、•把	植物としては「本」で数えます。小売単位は「束」「把」など。缶詰や瓶詰になると、「個」「本」などで数えます。 → コラム③に関連事項(p.67)
あずまや〔東屋・四阿〕	•軒、•棟、•宇	「軒」「棟」は家屋だけでなく、人が住まない小屋なども数える語です。「宇」は家の意味です。 ➡ 家
あせ〔汗〕	•筋、•粒、•滴	体を伝う汗は「筋」、こぼれ落ちる汗は「粒」

★=英語数詞〔1（ワン）、2（ツー）、3（スリー）…〕などに付く　➡ より詳しい解説のある項目へ　→ 関連項目などへ

あぜ ▶ アナウンス

数えるもの	数え方	数え方のポイント
		「滴」で数えます。
あぜ【畦】	▲本	畦道も「本」で数えます。
あせとり【汗取り】	▲枚	汗を吸い取らせる肌着のことで、「枚」で数えます。
あだな【渾名】	●つ	
アダプター【adapter】	▲個	接続器具のことで、「個」で数えます。
あたま【頭】	▲個、●つ	競走などで、リードの目安を「頭一つリード」といいます。頭部（首）を意味する場合は、「級」でも数えます。古い中国の法で、敵の首を取るごとに爵位（級）が上がったことに由来します。→首
あつあげ【厚揚げ】	▲枚、▲丁	「丁」はもともと豆腐の数え方で、厚揚げを数えるのにも用います。→豆腐
あつがみ【厚紙】	▲枚	
あつかん【熱燗】	▲本、▲杯	熱く燗をしたお銚子は「本」で数えます。猪口やぐい呑みに注いだ酒は「杯」で数えます。
あっしゅくき【圧縮機】	▲台	
アップリケ【appliqué フランス】	▲枚、▲点	手芸作品としては「点」で数えます。
アップルパイ【apple pie】	●切れ、▲個、▲台	➡焼き菓子
あつまり【集まり】	●つ、▲席	人や物の集合を表す場合は「つ」で数えます。「席」は宴会や会合としての集まりを数えます。→会議
あつりょくけい【圧力計】	▲台	
あてな【宛名】	▲件	
アドバイス【advice】	●言、●つ	→助言
アドバルーン【ad balloon】	▲本、▲個	広告塔の一種として「本」で数えます。
あな【穴】	▲個、●つ、▲本、▲穴	ボーリングで掘った穴、トンネルや井戸などの深い穴、細長い穴は「本」で数えます。「穴」はパンチの穴の数を数える語です。「2穴パンチ」「26穴バインダー」
アナウンス【announce】	▲報	

▲＝漢語数詞〔一（いち）、二（に）、三（さん）…〕などに付く　●＝和語数詞〔一（ひと）、二（ふた）、三（み）…〕などに付く

数えるもの	数え方	数え方のポイント
アニメーション[animation]	★点、★枚、★齣(コマ)、★本、★作品	アニメーションを構成する個々の画像は「枚」「齣(コマ)」で数えます。テレビアニメ番組・映画は「本」、作品数は「作品」「点」で数えます。
アパート	★棟、★棟、★軒	アパートメントハウスの略。アパートの建物は「棟」「棟」で数えます。「木造アパートひと棟全焼」 アパート数は「軒」で数えます。「2軒のアパートを経営」➡建物 それぞれの部屋は「部屋」「室」で数えます。 ➡部屋
あぶつけ[鐙付]	★掛け	乗り掛け馬の両脇につける荷物のことで、「掛け」で数えます。
あぶみ[鐙]	★具、★具、★足、★掛け	「具」は備えるもの、一揃いの用具を表し、衣服・器具などを数える語です。鐙は両足に必要なので「足」で数えたり、馬の背に掛けて使用するために「掛け」で数えたりします。 ➡馬具
あぶら[油]	★本、★缶、★瓶、★樽、★滴、★垂らし	小売単位は「本」「缶」「瓶」などを用います。料理や調味に使う際は「滴」や「垂らし」などで分量の目安を表します。
あぶらあげ[油揚げ]	★枚、★丁、★袋	「丁」はもともと豆腐の数え方で、油揚げを数えるのにも用います。 ➡豆腐
あぶらがみ[油紙]	★枚	
あぶらこし[油漉し]	★個	
あぶらさし[油差し]	★本、★個	
アベック[avec フランス]	★組	
アポイント	★件、★つ	アポイントメントの略。予約のことで、「件」「つ」で数えます。
アボカド[avocado]	★本、★株、★個、★玉	植物としては「本」「株」で数えます。果実は「個」「玉」で数えます。
あまガッパ[雨合羽]	★着	→レーンコート

★=英語数詞[1(ワン)、2(ツー)、3(スリー)…]などに付く　➡より詳しい解説のある項目へ　→関連項目などへ

あまかわ ▶ あゆみ

数えるもの	数え方	数え方のポイント
あまかわ【甘皮】	▲枚(まい)	
あまだれ【雨垂れ】	▲滴(てき)、●雫(しずく)	
あまど【雨戸】	▲枚(まい)	
あまどい【雨樋】	▲本	樋などの細長いものは「本」で数えます。
あまなっとう【甘納豆】	▲粒(つぶ)	小売単位は「袋」「箱」などを用います。
あみ【網】	▲枚(まい)、▲本	捕虫網や魚をすくい上げる網などの、棒がついているものは「本」で数えます。
	▲帖(じょう)	「帖」は底引き・船引き網を数える語です。
	▲統(とう)	沿岸の魚群の通路に設置する定置網(建網(たてあみ))は、「統」で数えます。「1ケ統の網を張る」
あみあげぐつ【編み上げ靴】	▲足(そく)	
あみき【編み機】	▲台	
あみだ【阿弥陀】	▲尊(そん)、▲体(たい)	「尊」は仏を数える語で、「体」は仏像を数える語です。
あみだくじ【阿弥陀籤】	▲本、●つ	
あみど【網戸】	▲枚(まい)	
あみぼう【編み棒】	▲本	編み棒2本で「ひと組」と数えます。
あめ【雨】	▲滴(てき)、●粒(つぶ)、●雫(しずく)、●雨(あめ)	「雨」は雨が降る回数を指し、「ひと雨ごとに春が来る」といった表現で用います。
あめ【飴】	▲個、●つ、●粒(つぶ)、●袋(ふくろ)、●缶(かん)、●箱(はこ)	棒つき飴は「本」で数えます。小売単位は、袋入りは「袋」、缶入りは「缶」、箱入りは「箱」など。 ➡水飴(みずあめ) ➡キャンデー
アメーバ【amoeba】	▲匹(ひき)	
あやとり【綾取り】	▲本	糸は「本」で数えます。遊戯としては「回」「遍(へん)」などで数えます。
あやまち【過ち】	●つ、▲度	➡失敗(しっぱい)
あやまり【誤り】	●つ、●箇所(かしょ)	
あやめ【菖蒲】	▲本(ほん)、▲本(もと)、▲株(かぶ)	「本(もと)」は草木を雅語的に数える表現です。「本(ほん)」と同じです。
あゆみ【歩み】	▲歩(ほ)	歩みは「歩」で数え、発達・学習段階にたとえられることもあります。「はじめの1歩」

▲=漢語数詞〔一(いち)、二(に)、三(さん)…〕などに付く　●=和語数詞〔一(ひと)、二(ふた)、三(み)…〕などに付く

数えるもの	数え方	数え方のポイント
アラーム[alarm]	★台	目覚まし時計・警報機の意味では「台」で数えます。
	★回、★度	警報の鳴る回数は「回」「度」で数えます。
あらなわ[荒縄]	★本、★筋、★条、★束	➡ 縄
あらまき[荒巻・新巻]	★本	荒巻鮭のことで、「本」で数えます。 ➡ 鮭
あられ[霰]	★粒	
あり[蟻]	★匹	
アリバイ[alibi]	★つ	
アルコール[alcohol]	★度	「度」はアルコール濃度の単位です。アルコール飲料において、アルコール分の占める割合をパーセントで表したものです。 ➡ 酒
アルバム[album]	★冊、★帖	写真帳は「冊」「帖」で数えます。
	★枚	レコードやCDのアルバムは「枚」で数えます。
アルミはく[アルミ箔]	★巻き、★本、★枚、★片	芯に巻かれた箔は「巻き」で数えます。商品としては「本」でも数えます。使用するために切り離した部分は「枚」「片」で数えます。 ➡ ラップ
あれい[亜鈴]	★本、★個	➡ ダンベル
アロエ[aloeラテ]	★本、★株、★鉢	植物としては「本」「株」で数えます。葉はその形状から「本」で数えます。鉢植えの場合は「鉢」で数えます。
あわ[粟]	★本、★株、★粒、★顆	植物としては「本」「株」で数えます。「顆」は小さく丸い粒を数える語です。
あわせ[袷]	★枚	表と裏の地を合わせて作った着物のことで「枚」で数えます。 ➡ 着物
あわび[鮑]	★匹、★枚、★個、★杯	生物としては「匹」で数えます。商品としては「枚」「個」で数えます。「杯」はふっくらとふくらんだ形の器を表し、アワビの殻がそれ

★＝英語数詞〔1（ワン）、2（ツー）、3（スリー）…〕などに付く　➡ より詳しい解説のある項目へ　→ 関連項目などへ

あん ▶ アンドロイド

数えるもの	数え方	数え方のポイント
		に似ているところからアワビを数えます。 ➡ 貝(かい)
あん【案】	▲案(あん)、●つ	→ アイデア
あん【庵】	▲軒(けん)、▲棟(とう)、▲棟(むね)	→ 庵(いおり)
あんか【行火】	▲台、▲個	木製・土製のものは「個」、電気あんかは「台」で数えます。
アンカー【anchor】	▲本、▲台、▲基	➡ 錨(いかり)
アングル【angle】	●つ	
アンケート【enquête フランス】	▲枚(まい)、▲通(つう)、▲件	配布するものは「枚」、回答を得て回収するものは「通」で数えます。電話やインターネットでのアンケートは「件」「人」で回答数を数えます。
あんごう【暗号】	●つ	
アンコール【encore】	▲度、▲回	繰り返す回数が未定・未知の場合は「回」よりも「度」の方が適当な数え方です。
アンサンブル【ensemble フランス】	▲着(ちゃく)、●組(くみ)	一揃(ひとそろ)いの服は「着」「組」などで数えます。 ➡ 服(ふく)
	▲団(だん)	合唱・合奏団体は「団」で数えます。
あんしつ【暗室】	▲室、●間(ま)	まれに「宇(う)」で数えることもあります。
あんず【杏子】	▲個、●粒(つぶ)	
あんぜんき【安全器】	▲台	
あんぜんとう【安全灯】	▲灯(とう)	「灯」は明かり・電灯などを数える語です。
あんぜんピン【安全ピン】	▲本	
あんだ【安打】	▲本、●打(だ) ▲安打	➡ ヒット
アンチョビー【anchovy】	●缶(かん)、●瓶(びん)、●片(へん)	カタクチイワシ類の総称で、加工品は「缶」「瓶」で数えます。料理に使う際は「片」で分量の目安を表します。 → 魚(さかな)
アンティーク【antique フランス】	▲点	→ 骨董品(こっとうひん)
アンテナ【antenna】	▲本	
アンドロイド【android】	▲体(たい)、▲台、●人(り/たり)、▲人(にん)	人間をかたどった物として数えると「体」、機械として数えると「台」を用います。人間

▲=漢語数詞〔一(いち)、二(に)、三(さん)…〕などに付く　●=和語数詞〔一(ひと)、二(ふた)、三(み)…〕などに付く

あんどん ▶ いえ

数えるもの	数え方	数え方のポイント
		さながらに振る舞うものは「人」でも数えます。→ コラム⑱に関連事項(p.325)
あんどん【行灯】	★基、★灯、★張り	「基」は据えて使うものを、「灯」は照明器具を数える語です。紙を張ったものなので、提灯を数える「張り」を用いることもあります。
あんないじょう【案内状】	★通	
あんば【鞍馬】	★台、★基	
アンプ	★台	アンプリファイアーの略。増幅器のことで、「台」で数えます。
アンプル【ampoule フランス】	★本、★筒	薬液を封入したガラス容器は「本」で数えます。アンプル1本に入っている溶液の量は「筒」で数えます。 → 注射
アンモナイト【ammonite】	★匹、★個、★点	生き物として扱う場合は「匹」、貝として扱う場合は「個」で数えます。アンモナイトの化石は「個」「点」で数えます。
あんらくいす【安楽椅子】	★脚	➡ 椅子

数えるもの	数え方	数え方のポイント
イーゼル【easel】	★台	絵を描くときに画板を立てかける画架のことで、「台」で数えます。
いいん【医院】	★軒、★院	➡ 病院
いえ【家】	★軒、★戸、★棟、★棟	「軒」は家をはじめとする建物全般を数える語です。「戸」は建設・売買の対象となる住宅数を数える語です。「棟」で数える場合は、戸建住宅よりもマンションなどの大型住宅を指すことが多いようです。
	★邸	高級感を出すために、不動産業者が邸宅の「邸」を用いて戸建住宅を数えることもあります。
	★宇	まれに家を表す「宇」で数えることもありま

★=英語数詞〔1（ワン）、2（ツー）、3（スリー）…〕などに付く　➡ より詳しい解説のある項目へ　→ 関連項目などへ

いえい ▶ いけん

数えるもの	数え方	数え方のポイント
		す。→ 家屋 → 住宅
いえい【遺詠】	▲首	詠まれた歌は「首」で数えます。
いえい【遺影】	▲枚	位牌を数える「柱」を用いて数えることもあります。
いおり【庵】	▲軒、▲棟、●棟	→ 庵
いか【烏賊】	▲匹、▲杯、▲本	生き物として扱う場合は「匹」で数えます。食材として扱う場合は「本」でも数えます。「杯」はふっくらとふくらんだ形の器を表し、イカの胴体がそれに似ているところからイカを数えるようになったといわれます。2匹（以上）のイカが同時に釣れることを「1荷」といいます。また、するめは「枚」で数えます。 → 鯣　→ コラム①に関連事項(p.21)
いがい【遺骸】	▲体	→ 遺体
いかだ【筏】	▲枚、●床	「床」は細い板を並べて作ったものを数える語です。いかだを「乗り」で数える地域もあります。
いかり【錨・碇】	▲台、▲本、▲基	海中に据え置くものなので、「基」で数えることがあります。
いきもの【生き物】	▲匹	原則として動物・昆虫は「匹」で数えます。 → 詳しくは各項目を参照 ➡ 動物
イクラ【ikra ロシア】	●粒	塩漬けにしたサケ・マスの卵の個々の粒は「粒」で数えます。小売単位は「箱」「瓶」「パック」など。→ 筋子
イグルー【igloo】	▲軒、▲個	氷雪で作られたエスキモーの住居のことで「軒」「個」で数えます。
いけ【池】	●つ、▲面、▲泓	水がいっぱいに広がるさまを表す「泓」で数えることもあります。→ 湖
いけばな【生け花】	●鉢、▲瓶、▲杯	作品としての生け花は「点」でも数えます。生け花を生ける水盤は「個」で数えます。
いけん【意見】	●言、●つ、▲通、	会議などで出される意見は「言」「つ」など

▲=漢語数詞〔一(いち)、二(に)、三(さん)…〕などに付く　●=和語数詞〔一(ひと)、二(ふた)、三(み)…〕などに付く

数えるもの	数え方	数え方のポイント
	★件、★案	で数えます。投書などで寄せられた意見は「通」「件」などで数えます。提案は「案」で数えます。
いご[囲碁]	★局、★番、★戦	➡碁
いこう[衣桁]	★架	着物などを掛けておく道具のことで、高く掛け渡した棒、および棚を表す「架」で数えます。
いこう[遺稿]	★枚、★本、★点	➡原稿
いこつ[遺骨]	★体、★柱、★片、★本	生き物の全身の骨は「体」で数えますが、断片的な骨の場合は「片」「本」で数えます。「柱」は日本古来の神や神体・神像・遺骨を数える語です。➡骨
いざかや[居酒屋]	★軒、★店	➡店
いさりび[漁り火]	★基、★灯	漁船に備え付けられている明かりは「基」

コラム ① COLUMN〈なぜイカやカニは「1杯」と数える？〉

イカやカニなどは生きている時には、「1匹」と数えますが、ひとたび商品となって市場に出ると「1杯」と数えられます。商品になっても「1匹」で数えることはできますが、その場合は、活きの良さ、まるで生きているかのような新鮮さをアピールする場合に限られます。

イカを「1杯」と数える由来には、イカやタコを軟体動物の貝類の一種として「貝」と数えたことにちなむとする説もありますが、「1バイ」「2バイ」とは数えません。そのことから、「杯」という漢字にヒントが隠されていると考える説が有力です。「○△杯」と書かれた優勝カップやトロフィーの形を思い浮かべるとわかりやすいと思いますが、漢字の「杯」は胴の部分が丸く、中に水などを注ぎ込めるような甕型の容器を表しています。イカの胴体も、イカ飯やイカ徳利にできるような形になっており、漢字「杯」のイメージにぴったりするので、「杯」で数えるようになりました。そこから派生して、タコをイカと同じ「1杯」で数える数え方が出てきたと考えられています。また、カニの甲羅が丸く容器のような形をしているので、しばしば「1杯」で数えます。また、アワビの殻もそれに似ているので、「1杯」で数えることがあります。

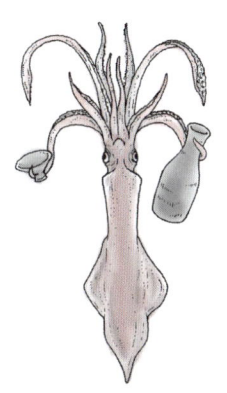

★＝英語数詞〔1（ワン）、2（ツー）、3（スリー）…〕などに付く　➡より詳しい解説のある項目へ　→関連項目などへ

いし ▶ いたガラス

数えるもの	数え方	数え方のポイント
		「灯」で数えます。「灯」は電灯などを数える語です。
いし【石】	▲個、●粒、▲片、▲石	「片」は取るに足らないものの意味で、破片や切片を数える語です。「一石を投じる」のように「石」でも数えます。石材の体積の単位には「才」「切」「切れ」などがあります。
いしうす【石臼】	▲基	➡臼
いしがみ【石神】	▲体	「体」は民間信仰の石神などを数える語です。
いしどうろう【石灯籠】	▲基	➡灯籠
いしぼとけ【石仏】	▲尊	「尊」は石仏・地蔵を数える語です。
いしょ【遺書】	▲通、▲枚	遺書すら残されていないことを強調する場合、「遺書1本残さずに」のように「本」を用いることもあります。
いしょう【衣装・衣裳】	▲着、▲点	➡服
いす【椅子】	▲脚、▲台、▲個、▲本	脚が出ている椅子は「脚」で数えます。脚のない椅子は「台」「個」でも数えます。商品項目として椅子を数える場合は「本」を用いることもあります。 →家具
いずみ【泉】	●つ、▲泉	文語では「泉」で数えることがあります。
いせき【遺跡】	●つ、▲遺跡	石室など、遺跡を構成するものは「基」で数えます。
いせつ【異説】	▲説、●つ	「説」は説明・仮説・異説などを数える語です。
いそぎんちゃく【磯巾着】	▲匹、▲株	動物の一種なので「匹」で数えますが、「株」で数えることもあります。
いた【板】	▲枚	
いたい【遺体】	▲体、●人、▲人	遺体の身元がわからない場合、生き物の死骸を数える「体」を用いますが、身元がわかった時点で「人」で数えます。「古墳から遺体3体発掘」「行方不明になっていた3人の遺体発見」
いたガラス【板ガラス】	▲枚	

▲=漢語数詞〔一(いち)、二(に)、三(さん)…〕などに付く　●=和語数詞〔一(ひと)、二(ふた)、三(み)…〕などに付く

数えるもの	数え方	数え方のポイント
いたチョコ〔板チョコ〕	★枚	
いち〔市〕	•つ	
いちご〔苺〕	★株、★粒、•個、▲•★パック、★箱	植物として「株」で数えます。果実は「粒」「個」で数えます。小売単位は「パック」「箱」など。➡果物
いちょう〔銀杏〕	★本、★株、★樹、★木、★枚、★葉	イチョウの樹木は「本」「株」「樹」「木」などで数えます。イチョウの葉は「枚」「葉」で数えます。銀杏は「粒」「個」で数えます。
いちりんしゃ〔一輪車〕	★台	土砂を運ぶ一輪車(猫車)も「台」で数えます。
いでんし〔遺伝子〕	•つ、•個	
いと〔糸〕	★本、•筋、•巻き、★束、•把、•綛、★軸、★枚	糸は「本」「筋」で数えます。紡錘でつむいだ糸をかけて巻きとる工具のことを「綛」といい、巻いた糸の束を「綛」で数えます。同様に、束ねた糸は「束」「把」でも数えます。軸に巻きつけた糸は「軸」で数えます。紙や板に巻き取った糸を「枚」で数えることもあります。糸の太さを表す単位は「番」「番手」。糸の重さの単位は「梱」で、糸の種類によって基準が異なります。
いど〔井戸〕	★本、★基	井戸の穴は細長く掘るので「本」で数えます。また、井戸は据えてあるものなので「基」でも数えます。
いとぐるま〔糸車〕	★台	
いとこんにゃく〔糸蒟蒻〕	★本、•束、•玉、•丁、•袋	小売単位は「束」「玉」を用います。豆腐の数え方から派生した「丁」も用います。袋詰めなら「袋」でも数えます。
いとのこ〔糸鋸〕	★挺(丁)、★本	電動式の糸鋸は「台」で数えます。
いとまき〔糸巻き〕	★本	➡糸
いとわく〔糸枠〕	★台	つむいだ糸を巻き取る枠のことで「台」で数えます。
いなかけ〔稲掛け〕	★架	「架」は棒を渡して物を吊るすものを数える

★=英語数詞〔1(ワン)、2(ツー)、3(スリー)…〕などに付く　➡より詳しい解説のある項目へ　→関連項目などへ

数えるもの	数え方	数え方のポイント
		語です。
いなりじんじゃ[稲荷神社]	▲社、▲座、▲宇	➡神社
いなりずし[稲荷鮨]	▲個	➡鮨
イニング[inning]	▲回、▲★イニング	野球で1人の投手が投げぬいた回の数を「イニング」で数えます。
いにんじょう[委任状]	▲通、▲枚	
いぬ[犬]	▲匹、▲頭 ▲犬	原則として、人間が抱きかかえられる程度の大きさの小型・中型犬は「匹」で数え、それよりも大きい犬は「頭」で数えます。盲導犬・救助犬・麻薬捜査犬などの、人間が訓練を施した犬は、体のサイズとは関係なく「頭」で数える傾向があります。 文語では「犬」で数えることもあります。「一犬虚に吠ゆれば万犬実を伝う」 ➡動物
いぬごや[犬小屋]	▲個、●つ、▲棟、▲軒	「棟」は人が生活していない離れの小屋(手洗い所・書庫・物置)や車庫なども数える語です。犬を家族の一員と見立てて、犬小屋を「軒」で数えることもできます。
いぬぞり[犬橇]	▲台	
いね[稲]	▲本、●株、●束、▲束、▲把	植物としては「本」「株」で数え、刈り取った稲は「束」「把」で数えます。「把」は人間の片手でまとめられる分量を表す語です。稲は10把で「1束」と数えます。
いのしし[猪]	▲頭、▲匹	まれに蹄を表す「蹄」で数えることがあります。 ➡動物
いのち[命]	●つ	事件や事故の犠牲者の数をいう場合、「つ」を用いてその生命を数えます。「かけがえのない1つの命」
いはい[位牌]	●柱、▲基	「柱」は神や神体・神像・遺骨などを数える語で、そこから位牌も数えます。墓を数える「基」を用いることもあります。

▲=漢語数詞[一(いち)、二(に)、三(さん)…]などに付く　●=和語数詞[一(ひと)、二(ふた)、三(み)…]などに付く

数えるもの	数え方	数え方のポイント
いひん[遺品]	★点	
いふく[衣服]	★枚、★着、★点、★組	➡着物 ➡服
いぼ[疣]	★個、★つ	
いまがわやき[今川焼き]	★個	
いみ[意味]	★つ	
いむしつ[医務室]	★室、★部屋	
イメージ[image]	★つ、★枚、★点、★図	想像としてのイメージ像は「つ」で数えます。画像の場合は「枚」、作品として数える場合は「点」を用います。説明に用いる挿絵は「図」でも数えます。 ➡画像
いも[芋]	★個、★本、★山、★袋、★箱	ジャガイモ・サトイモなどは「個」、サツマイモ・ヤマイモは「本」で数えます。小売単位は「山」「袋」「箱」など。
いもばん[芋版]	★本、★個	
イヤホン[earphone]	★個	イヤホンは「個」で数えます。音源となるラジオなどの本体がなければ使うことができないものは、ふつう「台」では数えません。 ➡ヘッドホン
いやみ[嫌み]	★言、★つ	「嫌みの1つも言ってやれ」のようにも使います。
イヤリング[earring]	★個、★組、★対、★点	イヤリングの片方は「個」(輪状のものや細長いものは「本」でも数えます)で、左右2個がそろって「ひと組」「1対」と数えます。商品としては左右そろって「点」で数えます。 ➡ピアス
イラスト	★枚、★点、★図	イラストレーションの略で、作品としては「点」で数えますが、説明を助ける挿絵は「図」でも数えます。 ➡図
いりぐち[入り口]	★箇所、★つ	
いるい[衣類]	★枚、★着、★点、	➡着物 ➡服

★=英語数詞〔1(ワン)、2(ツー)、3(スリー)…〕などに付く　➡より詳しい解説のある項目へ　➡関連項目などへ

数えるもの	数え方	数え方のポイント
	●組	
いるか〔海豚〕	▲頭	「匹」で数えることもあります。➡動物
イルミネーション〔illumination〕	▲本、▲灯	細長いものは「本」で数えます。「灯」は電灯を数える語です。→ネオン
いれば〔入れ歯〕	▲枚	総入れ歯は上下2枚で「ひと組」と数えます。（専門的に）義歯の数は「床」で数えます。→歯
いろ〔色〕	▲色、▲色、▲種類、▲種、▲★カラー、●つ	「色」は異なった色彩語を持つ色を個別に数え上げる語です。「緑と青の2色をまぜる」それに対し、「種」「種類」は色の系統を数えます。「暖色と寒色の2{種｜種類}をあしらった部屋」「カラー」はもっぱらファッションやデザイン関係で色数を示すのに用いる語です。「メークで差がつく3(つの)カラー」
	▲彩	「彩」は添えられた彩り、色を雅語的に数える語です。
いろがみ〔色紙〕	▲枚	➡紙
いろり〔囲炉裏〕	▲基	据えてあるものなので「基」で数えます。
いわ〔岩〕	▲個、▲枚	固く大きいものであることを強調する場合は、「一枚岩」のように「枚」で数えます。
いわし〔鰯〕	▲匹、▲尾	目刺しに加工されると「連」、開きに加工されると「枚」で数えます。➡魚
いわだたみ〔岩畳〕	▲面、▲枚	
いんがし〔印画紙〕	▲枚	➡紙
いんかん〔印鑑〕	▲本、▲個、●つ	印鑑は「本」でも「個」でも数えます。印鑑だけで処理することを「印ひとつで済ます」といいます。印影は「個」で数えます。
	▲顆	「顆」は小さい丸いものを表し、印判・印章を数える語です。
いんかんしょうめい〔印鑑証明〕	▲通	

▲＝漢語数詞〔一（いち）、二（に）、三（さん）…〕などに付く　●＝和語数詞〔一（ひと）、二（ふた）、三（み）…〕などに付く

インク ▶ いんろう

数えるもの	数え方	数え方のポイント
インク[ink]	★本、★色	インクカートリッジは「本」「個」で数えます。→ カートリッジ
インクスタンド[inkstand]	★台、★個	
インクリボン<和製語>	★本、★巻き	
いんげんまめ[隠元豆]	★莢、★個、★粒、★袋、★山、★把、★束	豆のさやは「莢」「個」などで数え、中の豆は「粒」で数えます。小売単位は「袋」「山」「把」「束」など。 ➡ 豆
いんさつき[印刷機]	★台	
いんさつぶつ[印刷物]	★枚、★部、★刷、★折	「刷」は印刷物を刷った回数を数える語です。特に、出版物で改版をせずに印刷した回数を数えます。「第2版第1刷」「折」は折り重ねたもの、半紙・印刷物を数える語です。
いんし[印紙]	★枚	
いんしょう[印章]	★個、★本、★顆	➡ 印鑑
いんせき[隕石]	★個	➡ 石
インタビュー[interview]	★つ、★本、★回、★度	番組や記事などに使うインタビューの数は「つ」で数えます。「この事件のニュースではインタビューを3つ入れる」 インタビューを取材として行ったり、受けたりした数は情報項目を数える「本」を用います。「月2本のインタビューを受ける」「世界中で取材された70本のインタビューを収録」 同じ人にインタビューを繰り返して行う場合は「回」「度」で数えます。
インナーウエア	★枚	➡ 下着
いんばん[印判]	★個、★本、★顆	➡ 印鑑
いんよう[引用]	★文、★節、★段落	引用する部分や量に応じて数え分けます。
いんろう[印籠]	★合、★具、★具	「合」は蓋のある容器を数える語です。「具」は必要なものを備えることを表し、一揃いの用具を数える語です。

★=英語数詞〔1（ワン）、2（ツー）、3（スリー）…〕などに付く　➡ より詳しい解説のある項目へ　→ 関連項目などへ

う

数えるもの	数え方	数え方のポイント
う【鵜】	▲羽(わ)	➡鳥
ウイスキー【whisky】	▲本、●瓶(びん)、▲★ボトル、●樽(たる)、▲杯(はい)、★ショット	ボトルは「本」「瓶」「ボトル」、樽は「樽」で数えます。強い酒1杯を「ワンショット」といいます。アルコールの注いだ量によって、約30mlを「シングル」、約60mlを「ダブル」といいます。グラス単位では「杯」で数えます。
ウイルス【virus ラテ】	▲種(しゅ)、▲種類(しゅるい)、●個	コンピューターウイルスなどを、生き物にたとえて「匹」で数えることがあります。
ういろう【外郎】	▲本、●個、●棹(さお)	切る前の棒状のものは「本」、切ったものは「切れ」で数えます。切って売っているものは「個」で数えることもあります。棒状にして作る菓子は棹物菓子(さおものがし)と呼ばれます。
ウイング【wing】	▲枚(まい) ▲棟(とう)	翼は「枚」で数えます。チキンウイング(手羽肉)の意味では「本」で数えます。➡翼(つばさ) 建物の左右に伸びた部分を翼にたとえる場合は「棟」で数えます。
ウインドー【window】	▲枚(まい)、●つ	窓の場合は「枚」、パソコン画面のウインドーは「つ」でも数えます。
ウィンナ	▲本	ウィンナソーセージの略で「本」で数えます。小売単位は「袋」「パック」など。
ウエア【wear】	▲枚(まい)、▲着(ちゃく)	➡服(ふく)
うえき【植木】	▲本、●株(かぶ)、●株(しゅ)、▲鉢(はち)	土植えは「株」、鉢植えや盆栽は「鉢」で数えます。
うえきばち【植木鉢】	▲個、●鉢(はち)	➡鉢(はち)
ウエットスーツ【wet suit】	▲着(ちゃく)	マリンスポーツで多用される潜水服のことで、「着」で数えます。
ウエディングケーキ【wedding cake】	▲台	小さいものは「個」で数えることもあります。
ウエディングドレス	▲着(ちゃく)	➡服(ふく)

▲=漢語数詞〔一(いち)、二(に)、三(さん)…〕などに付く　●=和語数詞〔一(ひと)、二(ふた)、三(み)…〕などに付く

数えるもの	数え方	数え方のポイント
【wedding dress】		
ウエハース【wafers】	★枚	
ウオーターシュート【water chute】	★基	比較的大きな遊戯施設は「基」で数えます。
うおのめ【魚の目】	★個、•つ	
うき【浮き】	★個、★本、★基、★台	釣り具の浮きは「個」「本」で、浮標・ブイは設置されているため「基」「台」「本」で数えます。
うきくさ【浮き草】	★本、•株、•片	植物としては「本」「株」で数えます。水面に浮いている草は「片」で数えます。
うきぶくろ【浮き袋】	★点、•つ、★個	救命用具として数える場合は「点」で数えます。
うきよえ【浮世絵】	★枚、•点	作品を数える場合は「点」で数えます。
うきわ【浮き輪】	★本、•個	→ 浮き袋
ウクレレ【ukulele】	★台、★本	➡ 楽器
うけしょ【請け書】	★通、★枚	
うこん【鬱金】	★本、•株	植物としては「本」「株」で数えます。根茎は「本」で数えます。
うさぎ【兎】	★匹、★羽	慣習的に「羽」で数えますが、動物として数える際は「匹」が適当です。地域によってはウサギ2羽で「ひと耳」と数えることがあります。また、鳥類とウサギをまとめて「羽」で数えることができます。「小学校の校庭でニワトリとウサギ合わせて20羽を飼育」➡ 動物 → コラム②に関連事項(p.31)
うし【牛】	★頭、•蹄	馬の数え方から派生して、牛を「蹄」で数えることもあります。 → 馬 ➡ 動物
うす【臼】	★基、•据え	据えて使う器具なので「基」「据え」で数えます。
うず【渦】	•つ	
うそ【嘘】	★言、•つ	
うた【歌】	★曲、★番	「番」は順序や回数を表すことから、同じメロ

★=英語数詞〔1(ワン)、2(ツー)、3(スリー)…〕などに付く ➡ より詳しい解説のある項目へ → 関連項目などへ

うたい ▶ うでわ

数えるもの	数え方	数え方のポイント
		ディーで歌う異なった歌詞の部分を「1番」「2番」と数えます。
	▲編	「編」は詩歌などの文書を数える語です。
	▲首	和歌や短歌は「首」で数えます。
うたい【謡】	▲番、●節	「節」は歌の曲節・旋律を数える語です。節のひと区切りを「段」で数えることもあります。
うたげ【宴】	▲席、●つ	「席」は宴会・会合を数える語で、「酒宴を一席設ける」のようにいいます。
うだつ【梲】	▲本	柱の一種なので「本」で数えます。
うちあげはなび【打ち上げ花火】	▲発、▲本	➡花火
うちかけ【打ち掛け】	▲領、▲枚	もともとは武家の婦人の礼服だったため、鎧と同じ「領」で数えます。現在の結婚式などで羽織るものは「枚」で数えます。 ➡着物
うちゅうステーション【宇宙ステーション】	▲基	
うちゅうせん【宇宙船】	▲隻、▲機	船として扱う場合は「隻」、飛行機として扱う場合は「機」で数えます。 ➡乗り物
うちゅうふく【宇宙服】	▲着	
うちわ【団扇】	▲枚、▲本	柄がついているので、「柄」「柄」で数えることもあります。 →扇 →扇子
うつぼ【鱓】	▲匹	
うつわ【器】	▲個、▲枚、▲口	「口」は壺や釜などの口の開いている器を数える語です。 ➡皿
うで【腕】	▲本	→アーム
うでぎ【腕木】	▲本	
うでずもう【腕相撲】	▲番	➡相撲
うでどけい【腕時計】	▲本、▲個、▲点	ベルトのついているものは「本」、ムーブメント（文字盤）の部分のみは「個」「台」で数えます。商品としては「点」で数えます。 ➡時計
うでわ【腕輪】	▲本、●個	

▲＝漢語数詞〔一（いち）、二（に）、三（さん）…〕などに付く　●＝和語数詞〔一（ひと）、二（ふた）、三（み）…〕などに付く

数えるもの	数え方	数え方のポイント
うどん【饂飩】	★本、★杯、★枚、★把、★束、★袋、★箱、★玉、★食	ばらばらの麺は「本」、椀に盛ると「杯」で数えます。ざるうどんにすると「枚」で数えることもあります。乾麺は「把」「束」、袋入りの生麺や冷凍麺などは「玉」「食」でも数えます。
	★丁	飲食店での注文の際、「丁」を用いて椀数を数えることがあります。
うなぎ【鰻】	★匹、★尾、★本、★串、★枚	生き物として扱う場合は「匹」で数えます。食材として扱う場合は「尾」「本」で数えます。開いて蒲焼きや白焼きにしたものは「串」「枚」などで数えます。
うに【海胆】	★個、★腹、★匹	食用部分を魚の卵と同じ「腹」で数えます。生物としては「匹」でも数えます。
うね【畝】	★本	
うぶぎ【産着】	★枚	古くは「重ね」でも数えました。

コラム 2 COLUMN 〈ウサギは鳥の一種？名前と数え方の由来の謎〉

しばしばクイズなどで、「ウサギの数え方は？」という問題が出され、「1羽」が正解とされます。鳥でもないのに、なぜウサギは「羽」で数えるのでしょうか？

ウサギを「1羽」「2羽」と数える由来には諸説あります。獣を口にすることができない僧侶が二本足で立つウサギを鳥類だとこじつけて食べたためだという説や、ウサギの大きく長い耳が鳥の羽に見えるためだとする説などが有力です。

それだけでなく、ウサギの数え方の謎は、ウサギの名前の由来とも少なからず関係があるようです。ウサギの「う」は漢字の「兎」に当たるものですが、残りの「さぎ」はどこから来ているのかはっきりしたことが分かりません。一説では、「さぎ」は兎の意味を持つ梵語「舎舎迦」から転じたものだとか、朝鮮語から来ているとされています。さらに、「さぎ」に鳥のサギ（鷺）を当てたとする俗説まであります。仮に、ウサギが「兎鷺」と解釈され、言葉の上では鳥の仲間と捉えられていたとしたら、「羽」で数える習慣が生まれても不思議ではありません。

現代では、ウサギを「羽」で数えることは少なくなり、鳥類とウサギを「羽」でまとめて数える場合以外は、「匹」で数えます。

★=英語数詞〔1（ワン）、2（ツー）、3（スリー）…〕などに付く　➡より詳しい解説のある項目へ　→関連項目などへ

うま ▶ うんこう

数えるもの	数え方	数え方のポイント
うま【馬】	▲頭、（古くは）▲匹、▲蹄、▲騎、▲乗	馬はもともと「匹」で数えましたが、のちに「頭」で数えるようになりました。 → コラム⑫に関連事項 (p.211) 「蹄」はひづめのことで、そこから馬を数えます。馬の4本の脚にそれぞれ1蹄ずつついているので、4蹄で「1頭」と数えます。人が騎乗しているものは「騎」で数えます。かつて、兵車は馬4頭で引いたことから、馬4頭で「1乗」と数えました。競馬で、例えば1着と2着の差がどれくらいあったかを「馬身」を目安に表します。「1馬身半の差で重賞連覇」 → 牛 ➡ 動物
うまや【馬屋・厩】	▲棟、●棟	
うみ【海】	●つ、▲海	文語では「七海を渡る」のように、「海」で数えます。通常は「つ」を用います。
うめ【梅】	▲本、▲株、▲樹、▲木、▲輪、▲個、●粒	梅の木は「本」「株」「樹」「木」などで数えます。花は「輪」、果実は「個」「粒」で数えます。花のついた枝は「枝」で数えます。「紅梅ひと枝」
うめぼし【梅干】	▲個、●粒	小売単位は「樽」「箱」「パック」「袋」などを用います。
うもう【羽毛】	▲片、▲枚、▲本	→ 羽
うり【瓜】	▲個、▲本、▲顆	古くは、ウリやユズなど、玉のように丸い果物全般を「顆」で数えました。 ➡ 野菜
うりち【売り地】	▲●区画	➡ 土地
うりば【売り場】	▲箇所、●つ	
うろこ【鱗】	▲枚、▲片、▲鱗	「鱗」はうろこを数える語です。
うわがき【上書き】	▲筆	
うわがけ【上掛け】	▲枚	
うわしき【上敷き】	▲枚	
うわばき【上履き】	▲足	
うんこう【運行】	▲本、▲便	電車やバスなどが決まった路線を、頻繁に（日に複数回）運転される場合は「本」、船や飛

▲＝漢語数詞〔一 (いち)、二 (に)、三 (さん) …〕などに付く　●＝和語数詞〔一 (ひと)、二 (ふた)、三 (み) …〕などに付く

うんどうかい ▶ えいが

数えるもの	数え方	数え方のポイント
		行機などが、遠距離を定期的に行き来する目的で運転される場合は「便」で数えます。
うんどうかい[運動会]	★つ、★回	恒例で行われる運動会の開催数は「回」で数えます。「第20回大運動会」
うんどうぎ[運動着]	▲着、▲枚	上下が組になっているものは「着」で数えます。 ➡服
うんどうじょう[運動場]	▲面、★つ	
うんぱん[雲版]	▲枚	寺で合図をするために鳴らす鉄や銅でできた雲形の板のことで、「枚」で数えます。

え

数えるもの	数え方	数え方のポイント
え[柄]	▲本	
え[絵]	▲枚、▲点	➡絵画
エアガン[air gun]	▲挺(丁)	➡銃
エアコン	▲台、▲基	エアコンディショナーの略で、建物に据え付けてあるものは「基」でも数えます。
エアコンプレッサー[air compressor]	▲台	空気圧縮機のことで、「台」で数えます。
エアバッグ[air bag]	▲枚、▲個	ふくらまない状態では「枚」、ふくらむと「個」で数えます。
エアポート[airport]	★つ、★空港	→空港
えい[鱝]	▲匹	食用ではありませんが、まれに「枚」でも数えます。 ➡魚
えいが[映画]	▲本、▲作、▲作品 ★巻き、▲巻	映画の作品数・上映数は「本」で数えます。細長い映画のフィルムが、巻かれた状態でひとつの作品として扱われることに由来します。作品として扱う場合は「作」「作品」で数えます。映画のフィルム本体を数える場合は「巻き」も用います。映画フィルムの長さの単位は「巻」で表し、例えば、35ミリフィル

★=英語数詞〔1(ワン)、2(ツー)、3(スリー)…〕などに付く　➡より詳しい解説のある項目へ　→関連項目などへ

えいがかん ▶ えざら

数えるもの	数え方	数え方のポイント
		ムでは305m、8ミリフィルムでは61mで「1巻」となります。映画の場面は「齣(コマ)」「カット」「シーン」「場面」などで数えます。
えいがかん【映画館】	▲軒、▲館	映画を上映する映写幕は「スクリーン」で数えます。
えいぎょう【営業】	▲件	業務としてこなす営業活動を「本」で数えることがあります。「今日は3本の営業をこなした」
えいせい【衛星】	▲基、▲個、▲台	→ 人工衛星 ➡ 星
えいぞう【映像】	●つ	→ 映画 → テレビ → ビデオテープ
えいれい【英霊】	●柱	「柱」は日本古来の神や神体・神像・遺骨を数える語です。
エーティーエム【ATM】	▲台、▲基	現金自動預け払い機のように、据え付けてある機械は「基」でも数えます。
えき【駅】	●駅、●つ	会話などでは「つ」で数えることもあります。「あと3つで新宿に到着する」
えきしょうがめん【液晶画面】	▲枚、▲面	
えきしょうテレビ【液晶テレビ】	▲台	薄さを強調するために「枚」で数えることがあります。
エキスパンダー【expander】	▲本	両手または手と足で伸縮させる筋肉鍛錬のための運動用具のことで、「本」で数えます。ばねの数は「4連式」のように表します。
えきたい【液体】	▲滴、▲杯など	➡ 水
えきビル【駅ビル】	▲棟	➡ ビル
えきべん【駅弁】	▲個、●折、▲食	折り箱に入ったものは「折」で数えます。
えくぼ【笑窪】	●つ	
エクレア【éclair フ랑ス】	▲個	
えさ【餌】	●片、▲食	餌を与える動作は「回」「度」で数えます。
えざら【絵皿】	●枚、▲点	美術品の場合は「点」で数えます。 ➡ 皿

▲=漢語数詞〔一(いち)、二(に)、三(さん)…〕などに付く　●=和語数詞〔一(ひと)、二(ふた)、三(み)…〕などに付く

数えるもの	数え方	数え方のポイント
えしゃく【会釈】	▲礼、▲回、▲度	「礼」は会釈の回数を数える語です。「一礼して退出する」
エスカレーター【escalator】	▲基、▲本、▲台	建物に据えてあるものなので「基」で数えます。設置数をいう場合、「本」を用いることもあります。乗り物としては「台」で数えることもできます。
エステ	▲軒、▲店	エステティックの略で、店舗は「軒」「店」で数えます。施術回数は「回」「度」で数えます。
エスプレッソ【espresso イタリア】	▲杯	➡ コーヒー
えだ【枝】	▲本、•枝	
えだげ【枝毛】	▲本	
えだまめ【枝豆】	•莢、•個、•粒、•袋、•山、•把、•束	豆のさやは「莢」「個」などで数え、中の豆は「粒」で数えます。小売単位は「袋」「山」「把」「束」など。 ➡ 豆
エチケットブラシ	▲本、▲個	服についたほこりなどを取り除く道具で、柄のついたものは「本」でも数えます。
エッジ【edge】	▲本	スキー板やスケート靴の滑走する面の両端部分のことで、「本」で数えます。
エッセー【essay】	▲編、▲本	→ 随筆
エディター【editor】	•人、▲人、•つ、▲個	編集者を指す場合は「人」で数えます。コンピューターの文書作成編集用プログラムの場合は、商品として数えるときは「本」「点」でも数えます。 → ソフトウエア
エナメルせん【エナメル線】	▲本	
えのきだけ【榎茸】	•株、•袋、▲•★パック	小売単位は「袋」「パック」などを用います。 ➡ 茸
えのぐ【絵の具】	▲本、•色、•色、•箱	絵の具のチューブは「本」、色の数をいうときは「色」で数えます。「絵の具ふた色を混ぜ合わせる」 複数の絵の具がまとめて箱に入っている場合は「箱」で数えます。
えはがき【絵葉書】	•枚、•葉	➡ 葉書

★＝英語数詞〔1（ワン）、2（ツー）、3（スリー）…〕などに付く　➡ より詳しい解説のある項目へ　→ 関連項目などへ

数えるもの	数え方	数え方のポイント
えび〔海老〕	▲匹、▲尾、▲本	生物として扱う場合は「匹」で、商品として扱う場合は「尾」「本」などで数えます。小売単位は「パック」「袋」など。
エピソード〔episode〕	▲話、●つ	
えびフライ〔海老フライ〕	▲本	➡ フライ
えびら〔箙〕	●腰	矢を入れて腰につける道具のことです。「腰」は腰に携帯する武具を数える語です。
えふだ〔絵札〕	▲枚	
えふで〔絵筆〕	▲本、▲管、▲茎	「管」「茎」が筆の軸を表すことから、筆も同じ数え方をします。
エプロン〔apron〕	▲枚、●掛け	「掛け」はエプロンなどの体の前面にかけるものを数える語です。
えぼし〔烏帽子〕	●頭	「頭」は烏帽子・兜などの頭にかぶるものを数える語です。
えほん〔絵本〕	▲冊、▲点	商品や作品としては「点」で数えます。 ➡ 本
えま〔絵馬〕	▲枚、▲体、▲点	馬の代わりに馬の絵を描いたものを奉納したのが絵馬の始まりであるところから、神仏を数える「体」でも数えます。作品や美術品として数える場合は「点」を用います。
えまきもの〔絵巻物〕	▲巻、▲本、▲軸、▲幅	書物としての巻き物は「巻」、掛け軸にしたものは「本」「軸」で数えます。掛け物・軸物などは「幅」でも数えます。
エメラルド〔emerald〕	▲個、●粒、▲顆、▲点など	➡ 宝石
えもじ〔絵文字〕	●つ、▲字	➡ 文字
えもの〔獲物〕	▲匹、▲頭	魚の場合はその形に応じて「尾」「本」などでも数えます。
えもんかけ〔衣紋掛け〕	▲本	
えら〔鰓〕	▲枚	
えり〔襟〕	▲枚、●掛け	「掛け」は(着物の)掛け襟を数える語です。
えりあて〔襟当て〕	▲枚	

▲=漢語数詞〔一(いち)、二(に)、三(さん)…〕などに付く　●=和語数詞〔一(ひと)、二(ふた)、三(み)…〕などに付く

えりしん ▶ えんだん

数えるもの	数え方	数え方のポイント
えりしん【襟心】	★本	
えりまき【襟巻き】	★本、★枚	→ マフラー
エレキギター＜和製語＞	★本、★台	➡ 楽器 → ギター
エレクトーン【Electone】	★台	
エレベーター【elevator】	★基、★台	据えてあるものなので「基」で数えます。エレベーターを他の階へ移動する乗り物として扱う場合は「台」で数えます。「5{基｜台}のうち2{基｜台}しかこの階に止まらない」「満員のためエレベーターを2{○台｜×基}乗りすごす」
えん【円】	★個、°つ	→ 丸
えんか【演歌】	★曲	
えんかい【宴会】	★席、°つ	➡ 宴
えんグラフ【円グラフ】	★枚、★図、★点	➡ グラフ
えんげい【演芸】	★本、★席、★番	出し物の数は「本」で数えます。演目披露は「席」で数えます。「番」は人前で行われる勝負や演技を数える語です。
えんげき【演劇】	★本、★作、★作品、★回、★度、★公演	上演作品数は「本」で数えます。公演数は「回」「度」「公演」などで数えます。 ➡ 劇
エンジェル【angel】	★人、★人	➡ キャラクター → 天使
エンジン【engine】	★台、★基、★個、★発	乗り物に積まれたものは「台」で数えます。据えた状態で稼動するエンジンは「基」でも数えます。小さいものは「個」でも数えます。飛行機のエンジンの数は「単発」「双発」「3発」などで表します。
えんすい【円錐】	★個	
えんそうかい【演奏会】	★回、★公演	→ コンサート
えんだい【演題】	★題	
えんだい【縁台】	★脚、★台	
えんだん【縁談】	★件、★組	結婚の話がまとまった場合は「組」で数えま

★＝英語数詞〔1（ワン）、2（ツー）、3（スリー）…〕などに付く　➡ より詳しい解説のある項目へ　→ 関連項目などへ

えんちゅう ▶ おうふくはがき

数えるもの	数え方	数え方のポイント
		す。「3組の縁談が成立」
えんちゅう【円柱】	▲本	
えんどうまめ【豌豆豆】	●莢、▲個、●粒、●袋、●山、●把、●束	豆のさやは「莢」「個」などで数え、中の豆は「粒」で数えます。小売単位は「袋」「山」「把」「束」など。➡豆
えんとつ【煙突】	▲本、▲基	
えんばん【円盤】	▲枚、▲個	円盤投げの円盤は「個」で数えます。
えんぴつ【鉛筆】	▲本、▲ダース、▲箱	小売単位は鉛筆12本で「1ダース」です。「箱」でも数えます。
えんびふく【燕尾服】	▲着	上下が組になっているものは「着」で数えます。
えんもく【演目】	▲本、▲題	「本」は出し物の数を数える語です。

お

数えるもの	数え方	数え方のポイント
お【尾】	▲本	
お【緒】	▲本	糸や紐のことで、「本」で数えます。
オイスター【oyster】	▲枚、▲個	→牡蠣
オイル【oil】	▲本、●缶、●瓶	→油
おうかん【王冠】	▲個、●頭	「頭」は頭に載せる王冠などを数える語です。瓶の蓋の王冠は「個」で数えます。→冠
おうぎ【扇】	▲本、▲枚、●柄、●柄	扇は閉じると「本」、広げると「枚」で数えます。雅語的に「柄」「柄」で数えることもあります。古くは「面」「把」「握」などでも数えました。→団扇 →扇子
おうせつしつ【応接室】	●間、▲室、●部屋	→部屋
おうだんほどう【横断歩道】	▲本	→道
おうだんまく【横断幕】	▲枚	「張り」「本」で数えることもあります。→幕
おうふくはがき【往復葉書】	▲枚、▲通	往信と返信とがひと続きで「1枚」と数えます。投函されると「通」でも数えます。➡葉書

▲=漢語数詞〔一（いち）、二（に）、三（さん）…〕などに付く　●=和語数詞〔一（ひと）、二（ふた）、三（み）…〕などに付く

数えるもの	数え方	数え方のポイント
おうぼ[応募]	•口（くち）	「口」は申し込みや応募数を数える語です。
おおい[覆い]	▲枚（まい）	形状によりますが、薄いものは「枚」で数えます。
オーエッチピー[OHP]	▲台	オーバーヘッドプロジェクターの略。視聴覚教育装置のことで「台」で数えます。これを使って映し出すスライドは「枚」、スライドを映すスクリーンは「面」「枚」で数えます。
おおかみ[狼]	匹（ひき）、頭	➡ 動物（どうぶつ）
オーケストラ[orchestra]	団（だん）、座（ざ）	劇団を数える「座」で数えることがありますが、これはかつて芝居や興行団体を「座」といったことに由来します。
オーダー[order]	•つ、•丁（ちょう）、•品（しな）、•品（ひん）、•皿	飲食店などでの注文には「カツ丼1丁（ちょう）」のように「丁」を用いることがあります。これは「丁」に盛んであるさまを表す意味があることに由来し、大衆的な飲食店で店の雰囲気を活気付けるために用いられます。客が注文する際は、ふつう「カツ丼ひとつ」といいます。「ざる蕎麦（そば）1枚」の「枚」は「丁」よりも古い用法です。 ➡ コラム⑰に関連事項 (p.313)
おおだいこ[大太鼓]	▲面、▲張（ちょう）、▲個	➡ 太鼓（たいこ）
オートさんりん[オート三輪]	▲台	
オートバイ	▲台	オートバイシクルの略で、「台」で数えます。
おおば[大葉]	▲枚（まい）、•束（たば）	青ジソの葉のことで、「枚」で数えます。小売単位は「束」など。 ➡ 野菜（やさい）
オーバーオール[overall]	▲着（ちゃく）、▲枚（まい）	➡ 服（ふく）
オーバーコート[overcoat]	▲着（ちゃく）、▲枚（まい）	➡ 服（ふく）
オーバーシューズ【overshoes】	▲足（そく）	➡ 靴（くつ）
おおばん[大判]	▲枚（まい）	昔の金貨のことで、「枚」で数えます。
おおばんやき[大判焼き]	▲個	➡ 菓子（かし）

★=英語数詞（1（ワン）、2（ツー）、3（スリー）…）などに付く　➡ より詳しい解説のある項目へ　➡ 関連項目などへ

オーブン ▶ おけ

数えるもの	数え方	数え方のポイント
オーブン【oven】	▲台	
オープンカー【open car】	▲台	➡車(くるま)
オーブントースター【oven-toaster】	▲台	
オーボエ【oboe イタリア】	▲本	➡楽器(がっき)
オール【oar】	▲本	ボートをこぐ櫂(かい)のことで、「本」で数えます。
オーロラ【aurora】	▲面、▲枚(まい)	あまり数えることはありませんが、カーテン状の光は「面」「枚」で数えます。
おか【丘】	▲丘(きゅう)	「丘」は丘陵を数える語です。高い丘などは、山を数える「座」を用いて数えることもあります。➡山(やま)
おかざり【お飾り】	▲本	正月のしめ飾りは「本」で数えます。➡松飾(まつかざ)り
オカリナ【ocarina イタリア】	▲本	鳩笛(はとぶえ)に似た楽器のことで、「本」で数えます。
おがわ【小川】	▲本、●筋(すじ)、●条(じょう)、●流れ	通常「本」で数えますが、「筋」「条」「流れ」などで数えることもあります。「条」は枝分かれしているさまを表す語です。➡川(かわ)
おきて【掟】	●つ	
おきどけい【置時計】	▲個、▲台	➡時計(とけい)
おきもの【置物】	▲個、▲点	作品として数える場合は「点」を用います。
おくば【奥歯】	▲本	➡歯(は)
オクラ【okra】	▲本、●袋(ふくろ)、▲●パック、▲●ネット、●山(やま)	食材としてのオクラは「本」で数えます。小売単位は「袋」「パック」「ネット」「山」など。
おくりさき【送り先】	▲件、●つ	
おくりじょう【送り状】	▲通、▲枚(まい)	インボイスともいい、「通」「枚」で数えます。
おくりもの【贈り物】	▲個、▲点、▲件	デパートなどが扱う贈答品の種類や商品の数を数える場合は「点」で、注文数や配達数は「件」で数えます。
おくれげ【後れ毛】	●筋(すじ)	
おけ【桶】	▲個、▲本、▲荷(か)	桶はもともとは筒形の丸い容器を指したた

▲=漢語数詞〔一(いち)、二(に)、三(さん)…〕などに付く　●=和語数詞〔一(ひと)、二(ふた)、三(み)…〕などに付く

数えるもの	数え方	数え方のポイント
		めに、慣習的に「本」で数えます。「荷」は出前などに使う、持ち手のある桶を数える語です。天秤棒に提げると、桶12個で「1荷」と数えます。
おこない[行い]	★つ、★行	「行」は行いを表す語で、数詞は「一」を伴います。「一言一行」
おこのみやき[お好み焼き]	★枚、★皿	切り分けたものは「切れ」で数えます。
おさ[筬]	★枚	織機に付属する糸位置を整える扁平な器具のことで「枚」で数えます。
おさげ[お下げ]	★本	三つ編みにした髪の房を「本」で数えます。
おしがみ[押し紙]	★枚、★片	
おじぎ[お辞儀]	★礼、★回、★度	
おしずし[押し鮨]	★本、★箱	➡鮨
おしばな[押し花]	★枚、★本、★点	
おしぼり[お絞り]	★本、★枚	飲食店などで客に出す棒状のものは「本」で数えます。使用済みのものは「枚」で数えます。紙製の手拭きは「枚」でも数えます。
おしょく[汚職]	★件	
おしろい[白粉]	★個、★点	コンパクトに入っているものは「個」で数えます。 ➡化粧品
オセロゲーム<和製語>	★局、★番、★回	「局」「番」は盤で行う勝負事を数える語です。駒は「枚」、盤は「面」で数えます。
おたまじゃくし[お玉杓子]	★本	汁物を配膳する際に用いる道具は「本」で数えます。
	★匹	カエルの子は「匹」で数えます。
おちば[落ち葉]	★枚、★葉	➡葉
おっとせい[膃肭臍]	★頭	
おとしだま[お年玉]	★封、★包み	「封」は「金一封」のように、書状・包物などの封じたものを数える語です。包んだ贈答品や金品は「包み」でも数えます。
おどり[踊り]	★差し、★手	日本舞踊の踊りは「差し」で数えます。「手」

★=英語数詞[1(ワン)、2(ツー)、3(スリー)…]などに付く　➡より詳しい解説のある項目へ　→関連項目などへ

おなら ▶ オブジェ

数えるもの	数え方	数え方のポイント
		は舞や能など、決まって行う一連の動きや技を数える語です。
	▲曲、▲番	曲に合わせて踊る場合は、「曲」「番」などで数えます。
おなら	▲発、▲回、●つ	
おに【鬼】	▲匹（ひき）、●人（り/たり）、▲人（にん）	動物として扱う場合は「匹」、人間的な性格を持つものとして捉える場合は「人」でも数えます。 ➡ キャラクター → コラム④に関連事項(p.75)
おにぎり【お握り】	▲個、●つ	
おの【斧】	▲挺（丁）（ちょう）	「挺（丁）」は手に持って使う刃物類・用具・武器を数える語です。
おばけ【お化け】	▲匹（ひき）、●人（り/たり）、▲人（にん）	動物的・怪物的な性格を持つものとして扱う場合は「匹」で数えます。 → 幽霊（ゆうれい）
おび【帯】	▲本、▲枚（まい）、▲点、▲筋（すじ）、▲条（じょう）	細長い物を数える「筋」「条」を用いて数えることもあります。商品としては「点」でも数えます。
おびあげ【帯揚げ】	▲本	女帯の結び目が下がらないように、帯の中の結び目に当てる小幅の布のことで、「本」で数えます。
おびかわ【帯革】	▲本	ベルトのことで「本」で数えます。
おびじめ【帯締め】	▲本	女帯を結んだとき、解けないように帯の上から締める組紐などのことで、「本」で数えます。
おびのこ【帯鋸】	▲挺（丁）（ちょう）	「挺（丁）」は手に持って使う刃物類・用具・武器を数える語です。
オファー【offer】	▲件	申し込みのことで、「件」で数えます。「海外からのオファーが20件を超えた」
オフィス【office】	▲軒（けん）、▲箇所（かしょ）	→ 事務所（じむしょ）
オブジェ【objet】	▲基（き）、▲点	据えてあるものは「基」、作品としては「点」で数えます。

▲=漢語数詞〔一(いち)、二(に)、三(さん)…〕などに付く　●=和語数詞〔一(ひと)、二(ふた)、三(み)…〕などに付く

おふだ ▶ おりづる

数えるもの	数え方	数え方のポイント
おふだ【お札】	枚(まい)	
オブラート【oblaat オランダ】	枚(まい)、箱(はこ)	小売単位は「箱」を用います。
オペラ【opera イタリア】	本、回、度	作品数は「本」、上演数および鑑賞した回数は「回」「度」で数えます。
オペラグラス【opera glasses】	台、面	両眼をおおうものなので、「面」を用いることがあります。 → 双眼鏡(そうがんきょう)
おぼえがき【覚え書き】	通、枚(まい)	
おまもり【御守り】	枚(まい)、個	まれに「尊(そん)」で数えることもあります。
おみき【御神酒】	本、献(こん)など	➡ 酒(さけ)
おみくじ【御御籤】	本、体(たい)	神社で引くものは「体」で数えます。
おむつ【御襁褓】	枚(まい)	
オムレツ【omelet】	個、枚(まい)、皿、品(ひん)	➡ 料理(りょうり)
おもちゃ【玩具】	個、つ、箱(はこ)、台、点	形状や機能によって数え方はさまざまですが、通常は「個」「つ」で数えます。機械仕掛けの玩具は「台」でも数えます。商品としては「点」で数えます。
おもり【重り】	個	分銅(ふんどう)も「個」で数えます。
おり【檻】	基(き)、台、個	動物園などで地面や床に据えてある檻は「基」、移動式の檻は「台」で数えます。小型のケージは「個」でも数えます。
オリーブ【olive フランス】	本、株(かぶ)、粒(つぶ)、個	植物としては「本」「株」などで数えます。オリーブの実は「粒」「個」で数えます。
オリーブゆ【オリーブ油】	本、瓶(びん)、缶(かん)	小売単位は「瓶」「缶」を用います。 ➡ 油(あぶら)
おりがみ【折り紙】	枚(まい)、★パック	小売単位は「パック」を用います。「20色入りの折り紙を3パック購入」折り紙で折った作品は「点」で数えます。
おりづめ【折り詰め】	折(おり)	「折」は折り箱や折り詰め（折り箱につめた食品・菓子類）を数える語です。
おりづる【折り鶴】	羽(わ)	折り鶴は「羽」で数えます。折り鶴を束ねた千羽鶴は「連(れん)」「束(たば)」などで数えます。

★＝英語数詞〔1（ワン）、2（ツー）、3（スリー）…〕などに付く　➡ より詳しい解説のある項目へ　→ 関連項目などへ

数えるもの	数え方	数え方のポイント
おりばこ[折り箱]	●箱、●個、●折	折り箱に入れた食べ物や菓子類は「折」で数えます。細長いものは「本」でも数えます。
おりほん[折り本]	▲帖	「帖」は紙の一定の枚数をひとまとめにして数える語です。
おりもの[織物]	▲枚、▲反、▲匹(疋)	「匹(疋)」は布帛2反を単位として数える語です。2反で「1匹(疋)」です。➡ 反物
おりめ[折り目]	▲本、●つ	紙や布を折りたたんで作った筋目を「本」「つ」で数えます。
オリンピック[Olympics]	▲回、●つ	「二つのオリンピックでメダルを獲得」という表現などで「つ」を使います。
オルガン[orgão ポルトガル]	▲台	➡ 楽器
オルゴール[orgel オランダ]	▲台、●個	小形のものは「個」でも数えます。
オレンジ[orange]	▲個、●玉	➡ 蜜柑
おろしがね[下ろし金]	▲枚	
おんかい[音階]	●つ、▲音	1オクターブ中の個々の楽音を高低の順に配列したもののことで、邦楽は5音、洋楽は7音で構成されます。
おんがく[音楽]	▲曲	➡ 曲
おんさ[音叉]	▲本	楽器の音合わせに使う金属製のU字型の道具で、棒状であるところから「本」で数えます。
おんしつ[温室]	▲棟、●棟、●個、▲台、●室、●部屋	人が入れる大きさなら「棟」、小型のものは「個」「台」などで数えます。
おんせん[温泉]	▲湯、●湯、▲箇所、●つ	文語で、名湯地や湯治場を数える際に、「湯」を用いることがあります。湯治などで、7日間を1期として「ひと回り」と数えます。
おんどけい[温度計]	▲本、▲台	棒状のものは「本」で数えますが、デジタル表示などをする精密な温度計の場合は「台」で数えます。

▲=漢語数詞[一(いち)、二(に)、三(さん)…]などに付く　●=和語数詞[一(ひと)、二(ふた)、三(み)…]などに付く

か

数えるもの	数え方	数え方のポイント
か【蚊】	▲匹(ひき)	
が【蛾】	▲匹(ひき)	チョウとは異なり、「頭(とう)」では数えません。→蝶(ちょう)
ガーゼ【Gaze(ドツ)】	▲枚(まい)	
カーソル【cursor】	▲個、°つ	コンピューターの画面上で入力位置を示す印のことで、「個」「つ」で数えます。
カーディガン【cardigan】	▲枚(まい)、▲着(ちゃく)	上着として着る場合は「着」でも数えます。➡服(ふく)
カーテン【curtain】	▲枚(まい)、▲点(てん)、▲張(ちょう)、°張(は)り	商品やインテリア品としては「点」で数えます。幕のように張った状態のものは「張」「張り」でも数えます。
カート【cart】	▲台	小型の手押し車のことで、「台」で数えます。
カード【card】	▲枚(まい)	メッセージを記したものは「通」でも数えます。
カードリーダー【card reader】	▲台	カード読み取り機のことで、「台」で数えます。
カートリッジ【cartridge】	▲個、▲本	インクカートリッジは「本」で数えることもあります。 →インク
ガードル【girdle】	▲枚(まい)	➡下着(したぎ)
ガードレール【guardrail】	▲本	
カーナビ	▲台	カーナビゲーションシステムの略で、「台」で数えます。
カーブ【curve】	▲本、°つ、▲球(きゅう)、▲個、°つ	曲がった道は「本」「つ」で数えます。野球の投球を数える場合、「2球続けてカーブ」のようにいいます。「カーブ3{個｜つ}」とも数えます。
カーペット【carpet】	▲枚(まい)、▲本	➡絨毯(じゅうたん)
カーボンし【カーボン紙】	▲枚(まい)	
カーラー【curler】	▲本	髪をカールさせるための筒形の道具のこと

★＝英語数詞〔1（ワン）、2（ツー）、3（スリー）…〕などに付く　➡より詳しい解説のある項目へ　→関連項目などへ

数えるもの	数え方	数え方のポイント
		で、「本」で数えます。
ガーリック[garlic]	▲個、●かけ	➡大蒜（にんにく）
かい【貝】	▲個、▲枚、▲匹	食べ物として扱う場合は「個」で数えますが、ホタテなどの平面的な貝類は「枚」でも数えます。貝を生物として扱う場合は「匹」で数えることもできます。俗語で「貝（かい）」「貝（ばい）」と数えることもあります。
	●籠（かご）、●山（やま）、▲●★パック	貝の古い小売単位のひとつに「籠」があります。これは、貝が籠に入れて売られていたためです。現在は「山」「パック」などを用います。　➡貝殻（かいがら）
かいいん【会員】	●り/たり、●人（にん）、▲員	ある集団を構成する人員を「員」で数えることがありますが、その場合はもっぱら「一員」の形で使います。「クラブの一員になる」
かいいんしょう【会員証】	▲枚（まい）	
かいが【絵画】	▲枚（まい）、▲点、▲幅（ふく）	作品としては「点」で数えます。「幅」は掛け軸などの絵画を数える語です。絵画の大きさは「号」で表します。
かいがら【貝殻】	▲枚（まい）、▲個、▲片（へん）、●片（ひら）	形状によって数え方が異なりますが、平面的なものは「枚」、巻き貝などの立体的なものは「個」で数えます。貝殻のかけらや、小さい貝殻を「片」で数えることもあります。　➡貝（かい）
かいぎ【会議】	▲席（せき）、●つ、▲回、▲度、▲会議	「席」は宴会や会合の場を表し、会議や会合を数える語です。開催数は、定期的に開催される見込みなら「回」を、不定期で次回が予告されない場合は「度」を用いる傾向があります。「会議」は文語で「フォーラムでは環境に関する3会議が開催された」のように用います。
かいけん【会見】	▲席（せき）、●つ	開催数は「回」「度」で数えます。

▲=漢語数詞〔一（いち）、二（に）、三（さん）…〕などに付く　　●=和語数詞〔一（ひと）、二（ふた）、三（み）…〕などに付く

数えるもの	数え方	数え方のポイント
かいけん【懐剣】	★本、★振り など	➡ 刀
かいこ【蚕】	★匹、★頭	人間にとって、貴重な昆虫として蚕を「頭」で数えることがあります。 ➡ 虫 → 繭
かいごう【会合】	★席、★つ、★回、★度	➡ 会議
がいこつ【骸骨】	★体	➡ 骨
かいさつぐち【改札口】	★つ、★箇所	
かいし【懐紙】	★枚	
かいじゅう【怪獣】	★匹、★頭	➡ キャラクター
かいすいぎ【海水着】	★枚、★着	海水パンツや海水帽は「枚」、全身をおおう海水着は「着」で数えます。 → 水着
かいすうけん【回数券】	★枚、★組、★綴り	個々の券は「枚」、券のまとまりは「組」「綴り」などで数えます。
かいせん【回線】	★本、★回線	コード状のものとして扱う場合は「本」で数えます。通信に使用する回線数は「回線」でも数えます。
かいそう【海藻】	★本、★株、★枚	植物として扱う場合は「本」「株」などで数えます。コンブのように平面的なものは「枚」でも数えます。 → 藻
かいだん【階段】	★つ、★箇所、★本、★段	階段のある場所を数える場合は「箇所」を用います。細長い階段は「本」で数えます。階段の各段は「段」「つ」で数えます。
かいちゅうでんとう【懐中電灯】	★本、★個、★灯	「灯」は電灯を数える語です。
かいちゅうどけい【懐中時計】	★個	➡ 時計
かいづか【貝塚】	★つ、★貝塚	文語で「3貝塚で石器出土」のようにいいます。
かいてんとびら【回転扉】	★基	自動回転扉は「台」でも数えます。
かいてんもくば【回転木馬】	★基	➡ メリーゴーラウンド
かいとう【回答】	★つ	➡ 答え

★＝英語数詞〔1（ワン）、2（ツー）、3（スリー）…〕などに付く　➡ より詳しい解説のある項目へ　→ 関連項目などへ

かいとう ▶ かお

数えるもの	数え方	数え方のポイント
かいとう[解答]	●つ、▲●通り、▲種(しゅ)、▲種類(しゅるい)	「通り」は方法・様式の種類を数える語です。「2通りの解答がある問題」→ 答(こた)え
かいどう[街道]	▲本	主要道路を総称して、「五街道」などのようにも数えます。 ➡ 道(みち)
がいとう[外套]	▲着(ちゃく)	→ コート
がいとう[街灯]	▲基(き)、▲本、▲灯(とう)	通りなどに据えてあるものなので、原則として「基」で数えますが、細長い形状のものは「本」で数えることもあります。「灯」は電灯などを数える語です。
がいねん[概念]	●つ	
かいへいき[開閉器]	▲台、●個	
かいまき[掻い巻き]	▲枚	綿が入った夜着のことで、「枚」で数えます。
かいものかご[買い物籠]	▲個、●つ	➡ 籠(かご)
かいらんばん[回覧板]	▲枚(まい)	
かいりゅう[海流]	●つ、▲海流	海流の速度は「ノット」で表します。1時間に1海里(1852m)進む速さを「1ノット」といいます。
かいろ[懐炉]	▲個	使い捨てカイロは「枚(まい)」で数えることもあります。
かいろう[回廊]	▲本、●つ、▲箇所(かしょ)	
がいろじゅ[街路樹]	▲本、▲樹(じゅ)	➡ 木(き)
かいわれだいこん[貝割れ大根]	▲本、▲●★パック、▲箱(はこ)、▲袋(ふくろ)	包装や容器によって小売単位が異なります。
ガウン[gown]	▲枚(まい)	「着」で数えることもあります。
カウンター[counter]	▲台	受付台や飲食店などの細長い席は「台」で数えます。
かえば[替え刃]	▲枚(まい)	かみそりやカッターの替え刃は「枚」で数えます。
かえる[蛙]	▲匹(ひき)	
かえんびん[火炎瓶]	▲本	
かお[顔]	▲面、●つ	「彼には昼間と夜とで2つの顔があった」の

▲=漢語数詞〔一(いち)、二(に)、三(さん)…〕などに付く　●=和語数詞〔一(ひと)、二(ふた)、三(み)…〕などに付く

数えるもの	数え方	数え方のポイント
		ように、たとえていう場合は「つ」を用います。
かおく〔家屋〕	★軒、★戸、★棟、★棟	「軒」は建物全般を数える語です。「戸」は建設・売買の対象となる家屋を数える語です。「棟(むね)」は地震・浸水・火事などで被害にあった家屋を数える場合にも用います。「棟(とう)」は主にマンション・アパートなどの集合家屋を数える語です。　→家　→住宅
がか〔画架〕	★台	→イーゼル
かかし〔案山子〕	★体、★本	
かがみ〔鏡〕	★面、★枚	「面」でも「枚」でも数えますが、原則として、取り外しのできるものは「枚」、はめ込まれたものは「面」で数えます。　→ミラー
かがみもち〔鏡餅〕	★枚、●重ね、●据わり	丸餅大小2枚で「ひと重ね」「ひと据わり」と数えます。　➡餅
かかり〔係〕	●つ、★名、★人、★人	ある仕事を担当する部署は「つ」で数えます。その仕事を担当する人は「名」「人」で数えます。
かがりび〔篝火〕	★基	漁や警護のために焚く照明用の火のことで、据えて使うので「基」で数えます。
かき〔火器〕	★挺(丁)、★門	火薬を用いて弾丸を発射する鉄砲などの兵器は「挺(丁)」で数えます。大砲は「門」で数えます。
かき〔牡蠣〕	★枚、★個、★匹	➡貝　→オイスター
かき〔花器〕	★口、★個、★鉢、★枚	花器の形状によって異なりますが、水盤は「個」、花瓶は「本」、籠は「個」などで数えます。「口」は口の広い容器を数える語です。
かき〔柿〕	★本、●株、★個、●玉	植物としては「本」「株」で数え、果実は「個」「玉」で数えます。　➡果物
かぎ〔鍵〕	★本、●つ	「問題を解く鍵」のように、たとえていう場合は「つ」で数えます。　→キー
かきあげ〔掻き揚げ〕	★枚	➡テンプラ

★＝英語数詞〔1（ワン）、2（ツー）、3（スリー）…〕などに付く　➡より詳しい解説のある項目へ　→関連項目などへ

数えるもの	数え方	数え方のポイント
かぎあな【鍵穴】	▲個	
かきおき【書き置き】	▲通、▲枚	➡手紙
かきとめ【書留】	▲通	➡郵便
かきね【垣根】	▲枚	
かきもち【欠き餅】	▲枚、▲片	薄く切った餅は「枚」、餅のかけらは「片」で数えます。
かく【核】	●つ、▲個、▲発	物事の中核は「つ」、細胞の核は「個」で数えます。核兵器は「個」「発」で数えます。
かぐ【家具】	▲点、▲台、▲脚、▲棹、▲枚、▲本	家具を総称して数える場合は「点」を用います。ベッド・収納家具・デスクなどは「台」で数えます。座るための家具（椅子）は「脚」で数えます。テーブルなどの4本の脚が本体を支えている家具も「脚」で数えることがあります。慣習的に箪笥は「棹」で数えますが、最近では「台」で数えることもあります。棚は「枚」「本」「台」などで数えます。家具店で、商品としての家具を数える場合に「本」「点」を用いることがあります。
がく【額】	▲枚、▲面、▲架	額自体は「枚」で数えますが、額に入れた証書や賞状を含めて数える場合は「面」も用います。「架」は額や楯など、飾り掲げるものを数える語です。
がくい【学位】	▲種、●つ	「日本には学士・修士・博士の3種の学位がある」「彼女は修士の学位をふたつ持っている」といったように用います。
がくいろんぶん【学位論文】	●つ、▲編	➡論文
かくおび【角帯】	▲本	➡帯
かくげん【格言】	▲言、●言、●つ	
かくざい【角材】	▲本	
かくざとう【角砂糖】	▲個	➡砂糖
かくせいき【拡声器】	▲台	据え付けた大型のものは「基」でも数えます。

▲=漢語数詞〔一（いち）、二（に）、三（さん）…〕などに付く　●=和語数詞〔一（ひと）、二（ふた）、三（み）…〕などに付く

数えるもの	数え方	数え方のポイント
		→ メガホン
がくせつ【楽節】	★楽節、•つ	
カクテル【cocktail】	★杯	➡ 酒
カクテルドレス【cocktail dress】	★着	➡ 服
かくとう【角灯】	★灯、★個	据えて使う場合は「基」でも数えます。
がくねん【学年】	★学年、★級	「級」はやや古い数え方です。会話などで学年差をいう場合、「つ」「個」なども用います。「彼女は1個上の学年だ」
かくばくだん【核爆弾】	★個、★発	
がくふ【楽譜】	★枚、★部、★冊	
がくぶ【学部】	★学部、•つ	
がくぶち【額縁】	★枚、★面、★架	➡ 額
かくへいき【核兵器】	★個、★発	
がくらん【学らん】	★着	詰め襟の学生服のことで、「着」で数えます。 ➡ 服
かげ【影】	•つ	
がけ【崖】	★箇所	「面」で数えることもあります。
かけいぼ【家計簿】	★冊	
かけうどん【掛け饂飩】	★杯	➡ 饂飩
かけえり【掛け襟】	★枚、•掛け	着物の襟に掛けた布のことで、「枚」「掛け」で数えます。
かけがみ【懸け紙】	★枚	
かけじく【掛け軸】	★本、★軸、★幅、★点	「軸」は巻物の中心になる棒を表し、巻物を数える語です。「幅」は掛け物や軸物などを数える語です。2幅で「1対」と数えます。美術品として数える場合は「点」を用います。
かけそば【掛け蕎麦】	★杯	➡ 蕎麦
かけど【掛け戸】	★枚	
かけどけい【掛け時計】	★個、★台	➡ 時計
かけばん【懸け盤】	★膳、★前	晴れの儀式に用いる膳の一種で、古くは「前」

★=英語数詞（1（ワン）、2（ツー）、3（スリー）…）などに付く　➡ より詳しい解説のある項目へ　→ 関連項目などへ

数えるもの	数え方	数え方のポイント
		で数えました。
かけぶとん[掛け布団]	▲枚	➡布団 ➡寝具
かけもの[掛け物]	▲本、●軸など	➡掛け軸
かけや[掛け矢]	▲本、▲挺(丁)	くいを打ち込むための大形の槌のことで、「本」「挺(丁)」で数えます。
かご[駕籠]	▲挺(丁)、▲台、▲具	肩にかついで運ぶ駕籠は「挺(丁)」で数えます。また、「台」で数えることもあります。「具」は必要なものを備えることを表し、一揃いの用具を数える語です。
かご[籠]	▲個、●つ、▲合	「合」は蓋のある籠や容器を数える語です。竹や柳で編んだ籠は「梱」で数えることがあります。 →バスケット
かこい[囲い]	●重、▲重、▲枚	全体を見て重なるものは「重」で数えます。平面的なものと捉える場合は「枚」で数えます。
かこう[火口]	▲個、●つ、▲口	「口」は火が噴き出す部分を数える語です。
かさ[笠]	▲枚、▲蓋	「蓋」は笠などの、上からかぶせるものを数える語です。
かさ[傘]	▲本、●張り	和傘は「張り」でも数えます。折りたたみ傘は「本」で数えます。 →パラソル
がざい[画材]	▲本、▲面、▲枚	筆は「本」、パレットは「枚」「面」、チューブ入りの絵の具は「本」などで数えます。
かざぐるま[風車]	▲本、▲個	おもちゃの風車は「本」「個」で数えます。 →風車
かさね[重ね・襲]	▲枚	上着と下着の備わった衣服のことで、「枚」で数えます。 ➡着物
かさぶた[瘡蓋]	▲枚、▲個、●つ	皮膚表面の薄皮は「枚」で数えます。固まったかさぶた全体を数える場合は「個」「つ」を用います。
かざみ[風見]	▲本	風向きを知る器具のことで、「台」で数えることもあります。

▲=漢語数詞[一(いち)、二(に)、三(さん)…]などに付く　●=和語数詞[一(ひと)、二(ふた)、三(み)…]などに付く

数えるもの	数え方	数え方のポイント
かざみどり[風見鶏]	★本	
かざん[火山]	★座、★峰、★山、★岳	高い火山を数える場合は「座」、連なった火山群を数える場合は「峰」、景勝地や登山地として有名な火山は「山」「岳」で数えます。 ➡ 山
かし[菓子]	★個、●切れ、★枚、●粒、●箱、●折、●缶、●袋	和菓子のうち、饅頭や餅菓子は「個」、羊羹は「棹」「本」で数えます。洋菓子では、ケーキ類は「個」、クッキー類は「枚」、キャンデー類は「粒」「個」などで数えます。また、ナイフなどで食べやすいように切り分けた菓子は「切れ」で数えます。箱に入った菓子は、「箱」「折」で数えます。 → 焼き菓子
かし[歌詞]	★番	
かじ[火事]	★件	発生数や被害数は「件」で数えます。火事で被害にあった家は「戸」「世帯」などで数えます。火事の現場は「箇所」でも数えます。
かじ[舵]	★本	
かじつ[果実]	★個、★玉など	➡ 果物
かしパン[菓子パン]	★個	➡ パン
かじぼう[梶棒]	★本	
かしゃ[貨車]	★両、★台、★車	台数は「車」で数えることがあります。また、1両の貨車に積める荷物の量（積載量）も「車」で表します。
カシューナッツ [cashew nuts]	●粒、★個	➡ ナッツ
かじゅえん[果樹園]	★園、★箇所	「園」は農園や庭園をまとめて数える語です。
がじょう[画帖]	★冊	
がじょう[賀状]	★通、★枚	➡ 葉書　➡ 年賀状
かず[数]	●つ	「3つの数を足す」のように「つ」で数えます。「個」で数えることもあります。
	★桁	数の位取りは「桁」で数えます。

★＝英語数詞（1（ワン）、2（ツー）、3（スリー）…）などに付く　➡ より詳しい解説のある項目へ　→ 関連項目などへ

数えるもの	数え方	数え方のポイント
かすがい[鎹]	▲本	戸のかけがねや、つなぎ合わせる金具のことで、「本」で数えます。
ガスグリル[gas grill]	▲台	グリルの炎の噴き出し口は「口（くち）」で数えます。
ガスだい[ガス台]	▲台	→ 焜炉（こんろ）
ガスタンク[gas tank]	▲基（き）	
カステラ[Castellaポルトガル]	▲本、●切れ、●箱（はこ）	切り分ける前の塊（かたまり）は「本」で数えます。「斤（きん）」で数えることもあります。切り分けたものは「切れ」で数えます。箱に入ったものは「箱」で数えます。 → 焼き菓子（やきがし）
ガスとう[ガス灯]	▲基（き）、▲灯（とう）	据えてある場合は「基」で数えます。「灯」は電灯やガス灯などを数える語です。
ガスボンベ[Gasbombeドイツ]	▲本	
ガスマスク[gas mask]	▲面、▲個	→ マスク
かせ[枷]	▲本、▲個	人の手足にはめる刑具の一種で「本」「個」で数えます。
カセットテープ【cassette tape】	▲本、▲巻（かん）	→ テープ
かせん[河川]	▲河川（かせん）、▲本	治水対象の河川や水害の発生した河川は「河川」で数えます。「3河川で氾濫（はんらん）」 → 川（かわ）
がぞう[画像]	▲枚（まい）、▲点	→ イメージ
かぞく[家族]	▲家族、▲世帯（せたい）、●つ	「世帯」は住居および生計を共にする者の集団を数える語です。 → 世帯（せたい） → 親族（しんぞく）
ガソリンスタンド＜和製語＞	▲軒（けん）、▲店（てん）	
かだい[課題]	●つ、▲課題	会話などでは「個」でも数えます。
かたがき[肩書き]	●つ	
かたがみ[型紙]	▲枚（まい）	
かたくりこ[片栗粉]	●袋（ふくろ）	→ 粉（こな）
かたち[形]	●つ	
かたつむり[蝸牛]	▲匹（ひき）	
かたな[刀]	▲本、●振り、●口（ふり/くち）、●口（こう）、●腰（こし）	基本的には「本」で数えますが、雅語的用法が多様にあります。武士の携えた刀は、振

▲＝漢語数詞［一（いち）、二（に）、三（さん）…］などに付く　●＝和語数詞［一（ひと）、二（ふた）、三（み）…］などに付く

かたびら ▶ かつおぶし

数えるもの	数え方	数え方のポイント
	▲刀、▲剣	下ろして切り口をつけることから、「口」という漢字を使って数えますが、「ふり」と読むのが一般的です。「振り」の古来の用字が「口」で、「くち」「こう」と読むこともあります。武士が腰に差す刀の数は「二本差し」のように、「本」で表すほかに、腰に下げるものを数える「腰」を用いて数えます。また、名詞「刀」をそのまま数詞につけて、「二刀流」「一刀両断」のように刀の数を表すこともあります。
	▲匕	「匕」は肉を切るための短剣や懐剣を表し、短剣を数える語です。刀剣ではない刃物類(小刀・竹刀・ナイフ・カッターなど)は「本」で数えます。
かたびら【帷子】	▲枚、●張り	仕切りのために几帳などに掛ける布のことで、幕を数える「張り」で数えることもあります。
カタログ【catalog】	▲冊、▲部	
かだん【花壇】	▲面	
かちく【家畜】	▲匹、▲頭、▲羽	古くは、馬を「匹」で数え、それが牛などの家畜一般の数え方となりました。「頭」で数えるのは比較的最近になってからのことです。 ➡ 動物 → コラム⑫に関連事項(p.211) 畜産行政での家畜の換算単位 牛・馬:1頭、豚:5頭、ウサギ:50匹、アヒル・鶏:100羽 を1単位とします。
カチューシャ【katyusha】	▲本	ヘアバンドの一種で「本」で数えます。
がちょう【鵞鳥】	●羽	
かつお【鰹】	▲匹、▲尾、▲本	➡ 魚
かつおぶし【鰹節】	▲本、●節	大きな魚の身を縦に4つに切り分けたものを「節」で数えます。そこから、節おろしにしたカツオも「節」で数えます。

★=英語数詞〔1(ワン)、2(ツー)、3(スリー)…〕などに付く　➡ より詳しい解説のある項目へ　→ 関連項目などへ

がっか ▶ かつじ

数えるもの	数え方	数え方のポイント
	▲連、●折	連なって干されるので「連」でも数えます。箱に入れられた鰹節は「折」で数えます。「台」で数えることがありますが、これは鰹節の製造過程で籠に入れて加工することに由来するという説があります。しかし、定かではありません。
がっか[学科]	▲学科、●つ	
がっかい[学会]	▲学会、●つ	
がっき[楽器]	▲本、▲管、▲挺（丁）、▲面、▲台	一般的な管楽器は「本」で数えますが、笛・笙・尺八などは「管」でも数えます。ギターなどの弦楽器は「本」で数えますが、弓や撥を持って演奏するバイオリンや三味線などは「挺（丁）」で数えます。三味線は慣習的に「棹」でも数えます。また、エレキギターは「台」でも数えます。琴や琵琶は「面」、床に置いて演奏する大形の楽器（ハープ・ティンパニ・ピアノなど）は「台」で数えます。ピアニカやアコーディオンなどは「台」で数えます。　→ 詳しくは各項目を参照
がっきょく[楽曲]	▲曲、●つ、▲齣	「齣」は楽曲・遊芸・講談の段落を数える語です。「楽曲をひと齣聞く」➡ 曲
かっこ[括弧]	●組、●つ、▲重、▲個	括弧（ ）「 」で「ひと組」「ひとつ」、括弧が重なると、「二重括弧」といいます。
がっこう[学校]	▲校	小学校・中学校・高校は「校」で、塾や予備校も「校」で数えます。幼稚園は「園」でも数えます。大学は「大学」でも数えます。
かつじ[活字]	▲本、▲号、▲ポイント、▲字、●文字	金属製の活字字型の数は「本」で数えます。また、印刷した文字は「字」「文字」で数えます。「号」は活字の大きさを表す語です。基準は5号（約3.79mm）で、その8分の1が最小単位です。ポイント活字の大きさの

▲=漢語数詞〔一（いち）、二（に）、三（さん）…〕などに付く　●=和語数詞〔一（ひと）、二（ふた）、三（み）…〕などに付く

数えるもの	数え方	数え方のポイント
		単位は「ポイント」で、アメリカ式では約0.3514mmで「1ポイント(ポ)」になります。ポイントは「ポ」と省略します。
かっそうろ【滑走路】	▲本	
カッター【cutter】	▲艘、▲艇	艦船に積み込まれる大型のボートのことで、「艘」「艇」で数えます。 ➡船
	▲本	物を切る道具は「本」で数えます。刃は「枚」で数えます。
かっちゅう【甲冑】	▲領、▲着、▲点、▲具	甲冑は「領」「着」で数えます。武具として数える場合は「点」も用います。「具」は備えるもの、一揃いの用具を表し、衣服・器具などを数えるのに用いる語です。 ➡武具
カット【cut】	▲点、▲●★カット	→挿絵 →場面
カットソー	▲枚	カットアンドソーの略で、ジャージー生地を裁断・縫製した衣類のことをいい、「枚」で数えます。
かっぱ【河童】	▲匹	人間的な性格を強く帯びているものとして扱う場合は「人」でも数えます。
カッパ【capaポルト・ガル・合羽】	▲着	➡レーンコート
カップ【cup】	▲客、▲杯、▲●★カップ	「客」はコーヒーカップとソーサーのペアなど、客用に出すセットを数える語です。カップに注いだ飲み物の量は「杯」で数えます。料理などで分量を量る場合は1カップ(200ml)が基準になります。
	▲個	優勝カップは「個」で数えます。 →トロフィー
カップめん【カップ麺】	▲個、▲食	湯を注いだ場合は「杯」でも数えます。
カップル【couple】	▲組	
かっぽうぎ【割烹着】	▲枚	
かつら【鬘】	▲枚、▲台、▲個	部分的に髪をおおう鬘は「枚」で数えます。日本髪の鬘など、頭全体をおおう結い上がった髪形のものは「台」で数えることがありま

★=英語数詞〔1(ワン)、2(ツー)、3(スリー)…〕などに付く　➡より詳しい解説のある項目へ　→関連項目などへ

数えるもの	数え方	数え方のポイント
		す。余興などに使う玩具の鬘は「個」でも数えます。
カツレツ[cutlet]	▲枚	
かてい[課程]	▲課程、●つ	
カテーテル[Katheterドイ]	▲本	管状のものなので「本」で数えます。
かでん[家電]	▲台、▲点	家庭用電気機器類は、一般的に「台」で数えます。電気店で商品として数える場合や購入数をいう場合は「点」も用います。
かどまつ[門松]	●門、●対、●揃い	松飾り2本で「ひと門」「1対」「ひと揃い」などといいます。 →松飾り
かとりせんこう[蚊取り線香]	●巻き、▲本	棒状のものは「本」で数えます。電気蚊取り器は「台」で数えます。 →線香
かな[仮名]	▲文字、▲字	
かなあみ[金網]	▲枚	
かなえ[鼎]	▲脚	(3本の)脚を持つ器具なので「脚」で数えます。
かなてこ[鉄梃]	▲挺(丁)、▲本	鉄でできたてこで、手に持って扱う道具であるところから、「挺(丁)」「本」で数えます。
かなぼう[金棒]	▲本	
かに[蟹]	▲匹、▲杯、▲尾	生きているカニは「匹」で数えます。食用のカニは「杯」「尾」でも数えます。「杯」はふっくらとふくらんだ形の器を表し、カニの甲羅がそれに似ていることに由来します。まれにカニを「枚」で数えることがあります。 →コラム①に関連事項(p.21)
	●肩	大形の食用ガニを販売する際、切り落とした足数本をまとめたものを「肩」で数えます。
カヌー[canoe]	▲艘、▲艇、▲杯	小型の船なので「艘」で数えます。競技用カヌーは「艇」「杯」で数えます。 ➡船
かね[鐘]	▲口、▲本、▲個、▲鐘	「口」は口の広い器具を数える語です。文語では「鐘」でも数えることがあります。

▲=漢語数詞〔一(いち)、二(に)、三(さん)…〕などに付く ●=和語数詞〔一(ひと)、二(ふた)、三(み)…〕などに付く

数えるもの	数え方	数え方のポイント
かのうせい【可能性】	★つ	
かば【河馬】	★頭	➡ 動物
カバー【cover】	★枚	覆いとなる紙・布・ビニールなどは「枚」で数えます。
	★回	相手を援護する意では、その回数を「回」で数えます。
かばやき【蒲焼き】	★串、★枚	➡ 鰻
かばん【鞄】	★個、★荷、★つ、★点	大形の鞄は「荷」で数えることもあります。商品として数える場合や個人が所有している数をいう場合は「点」でも数えます。
がばん【画板】	★枚	
かひ【歌碑】	★基	➡ 碑
かび【黴】	★株、★塊	
がびょう【画鋲】	★個、★本	
かびん【花瓶】	★個、★本	「瓶」で数えることもあります。工芸作品としては「点」でも数えます。 ➡ 花器
かぶ【株】	★株、★株、★本、★本	植物の株は「株」「本」で数えます。雅語的に「株」「本」と数えることもあります。
	★株、★枚	株券は「枚」でも数えます。株価は「円台」で、ある区切りの値段を超えた範囲を表します。「株価が1万円台を回復」
かぶ【蕪】	★個、★玉、★本、★株、★束、★把	丸い根の部分は「個」「玉」で数えます。植物としては「本」「株」で数えます。小売単位は「束」「把」など。
カフェ【café】	★軒、★店	店は「軒」「店」で数えます。
かぶけん【株券】	★枚	
カフス【cuffs】	★個、★対、★組	カフス左右2個で「1対」「ひと組」と数えます。
カプセル【capsule】	★個	円筒容器は「個」で数えます。
	★錠、★粒、★個	薬剤のカプセルは「錠」「粒」「個」などで数えます。 ➡ 薬

★＝英語数詞〔1（ワン）、2（ツー）、3（スリー）…〕などに付く ➡ より詳しい解説のある項目へ → 関連項目などへ

かぶと ▶ かまぼこ

数えるもの	数え方	数え方のポイント
かぶと〔兜〕	▲刎（はね）、●具（く）、●装（よそお）い、●頭（かしら）	「刎」は（首を）はねることを意味する語で、兜を数えます。兜飾り一式は「具」「装い」でも数えます。「頭」は頭にかぶるものを数える語です。 ➡甲冑（かっちゅう）
かぶとむし〔兜虫〕	●匹（ひき）、●頭（かしら）	希少・高価な昆虫は「頭」で数えることもあります。
かぶらや〔鏑矢〕	▲本、●筋（すじ）、●条（じょう）	飛んでいく矢が軌跡を描くように感じられることから、「筋」「条」で数えることもあります。 ➡矢（や）
かふん〔花粉〕	▲個	通常は数えませんが、スギ花粉の1cm³あたりの飛散数をいう場合に「個」を用いることがあります。 →胞子（ほうし）
かへい〔貨幣〕	▲枚（まい）、●個	➡硬貨（こうか） ➡紙幣（しへい）
かべがみ〔壁紙〕	▲枚（まい）	
かべん〔花弁〕	▲枚（まい）、●片（ひら）、▲片（へん）、●弁（べん）	➡花びら（はなびら）
かぼちゃ〔南瓜〕	●個、●玉（たま）、▲本、▲株（かぶ）	丸い実は「個」「玉」で数えます。植物としては「本」「株」で数えます。
かま〔釜〕	▲口（こう）、▲個	「口」は口の広い器具を数える語です。鍋と同様に「個」で数えることもあります。
かま〔鎌〕	▲挺（丁）（ちょう）、▲本	「挺（丁）」は手に持って扱う道具を数える語です。
がま〔蒲〕	▲本、●株（かぶ）	植物としては「株」「本」で数えます。蒲の穂は「本」で数えます。
かまち〔框〕	▲本	戸や障子の周囲の枠、玄関の上がり口や床の間などに渡す横木を「框」といい、「本」で数えます。
かまど〔竈〕	▲基（き）、▲台	
かまぼこ〔蒲鉾〕	▲本、●切れ、▲枚（まい）、●板（いた）	切り分けた蒲鉾は「切れ」で数えます。笹蒲鉾（ささかまぼこ）は「枚」で数えます。蒲鉾板も「枚」で数えます。まれに「1板（ひといた）」とも数えます。

▲＝漢語数詞〔一（いち）、二（に）、三（さん）…〕などに付く ●＝和語数詞〔一（ひと）、二（ふた）、三（み）…〕などに付く

数えるもの	数え方	数え方のポイント
かみ[神]	▲柱、●前、▲座、▲軀	「柱」は日本古来の神・神体・神像などを数える語です。「前」は神や社祠を数える語です。「座」でも数えます。「軀」は、からだ・胴体を意味することから、仏像などを数える語です。
かみ[紙]	▲枚、▲葉、▲本、▲●★ロール、●巻き、●片、●束	「葉」は葉のように手に取ることができる程度の大きさで、折りたたまれていない紙を数える語です。FAX紙のようなひと巻きの紙は「本」「ロール」「巻き」で数えます。「片」はメモ用紙や紙切れ、紙吹雪などを数える語です。束ねたものは「束」で数えます。
	▲帖、●締め、▲連、●丸	小売単位は「帖」を用います。半紙20枚、美濃紙は48枚で「1帖」です。和紙2000枚を「ひと締め」、洋紙1000枚を「1連」といいます。「丸」は、和紙の取引単位です。
かみ[髪]	▲本、●筋、▲茎、●束	抜け落ちたものは「本」で、まとめた髪からこぼれているものは「筋」で数えます。「茎」は細長く生えるものを雅語的に数える語です。髪を束ねた髻は「束」で数えます。➡頭髪
かみおむつ[紙襁褓]	▲枚、▲●★パック	小売単位は「パック」を用います。
かみかざり[髪飾り]	▲本、●点	商品としては「点」でも数えます。
かみきれ[紙切れ]	●片	➡紙
かみくず[紙屑]	●片、●個、●つ	丸めたものは「個」「つ」でも数えます。
かみしも[裃]	▲具	「具」は一揃いの用具を表し、衣服を数える語です。裃のように、2つ以上のものがそろって完備するものを数えます。
かみそり[剃刀]	●挺(丁)、●口、▲枚、●台	「挺(丁)」は手に持って使う刃物を数える語です。「口」は表面を切り開く(切り口をつける)道具を数える語です。かみそりの刃は「枚」、電気かみそりは「台」で数えます。
かみテープ[紙テープ]	▲本、●巻き	➡テープ

★=英語数詞〔1(ワン)、2(ツー)、3(スリー)…〕などに付く　➡より詳しい解説のある項目へ　➡関連項目などへ

数えるもの	数え方	数え方のポイント
かみナプキン【紙ナプキン】	▲枚	
かみなり【雷】	▲本、●筋、▲個、▲撃	雷の閃光は「本」「筋」で数えます。落雷は「個」や「撃」で数えます。
かみぶくろ【紙袋】	▲枚、▲個	中身が入っている場合には「個」で数えます。
かみふぶき【紙吹雪】	▲片、●片	「片」は雪・花びら・紙吹雪などの薄く平たい、宙に舞う小さいものを数える語です。
ガム【gum】	▲枚、▲個、▲粒	形状によって異なりますが、板状のものは「枚」、粒状のものは「個」「粒」などで数えます。
ガムテープ〈和製語〉	▲本、●巻き	➡ テープ
かめ【瓶】	▲口、▲個	「口」は口の開いている器を数える語です。
かめ【亀】	▲匹、▲頭	大型種や希少種は「クロウミガメ10頭」などと数えます。 ➡ 爬虫類
カメオ【cameo】	▲個、▲点	アクセサリーの一種で、商品としては「点」でも数えます。
カメラ【camera】	▲台、▲点	商品・製品としては「点」でも数えます。レンズ付きフィルムは「本」でも数えます。
かめん【仮面】	▲面、●枚	➡ マスク
かも【鴨】	●羽、●番	カモの雌雄2羽で「ひと番」と数えます。 ➡ 鳥
かもじ【髢】	●房、●つ	添え髪のこと、また、和船の舳に提げる飾りのことで、いずれも「房」「つ」で数えます。
かもつ【貨物】	▲個、●箱、●荷	「荷」は人間が肩にかつげる程度の大きさの荷物を数える語です。
かもつせん【貨物船】	▲隻、●艘	➡ 船
かもつれっしゃ【貨物列車】	▲本、●両	➡ 列車
かもん【家紋】	●つ、▲種、▲種類	→ 紋章
かや【蚊帳】	●張り、▲張、●垂れ	「張り」「張」は、張った状態で使う布や網を数える語です。「垂れ」は、幕や蚊帳など、垂らして使うものを数える語です。
カヤック【kayak】	●艘	小形の船なので「艘」で数えるのが適当です。 ➡ 船

▲＝漢語数詞〔一(いち)、二(に)、三(さん)…〕などに付く　●＝和語数詞〔一(ひと)、二(ふた)、三(み)…〕などに付く

数えるもの	数え方	数え方のポイント
かゆ【粥】	▲杯(はい)	「膳(ぜん)」「椀(わん)」で数えることもあります。
がようし【画用紙】	▲枚(まい)	
カラー【collar】	▲本	詰め襟(えり)の芯(しん)のことで、「本」で数えます。　→襟(えり)
カラー【color】	•色(いろ)、•色(しょく)、•つ	「スクールカラー」などの、特色の意では「つ」で数えます。　➡色(いろ)
からあげ【空揚げ】	▲個	
からかさ【唐傘】	▲本	割り竹の骨に紙を張って油をひいた差し傘のことで、「本」で数えます。
からかみ【唐紙】	▲枚(まい)、•帖(じょう)	「帖」は紙の一定の枚数をひとまとめにして数える語です。　➡紙(かみ)
がらくた	▲片(へん)、▲個、•つ	
ガラス【glasオランダ】	▲枚(まい)、▲個、▲本、▲点	ガラス板は「枚」で、ガラス製品はその形状に応じて「個」「本」「点」などで数えます。
カラビナ【Karabinerドイツ】	▲本	登山用具の一種で、一部が開閉できる金属性の環(わ)をいい、「本」で数えます。
かりぎぬ【狩衣】	▲具(ぐ)、•装(よそお)い	「装い」は衣服・調度などのそろったものを数える語です。
カリキュラム【curriculum】	•つ、▲本	遂行するまでに時間を要する一連の教育課程なので、「本」で数えることがあります。
カリフラワー【cauliflower】	▲個、•株(かぶ)、•房(ふさ)、▲本	小売単位は「個」「株」を用います。調理する際に小分けにする部分は「房」「個」で数えます。植物としては「本」「株」で数えます。
かりゅう【顆粒】	•粒(つぶ)	薬を紙などで包んだ場合は「包(ほう)」で数えます。　➡薬(くすり)
かるいし【軽石】	▲個	
カルタ【cartaポルトガル】	▲枚(まい)、•組(くみ)	カルタ札は「枚」、セットにまとまったものは「組」で数えます。　→トランプ
カルテ【Karteドイツ】	▲枚(まい)	
かれい【鰈】	▲匹(ひき)、•尾(び)、▲枚(まい)	生きているものは「匹」で数えますが、水揚げされたものは「尾」、その平面的な形から

カレーライス ▶ カンガルー

数えるもの	数え方	数え方のポイント
		「枚」でも数えます。➡ 魚(さかな)
カレーライス	●皿(さら)、▲杯(はい)	レトルトカレーのルーは「袋」「パック」で数えます。市販のカレールーは「箱」で数え、「1箱で10皿分」のように分量が示されます。➡ 料理(りょうり)
がれき〔瓦礫〕	●山(やま)、▲片(へん)	瓦礫の個々のかけらは「片」で数えます。
かれは〔枯れ葉〕	▲枚(まい)、●葉(よう)	➡ 葉(は)
がろう〔画廊〕	▲軒(けん)、●つ	
かわ〔川・河〕	▲本(ほん)、▲筋(すじ)、▲条(じょう)、●流れ、▲河川(かせん)、▲河(が)	通常は「本」で数えますが、小さな川は「筋」「条」「流れ」などで数えることもあります。「条」は枝分かれしているさまを表す語です。治水の対象となる川や水害にあった川の数は「河川」で数えます。「河」は「一河(いちが)」の形で、「一河の流れを汲(く)むも他生(たしょう)の縁」のように用います。
かわ〔皮〕	▲枚(まい)、▲張(ちょう)、●張(は)り	皮を張った状態で使用する道具（太鼓など）は、「張」「張り」で数えます。
かわご〔皮籠〕	▲合(ごう)	皮を張った籠のことで、「合」で数えます。
かわジャン〔革ジャン〕	▲着(ちゃく)	上着なので「枚」よりも「着」で数える方が適当です。➡ 服(ふく)
かわひも〔革紐〕	▲本	
かわら〔瓦〕	▲枚(まい)	
かわらけ〔土器〕	▲点(てん)、▲枚(まい)	出土品としては「点」で数えます。素焼きのさかずきは「枚」で数えます。
かわらばん〔瓦版〕	▲枚(まい)、▲部(ぶ)	➡ 新聞(しんぶん)
かん〔缶〕	▲個(こ)、●缶(かん)	容器としての缶や空き缶は「個」で、中身が入っている商品は「缶」で数えます。➡ 缶詰(かんづめ)
かん〔棺〕	▲基(き)	→ 棺(ひつぎ)
かんがえ〔考え〕	●つ	
かんがっき〔管楽器〕	▲本	➡ 楽器(がっき)
カンガルー〔kangaroo〕	▲頭(とう)、●匹(ひき)	

▲＝漢語数詞〔一（いち）、二（に）、三（さん）…〕などに付く　●＝和語数詞〔一（ひと）、二（ふた）、三（み）…〕などに付く

数えるもの	数え方	数え方のポイント
かんきせん【換気扇】	★台	
がんきゅう【眼球】	★個	
かんきり【缶切り】	★本、★個	
がんぐ【玩具】	★個、★つ、★点	→ 玩具(おもちゃ)
かんごく【監獄】	★棟(とう)、★棟(むね)、★箇所(かしょ)	→ 刑務所
かんざし【簪】	★本	商品としては「点」でも数えます。
かんじ【漢字】	★文字、★字	漢字の画数は「画(かく)」で数えます。
かんじき【樏】	★足(そく)、★枚(まい)	木の枝などを輪状にして雪の中に足がもぐりこまないようにする履物の一種で、片足に1枚ずつ履きます。左右2枚で「1足」と数えます。
がんしょ【願書】	★枚(まい)、★通	
かんじょうがき【勘定書き】	★枚(まい)、★通	
かんせん【艦船】	★隻(せき)	➡ 船(ふね)
かんそうき【乾燥機】	★台	
かんそくじょ【観測所】	★箇所(かしょ)	
がんたい【眼帯】	★枚(まい)	
かんちょう【浣腸】	★本	
かんづめ【缶詰】	★缶(かん)、★個、★本	一般的に、缶詰は「缶」「個」で数えます。中身の入った細長い缶詰は「本」で数えることもあります。 → 缶(かん) → コラム③に関連事項(p.67)
かんていしょ【鑑定書】	★通、★枚(まい)	
カンテラ【kandelaarオランダ】	★灯(とう)、★個	「灯」は照明器具を数える語です。
かんてん【寒天】	★本	テングサの煮汁を凍結・乾燥させた食品のことで、「本」で数えます。
かんでんち【乾電池】	★本	➡ 電池(でんち)
かんな【鉋】	★挺(ちょう)（丁）	「枚(まい)」でも数えることがあります。
カンバス【canvas】	★枚(まい)、★号	キャンバスともいいます。サイズ基準には、ゼロ号・1号・2号・5号・10号・50号・100号などがあります。 → 絵画(かいが)

★＝英語数詞〔1（ワン）、2（ツー）、3（スリー）…〕などに付く　➡ より詳しい解説のある項目へ　→ 関連項目などへ

かんばん ▶ き

数えるもの	数え方	数え方のポイント
かんばん【看板】	▲枚、●面	立体的な看板の場合、「3面の看板」のように「面」で数えることもあります。
かんぱん【甲板】	▲枚、●面	
かんぱん【乾板】	▲枚	写真感光板の一種で、板状であるところから「枚」で数えます。
かんパン【乾パン】	●個、●缶、●袋、●粒	小売単位は「缶」「袋」などを用います。個々の乾パンは「個」「粒」で数えます。
がんばん【岩盤】	▲枚、●層	
かんビール【缶ビール】	▲本、●缶	➡ビール
かんぴょう【干瓢】	▲本、●袋、●束	小売単位は「袋」や「束」などを用います。
かんぽうやく【漢方薬】	▲本	取引単位は「本」で、600gで「1本」です。 →薬
かんむり【冠】	●頭、▲本、▲点	「冠」は、身分が高い者や、栄誉にあずかったものが頭にかぶるもの全般を指します。「頭」は兜や烏帽子を数える語です。ティアラ（冠形の女性用頭飾り）は「本」で数え、美術品としては「点」を用います。
かんめん【乾麺】	▲本、●束、●把	➡麺
がんもどき【雁擬き】	▲枚、●丁	「丁」はもともと豆腐の数え方で、がんもどきを数えるのにも用います。→豆腐
がんやく【丸薬】	▲錠、●粒	➡錠剤
かんようしょくぶつ【観葉植物】	●鉢、●株、▲本	➡植物
かんらんしゃ【観覧車】	▲基	人が乗り込むゴンドラ部分は「台」で数えます。

き

数えるもの	数え方	数え方のポイント
き【木】	▲本、●株、●樹、●木	背の高い木や細長い木は「本」、低木や茂みは「株」で数えます。「樹」「木」は共に樹木を雅語的に数える語です。→材木

▲＝漢語数詞〔一（いち）、二（に）、三（さん）…〕などに付く　●＝和語数詞〔一（ひと）、二（ふた）、三（み）…〕などに付く

数えるもの	数え方	数え方のポイント
ギア[gear]	★本、★速	ギアの切り替えは「速」で表します。「曲がるときには2速に落とす」 また、「ギアを2段落とす」などともいいます。
きあつけい[気圧計]	★台	
ぎあん[議案]	★件、★本	「本」は話し合うべき項目を数える語で、議案項目を数えます。 ➡議題
キー[key]	★個、★鍵、★本	パソコン・ワープロ・タイプライターの指で押すキーは「個」、鍵盤楽器のキーは「鍵」で数えます。開閉用の金属性の道具は「本」で数えます。 ➡鍵
きいと[生糸]	★本、★梱	「梱」は糸の重さの単位です。生糸9貫目(33.75kg)で「1梱」。 ➡糸
キーボード[keyboard]	★台、★枚、★面、★点	鍵盤楽器としてのキーボードは「台」で数えます。パソコンのデータ入力用のものも「台」で数えますが、その形状から「枚」「面」で数えることがあります。商品としては「点」で

コラム ③ COLUMN 〈缶ジュースとアスパラガスの缶詰の数え方の違い〉

数え方についての簡単な実験をしてみましょう。日本語を母語とする人に細長い缶の絵を見せて、「これは缶ジュースです。何と数えますか?」と質問すると、ほとんどの人が「缶ジュース1本」と答えます。しばらくして同じ缶の絵を見せて、「これはアスパラガスの缶詰です。何と数えますか?」と聞くと、同じ絵を見ているにもかかわらず「缶詰1個」「缶詰1缶」と、数え方が違ってきます。この違いはどうして起こるのでしょう?

これは、話し手が単純に缶だけを数えているのではなく、缶の中身によって数え分けていることを示しています。缶の中身がジュースのような液体だと「本」で数えますが、中身がアスパラガスのように固体だと「個」や「缶」で数えます。また、中身の入っていない空き缶は「本」では数えず、「空き缶1個」のように数えます。

このように、私達は、容器と中身の関係を無意識のうちに感じながら数え分けをしているのです。

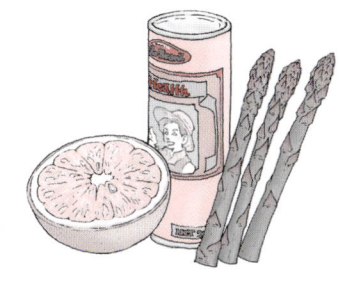

★=英語数詞〔1(ワン)、2(ツー)、3(スリー)…〕などに付く　➡より詳しい解説のある項目へ　→関連項目などへ

キーホルダー ▶ ききゅう

数えるもの	数え方	数え方のポイント
		数えます。
キーホルダー【key holder】	▲個、▲本、▲点	商品としては「点」で数えます。
キーワード【key word】	●つ、▲語	会話などでは「個」を用いることもあります。
キウイフルーツ【kiwi fruit】	▲個、●玉（たま）、▲本、●株（かぶ）	キーウィともいいます。果実は「個」「玉」で数えます。植物としては「本」「株」で数えます。 ➡果物（くだもの）
きかい【機会】	●つ、▲度、▲回	次の機会が予測できる場合は「回」、予測ができない場合は「度」で数える傾向があります。 →チャンス
きかい【機械】	▲台、▲基（き）	持ち運びのできる小型・中型機械は「台」、据えて使う大型機械は「基」で数えます。 →コラム⑦に関連事項(p.131)
きかく【企画】	●つ、▲件、▲本、▲案（あん）、▲弾（だん）、●企画	「本」は企画や計画を数える語です。「案」は計画・着想・企画・推量した事項などを数える語です。「弾」は比喩的に次々に繰り出す商業的企画を数える語です。「セール第1弾」「企画」は「3企画が会議に通る」などと用います。
きかく【規格】	●つ、▲規格	
きかん【期間】	●つ、▲期	「期」は一定の期間・時期を数える語です。
きかん【機関】	●つ、▲機関	
きかんし【機関紙（誌）】	▲冊（さつ）、▲部（ぶ）、▲号	➡雑誌（ざっし）➡新聞（しんぶん）
きかんしゃ【機関車】	▲両	
きかんじゅう【機関銃】	▲挺（ちょう）（丁）	➡銃（じゅう）
きかんほう【機関砲】	▲門（もん）	「門」は大砲などを数える語です。
きき【危機】	●つ	
きき【機器・器機】	▲台	➡機械（きかい）
ききゅう【気球】	▲機、▲台	乗り物の一種として数える場合は「台」、飛行機と同様、飛行するものとして数える場合は「機」で数えます。
	▲個、▲本	地上から気球を眺め、浮遊している物体と

▲=漢語数詞〔一（いち）、二（に）、三（さん）…〕などに付く　●=和語数詞〔一（ひと）、二（ふた）、三（み）…〕などに付く

数えるもの	数え方	数え方のポイント
		して捉えると「個」「本」で数えることもできます。 →飛行船
きぎょう【企業】	★社、•つ	
ぎきょく【戯曲】	★本、★作品	戯曲の場面は「齣(コマ)」「場」「幕」で数えます。 →芝居
きく【菊】	★本、★株、•むら、★輪、★個、•つ	植物としては「本」「株」で数えます。群生している場合は「むら」でも数えます。花は「輪」「個」「つ」で数えます。
きぐ【器具】	★点、•つ、★台、★具	「具」は必要なものを備えることを表し、一揃いの器具を数える語です。
きくず【木屑】	★片	
きぐつ【木沓】	★足	➡靴
きくらげ【木耳】	★株、★片	小売単位は「袋」「箱」などを用います。
きげん【起源】	•つ	
きこう【寄稿】	★通、★本、★点	➡投稿
きごう【記号】	•つ、★個、★種類	
きざい【機材】	★台、★点	さまざまな種類の機材をまとめて数える場合は「点」を用います。「カメラ・照明・音声の機材合わせて10点購入」
きじ【記事】	★点、★本、★項目、•つ	掲載記事は「点」で数えますが、特定のニュース項目を数える場合は「本」「項目」を用います。口語などでは「つ」も用います。
ぎじ【議事】	★件、★本	➡議題
きしゃ【汽車】	★両、★本、•列車	「両」は台の両側に車輪がついているものを数える語です。汽車の運行数は「本」で数えます。走る汽車や見送る汽車は「列車」で数えることがあります。 →電車 →列車
きじゅうき【起重機】	★基	
きしょうもん【起請文】	★枚、★通	
きじん【貴人】	•柱、★方、•人/たり、★人	「柱」は日本古来の神・神体・神像を数える語で、そこから転じて、貴人も「柱」で数えます。

★=英語数詞〔1(ワン)、2(ツー)、3(スリー)…〕などに付く ➡より詳しい解説のある項目へ →関連項目などへ

数えるもの	数え方	数え方のポイント
きず【傷】	●つ	傷口や切開手術の縫合数は「針(はり)」で表します。「10針縫う傷を負う」
ぎせき【議席】	▲議席、●つ	「議席」は、「50議席を確保した○△党」のように使います。
きせつ【季節】	●つ、▲季(き)	
キセル【khsier カンボジア・煙管】	▲本、▲管(かん)	➡ タバコ
きせん【汽船】	▲隻(せき)、▲艘(そう)	➡ 船(ふね)
ぎだ【犠打】	▲個、▲本、●つ	➡ ヒット
ギター【guitar】	▲本、▲挺(丁)(ちょう)、▲台	弦楽器の一種なので「本」で数えます。「挺(丁)」は棒状の部分を押さえて演奏する楽器を数える語です。エレキギターは「台」でも数えます。
ぎだい【議題】	▲件、▲点、▲議題	議案や議事は「件」で数えます。議会で話し合うべき問題点は「点」でも数えます。
きち【基地】	●つ	
きちょう【几帳】	▲基(き)、▲枚(まい)、▲本	室内で使う衝立(ついたて)(屛障具(へいしょうぐ))の一種で、据えて使うため「基」でも数えます。
きちょうひん【貴重品】	▲点	
きっかけ【切っ掛け】	●つ	
きっさてん【喫茶店】	▲軒(けん)、▲店(てん)、▲店舗(てんぽ)	
ぎっしゃ【牛車】	▲台	➡ 牛車(ぎゅうしゃ)
きづち【木槌】	▲本	「挺(丁)(ちょう)」で数えることもあります。
キッチン【kitchen】	●つ、▲室、●間(ま)、●部屋、▲台、▲●★ユニット	台所や調理場の部屋が区切られている場合は「室」「間」「部屋」などで数えます。ユニットキッチンは「台」「ユニット」で数えます。
きって【切手】	▲枚(まい)、▲点、▲片(へん)、▲★シート、●綴(つづ)り	通常は「枚」で数えますが、収集品や美術品として数える場合は「点」を用います。使用済みの価値のない切手は「片」で数えることもあります。
きつね【狐】	▲匹(ひき)	「頭(とう)」で数えることもあります。

▲=漢語数詞〔一(いち)、二(に)、三(さん)…〕などに付く　●=和語数詞〔一(ひと)、二(ふた)、三(み)…〕などに付く

数えるもの	数え方	数え方のポイント
きっぷ〔切符〕	▲枚、▲片	通常は「枚」で数えます。使用済みの価値のない切符は「片」で数えることがあります。
きてい〔汽艇〕	▲隻、▲艘	➡船
きてい〔規定〕	•つ	法律の条文としては「第1条第2項の規定による」というように用います。
きどう〔軌道〕	▲本	
きどうしゃ〔気動車〕	▲両	➡電車
きなこ〔黄な粉〕	•袋	
きぬ〔衣〕	▲枚	
きぬ〔絹〕	▲本、▲枚、▲反、•締め、▲匹（疋）	絹糸は「本」で、絹布は「枚」で数えます。絹布10反で「ひと締め」と数えます。「匹（疋）」は布類を数える単位です。古くは4丈、のちに5丈2尺を単位としました。
きね〔杵〕	▲本	
きねんひ〔記念碑〕	▲基、▲点	➡碑
きのう〔機能〕	•つ、▲機能	
ぎのう〔技能〕	•つ、技能	
きのこ〔茸〕	▲本、▲株、▲枚、•袋、•山、▲●★パック、▲●★ネット、•かご	シイタケやマツタケなど傘が大形のものは「本」、シメジやエノキタケ、マイタケなどの傘が小形で群生しているものは「株」で数えます。樹幹に棚状に生えるものは「枚」でも数えます。食用キノコの小売単位は「袋」「山」「パック」「ネット」「かご」など。
きのみ〔木の実〕	▲個、•粒	➡ナッツ
きば〔牙〕	▲本	➡歯
きば〔騎馬〕	▲騎	「騎」は馬に騎乗した戦士を数える語です。また、運動会の騎馬戦などで、3人が組んで別の1人が騎乗している隊を数えます。
きばさみ〔木鋏〕	▲挺（丁）、▲本	➡鋏
きふ〔寄付〕	•口、▲回、▲度	「口」は申し込み・割り当て・応募・取引の単位を数える語です。寄付の回数は「回」「度」で

★＝英語数詞〔1（ワン）、2（ツー）、3（スリー）…〕などに付く　➡より詳しい解説のある項目へ　→関連項目などへ

数えるもの	数え方	数え方のポイント
		数えます。
ギプス[Gips^{ドイツ}]	▲個、●つ	
ギフト[gift]	▲個、▲点、▲件	デパートなどが扱う贈答品の種類や商品を数える場合は「点」、注文数や配達数は「件」で数えます。
きもの【着物】	▲枚、▲着	羽織・袴・浴衣・襦袢・袷・重ねなど、着物類はもっぱら「枚」で数えます。「着」でも数えますが、一揃いの衣装や装束をまとめて数える場合に用います。「晴れ着1着」
	▲領、▲具、●腰	「領」は襟を表し、襟を持って衣を数えたことに由来して、着物を数える語となりました。「具」は必要なものを備えることを表し、一揃いの衣服を数える語です。「具」と同じで、袴や狩衣などを数えます。袴は「枚」「腰」で数えます。
	▲点	呉服店などで商品として着物を扱う場合は「点」を用います。唯一持っている晴れ着のことを「一張羅」といいます。 ➡ 服
きゃく【客】	●人、▲人、▲名、▲組、▲●家族、▲●グループ、▲団、▲群	「名」は店などで丁寧に客の人数を数える際に用いる語です。「お客様4名ご来店」 客2人以上のグループ単位を「組」で数えます。「団」「群」は人や物のグループ・集まりを数える語で、主に「一団」「一群」の形で用います。1つの団体を「ご一行様」といいますが、複数になっても「ご二行様」「ご三行様」などとはいいません。
ギャグ[gag]	●つ、●言、▲発	聴衆を爆笑させるものや、刺激の強いものは「発」と数えることがあります。
きゃくしゃ【客車】	▲両	➡ 電車
きゃくせん【客船】	▲隻、▲艘	➡ 船
きゃくほん【脚本】	▲本、▲点、▲●作品	➡ 台本

▲=漢語数詞〔一（いち）、二（に）、三（さん）…〕などに付く　●=和語数詞〔一（ひと）、二（ふた）、三（み）…〕などに付く

数えるもの	数え方	数え方のポイント
きゃたつ【脚立】	★本、★台	
キャッシュカード【cash card】	★枚	
キャッシュディスペンサー【cash dispenser】	★台	現金自動支払い機のことで、「台」で数えます。
キャッチフレーズ【catch phrase】	★言、★文	文章になっている場合は「文」で数えます。→ コピー → 標語
キャップ【cap】	★個	蓋の意味でも帽子の意味でも、共に「個」で数えます。
キャバレー【cabaret フランス】	★軒、★店、★店舗	
キャビア【caviar】	★粒、★缶、★瓶	チョウザメの卵は通常「粒」で数え、たらこのように「腹」では数えません。
キャビネット【cabinet】	★台、★個	小型のものは「個」でも数えます。
キャプション【caption】	★文、★題、★行、★言	見出しは「文」「題」、説明文や字幕は「文」「行」「言」などで数えます。
キャベツ【cabbage】	★玉、★個、★枚、★株	食用にする部分は「玉」「個」、葉は「枚」で数えます。植物として扱う場合は「株」で数えます。 → 野菜
キャミソール【camisole】	★枚	→ 服
キャラクター【character】	★人、★人、★匹、★頭	物語や映画、漫画などに登場する空想上の生き物のことです。人魚・魔女・天狗・天使など、人間的な性格を持つものは「人」で数えます。動物および動物をモチーフとしたもの、人間とはかけはなれたモンスターなどの怪物的な性格を持つものは「匹」「頭」で数えます。 → コラム④に関連事項 (p.75)
キャラバン【caravan】	★隊、★団	隊商および宣伝・販売、登山・調査などのため各地を回る一団は「隊」「団」で数えます。
キャラメル【caramel】	★粒、★個、★箱、★袋、★缶	キャラメルは「粒」「個」で数えます。小売単位は「箱」「袋」「缶」など。
キャンセル【cancel】	★件、★人、★人	契約や予約の取り消し数は「件」、取り消し

★＝英語数詞〔1（ワン）、2（ツー）、3（スリー）…〕などに付く　➡ より詳しい解説のある項目へ　→ 関連項目などへ

数えるもの	数え方	数え方のポイント
	▲名	た人数をいう場合は「人」「名」で数えます。
キャンデー【candy】	▲個、●粒、●本、●袋、●缶、●箱	棒付きキャンデーやアイスキャンデーは「本」で数えます。小売単位は、包装によって異なり、袋入りなら「袋」、缶入りは「缶」、箱入りは「箱」などで数えます。
キャンドル【candle】	▲本、▲個、▲挺（丁）	➡蝋燭
きゅう【灸】	▲個	灸をすえる回数は「壮（草）」で数えます。➡艾
キュー【cue】	▲本	ビリヤードの球を打つ棒のことで、「本」で数えます。➡ビリヤード
きゅうぎ【球技】	▲種目	
きゅうきゅうしゃ【救急車】	▲台	➡車
きゅうけい【休憩】	▲回、▲度	休憩する回数は「回」「度」で数えます。
きゅうけつ【灸穴】	▲個、▲箇所	灸を据えるのに最も適した箇所のことで、「個」「箇所」で数えます。
きゅうこう【休講】	●齣（コマ）、▲時限、▲回、▲度	休講の回数は「回」「度」で数えます。➡講義
きゅうこん【球根】	▲個、●玉、●球	「球」は球根を数える語で、「花壇に赤いチューリップの球根を50球植えた」のように使います。
ぎゅうしゃ【牛車】	▲台	
きゅうじょう【球場】	▲面、▲球場、●つ	野球の試合をするフィールドは「面」、野球をはじめとする催し物を行う会場は「球場」で数えます。口語では「つ」も用います。土地の広さを表す場合の目安として、「○○球場100{面｜個}分の面積」といいます。
きゅうすいしゃ【給水車】	▲台	➡車
きゅうすいせん【給水栓】	▲本	
きゅうすいち【給水池】	▲面、●つ、▲箇所	
きゅうでん【宮殿】	▲城、▲宮殿	

▲=漢語数詞〔一（いち）、二（に）、三（さん）…〕などに付く　●=和語数詞〔一（ひと）、二（ふた）、三（み）〕などに付く

数えるもの	数え方	数え方のポイント
	・つ	
ぎゅうにゅう【牛乳】	▲本、▲・★パック、▲個、・瓶、・缶	小売単位は、紙パックに入っている1リットルや500ml程度のものは「本」、それより容量の少ない300ml程度以下のものは「パック」「本」で数えます。テトラパック状や少量密閉包装のものは「個」で数えることがあります。瓶入り牛乳は「本」「瓶」、缶に入っているものは「本」「缶」で数えます。
	▲・★カップ、▲杯	コップに注ぐと「杯」、計量カップに注ぐと「カップ」で分量の目安を表します。
きゅうばん【吸盤】	▲個	
きゅうほう【臼砲】	▲門	「門」は大砲などを数える語です。
キューポラ【cupola】	▲基	溶銑炉のことで、据え置くものは「基」で数えます。

コラム 4 COLUMN 〈人魚は「1人」？それとも「1匹」？〉

　人間は「人」、動物は「匹」で数える、というのは言うまでもないことですが、では人間と魚の性質を半分ずつ持つ人魚や、人間と馬の融合したケンタウロスはどう数えるのでしょう？

　答えは「1人」です。空想上の生き物を数える場合、人魚姫が人間と同じように恋愛したり、ケンタウロスが人間の言葉を発したりすると、私達は自分達と"同類"だと捉え、動物的な面を持っている空想上の生き物でも「1人」と数えます。

　それに加え、空想上の生き物が人間にとってどういう存在か、ということも数え方に影響します。例えば、おとぎ話を読んでいるとしばしば鬼が出てきますが、暴れて人間を困らせる場面では「1匹」で数えられ、心を入れ替えて人間的な性格を持つと「1人」で数えられる傾向があります。これは、「悪魔1匹」に対して、「天使1人」と数えることからも確かめられます。ひと口に空想上の生き物といっても、人間にとってより友好的な存在ほど「1人」で数えやすくなります。

★=英語数詞〔1（ワン）、2（ツー）、3（スリー）…〕などに付く　➡ より詳しい解説のある項目へ　→ 関連項目などへ

きゅうめいぐ ▶ きょうそく

数えるもの	数え方	数え方のポイント
きゅうめいぐ【救命具】	▲点、●つ	さまざまな機能・形状のものをまとめて「点」で数えます。 ➡ 救命胴衣
きゅうめいてい【救命艇】	▲艘、▲隻	➡ 船
きゅうめいどうい【救命胴衣】	▲枚、▲着	着衣として扱う場合は「着」でも数えます。 ➡ 救命具
きゅうり【胡瓜】	▲本、▲株、●山、●袋	植物として扱う場合は「本」「株」で数えます。食用部分は細長いので「本」で数えます。八百屋などでの小売単位は「山」「袋」などです。
キュロット【culotte フランス】	▲枚	➡ 服
ぎょう【行】	▲行	
きょうかい【協会】	●つ、▲協会	
きょうかい【教会】	●つ、▲教会、▲堂	➡ チャペル
きょうかい【境界】	●つ	
きょうかいせん【境界線】	▲本	
きょうかしょ【教科書】	▲冊、▲部	➡ 本
きょうぎ【経木】	▲枚	スギやヒノキを薄く削ったもので、「枚」で数えます。
きょうぎ【競技】	▲種目、●つ	「種目」は競技の種類別の項目を数える語です。「つ」でも数えます。
きょうげん【狂言】	▲番	
ぎょうじ【行事】	▲回	定期的に開催される場合は「回」、次に開催するめどが立たない場合は「度」で数えます。
ぎょうしゃ【業者】	▲軒、▲社、●つ、▲人、▲人、▲組	会社組織として見る場合は「軒」「社」「つ」、個人として見る場合は「人」、個人のグループとして見る場合は「組」で数えます。
ぎょうしゅ【業種】	●つ、▲業種	
ぎょうせき【業績】	▲本、▲点、●つ	➡ 論文
きょうそう【競走】	▲●★レース、●つ、▲回、▲度	
きょうそく【脇息】	▲脚、▲台	肘掛けの一種で、脚がついている道具なので

▲=漢語数詞〔一（いち）、二（に）、三（さん）…〕などに付く　●=和語数詞〔一（ひと）、二（ふた）、三（み）…〕などに付く

数えるもの	数え方	数え方のポイント
		で「脚」で数えます。「台」でも数えます。
きょうだい [鏡台]	★台、★基	据えてあるものは「基」で数えます。鏡が3枚組み合わさっている鏡台は「三面鏡」といいます。
きょうてん [経典]	★枚、★巻き、★帖、★冊、★部、★巻	紙は「枚」、巻物なら「巻き」、折り本は「帖」と数えます。書籍にまとめたものは「冊」「部」、経典が複数の分冊に及ぶ場合、それぞれを「巻」で数え「35巻36冊」などといいます。
きょうりゅう [恐竜]	★匹、★頭、★体	小型のものは「匹」、大型のものは「頭」で数えます。骨格標本や模型などは「体」で数えます。
きょうりょう [橋梁]	★基、★本	➡ 橋
ぎょうれつ [行列]	★列、★本	
ギョーザ [餃子]	★個、★粒、★皿、★箱、★折	小さいものは「粒」で数えることもあります。皿に盛られると「皿」で数え、1人前のギョーザが載った皿を「枚」で数えることもあります。折り箱に入れると「折」でも数えます。
きょく [曲]	★曲、★つ、★番	「番」は舞曲の数を数える語です。「2番の歌詞を歌う」「交響曲第9番」
きょくせん [曲線]	★本	
ぎょせん [漁船]	★隻、★艘	➡ 船
ぎょらい [魚雷]	★本、★発	
ぎょらん [魚卵]	★腹、★粒	たらこや白子は「腹」で数えます。「腹」は元来胴部のふくらんだ器物を数える語です。個々の魚卵は「粒」で数えます。
ぎょるい [魚類]	★匹、★尾	➡ 魚
きらい [機雷]	★本、★発	
きり [桐]	★本、★株、★枚	植物としては「本」「株」で数えます。桐材は「枚」で数えます。
	★玉	「玉」は桐材の大きさを表す単位です。「1玉」は、長さ6尺4寸(約1.94m)で末口(丸太の

★=英語数詞[1(ワン)、2(ツー)、3(スリー)…]などに付く　➡ より詳しい解説のある項目へ　→ 関連項目などへ

数えるもの	数え方	数え方のポイント
		細い方の切り口)の内径が6寸(約18.18cm)のものを指します。
きり【錐】	▲本	
きりかぶ【切り株】	●株、●つ、▲本	
きりたんぽ【切りたんぽ】	▲本	
きりみ【切り身】	●切れ、▲枚、●さく	魚をさばく際は「三枚におろす」といいます。「さく」は刺身用のさくを数える語です。→刺身
きりん【麒麟】	▲頭	まれに「匹」で数えることもあります。
キルト【kilt】	▲枚	巻きスカートの一種で、「枚」で数えます。→服
きれ【切れ】	▲枚、▲片、●切れ	「片」は紙片・布片を数える語です。「切れ」は、大きな部分から切り取ったり、切り分けたりしたものを数える語です。
きれつ【亀裂】	●筋、▲本	→罅
ギロチン【guillotineフランス】	▲台	
きん【金】	▲カラット、▲両	「カラット」は合金中に含まれる純金の比率を示す単位です。記号は「K」「kt」。純金は24カラット。「両」は金銀などの重さの単位です。→金塊
きん【菌】	▲個、▲種、●つ	1種類の菌の数は「大腸菌2億個」のように「個」で数えます。菌の種類は「種」「つ」で数えます。「2{種｜つ}の乳酸菌を混ぜる」
きんか【金貨】	▲枚、▲個	→硬貨
ぎんか【銀貨】	▲枚、▲個	→硬貨
きんかい【金塊】	●塊、▲両	金の塊をのべ棒にすると「本」でも数えます。「両」は金銀などの重さの単位です。
きんかん【金柑】	▲本、●株、▲個、●粒	植物としては「本」「株」などで数えます。丸い小さい果実は「個」「粒」で数えます。→蜜柑
きんぎょ【金魚】	▲匹、●尾	「尾」は釣りの獲物や、鮮魚店・ペットショップで商品として取り引きされる魚を数える

▲=漢語数詞〔一(いち)、二(に)、三(さん)…〕などに付く　●=和語数詞〔一(ひと)、二(ふた)、三(み)…〕などに付く

数えるもの	数え方	数え方のポイント
		際に用いる語です。通常は「匹」で数えます。➡ 魚
きんぎょばち【金魚鉢】	★個、●鉢	
きんこ【金庫】	★台、●個、★基	銀行などにある大型の金庫は「基」でも数えます。
ぎんこう【銀行】	★行、★軒	銀行の種類や店舗数を「行」で数えます。「A銀行とB銀行、2行が合併」 銀行の各支店は「支店」「店」「店舗」などでも数えます。
きんちゃく【巾着】	★枚、●個	巾着袋は「枚」、中身の入った巾着は「個」で数えます。
ぎんなん【銀杏】	●粒、●個	
きんにく【筋肉】	★本、●筋、★条	体の筋や靭帯を数えるのに「条」を用いることがあります。
きんぱく【金箔】	★枚、●片、●坪	「坪」は錦・金箔などの高価な織物や金属板などの面積の単位です。1平方寸（約9.18cm²）で「1坪」。

く

数えるもの	数え方	数え方のポイント
く【句】	★句、●つ	➡ 俳句
ぐ【具】	★目、●種類	料理に入る具の種類は「目」「種類」などで数えます。「五目そば」
くい【杭】	★本	
くうかん【空間】	●つ、★空間、★次元	「次元」は空間（数学的空間）の広がり方の度合を表す語です。直線は「一次元」、平面は「二次元」、立体的空間は「三次元」といいます。
くうきじゅう【空気銃】	★挺（丁）	➡ 銃
くうこう【空港】	●つ、★空港、★箇所	飛行機が離発着する場所は「面」で数えます。
くうしつ【空室】	●室、●部屋	➡ 部屋

★＝英語数詞［1（ワン）、2（ツー）、3（スリー）…］などに付く　➡ より詳しい解説のある項目へ　→ 関連項目などへ

くうしゅう ▶ くさばな

数えるもの	数え方	数え方のポイント
くうしゅう【空襲】	▲度、▲回、▲波	空襲で受けた被害経験は「回」よりも「度」で数えます。「2度の空襲で焼け野原になった」「波」は空襲を波のように押し寄せるものをたとえて数える語です。
ぐうぜん【偶然】	●つ	
くうちょうき【空調機】	▲台、▲基	
クーポン【coupon仏】	▲枚、●綴り、▲冊	個々のクーポンは「枚」、複数のクーポンがつながっているものは「綴り」「冊」で数えます。
クーラー【cooler】	▲台	「カークーラー」なども「台」で数えます。
クーラーボックス〈和製語〉	▲個	
くうらん【空欄】	▲箇所、●つ	
くかく【区画】	●つ、▲区、▲区画	「区」は行政上の区画や選挙区を数える語です。
くかん【区間】	●つ、▲区、▲区間	駅伝で、ひとりの走者が走る区切りは「区」「区間」で数えます。
くき【茎】	▲本、▲茎	「茎」は草の茎や筆など、細長いものを数える語です。
くぎ【釘】	▲本、●樽	「樽」は釘などの量を量る単位です。釘60kgで「ひと樽」。
くぎぬき【釘抜き】	▲本	
くぎり【区切り】	●つ、▲節、▲区、●区切り	「節」は文章や音楽などの区切りを数える語です。プロ野球などの試合日程の区切りも「節」で数えます。「区」は区切った場所・区切りを表す語です。一段落することを「ひと区切り」といいます。
くけだい【絎台】	▲台	着物を仕立てるときに布がたるむのを防ぐために吊っておく道具のことで、「台」で数えます。
くさ【草】	▲本、▲茎	「茎」は草を雅語的に数える語です。
くさばな【草花】	▲本、●株	鉢植えは「鉢」で数えます。➡花

▲=漢語数詞〔一(いち)、二(に)、三(さん)…〕などに付く　●=和語数詞〔一(ひと)、二(ふた)、三(み)…〕などに付く

数えるもの	数え方	数え方のポイント
くさび[楔]	★本	
くさむら[叢]	•むら	「むら」は群生しているものを数える語です。
くさもち[草餅]	★個	
くさり[鎖]	★本、★連(れん)	まれに「筋(すじ)」で数えることもあります。
くし[串]	★本	串は「本」で数えます。串に刺した細長い形をした食品(串揚げ・串カツ・串団子など)は「本」「串」で数えます。
くし[櫛]	★枚(まい)、★本、★具(ぐ)	細長い櫛は「本」でも数えます。「具」は、必要なものを備えることを表し、一揃(ひとそろ)いの用具を数える語です。 櫛の歯は"くしけずる"ものであるため、刃物の刃と同様に「枚」で数えます。➡ブラシ
くじ[籤]	★本	籤の形によって「枚」や「個」でも数えます。
くじゃく[孔雀]	★羽(わ)	広げた羽を扇に見立て、「面」で数えることもあります。➡鳥(とり)
くしゃみ	★回、★度	大げさに表現するために「発」で数えることもあります。
くじょう[苦情]	★件、•つ	➡クレーム
くじら[鯨]	★頭	小形のものは「匹」でも数えます。
くずかご[屑籠]	★個	
くずこ[葛粉]	•袋(ふくろ)、•匙(さじ)、•つまみ	小売単位は「袋」。調理に使う際は「匙」「つまみ」などで分量の目安を表します。➡粉(こな)
くすだま[薬玉]	★個	祝い事や式典などで割る薬玉は「個」で数えます。
くすり[薬]	★錠(じょう)、•粒(つぶ)、★丸(がん)、★包(ほう)、★貼(ちょう)、★服	「錠」は粒状の薬・丸薬(タブレット)・カプセル・座薬などを数える語です。「粒」「丸」は「錠」で数えるよりも小さい錠剤を数える語です。紙に包んだ薬は「包」「貼」などで数えます。「服」は1回分に服用する分量の粉薬を包んだものを数える語です。
	•瓶(びん)、•袋(ふくろ)、•箱(はこ)	薬の小売単位はさまざまですが、容器に応

くせ ▶ くつ

数えるもの	数え方	数え方のポイント
	▲本、▲枚	じて「瓶」「袋」、水薬や注射液などは「本」で数えます。貼り薬は「枚」でも数えます。
	▲匕(ひ)	「匕」は匙を表し、薬などの分量を表す単位です。「1匕(いっぴ)の薬」
	●回り(まわ)	「回り」は古く、服薬・湯治などで7日間を1期として数えた語です。「3回り(21日)分の薬」
くせ【癖】	●つ、▲癖(くせ)	数詞に「癖」をつけ、「ひと癖もふた癖もある」「無くて七癖」などといいます。
くだ【管】	▲本	
くだもの【果物】	▲個、●玉(たま)	果物の形状によって数え方が異なります。リンゴ・ナシ・桃・スイカ・メロン・ミカンなどは「個」で数え、商品として果実の丸みを強調する場合は「玉」でも数えます。
	▲顆(か)	「顆」は古くは、玉のように丸い物を数えた語です。
	▲菓(か)、●房(ふさ)、▲粒(つぶ)、▲本、●切れ	「菓」は果物を表します。ブドウの房やバナナの房は「房」で数えます。ブドウの実・梅の実・サクランボ・イチゴ・ナッツ類など、指でつまめる程度の大きさの実は「粒」で数えます。個々のバナナの実は「本」で数えます。果物を食べやすいように切り分けると「切れ」で数えます。 →詳しくは各項目を参照
	●山(やま)、●袋(ふくろ)、▲箱(はこ)、▲●★パック、●籠(かご)	小売単位は「山」「袋」「パック」「箱」「籠」などを用います。
ぐち【愚痴】	●言(こと)、●つ	
くちえ【口絵】	▲点、●図(ず)、●つ	→挿絵(さしえ)
くちがね【口金】	▲個、▲本	
くちべに【口紅】	▲本	➡化粧品(けしょうひん)
くつ【靴】	▲足(そく)、▲点、▲個	両足分で「1足」と数えます。商品として扱う場合は、1足で「1点」と数えます。靴の片方は「個」で数えます。

▲=漢語数詞〔一(いち)、二(に)、三(さん)…〕などに付く　●=和語数詞〔一(ひと)、二(ふた)、三(み)…〕などに付く

クッキー ▶ くぼみ

数えるもの	数え方	数え方のポイント
		靴のサイズを表す古い単位に「文(もん)」があります。「1文」は約2.4cm。足のサイズが24cmなら10文。
クッキー【cookie】	★枚(まい)、★個、★袋(ふくろ)、★箱(はこ)、★缶(かん)	形状によって「枚」でも「個」でも数えます。小売単位は「袋」「箱」「缶」など。 ➡ 焼(や)き菓子(がし)
くつした【靴下】	★足(そく)、★組(くみ)、★点、★枚(まい)	両足分で「1足」「ひと組」と数えます。商品として扱う場合は、1足で「1点」と数えます。片方の靴下は「枚」で数えます。
クッション【cushion】	★個、★枚	平らなものは「枚」で数えます。 ➡ 座布団(ざぶとん)
グッズ【goods】	★点	雑貨や小物のことで、まとめて「点」で数えます。
くつばこ【靴箱】	★個、★台	靴を入れる箱は「個」、玄関に備えつけられているものは「台」で数えます。
くつべら【靴箆】	★本	短いものは「枚」でも数えます。
くつわ【轡】	★本、★口(こう)	馬の口にくわえさせて手綱をつける馬具の一種で、「本」「口」で数えます。「はみ」ともいいます。 ➡ 馬具(ばぐ)
くとうてん【句読点】	★つ、★字	国語の設問などでは「句読点も1字に含める」など、「字」でも数えます。
くに【国】	★国(こく)、★か国(こく)、★つ	「国」は国を数える語です。「一国一城の主(あるじ)」「三国同盟」 国を独立した単位として数える場合は「か国(こく)」で数えます。「6か国の首脳が会談」「3か国を訪問」
くび【首】	★級、★本	戦などで取った首は「級」で数えます。古い中国の法で、敵の首を取るごとに爵位(しゃくい)(級)が上がったことに由来します。
くびかざり【首飾り】	★本	➡ ネックレス
くびわ【首輪】	★本	犬猫の首につける輪は「本」で数えます。
くふう【工夫】	★つ、★点	ちょっとした工夫をすることを、「ひと工夫する」と表現します。
くぼみ【凹み】	★つ、★個、★箇所(かしょ)	

★=英語数詞〔1(ワン)、2(ツー)、3(スリー)…〕などに付く　➡ より詳しい解説のある項目へ　➡ 関連項目などへ

くま ▶ くらいどり

数えるもの	数え方	数え方のポイント
くま[熊]	▲頭、▲匹	小形の熊は「匹」で数えることもあります。
くまで[熊手]	▲本	
くみ[組]	▲•組	➡ クラス
くも[雲]	•つ、▲片、▲本、•筋、▲条、▲抹、•点、•座、•塊、•朶	雲の形状によって数え方はさまざまですが、青い空に浮かぶ雲を数える場合は「つ」「片」、飛行機雲は「本」「筋」「条」で数えます。快晴の空にわずかに浮かぶ雲は、数詞「一」を伴い「一抹」「一点」と数えます。入道雲は山に見立てて「座」、まとまった雲は「塊」で数えることもあります。「朶」は木の枝が垂れ下がるという意味で、花や雲のかたまりを雅語的に数える語です。
くも[蜘蛛]	▲匹	
くもつ[供物]	•盛り	神仏への供え物を盛り合わせたものは「盛り」で数えます。
くものす[蜘蛛の巣]	▲枚、▲面	平面的なので「面」でも数えます。
くら[蔵]	▲戸前、▲棟、•棟	「戸前」は蔵を数える語です。「蔵前」「蔵の入り口の戸の前」に由来します。建物一般を指す「棟」で数えることもあります。
くら[鞍]	▲具、•具、▲口、▲背	「具」は必要なものを備えることを表し、一揃いの用具を数える語です。「口」は馬の食いぶち、すなわち家畜の数を表す語です。馬の背に乗せるものなので「背」で数えることもあります。 ➡ 馬具
くらい[位]	▲位	「位」は計算をする際のくらい取りを表す語です。「100 位の数」 位階は「位」、等級は「級」で表します。
クライアント[client]	▲社、•人、▲人、•名、•組	会社単位の顧客は「社」、個人単位の顧客は「人」「名」「組」などで数えます。→ 業者
グライダー[glider]	▲機	
くらいどり[位取り]	•桁	

▲＝漢語数詞〔一（いち）、二（に）、三（さん）…〕などに付く　●＝和語数詞〔一（ひと）、二（ふた）、三（み）…〕などに付く

グラインダー ▶ クリーナー

数えるもの	数え方	数え方のポイント
グラインダー [grinder]	★台	研磨機のことで、「台」で数えます。
グラウンド [ground]	★面	球技コート・競技場・校庭なども「面」で数えます。
くらげ [水母]	★匹(ひき)	
クラス [class]	★•組(くみ)、★•学級、★•クラス	厳密な区別はありませんが、「組」は同じことを行う仲間の集団を、「学級」は同じ教員の指導の下、同じ教室で同時に学習する児童・生徒の集団を数える語です。共に和語数詞を伴うこともできます。
グラス [glass]	★個、★脚(きゃく)、•客、★杯(はい)	容器としては「個」で数えます。ワイングラスのように脚(あし)のついているものを雅語的に「脚(きゃく)」で数えることもあります。客をもてなすためにそろえてあるグラスは「客」でも数えます。グラスに液体が注がれると「杯」で数えます。
クラブ [club]	★本	→ ゴルフクラブ
	•つ	→ サークル
クラブハウス [clubhouse]	★軒(けん)	
グラフ [graph]	★枚(まい)、★図(ず)、★点	紙やスライドに記されているグラフは「枚」、説明の理解を助けるために文書の中に添えたグラフは「図」「点」で数えます。
グラフィック [graphic]	★枚(まい)、★点、★図(ず)	画像のことで、「枚」は印刷されたものを、「点」は作品を、「図」は挿絵(さしえ)をそれぞれ数える語です。
クラフトし [クラフト紙]	★枚(まい)	
クラリネット [clarinet]	★本	➡ 楽器(がっき)
くり [栗]	★個、•粒(つぶ)	植物としては「本」「株」で数え、栗の実は「個」「粒」で数えます。いがは「個」で数えますが、雅語的に「ひと鞠(まり)」とも数えます。
クリーナー [cleaner]	★台	→ 掃除機(そうじき)
	★本、•箱(はこ)	洗剤は容器の形に応じて「本」「箱」などで数

★=英語数詞〔1(ワン)、2(ツー)、3(スリー)…〕などに付く　➡ より詳しい解説のある項目へ　→ 関連項目などへ

クリーニング ▶ グレープ

数えるもの	数え方	数え方のポイント
		えます。
クリーニング【cleaning】	▲軒、▲店、▲●店舗、▲点	店舗は「軒」「店」「店舗」などで数えます。クリーニングに預ける衣類は「点」で数えます。
クリームソーダ〈和製語〉	▲杯	
クリスマスツリー【Christmas tree】	▲本	小型のものは「個」でも数えます。
クリック【click】	▲回	マウスを2回連続して素早くクリックすることをダブルクリックといいます。 →マウス
クリップ【clip】	▲本、▲個	
クリニック【clinic】	▲軒	➡病院
グリル【grill】	▲枚	焼き網のことで「枚」で数えます。 →ガスグリル
クルーザー【cruiser】	▲隻、▲艘、▲艇	➡船
グループ【group】	▲団、▲群、▲●グループ、▲班、▲組	「団」は集まった人や物を数える語です。「群」は群がる人（仲間）を数える語です。「班」は全体をいくつかに分割し、特定の役割が与えられた小規模なグループを数える語です。歌手のグループは「組」で数えます。また、人数に「組」を伴って構成員の数を表します。「5人組のグループ」
くるま【車】	▲輪、▲台、▲両、▲乗	車輪は「輪」、リヤカーや手押し車、自動車は「台」、電車の車両は「両」で数えます。「車」で数えることもあります。「乗」は昔の中国で、車・兵車を数える語です。
くるまいす【車椅子】	▲台	椅子の一種ですが、移動の手段に用いるため、「脚」では数えません。
くるみ【胡桃】	▲個、●粒	➡ナッツ
グレード【grade】	●つ、▲階級、▲●★グレード	
クレープ【crêpe フランス】	▲枚	薄く焼いた菓子なので「枚」で数えます。
グレープ【grape】	●粒、●房	➡葡萄

▲＝漢語数詞〔一（いち）、二（に）、三（さん）…〕などに付く　●＝和語数詞〔一（ひと）、二（ふた）、三（み）…〕などに付く

グレープフルーツ ▶ くわい

数えるもの	数え方	数え方のポイント
グレープフルーツ【grapefruit】	★個、★玉（たま）、★本、●株（かぶ）	果実は「個」「玉」で数え、植物としては「本」「株」で数えます。
クレーム【claim】	★件、★回、★度	異なる人から寄せられたクレームの件数は「件」で数えます。同じ人から繰り返しクレームが寄せられた場合や同じ内容のクレームは「回」「度」で数えます。→苦情（くじょう）
クレーン【crane】	★台、★基（き）	クレーン車は「台」、据えて使うものは「基」で数えます。
クレジットカード【credit card】	★枚（まい）	
クレヨン【crayon フランス】	★色（しょく）、●色（いろ）、★本、●箱（はこ）	色の数をいうときは「色」で数えます。個々のクレヨンは「本」、箱に入れると「箱」で数えます。
クレンザー【cleanser】	★本、●箱（はこ）、★滴（てき）、●振（ふ）り	瓶・チューブ入りのものは「本」、箱入りは「箱」で数えます。使う際は、液体クレンザーは「滴」、粉状クレンザーは「振り」で分量の目安を表します。
クローバー【clover】	★本、●株（かぶ）、●むら	群生するクローバーは「むら」で数えます。葉の枚数をいう場合は「三つ葉」「四つ葉」のように「つ葉」を用います。花は「本」で数えます。
グローブ【glove】	★個、★枚（まい）、★双（そう）	野球の道具のグローブは「個」で数えます。手袋は2枚で「1双」と数えます。➡手袋（てぶくろ）
クロワッサン【croissant フランス】	★個	➡パン
くわ【桑】	★本、●株（かぶ）、●枝（えだ）、★枚（まい）	植物としては「本」「株」で数えます。蚕（かいこ）にやる桑の枝は「枝」、葉は「枚」で数えます。
くわ【鍬】	★挺（ちょう）（丁）、★本	「挺（丁）」は手に持って扱う器具を数える語です。まれに器具を数える「口（こう）」を用いることもあります。
くわい【慈姑】	★本、●株（かぶ）、★個	植物としては「本」「株」で数えます。食用部分の球茎は「個」で数えます。

★＝英語数詞〔1（ワン）、2（ツー）、3（スリー）…〕などに付く　➡より詳しい解説のある項目へ　→関連項目などへ

数えるもの	数え方	数え方のポイント
くわがたむし【鍬形虫】	▲匹、▲頭	希少価値の高いものは「頭」でも数えます。
ぐんかん【軍艦】	▲隻	「艇」「艘」で数えることもあります。古くは「杯」でも数えました。➡ 船
ぐんかんまき【軍艦巻き】	▲かん(貫)、▲個、▲巻、●つ	ひと口大に握った鮨飯の周りに幅の広い海苔を巻き、ウニやイクラなどの柔らかいネタを乗せた鮨の一種で、「かん(貫とも書く)」「個」「巻」で数えます。➡ 鮨 → コラム⑨に関連事項(p.155)
ぐんしゅう【群集】	▲団、▲群	「団」「群」は多くの数の人間の集まり、同じ目的を持って行動する仲間を表す語で、共に「一団」「一群」の形で用います。
ぐんぜい【軍勢】	▲陣、▲軍	「陣」は軍勢や防御物を数える語です。
ぐんたい【軍隊】	▲軍、▲隊、▲個	「三軍(陸軍・海軍・空軍)の指揮官」のように用います。「二個中隊」のように「個」でも数えます。
ぐんて【軍手】	●組、▲双、▲枚	左右が決まっている手袋のペアは「双」で数えますが、左右が決まっていない軍手の場合は2枚で「1組」と数えることがあります。➡ 手袋
ぐんばい【軍配】	▲本、▲枚	軍配団扇のことで、「本」「枚」で数えます。

け

数えるもの	数え方	数え方のポイント
け【毛】	▲本、▲毛	「毛」は極めて細かく小さいものを表し、文語で髪を数える語です。➡ 髪
げい【芸】	●つ	あることにすぐれた才能があることを「一芸に秀でる」といいます。また、芸に身をささげることを「芸一筋」といいます。➡ 出し物
けいかく【計画】	●つ、▲計画	段階を追って行われる計画は、「第3次計画」のように、「第〜次」で表します。
けいき【計器】	▲台	計量器械は「台」で数えます。

▲=漢語数詞〔一(いち)、二(に)、三(さん)…〕などに付く　●=和語数詞〔一(ひと)、二(ふた)、三(み)…〕などに付く

数えるもの	数え方	数え方のポイント
けいききゅう【軽気球】	★機	➡ 気球
けいけん【経験】	★度、•つ	経験は「回」よりも「度」で数えます。 → コラム⑮に関連事項(p.275)
けいこうとう【蛍光灯】	★本、★灯	「灯」で数える場合は、蛍光灯の本数に関係なく、蛍光灯を用いた照明器具を数えることができます。
けいさつけん【警察犬】	★頭	➡ 犬
けいさんき【計算機】	★台	
けいし【罫紙】	★枚	➡ 紙
けいじばん【掲示板】	★枚、★面	インターネット上の掲示板は「つ」でも数えます。
げいしゃ【芸者】	•人、★人、★枚	「枚」は役者・芸者を数える語です。出演者の名前を、右を上位として1枚の看板にひとりずつ順に記したことに由来します。
げいじゅつひん【芸術品】	★点、★作、★作品	
けいしょう【敬称】	•つ	
けいせん【罫線】	★本、★行	便箋などの罫線の間は「行」で数えます。
けいたいでんわ【携帯電話】	★台	携帯電話の契約数も「台」で数えます。 ➡ 電話
けいと【毛糸】	★本、•玉、•把、•綛	毛糸の糸は「本」、球(毛糸玉)になった状態は「玉」で数えます。毛糸の束は「把」「綛」で数えます。「綛」は一定の長さの枠に糸を何重にも巻き、巻いた糸の束を外してまとめたものを表します。
けいほうき【警報器】	★台	
けいむしょ【刑務所】	★軒、★棟、★箇所	刑務所の数は「軒」、施設の中の建物は「棟」で数えます。
けいやく【契約】	★件、•口	契約数は「件」、契約口数は「口」で数えます。「1件で3口ご契約」
けいやくしょ【契約書】	★通、★枚	
けいりょうスプーン	★本、•杯、•匙	計量スプーンで量る分量は「杯」「匙」で表し

★=英語数詞〔1(ワン)、2(ツー)、3(スリー)…〕などに付く　➡ より詳しい解説のある項目へ　→ 関連項目などへ

ケーキ ▶ ゲーム

数えるもの	数え方	数え方のポイント
【計量スプーン】		ます。➡ 匙
ケーキ[cake]	▲個、▲台、●切れ、▲●★ピース	バースデーケーキなどの丸ごとのケーキは「台」で数えます。（家庭でケーキを焼く際、レシピに材料は「ケーキ1台分」と記されます）ウエディングケーキのように重ねてあるものは、その段数を「段」で数えます。通常、ケーキを切り分けたものは「個」「切れ」「ピース」などで数えます。特に、細長いパウンドケーキなどは「本」で数えることができます。スライスしたケーキは「切れ」で数えます。 ➡ 焼き菓子
ケージ[cage]	▲個、▲台、▲基	➡ 檻
ゲート[gate]	▲基、▲対、▲台	門は「基」「対」で数えます。競馬のスタートに使うゲートは「台」で数えます。→ 門
ゲートル[guêtre フランス]	▲足、▲枚	すねをおおう洋風の脚絆のことで、2枚で「1足」と数えます。
ケープ[cape]	▲枚	袖のない肩掛けマントのことで、「枚」で数えます。
ケーブル[cable]	▲本	
ケーブルカー[cable car]	▲台	
ゲーム[game]	●つ、▲●種類、▲回、▲度、▲●★ゲーム	遊戯のゲームの種類は「つ」「種類」、開催数は「回」「度」で数えます。テニスやバレーボールをはじめとするスポーツの試合数は「ゲーム」で数えます。「2ゲーム先取」野球のペナントレースでの順位格差を「首位のチームと2ゲーム差」のように表します。

ケーキ1台　　1個／ひと切れ／1ピース　　パウンドケーキ1本　　ひと切れ

▲＝漢語数詞〔一（いち）、二（に）、三（さん）…〕などに付く　●＝和語数詞〔一（ひと）、二（ふた）、三（み）…〕などに付く

ゲームき ▶ けしょうひん

数えるもの	数え方	数え方のポイント
ゲームき[ゲーム機]	★台	ゲームセンターにあるゲーム機や家庭用テレビゲーム機などは「台」で数えます。
ゲームセンター<和製語>	★軒(けん)	
けがに[毛蟹]	★匹(ひき)、★杯(はい)	➡ 蟹(かに)
げき[劇]	★本、★作、★作品、★回、★公演(こうえん)、★番、★幕(まく)	作品数は「本」「作」「作品」、上演数は「回」、公演数は「公演」で数えます。「番」は人前で行われる勝負や演技を数える語です。劇の場面は「齣(コマ)(こま)」「場(ば)」「幕」で数えます。 → 芝居(しばい)
げきじょう[劇場]	●つ、★劇場、★軒(けん)	劇場の建物や施設は「軒」で数えます。
げきだん[劇団]	★座(ざ)、●つ	劇団や劇場の名前に「座」をつけることに由来し、「座」で劇団を数えます。
けさ[袈裟]	★枚(まい)、★具(ぐ)、★領(りょう)、★帖(じょう)	「具」は衣服・器具を、「領」は装束を、それぞれ数える語です。平面的なものを数える「帖」を用いることもあります。
けし[芥子]	★本、●株(かぶ)、★粒(つぶ)、★顆(か)	植物としては「本」「株」で数えます。ケシの実は「粒」「顆」で数えます。
けしき[景色]	★景(けい)	1地方の特にすぐれた8か所の景色を「八景(はっけい)」といい、「近江八景(おうみ)」のように用います。
けしゴム[消しゴム]	★個	➡ 文房具(ぶんぼうぐ)
げしゅく[下宿]	★軒(けん)	
けしょうがみ[化粧紙]	★枚(まい)	
けしょうしつ[化粧室]	★室	➡ トイレ
けしょうすい[化粧水]	★本、★滴(てき)	化粧水の入った容器は「本」で数えます。使う際は「滴」で分量の目安を表します。
けしょうばこ[化粧箱]	★個、●折(おり)	商品の見栄えをよくするための美しい箱のことで、「個」で数えます。「折」は折り箱や、折り詰め(折り箱に詰めた食品・菓子類)を数える語です。
けしょうひん[化粧品]	★点、★本、★個	商品および道具としてまとめて数える場合は「点」で数えます。口紅・リキッドファン

★=英語数詞[1(ワン)、2(ツー)、3(スリー)…]などに付く　➡ より詳しい解説のある項目へ　→ 関連項目などへ

けしょうまわし ▶ ケトル

数えるもの	数え方	数え方のポイント
		デーション・アイライン・アイブロー・マスカラなどは「本」で、おしろい・頬紅・アイシャドーなどは「個」で数えます。
けしょうまわし[化粧回し]	▲本、▲枚、●腰、▲点	「本」は関取の所有する化粧回しの数をいう場合に用いる語です。「枚」も用います。「腰」は腰につけるものを数える語です。横綱土俵入りには化粧回し3腰が必要で、「横綱三揃いの化粧回し」ともいいます。
げすいどう[下水道]	▲本	
ゲストハウス[guesthouse]	▲軒、▲棟、●棟	➡ 家
けずりくず[削り屑]	▲片	
けずりぶし[削り節]	▲片、●★パック、●袋	削ったものは「片」で数えます。小売単位は「パック」「袋」など。 ➡ 鰹節
けた[桁]	▲本、●桁	家屋や橋などに使う材木は「本」で数えます。数字の位取りの意では「桁」で数えます。
げた[下駄]	●足	左右2枚で「1足」と数えます。
けだま[毛玉]	●つ、▲個	
ケチャップ[ketchup]	▲本、●瓶、●滴、●匙、●しぼり	小売単位は「本」「瓶」などを用います。調味に使う際は「滴」「匙」「しぼり」などで分量の目安を表します。
けつえき[血液]	▲滴	➡ 血
けっか[結果]	●つ	
けっかん[血管]	▲本	
げっきん[月琴]	▲台	弦楽器の一種で「台」で数えます。
けっこん[結婚]	▲件	結婚の件数は「件」、式場などで結婚するカップルは「組」で数えます。結婚の経験は「2{○度｜×回}目の結婚」のように「度」で数えます。 ➡ 離婚 ➡ 再婚
けっせき[欠席]	▲回、▲度	欠席者は「人」「名」で数えます。
けっせき[結石]	▲個	
ケトル[kettle]	▲個	➡ 薬缶

▲=漢語数詞〔一(いち)、二(に)、三(さん)…〕などに付く　●=和語数詞〔一(ひと)、二(ふた)、三(み)…〕などに付く

数えるもの	数え方	数え方のポイント
けぬき【毛抜き】	★本	
けばり【毛針】	★本	鳥の羽などをつけた擬餌針のことで、「本」で数えます。
けむし【毛虫】	★匹	
けむり【煙】	•筋、★本、★条	「筋」「条」は細く立ち上る煙を数える語です。「本」で数える場合は、"のろし"のように、煙の数が問題になる場合が多いようです。
けもの【獣】	★頭、★匹	➡ 動物
けものみち【獣道】	★本、•筋	➡ 道
けやり【毛槍】	★本、•筋、★条、•柄	➡ 槍
ゲラ【galley】	★台	組み上げた活字版を入れる盤のことで、「台」で数えます。
	★枚、★通	ゲラ刷りの意味では「枚」「通」で数えます。
ゲレンデ【Geländeドイ】	★面	
けん【券】	★枚、★片、•綴り	➡ チケット
けん【剣】	★本、•振りなど	➡ 刀
けん【鍵】	•鍵、★本	ピアノ・オルガン・タイプライターなどの指でたたく部分のことで、「鍵」で数えます。「24鍵キーボード」
げん【弦】	★本、★張、•張り	
げん【舷】	•筋、•条、★本	船の側面のことで、「筋」「条」「本」で数えます。
げんが【原画】	★点、★枚	作品として数える場合は「点」で数えます。
げんがっき【弦楽器】	★本、★台、★面、★張、•張り、★挺（丁）、•棹	一般的に、ギターやバイオリンなどの弦を張った楽器は「本」で数えます。ハープのように大型で床に置いて演奏する楽器は「台」で数えます。琴や琵琶は「面」「張」「張り」で数えます。三味線は「挺（丁）」「棹」で数えます。 ➡ 楽器
けんきゅう【研究】	★本、•件	研究項目は「本」、学会などにおける研究の発表数や採用数は「件」で数えます。

★＝英語数詞〔1（ワン）、2（ツー）、3（スリー）…〕などに付く　➡ より詳しい解説のある項目へ　→ 関連項目などへ

けんきょ ▶ げんそく

数えるもの	数え方	数え方のポイント
けんきょ[検挙]	▲件、●人/たり/にん	
げんご[言語]	▲言語、▲か国語、●つ	言語数は「世界の500言語を調査」「2言語併記の標識」のように「言語」で数えます。ただし、個人の言語運用能力や語学学校の授業内容について示す場合は、「彼女は3か国語が話せる」「この学校では7か国語を教えている」のように「か国語」で数えます。放送に使う言語数も「日英2か国語放送」のように「か国語」で数えます。 →言葉(ことば)
げんこう[原稿]	▲枚(まい)、▲本、▲点	記事や連載、課題用原稿は「本」、作品として価値のあるものは「点」でも数えます。
げんこうようし[原稿用紙]	▲枚(まい)	「400字詰め原稿用紙40枚程度」などといい、文書量の目安にします。
げんこつ[拳骨]	●つ、▲発	相手を勢いよく殴(なぐ)る場合は「発」でも数えます。
けんざお[間竿]	▲本	建築現場で使う長い物差しで、「本」で数えます。
けんざん[剣山]	▲個	花を挿して盛るための金属性の用具のことで、「個」で数えます。
けんし[犬歯]	▲本	➡歯(は)
げんし[原子]	●つ、▲個	原子核は「個」で数えます。原子価は「価」で表します。
げんしほう[原子砲]	▲門(もん)	「門」は大砲などを数える語です。
けんじゃく[剣尺]	▲本	仏像や刀剣、門戸などの測定に使う物差しの一種で「本」で数えます。
けんじゅう[拳銃]	▲挺(丁)(ちょう)	手に持って扱う道具は「挺(丁)」で数えます。 ➡銃(じゅう)
げんしょう[現象]	●つ	
げんしろ[原子炉]	▲基(き)	「基」は炉など据えて使うものを数える語です。
げんそく[原則]	●つ、▲原則	「3つの原則に従う」「非核3原則」などのよ

▲=漢語数詞〔一(いち)、二(に)、三(さん)…〕などに付く　●=和語数詞〔一(ひと)、二(ふた)、三(み)…〕などに付く

けんだま ▶ こいのぼり

数えるもの	数え方	数え方のポイント
		うに用います。
けんだま【剣玉】	★本	
げんつきじてんしゃ【原付き自転車】	★台	原動機付き自転車のことで、「台」で数えます。 → バイク
げんどうき【原動機】	★台	
ケントし【ケント紙】	★枚(まい)	
けんばん【鍵盤】	★枚(まい)、★面	ピアノやオルガンの鍵盤は「枚」「面」で数えます。 → キーボード → 鍵(けん)
けんびきょう【顕微鏡】	★台、★本、★基(き)	原則として「台」で数えますが、小型で持ち運びができるものは「本」、大型で台などに据え付けてあるものは「基」でも数えます。
けんぶつにん【見物人】	・人(り/たり)、・人(にん)	昔、芝居小屋で、ひとまとまりの見物人を「杯(はい)」で数えました。50人で「1杯」。
げんまい【玄米】	・粒(つぶ)	→ 米(こめ)

こ

数えるもの	数え方	数え方のポイント
こ【弧】	★本	
ご【碁】	★局、★番、★戦(せん)	囲碁の個々の試合は「局」で数えます。連続する試合は「番」で数えます。「7番勝負」碁石を打つことは「手(て)」で数えます。目数は「目(もく)」で数えます。「三目半(さんもくはん)の勝ち」のような表現で勝敗を表します。 → 碁石(ごいし) → 碁盤(ごばん)
ご【語】	★語(ご)、★★ワード、・つ	→ 語彙(ごい)
コアラ【koala】	★頭	「匹」でも数えます。
こい【鯉】	★匹(ひき)、★尾(び)	→ 魚(さかな)
ごい【語彙】	★語(ご)、★★ワード、・つ	「語」は文や文章の中の語数や、辞書の語彙項目などを数える語です。「2万語の語彙」
ごいし【碁石】	★個、★子(し)	盤面上の碁石は「子」でも数えます。
こいのぼり【鯉幟】	★匹(ひき)、★本	コイに見立てて数える場合は「匹」、吹き流

★=英語数詞〔1(ワン)、2(ツー)、3(スリー)…〕などに付く　➡ より詳しい解説のある項目へ　→ 関連項目などへ

こいぶみ ▶ こうぎ

数えるもの	数え方	数え方のポイント
		しも含めてはためく様子を数える場合は「本」を用います。
こいぶみ【恋文】	▲通	➡ 手紙
コイル【coil】	▲本、●巻き	巻かれているコイルは「巻き」でも数えます。
コイン【coin】	▲枚、●個	➡ 硬貨
コインランドリー〈和製語〉	▲軒、●店	店舗は「軒」「店」で数えます。店の中で使われる洗濯機や乾燥機は「台」で数えます。
コインロッカー〈和製語〉	▲台、●基	据えてあるものなので「基」でも数えます。荷物を入れる個々の箱は「個」、鍵は「本」で数えます。
こう【香】	●つまみ	古くは「炷」とも数えました。 ➡ 香炉
こうあつせん【高圧線】	▲本	
こういしつ【更衣室】	▲室、●部屋、●間	
こうえん【公園】	●つ、▲園、●箇所	庭園や公園などは文語で「園」と数えます。
こうえん【公演】	●つ、●回	定期的に行われる公演は「第〜回公演」の形で、その開催回数や開催順序をいいます。
こうえん【講演】	▲本、●題	「本」は出し物の項目を数える語です。講演のテーマを「題」で数えることもあります。 → スピーチ
こうか【効果】	●つ	
こうか【校歌】	●曲	
こうか【硬貨】	▲枚、●個	「枚」でも「個」でも数えられますが、目安として、500円玉程度の大きさのものなら「枚」、100円玉、50円玉以下の大きさなら「個」で数えます。
こうがい【笄】	▲本	髪をかき上げたり、髪に差して用いたりする道具で、「本」で数えます。
こうかいとう【航海灯】	●灯	
こうかきょう【高架橋】	▲本、●橋	
こうき【校旗】	▲本	➡ 旗
こうぎ【講義】	●齣(コマ)、	「コマ」(もっぱらカタカナで書きます)は大

▲=漢語数詞〔一(いち)、二(に)、三(さん)…〕などに付く　●=和語数詞〔一(ひと)、二(ふた)、三(み)…〕などに付く

数えるもの	数え方	数え方のポイント
	★時限、★限、★時間、•個、•つ	学・短期大学などの授業数を数える語です。「時限」「限」「時間」は授業などの時間割りの単位です。会話などでは「個」「つ」も用います。接尾語「目」を伴って、決められた時間に行われる授業を指します。「2時限目は体育」
こうぐ【工具】	★本、★挺（丁）	➡ 道具
こうくうき【航空機】	★機	➡ 飛行機
こうくうびん【航空便】	★通、•個、★便	手紙は「通」、小包などの荷物は「個」で数えます。これらの物が定期的に届けられる場合は「便」でも数えます。
こうこう【高校】	★校	
こうごう【香合】	★合	香料を入れる容器のことで、「合」で数えます。「合」は蓋のある容器を数える語です。
こうこく【広告】	★本、★枚	スポンサーなどの広告数は「本」で数えます。テレビやラジオのコマーシャルも「本」で数えます。広告紙やチラシ・ビラは「枚」で数えます。
	★行、★段	新聞に掲載する広告は「行」「段」を単位として数えます。
こうざ【口座】	•口	「口」は申し込み・割当て・応募・取引の単位を数える語です。
こうざ【高座】	★台、★段	
こうざ【講座】	•つ、•齣（コマ）、★講座	演目を数える「本」を用いて講座を数えることもあります。
こうさい【公債】	•口	➡ ファンド
こうさつ【高札】	★本、★枚	立て札ともいいます。棒の上に掲げたので「本」でも数えます。
こうじ【小路】	★本	➡ 道
こうじ【麹】	★枚	小売単位は「枚」を用います。
こうしど【格子戸】	★枚	
ごうしゃ【郷社】	★社、★座、★宇	旧社格の一つで、府県社の下、村社の上に

★=英語数詞〔1（ワン）、2（ツー）、3（スリー）…〕などに付く　➡ より詳しい解説のある項目へ　→ 関連項目などへ

こうしゃほう ▶ こうせん

数えるもの	数え方	数え方のポイント
		位置した神社のことです。➡神社(じんじゃ)
こうしゃほう【高射砲】	▲門(もん)	「門」は大砲などを数える語です。
こうしゅうでんわ【公衆電話】	▲台	➡電話(でんわ)
こうじょう【工場】	▲軒(けん)、▲棟(とう)、▲棟(むね)、▲箇所(かしょ)	1社の工場が散在する場合は、数詞に直接「工場」をつけて「東京に2工場、大阪に1工場」のように数えます。
こうしんづか【庚申塚】	▲基(き)	塚は「基」で数えます。➡塚(つか)
こうしんりょう【香辛料】	▲粒(つぶ)、▲個、▲本、▲枚(まい)、▲瓶(びん)、▲袋(ふくろ)、▲缶(かん)、▲匙(さじ)、●つまみ、●振(ふ)り	形状によって数え方が異なります。コショウの実は「粒」、八角は「個」、唐辛子やシナモンスティックは「本」、ローリエの葉は「枚」で数えます。香辛料の小売単位は「瓶」「袋」「缶」など。料理に使う際は「匙」「つまみ」「ふり」などで分量の目安を表します。
こうず【構図】	●つ、▲案(あん)、▲図(ず)、▲●★パターン	「図」は説明の理解を助けるために添えられた挿絵・デザイン画・スケッチなどを数える語です。
こうすい【香水】	▲本、▲瓶(びん)、▲滴(てき)	小売単位は「本」「瓶」などを用います。使う際は「滴」で分量の目安を表します。「手首に1滴香水を垂らす」
こうせい【恒星】	▲個	➡星(ほし)
こうせい【校正】	▲校、▲回、▲度	「校」は校正の回数を数える語です。1回目は「初校」、2回目は「再校」、3回目は「三校」といいます。
こうせい【構成】	●つ	例えば3つの構成から成るものを「三部構成」といいます。
こうせいずり【校正刷り】	▲通、▲枚(まい)	ひとまとまりの校正刷りは「通」、校正刷りの各ページは「枚」で数えます。
こうせき【光跡】	▲筋(すじ)、▲本、▲条(じょう)	「条」は細く差し込む光のように細長いものを数える語です。
こうせん【光線】	▲本、▲筋(すじ)	

▲=漢語数詞〔一(いち)、二(に)、三(さん)…〕などに付く　●=和語数詞〔一(ひと)、二(ふた)、三(み)…〕などに付く

数えるもの	数え方	数え方のポイント
こうそう〔香草〕	本、株、パック、鉢、袋、箱、束	ハーブともいいます。現在の小売単位は「パック」「鉢」「袋」「箱」など。香草を乾燥させたものを束ねると「束」で数えます。
こうそう〔構想〕	つ、構想	文語では「構想」でも数えます。
こうぞう〔構造〕	つ、構造	文語では「構造」でも数えます。
こうそうビル〔高層ビル〕	棟、本	➡ ビル
こうそくどうろ〔高速道路〕	本	➡ 道路
こうだん〔講談〕	齣、本	「齣」は楽曲・遊芸・講談の段落を数える語です。「本」は出し物の数を数える語です。
こうちゃ〔紅茶〕	杯など	➡ 茶
こうつうじこ〔交通事故〕	件	
こうてい〔校庭〕	面	
こうでん〔香典〕	包み、封、件	「封」は書状や包み物など封じたものを数える語です。やりとりされた香典の数は「件」でも数えます。
こうでんかん〔光電管〕	本	
こうどう〔坑道〕	本	
こうどう〔講堂〕	つ、堂	「堂」は広く高い部屋や御殿を表す語で、聖堂や講堂を数えます。
こうどけい〔光度計〕	台	
こうないえん〔口内炎〕	つ、個	
こうば〔工場〕	軒、棟、棟	➡ 工場
こうはくまく〔紅白幕〕	張り、枚	「張り」は張った幕を数える語です。
こうばん〔交番〕	箇所	
こうばん〔鋼板〕	枚	
ごうはん〔合板〕	枚	
こうぶんしょ〔公文書〕	通	
こうぼう〔工房〕	軒、室	独立した建物なら「軒」、部屋なら「室」で数えます。
こうもく〔項目〕	項目、つ、点	
こうもり〔蝙蝠〕	匹、羽	哺乳類ですが、鳥の翼に似た前足を広げて

★=英語数詞〔1(ワン)、2(ツー)、3(スリー)…〕などに付く ➡ より詳しい解説のある項目へ → 関連項目などへ

こうもりがさ ▶ コース

数えるもの	数え方	数え方のポイント
		飛ぶことから、「羽」で数えることもあります。
こうもりがさ[蝙蝠傘]	▲本	➡ 傘
こうもん[校門]	▲基	➡ 門
こうやく[公約]	●つ、▲点	
こうやく[膏薬]	●貝、▲滴、▲本	古くは膏薬を貝に入れていたことに由来して「貝」で数えます。布片や紙片に膏薬の成分をしみ込ませたものは「枚」でも数えます。
こうやどうふ[高野豆腐]	▲枚、▲丁、▲連、●締め	高野豆腐は、豆腐を乾燥させる際に連ねて吊るすところから、そのひとつながりを「連」で数えます。「締め（〆）」は束ねたものを数える語です。 ➡ 豆腐
こうら[甲羅]	▲枚	
こうり[行李]	●梱、▲個、▲合、●両	「梱」は竹や柳で編んだ籠、すなわち行李のことを表す語です。行李だけで旅行をすることを「行李一本」といいます。「合」は蓋のある容器を数える語です。行李などの荷物を「両」で数えることもあります。
こうろ[香炉]	▲合、▲基	「合」は蓋のある容器を数える語です。「基」は据えて使うものを数える語です。
こうろ[航路]	▲本	
こうろ[高炉]	▲基	➡ 炉
こえ[声]	●声、▲声	声優などが出し分ける声の種類は「つ」「種類」で数えます。挨拶や呼びかけの意味での声は「隣近所にひと声かける」「選挙運動の第一声をあげる」などの形で用います。声色はたとえて「七色の声」のように表現することがあります。
ゴーカート[go-cart]	▲台	
ゴーグル[goggles]	▲本、▲個、●つ	➡ 眼鏡
コース[course]	●つ、▲●★コース、▲本	水泳や競走などで決められた競走路は「本」で数えます。コース番号をいう場合は「第2

▲=漢語数詞〔一（いち）、二（に）、三（さん）…〕などに付く　●=和語数詞〔一（ひと）、二（ふた）、三（み）…〕などに付く

数えるもの	数え方	数え方のポイント
		コースを泳ぐ」のように表します。コースをまわる回数は「周」で数えます。
コースター【coaster】	▲枚（まい）	コップなどの下に敷くもののことで、「枚」で数えます。
コート【coat】	▲着（ちゃく）	➡服（ふく）
コード【cord】	▲本	束ねたものは「束（たば）」でも数えます。
コーヒー【coffee】	▲杯（はい）、•粒（つぶ）、•袋（ふくろ）、•★パック、•箱（はこ）、•缶（かん）、•瓶（びん）、•匙（さじ）、▲本、•つ	器に注いだコーヒーは「杯」で数えます。豆は「粒」で数えます。豆の小売単位は「袋」「パック」「箱」「缶」など。インスタントコーヒーは「瓶」「匙」、缶コーヒーは「本」、パック入りのコーヒーは「本」「個」「パック」などで数えます。喫茶店などで注文する際は「コーヒーふたつ」と、「つ」を用います。
こおり【氷】	▲個、•粒（つぶ）、▲枚（まい）、▲片（へん）、•かけ、	製氷皿で作る飲み物などに入れる氷は「個」「粒」などで数えます。氷のかけらは「片」「か

コラム 5　COLUMN〈数える物がなくなると、数え方もなくなる？〉

「行李（こうり）ひと梱」「香炉（こうろ）１合」「蚊帳（かや）ひと張り」「石灯籠（いしどうろう）１基」「菅笠（すげがさ）１蓋（がい）」「簞笥（たんす）ひと棹（さお）」…日本語には物に応じて、実に多様な数え方があります。

しかし、時代と共にこのような物を日常生活で使うことが少なくなり、実生活でこれらの物を数える機会はますます減っています。例えば、スーツケースを行李と同じ「ひと梱」で数えることもありません。数える機会がなくなると、その数え方も忘れられてしまうことは避けられません。

日常生活から姿を消す物がある一方、新しい物もどんどん生まれ、それらを数える必要が出てきます。ところが、新しいものが登場しても、それに応じた新しい数え方が生まれることはほとんどありません。例えば、電卓、ワープロ、パソコン、ポケベル、携帯電話…これらはすべて「１台」で済んでしまいます。

物の移り変わりが激しい現代では、次に何が登場しても対応できる、万能で包括的な数え方が好まれる傾向にあります。残念ながらかつての"豊かな"数え方は失われつつあります。

★＝英語数詞〔１（ワン）、２（ツー）、３（スリー）…〕などに付く　➡より詳しい解説のある項目へ　→関連項目などへ

こおりがし ▶ こきゅう

数えるもの	数え方	数え方のポイント
	●塊、▲杯、●袋、▲本	け」などで数えます。水溜まりや池に張る氷は「枚」、氷のブロックは「塊」で数えます。かき氷やアイスペールに入っている氷は「杯」で分量の目安を表します。袋入りの氷は「袋」で数えます。また、氷の塊は135kgまたは180kgで「1本」と数える習慣があります。
こおりがし【氷菓子】	▲個、▲本など	➡ アイスクリーム
こおりどうふ【凍り豆腐】	▲枚、▲丁、▲連	➡ 高野豆腐
コール【call】	▲回	電話の呼び出し音は英語数詞に「コール」をつけて「ワンコール」「ツーコール」と数えます。
ゴール【goal】	★★ゴール、●つ	「ゴール」はサッカー・バスケットボール・アイスホッケーなどでの得点を数え、「ワンゴール」「ツーゴール」のように英語数詞につきます。ゴールを決めた回数は「回」「度」でも数えます。
コーン【cone】	▲個	アイスクリームを入れる円錐形のウエハースは「個」で数えます。工事現場の道路に置くカラーコーンなどの表示物も「個」で数えます。
コーン【corn】	▲本、●粒	➡ 玉蜀黍
コーンフレークス【cornflakes】	●箱、●袋、▲片	個々のフレークは「片」で数えます。器に盛ったものは「杯」でも数えます。
こがたな【小刀】	▲本、●振りなど	➡ 刀
こぎって【小切手】	▲枚、▲通	切り離した小切手は「枚」、綴じてあるものは「綴り」「冊」で数えます。
こきゅう【呼吸】	▲回、▲息、●息、●呼吸	呼吸数は「回」で数えます。「一息」はわずかの息のこと。「ひと息」は短い休憩のたとえを表します。「ひと呼吸」はわずかな間のことです。

▲=漢語数詞〔一（いち）、二（に）、三（さん）…〕などに付く　●=和語数詞〔一（ひと）、二（ふた）、三（み）…〕などに付く

数えるもの	数え方	数え方のポイント
こきゅう[胡弓]	★挺(丁)	➡楽器
こくさい[国債]	•口、★本	→ファンド
こくせき[国籍]	•つ	個人が国籍をふたつ持つことを「二重国籍」といいます。
こくどう[国道]	★本	➡道
こくばん[黒板]	★枚、★面	平らなものなので「枚」で数えますが、「上下2面に分かれた黒板」のようにもいいます。移動式の黒板は「台」でも数えます。
こくほう[国宝]	★点	美術品・工芸品・建造物・文書などをまとめて「点」で数えます。人間国宝(重要無形文化財保持者)は「人」で数えます。
こけ[苔]	•塊、•むら	まとまって生えているものは「むら」で数えます。園芸店の小売単位は「パック」などを用います。
こけし[小芥子]	★本、★体、★点	人間をかたどった人形として見る場合は「体」で数えます。作品・商品として見る場合は「点」でも数えます。
ココナツ[coconut]	★個、•玉	
ござ[茣蓙]	★枚	
コサージ[corsage]	★個、•つ、★点	洋服につける花飾りのことで、作品・商品としては「点」でも数えます。
こざら[小皿]	★枚、★個	➡皿
こし[故紙]	★枚、★片、★束	➡紙
こし[輿]	★挺(丁)、★具	「挺(丁)」は手に持って扱う道具を数える語です。「具」は必要なものを備えることを表し、一揃いの用具を数える語です。
こしいた[腰板]	★枚	
こしおび[腰帯]	★本、★枚、★点	➡帯
こしかけ[腰掛け]	★台、★脚、★個など	➡椅子
こしき[甑]	★台	米類や豆類を蒸す道具のことで、「台」で数

★=英語数詞(1(ワン)、2(ツー)、3(スリー)…)などに付く ➡ より詳しい解説のある項目へ → 関連項目などへ

数えるもの	数え方	数え方のポイント
		えます。➡蒸し器
こしつ【個室】	●部屋、●つ、▲室	➡部屋
こしまき【腰巻き】	▲枚	
こしみの【腰蓑】	▲枚	
ごじゅうのとう【五重の塔】	▲基	➡塔
こしょう【胡椒】	▲粒、▲瓶、▲袋、振り、つまみ、▲本、▲株	コショウの実は「粒」で数えます。小売単位は「瓶」「袋」など。調理に使う際は「振り」「つまみ」などで分量の目安を表します。植物として扱う場合は「本」「株」で数えます。
こじわ【小皺】	▲本、▲筋	
こずえ【梢】	▲本	
コスチューム【costume】	▲着、▲揃い	
コスモス【cosmos ラテ】	▲本、▲株、▲輪	植物として扱う場合は「本」「株」、個々の花は「輪」で数えます。会話などでは花数を「つ」でも数えます。➡花
ごすんくぎ【五寸釘】	▲本	➡釘
こせき【戸籍】	●つ	戸籍抄本や戸籍謄本は「1通」「ひとり分」「5人分」のように数えます。
こぜに【小銭】	▲枚、▲個	➡硬貨
こそで【小袖】	▲枚、▲重ね	「重ね」は上着と下着との備わった衣を数える語です。➡着物
こだいこ【小太鼓】	▲面、▲張、▲個	➡太鼓
こたえ【答え】	●つ、▲答	「一問一答」のように用います。→解答➡正解
こたつ【炬燵】	▲台、▲基	電気炬燵は「台」、掘り炬燵は据えてあるので「基」で数えます。
こたついた【炬燵板】	▲枚	
こづか【小柄】	▲本	脇差しのさやの鯉口部分に差す小刀の柄、またはその小刀のことで、「本」で数えます。
こっき【国旗】	▲本、▲枚	➡旗
コック【cock】	▲本	水道・ガスなどの流量を調整する弁のこと

▲=漢語数詞〔一(いち)、二(に)、三(さん)…〕などに付く　●=和語数詞〔一(ひと)、二(ふた)、三(み)…〕などに付く

数えるもの	数え方	数え方のポイント
		で、「本」で数えます。
こっけん[黒鍵]	★鍵、★本	➡鍵
こづち[小槌]	★挺（丁）、★本	➡槌
こつつぼ[骨壺]	★口、★個	「口」は口の広い器具・容器を数える語です。 ➡壺
こづつみ[小包]	★個	
こっとうひん[骨董品]	★点、★個	商品としては「点」で数えます。
コップ[kop オランダ]	★個	コップに注いだ液体は「杯」で数えます。 ➡グラス
コッペパン〈和製語〉	★個	➡パン
コッヘル[Kocher ドイツ]	★揃い	登山などで用いる組み立て式炊事道具のことで、「揃い」で数えます。
こて[鏝]	★本、★挺（丁）	壁塗り用の鏝、調髪用の鏝、はんだ付け用の鏝、アイロン用の鏝など、鏝全般を「本」「挺（丁）」で数えます。
こて[籠手]	★双	「双」は左右のものが対となって機能する物を数える語です。
コテージ[cottage]	★軒	保養地などの別荘風の小屋のことで、「軒」で数えます。
こと[事]	★つ、★件	➡出来事
こと[琴・箏]	★張、★張り、★面、★揃い	「張」は琴を数える語で、「調」の字をあてることもあります。弦を張った楽器であるため「張り」でも数えます。「面」は琴・太鼓・琵琶など、表面部分で演奏する日本古来の楽器を数える語です。「揃い」は必要なものがそろっている道具や楽器などを数える語です。 ➡楽器
こどうぐ[小道具]	★点、★つ	小道具をまとめて数える場合は「点」を用います。
ことがら[事柄]	★つ	
ことづめ[琴爪]	★本	

★＝英語数詞〔1（ワン）、2（ツー）、3（スリー）…〕などに付く　➡ より詳しい解説のある項目へ　→ 関連項目などへ

ことば ▶ こばん

数えるもの	数え方	数え方のポイント
ことば【言葉】	●言(こと)、●言(ごん)、●つ	「ひと言お言葉を頂戴する」などの訓辞や挨拶、または「ひと言いいたいことがある」「いち言申し上げる」など文句を数える場合は「言(こと)」「言(ごん)」、標語や合い言葉を数える場合は「つ」を用います。→ 言語(げんご)
こども【子供】	●人(り/たり)、▲人(にん)、▲児(じ)、▲男(なん)、▲女(じょ)	「児」は親から見た子供の数を表す語で、「二児の母」のように用います。男児は「男(なん)」、女児は「女(じょ)」で数えます。「一男二女をもうける」
ことり【小鳥】	●羽(わ)	➡ 鳥(とり)
ことわざ【諺】	●つ、▲句(く)、▲語(ご)	
こな【粉】	●袋(ふくろ)、▲缶(かん)、▲●★カップ、▲杯(はい)、▲匙(さじ)、●つかみ、●握(にぎ)り、●振(ふ)り	粉の小売単位は「袋」、粉ミルクのように缶に入っている場合は「缶」など。料理で使う際は、「カップ」(1カップで100g)、「匙」(大匙1杯で8g、小匙1杯で3g) で分量の目安を表します。打ち粉を打つ際は、「つかみ」「握り」「振り」などで分量の目安を表します。
こなぐすり【粉薬】	▲服(ふく)、▲包(ほう)	「服」は1回分に服用する分量の粉薬を包んだものを数える語です。「包」は包みを数える語です。
こなせっけん【粉石鹸】	▲箱(はこ)、▲杯(はい)、▲匙(さじ)、●振(ふ)り	
こなチーズ【粉チーズ】	▲缶(かん)、▲本(ほん)、▲個(こ)、●振(ふ)り、▲匙(さじ)	容器によって数え方は異なりますが、紙筒入りのものは「本」「個」で数えます。調味に使う際は「振り」「匙」で分量の目安を表します。
こなミルク【粉ミルク】	▲缶(かん)、▲匙(さじ)	
こなゆき【粉雪】	●片(ひら)	➡ 雪(ゆき)
このは【木の葉】	▲枚(まい)、●葉(よう)	➡ 葉(は)
このみ【木の実】	▲個(こ)、●粒(つぶ)	➡ 実(み) ➡ ナッツ
こばん【小判】	▲枚(まい)、●切れ	江戸時代の小判の単位は「切れ」で、「ひと切れ」は金1分(ぶ)(1両の4分の1)に相当します。

▲=漢語数詞〔一(いち)、二(に)、三(さん)…〕などに付く ●=和語数詞〔一(ひと)、二(ふた)、三(み)…〕などに付く

数えるもの	数え方	数え方のポイント
ごはん［ご飯］	★膳、★杯	➡ 食事
ごばん［碁盤］	★枚、★面	「面」は将棋盤やチェス盤など、表面で勝負や対戦を行う遊戯物を数える語です。碁盤の上の線の交点は「個」「目」で数えます。19本の線がある現在の碁盤を「十九路盤」といいます。
コピー［copy］	★本、★句、★文、★点	キャッチコピー（広告文）は「本」「句」「文」などで数えます。作品としてのコピー文は「点」で数えます。 ➡ キャッチフレーズ ➡ 標語
	★枚、★部、★台	複写した紙は「枚」、ひとまとまりの文書なら「部」で数えます。コピー機は「台」で数えます。
ごふく［呉服］	★枚、★着 など	➡ 着物
こぶまき［昆布巻き］	★本	
ゴブレット［goblet］	★個	大ぶりなコップのことで、「個」で数えます。 ➡ コップ
こふん［古墳］	★基	大型の墓は「基」で数えます。
ごぼう［牛蒡］	★本、★株、★片	植物としては「本」「株」で数えます。食用の根の部分は「本」で数えます。小売単位は「束」「袋」など。ささがきにしたゴボウは「片」で数えます。
こぼね［小骨］	★本、★片	
こま［独楽］	★個	「本」「枚」でも数えることがあります。
こま［駒］	★枚、★個	将棋の駒は「枚」、チェスの駒は「個」で数えます。
ごま［胡麻］	★粒、★顆、★袋、★瓶	「顆」は小さな粒状のものを数える語です。小売単位は「袋」「瓶」など。
コマーシャル［commercial］	★本、★回	コマーシャルの広告数および作品数は「本」、放送数は「回」で数えます。
ごまあぶら［胡麻油］	★本、★缶、★瓶	小売単位は「本」「缶」「瓶」などを用います。

★＝英語数詞〔1（ワン）、2（ツー）、3（スリー）…〕などに付く　➡ より詳しい解説のある項目へ　→ 関連項目などへ

こまいぬ ▶ こめ

数えるもの	数え方	数え方のポイント
	▲滴、●垂らし	調理や食事で使う際は「滴」「垂らし」で分量の目安を表します。
こまいぬ[狛犬]	▲体	左右に鎮座する2体の狛犬で「1対」と数えます。
こまつな[小松菜]	▲株、▲把、▲束	植物としての小松菜は「株」で数えます。八百屋などで小売りされる場合は「把」「束」で数えます。 ➡野菜
ごみ	●つ、▲個	「ごみが{ひとつ｜1個}も落ちてないように掃除する」のようにいいます。ごみを入れた袋は「個」「袋」などで数えます。
コミック[comic]	▲冊、▲作、●作品、▲点	コミック本やコミック雑誌は「冊」で数えます。個々の作品は「作」「作品」「点」で数えます。 ➡漫画 ➡本
ごみばこ[ごみ箱]	▲個	設置されている大型のものは「基」で数えることもあります。ごみの量を「ごみ箱○杯分」のようにいうこともあります。
ごみぶくろ[ごみ袋]	▲枚、▲個	中身が入っているものは「個」で数えます。 ➡袋
ゴムいん[ゴム印]	▲個、▲本	➡印鑑
ゴムかん[ゴム管]	▲本	
こむぎこ[小麦粉]	▲袋、●袋、●▲★カップ、●匙、●振り、●つかみ	取引単位は「袋」(小麦粉「1袋」は22kg)、小売単位は「袋」を用います。料理に使う際は「カップ」「匙」「振り」「つかみ」などで分量の目安を表します。 ➡粉
ゴムぞうり[ゴム草履]	▲足	➡草履
ゴムテープ<和製語>	▲本、●巻き	➡ゴム紐
ゴムなが[ゴム長]	▲足	ゴム製の長靴のことで、「足」で数えます。 →長靴
ゴムひも[ゴム紐]	▲本、●巻き	巻いてあるゴム紐は「巻き」で数えます。
ゴムわ[ゴム輪]	▲本	→輪ゴム
こめ[米]	●粒、●本、●俵	稲穂は「本」、米粒は「粒」で数えます。売買

▲=漢語数詞[一(いち)、二(に)、三(さん)…]などに付く　●=和語数詞[一(ひと)、二(ふた)、三(み)…]などに付く

数えるもの	数え方	数え方のポイント
	•袋、★升、★合、★斗、★石	取り扱い単位は「俵」「袋」など。米の容量は、1合(180ml)、1升(1.8リットル)、1斗(18リットル)を基準に表します。10斗(180リットル)で「1石」となります。 ➡ 飯 ➡ 稲
こめぐら[米蔵]	★戸前、★棟、•棟	「戸前」は土蔵・酒蔵・倉庫を数える語です。 ➡ 蔵
こめさし[米刺し]	★本	米の品質を調べるときに用いる道具で、「本」で数えます。
こめだわら[米俵]	★俵	➡ 俵
こめや[米屋]	★軒	
コメント[comment]	•言、★本	番組や記事などで入れる著名人のコメントの数は「本」でも数えます。
こも[薦]	★枚、•節	荒く織った筵のことで、「枚」で数えます。薦・筵などを編んだ編み目・結い目は「節」で数えます。
こもん[小紋]	★枚、★着	細かい文様を散らした女性の和服地、およびそれを仕立てた着物のことで、「枚」「着」で数えます。 ➡ 着物
こや[小屋]	★軒、★棟、•棟	人が住まない小さな建物なので「軒」「棟」「棟」で数えます。 ➡ 庵
こより[紙縒り]	★本	
ゴリラ[gorilla]	★頭	➡ 動物
ごりんとう[五輪塔]	★基	➡ 塔
コラム[column]	★本	建造物の石円柱は「本」で数えます。
	★本、★編	新聞・雑誌などの囲み記事は「本」で数えます。作品としては「編」でも数えます。
コルク[kurkオランダ]	★枚、★個、★本	コルクボードは「枚」、コルク栓は「個」「本」で数えます。
コルセット[corset]	★枚、★具	「具」は衣服・器具などを数えるのに用いる語です。

★=英語数詞(1(ワン)、2(ツー)、3(スリー)…)などに付く　➡ より詳しい解説のある項目へ　➡ 関連項目などへ

ゴルフ ▶ コンタクトレンズ

数えるもの	数え方	数え方のポイント
ゴルフ [golf]	▲試合、▲★ラウンド	競技としては「試合」「ラウンド」で数えます。1試合は通常1ラウンド（18ホール）を規定の回数行います。打数は「1打」「2打」と数えます。規定打数（パー）より多いことを「3オーバー」、少ないことを「2アンダー」のように数えます。規定打数と同じであることを「イーブン（パー）」といいます。マッチプレーの場合、相手とのホール勝敗数の差を「1アップ」「2ダウン」のように数えます。
ゴルフクラブ [golf club]	▲本	
ゴルフじょう [ゴルフ場]	▲箇所、●つ、▲面	ゴルフ場にあるコースの数は「コース」「つ」で数えます。
ゴルフボール [golf ball]	▲個	
ごろた	▲本	丸太のことで、「本」で数えます。
コロッケ [croquette フランス]	▲個、▲枚	通常は「個」で数えますが、平面的なものは「枚」でも数えます。 ➡ フライ
ころも [衣]	●枚、●重	
コンクール [concours フランス]	●つ、▲回	開催数は「回」で、「第～回」のように表します。
コンクリート [concrete]	●袋、●塊、●切れ	「切れ」はコンクリートや石材の体積の単位です。「切」ともいいます。「ひと切れ」は1立方尺（約0.03m^3）。
こんごうづえ [金剛杖]	▲本	
コンサート [concert]	▲回、▲公演、▲本	一連のツアーの中で、開催するコンサート数を「本」で数えることがあります。「今年のツアーでは60本のコンサートを開く」
コンソメのもと 【コンソメの素】	●瓶、●箱、●匙、●振り、●個、●粒	包装によって数え方が異なります。使う際は、顆粒状のものは「匙」「振り」などで、キューブ状のものは「個」「粒」などで分量の目安を表します。
コンタクトレンズ 【contact lens】	●枚、●組	レンズ両眼2枚で「ひと組」と数えます。コンタクトレンズの強さは「度」「度数」で表し

▲＝漢語数詞〔一（いち）、二（に）、三（さん）…〕などに付く　●＝和語数詞〔一（ひと）、二（ふた）、三（み）…〕などに付く

こんだて ▶ コンパ

数えるもの	数え方	数え方のポイント
		ます。
こんだて【献立】	★つ、★食分	➡ 食事
こんちゅう【昆虫】	★匹	昆虫は「匹」で数えます。チョウは慣用的に「頭」で数えます。高価なカブトムシやクワガタ、昆虫学的に希少な個体も「頭」で数えることがあります。学術的な論文などでは「個体」で数えます。 → コラム⑩に関連項目(p.189)
コンテナ【container】	★台、★個	
コンデンスミルク【condensed milk】	★缶、★本、★匙、★垂らし	チューブに入っているものは「本」で数えます。使う際は「匙」「垂らし」で分量の目安を表します。
コント【conteフランス】	★本、★つ	出し物は「本」で数えます。
こんどう【金堂】	★宇	「宇」は堂（金堂・持仏堂・鞘堂など）を数える語です。
コンドーム【condom】	★個、★枚	箱に入っているものは「箱」でも数えます。
コンドミニアム【condominium】	★軒、★棟、★棟	分譲式マンションのことです。「軒」は家屋や民家を数える語です。「棟」は鉄筋コンクリートなどで建てられたビルや比較的丈夫な住居を数える語です。
ゴンドラ【gondolaイタリア】	★艘、★隻	舟のゴンドラは「艘」「隻」で数えます。
	★台	ロープウエーのゴンドラは「台」で数えます。
コントラバス【Kontrabassドイツ】	★台、★挺（丁）	武器の弓を「挺（丁）」で数えることから、弓で弾く楽器も数えるようになりました。コントラバスを床に立てて演奏する楽器として捉えると「台」で数えることもできます。 ➡ 楽器
こんにゃく【蒟蒻】	★株、★個、★玉	植物としては「株」で数えます。コンニャクイモは「個」「玉」で数えます。
	★枚、★丁	食品に加工すると「枚」「玉」、豆腐と同じ「丁」などで数えます。
コンパ	★席、★回	コンパニーの略で、コンパの開催数は「席」

★＝英語数詞〔1（ワン）、2（ツー）、3（スリー）…〕などに付く　➡ より詳しい解説のある項目へ　→ 関連項目などへ

数えるもの	数え方	数え方のポイント
		「回」で数えます。コンパを行う会場は「軒」で数えます。
コンバイン【combine】	▲台	刈り取り脱穀機のことで、「台」で数えます。
コンパクト【compact】	▲個	➡ 化粧品 → 白粉
コンパクトディスク【compact disk】	▲枚	➡ ディスク
コンパス【kompasオランダ】	▲本 ▲面、▲個	円を描く道具は「本」で数えます。 羅針盤の場合、大型のものは「面」、小型のものは「個」で数えます。
コンビーフ【corned beef】	●缶、▲個	
コンビニ	▲軒、▲店、▲店舗	コンビニエンスストアの略で、「軒」「店」「店舗」で数えます。 ➡ 店
コンピューター【computer】	▲台、▲基	ノート型もデスクトップ型も「台」で数えます。据えて使用する大型コンピューターは「基」で数えることもあります。付属品は「台」「個」で数えます。 → パソコン
こんぶ【昆布】	▲本、●株、▲枚、▲片、●束、●把、▲連	生えているコンブは「本」「株」、だしを取るものとして使う際は「枚」「片」などで数えます。小売単位は「束」「把」「連」など。
コンプレッサー【compressor】	▲台	気体を圧縮する機械のことで、「台」で数えます。
コンペイトー【confeitoポルトガル】	●粒、●顆	「顆」は小さくて丸い粒状のものを数える語です。小売単位は「袋」など。
コンベヤー【conveyor】	▲基、▲台	機械は「基」「台」で数えます。作業の流れは「本」で数えます。「2本のコンベヤーが止まった」
こんぼう【棍棒】	▲本	
こんろ【焜炉】	▲台、●口	焜炉の炎の噴き出し口は「口」で数えます。「ふた口焜炉」 → ガス台

▲=漢語数詞〔一(いち)、二(に)、三(さん)…〕などに付く　●=和語数詞〔一(ひと)、二(ふた)、三(み)…〕などに付く

さ

数えるもの	数え方	数え方のポイント
サークル[circle]	●つ、▲サークル	趣味のサークル・大学のサークルは「つ」「サークル」で数えます。「学園祭には120サークルが参加」
サーチライト[searchlight]	▲基、▲灯	据えて照らすものとして数える場合は「基」、電灯として数える場合は「灯」を用います。
サーバー[server]	▲台、●組、▲●★セット	ネットワーク上で情報を提供するコンピューターのことで、「台」で数えます。一式セットになると「組」「セット」で数えます。
サービスエリア[service area]	▲箇所、●つ	高速道路の休憩所の意で「箇所」「つ」で数えます。
サーブ[serve]	▲本、▲回	テニスやバレーボールなどのサーブは「本」「回」で数えます。
サーフボード[surfboard]	▲枚	「艇」や「台」で数えることもあります。
サーベル[sabel オランダ]	▲本	刀とは異なり、「振り」「口」ではあまり数えません。➡ 刀
サーモメーター[thermometer]	▲台	➡ 温度計
サーモン[salmon]	▲匹	➡ 鮭
さい[犀]	▲頭	➡ 動物
さいえん[菜園]	▲園、▲枚、▲●区画、▲区	区切った土地は「区画」「区」で数えます。畑は「枚」「面」で数えます。
さいがい[災害]	▲度、▲回、▲箇所	同じ場所での発生数は「度」「回」で、災害の発生場所は「箇所」で数えます。
さいけん[債券]	▲通、▲枚	
さいころ[賽子]	▲個	転がして出る目数は「目」で数えます。
さいこん[再婚]	▲件、●組	再婚の件数は「件」、カップルの数は「組」で数えます。→ 結婚 → 離婚
さいじん[祭神]	▲座	
ざいす[座椅子]	▲台、▲点	脚がついていないので、「脚」では数えませ

★＝英語数詞〔1（ワン）、2（ツー）、3（スリー）…〕などに付く　➡ より詳しい解説のある項目へ　→ 関連項目などへ

数えるもの	数え方	数え方のポイント
		ん。商品としては「点」で数えます。
サイダー【cider】	▲本、●瓶など	→ ジュース
サイト【site】	●つ	インターネットのサイト数は「サイト」でも数えます。「3サイトが新たに開設」
サイドカー【sidecar】	▲台	オートバイなどの横に取り付けられた側車のことで、「台」で数えます。
サイドテーブル【side table】	▲台、●卓	「卓」はテーブルを数える語です。
サイドボード【sideboard】	▲台、▲本	食器戸棚・脇棚は「台」「本」で数えます。 → 棚
	▲枚	電車についている、行く先表示板は「枚」で数えます。
サイドミラー【side mirror】	▲本、▲面	➡ ミラー
さいばし【菜箸】	▲本、●組、●具、●揃い	2本で「ひと{組｜具｜揃い}」と数えます。食事をするものではないので、「膳」では数えません。 ➡ 箸
さいばん【裁判】	▲件、●つ	裁判所が行う審理は「第1審」「第2審」と数えます。
さいばんしょ【裁判所】	●つ、▲箇所	
さいふ【財布】	▲個、●つ	商品としては「点」で数えます。財布を家計にたとえていう場合は、「つ」で数えます。「夫婦でひとつの財布を管理する」
サイフォン【siphon】	▲本	コーヒーを沸かすためのガラス製の管のことで、「本」で数えます。
さいふく【祭服】	▲着	祭祀の際に着る神職の衣服のことで、「着」で数えます。
さいぼう【細胞】	▲個、▲片、●つ	
サイボーグ【cyborg】	▲体、▲台、●人、▲人	人間や動物をかたどったものは「体」で数えます。機械としての要素が強い場合は「台」で、人間的要素が強い場合は「人」でも数えることができます。 ➡ ロボット
ざいもく【材木】	▲本、▲石	板状の材木は「枚」でも数えます。「石」は材

▲=漢語数詞〔一（いち）、二（に）、三（さん）…〕などに付く　●=和語数詞〔一（ひと）、二（ふた）、三（み）…〕などに付く

数えるもの	数え方	数え方のポイント
		木を計る単位です。「1石」は10立方尺（約0.28m³）。
さいよう【採用】	★件、★人、★人（り/たり/にん）	提案や企画を採用する場合は「件」で数えます。会社などで人を採用する場合は「人」で数えます。グループを採用する際は「組」も用います。
ざいりょう【材料】	★種類、★種、★つ	
ザイル【Seilドイツ】	★本	登山用の綱のことで、「本」で数えます。
サイロ【silo】	★基、★本	据えてある施設として数える場合は「基」を、細長いものとして数える場合は「本」を用います。
サイン【sign】	★つ ★筆	合図は「つ」で数えます。 署名は「筆」で数えます。有名人の署名を色紙にもらう場合は、その色紙を「枚」で数えます。
サインちょう【サイン帳】	★冊	
サウナ【saunaフィンランド】	★台、★室、★軒	ボックス型の家庭用サウナは「台」、サウナの部屋は「室」、サウナを営業する店は「軒」で数えます。
サウンドテープ【sound tape】	★本	➡ テープ
さお【竿・棹】	★本、★竿	「本」「竿」で数えます。また、「竿」と数えることもあります。簞笥や長持の数え方はこれらの道具をかつぐ竿に由来します。
さおだけ【竿竹】	★本	
さおばかり【竿秤】	★台	
さか【坂】	★つ、★本、★箇所	
さかき【榊】	★本、★株、★把、★対	植物としては「本」「株」で数えます。供える際は、2把で「1対」と数えます。
さかぐら【酒蔵】	★戸前、★棟、★棟	「戸前」は土蔵や倉庫を数える語です。 ➡ 蔵
さかずき【盃】	★個、★口、★杯、★盞	「口」は口の開いている器を数える語です。平面的な盃は「枚」でも数えます。盃に注い

★＝英語数詞〔1（ワン）、2（ツー）、3（スリー）…〕などに付く　➡ より詳しい解説のある項目へ　→ 関連項目などへ

さかだる ▶ さくもつ

数えるもの	数え方	数え方のポイント
		だ酒は「杯」で数えます。「盞」は盃を表し、「一盞を傾ける」のように使います。
さかだる【酒樽】	▲本、●樽	➡樽
さかな【魚】	▲匹、●尾、●束、▲本、●枚、●喉、●隻	生きている魚は「匹」で数えます。主として釣りの獲物や、鮮魚店等で取引される魚、料理の材料となる魚を「尾」で数えます。釣りで、釣った魚は「本」でも数え、また、釣った魚100尾を「1束」と数えます。水揚げされた魚類は「本」でも数えます。形状に応じて平面的な魚は「枚」、細長い魚は「本」で数えます。古くは魚を「喉」や「隻」でも数えました。白魚などの小さい魚を「ちょぼ」(点の意)で数えることがあります。1ちょぼで白魚20匹。 → コラム⑥に関連事項(p.117)
さかや【酒屋】	▲軒、●店、●店舗	➡店
サキソホン【saxophone】	▲本	➡楽器
さく【柵】	●枚、▲重、●重	重なった棚は「重」で数えます。
さく【策】	▲案、●つ	「案」は計画・着想・策略・推量した事項を数える語です。
さくぐ【索具】	▲本	綱具ともいい、船で使う綱で作った帆綱類などの道具のことで、「本」で数えます。
さくごえ【柵越え】	▲本、●発	ホームランのことで、「本」で数えます。 ➡ホームラン
さくじょう【作条】	▲本	種をまく浅い溝のことで、「本」で数えます。
さくひん【作品】	▲点、●作、●作品、●編、▲本、●つ	作品は「点」「作」「作品」などで数えます。執筆作品は「編」でも数えます。映画や演劇の作品項目は「本」で数えることもあります。「今年は3本の作品を上演した」
さくもつ【作物】	▲本、●株、●種、●種類	植物としての作物は「本」「株」などで数えます。畑で作る作物の種類は「種」「種類」で数えます。

▲=漢語数詞〔一(いち)、二(に)、三(さん)…〕などに付く　●=和語数詞〔一(ひと)、二(ふた)、三(み)…〕などに付く

数えるもの	数え方	数え方のポイント
		1年間に、耕作地で作物を栽培する回数を「毛」で数えます。「毛」は地面に生える作物を表す語です。「二毛作」
さくら[桜]	★本、★株、★木、★樹、★幹、★個、★輪、★房、★つ、★枝、★枚、★片、★片、★朶	樹木を雅語的に数える「木」「樹」「幹」を用いることもあります。桜のつぼみは「個」、個々の桜の花は「輪」「個」、数輪まとまっているものは「房」「つ」、花のついた枝は「枝」で数えます。花びらは「枚」、散って風に舞う花びらは「片」で数えます。「朶」は、木の枝が垂れ下がるという意味で、花や雲のかたまりを雅語的に数える語です。花弁が幾重にも重なっている桜は「八重桜」といいます。

コラム 6 COLUMN〈捕っても豊富！魚の数え方〉

　生きている状態では、魚類は「匹」で数えます。しかし、ひとたび水揚げされると、もはや生き物としてではなく、商品や獲物として数えられるようになります。釣りや漁の獲物としての魚は「尾」で数えられることが多いのですが、商品や食料としての魚には、この段階で形状や性質に応じてさまざまな数え方が出現します。例えば、サンマやイワシ、タチウオといった細長い魚類は「本」、ヒラメやカレイなどの平面的な魚類は「枚」で数えます。

　魚を調理する際にもさまざまな数え方が現れます。例えば、アジなどの魚を開いて干物にすると「枚」、イワシなどの小さい魚を連ねて干したもの(目刺し)は「連」、鰹節は「本」で数えます。また、ウナギを開いて串に刺すと「串」、蒲焼きは「枚」で数えます。

　魚を上身・中骨・下身にさばくことを「三枚下ろし」といいますが、特にマグロは加工段階に従って数え方が豊富です。マグロを解体していくと、頭と背骨を落とした半身の、さらに半分は「1丁」「2丁」、ブロック状の肉片は「ひところ」「ふたころ」と数えます。それを短冊状に切り分けると鮨屋のショーケースに見られる大きさになり、これは「ひとさく」「ふたさく」で数えます(もしスーパーで売られる過程を加えるなら、「1パック」「2パック」も入ります)。刺身や握り鮨になる魚の切り身は「切れ」で数えます。

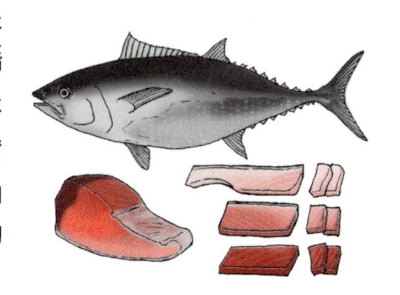

★=英語数詞〔1(ワン)、2(ツー)、3(スリー)…〕などに付く　➡ より詳しい解説のある項目へ　→ 関連項目などへ

数えるもの	数え方	数え方のポイント
さくらもち【桜餅】	▲個	桜餅の葉は「枚」で数えます。
さくらんぼう【桜ん坊】	●粒、▲個、●房	実は「粒」「個」で数えます。複数の実が茎についている場合は「房」でも数えます。小売単位は「パック」「箱」など。
ざくろ【柘榴】	▲本、●株、▲個	樹木は「本」「株」で数え、果実は「個」で数えます。
さけ【酒】	▲杯、▲滴	グラス・ジョッキ・盃に注いだ酒は「杯」で数えます。
	▲本、●瓶、●樽、▲缶、●▲★パック	酒の入った器によって数え方が変わり、缶に入っているときは「本」「缶」で数え、紙パックの場合は「パック」でも数えます。
	▲献	「献」は神仏や客に酒をすすめる意で、捧げる酒を数える語です。「一献おあがりください」
		酒の容量は、1合(180ml)、1升(1.8リットル)、1斗 (18リットル) を基準に表します。酒3斗5升入りの樽2樽で「1駄」といいます。
さけ【鮭】	▲匹、▲尾、▲本、●切れ、▲枚	生きている状態では「匹」、水揚げされたサケや荒巻鮭など、商品として扱う場合は「本」、切り分けると「切れ」「枚」で数えます。
	▲隻	「隻」は片方の手に獲物を持っている様子を表し、サケを数えることがあります。
	▲石	「石」はサケ・マスなどをまとめて数える単位です。サケは40尾で「1石」と数えます。→ 荒巻→魚
さげお【下げ緒】	▲本、●筋	刀を上帯に結びつけるために用いるひものことで、「本」「筋」で数えます。
さけかす【酒粕】	▲枚	板状のものは「枚」で数えます。小売単位は「袋」など。
ささ【笹】	▲本、▲枚、●むら	ササの葉は「枚」で数えます。群生している場合は、「むら」で数えます。

▲=漢語数詞〔一(いち)、二(に)、三(さん)…〕などに付く ●=和語数詞〔一(ひと)、二(ふた)、三(み)…〕などに付く

数えるもの	数え方	数え方のポイント
さざえ[栄螺・拳螺]	▲個、●つ	➡貝
ささげ[豇豆]	▲本、●袋、●山	植物は「本」で数えます。その実であるさやの小売単位は「袋」「山」など。
ささぶね[笹舟]	▲艘、●個、●つ	小形の舟なので「艘」で数えます。
ささみ[笹身]	▲枚、▲本	➡肉
ささら[簓]	▲本	田楽などで使う民俗楽器の一種で、「本」で数えます。
さじ[匙]	▲本	匙は「本」で数えます。匙で量る分量は「杯」か「匙」で表します。「砂糖小匙2杯」 匙1杯の薬を「1匕の薬」といいます。「匕」は匙のことです。
さしあみ[刺し網]	▲枚、▲反	「反」は（専門的に）刺し網を数える語です。
さしえ[挿絵]	▲図、▲点	「図」は物語や説明の理解を助けるために添えられた挿絵・デザイン画・スケッチなどを数える語です。「点」は作品を数える語です。
ざしき[座敷]	▲間、▲席	畳を敷きつめた部屋は「間」、酒宴は「席」で数えます。
さしぐし[挿し櫛]	▲本	
さして[指し手]	▲手	将棋の指し手は「手」で数えます。指し手の種類は「通り」で数えます。「1000通りの指し手を予測する」
さして[差し手]	▲本	相撲の差し手は「本」で数えます。両腕が相手の両下手まわしを取ることを「二本入る」といいます。
さしぬき[指貫]	▲枚	➡袴
さしば[差し歯]	▲本、▲枚	➡歯
さしみ[刺身]	●さく、●切れ、●品、●品、●皿、▲●★パック、●舟	「さく」は、マグロなどの魚を刺身などに作りやすい大きさに切った切り身の塊を数える語で、小売単位としても用います。それを切り分けると「切れ」で数えます。刺身の品数は「品」、刺身を盛った皿は「皿」で数え、盛

★＝英語数詞〔1（ワン）、2（ツー）、3（スリー）…〕などに付く　➡より詳しい解説のある項目へ　→関連項目などへ

サスペンダー ▶ さつまいも

数えるもの	数え方	数え方のポイント
		られた刺身の種類は「点」で数えます。スーパーの刺身のパック詰めは「パック」で数えます。「3点盛パック1000円」 刺身の舟盛りを「舟」で数えることもあります。 →切り身 → コラム⑥に関連事項(p.117)
サスペンダー【suspender】	▲本	ズボンやスカートを吊るひものことで、「本」で数えます。
さすまた【刺股】	▲本	「柄(から)」「柄(え)」で数えることもあります。
ざせき【座席】	▲席、▲台	着席場所を示す場合は「席」で数えます。「100席のレストラン」 電車やバスの長椅子の座席(シート)は「台」で数えます。 →椅子
ざたく【座卓】	▲台、▲卓、▲脚	➡テーブル
さつ【札】	▲枚	➡紙幣
ざっか【雑貨】	▲点	さまざまな商品をまとめて「点」で数えます。
さっき【殺気】	▲陣	軍勢が押し寄せては去る気配や殺気、緊張感、荒れ模様の天気の様子は「陣」で数えます。ふつう「一陣の殺気」のように用います。
サック【sack】	▲本、▲個	
さっし【冊子】	▲冊、▲部	発行数は「部」で数えます。
ざっし【雑誌】	▲誌、▲冊、▲部、▲号	「誌」は雑誌の種類を数える語です。雑誌の発行数は「部」で数えます。「号」は定期的に発行される刊行物に順序をつけて呼ぶ際に用いる語です。「創刊第100号」
ざっそう【雑草】	▲本、●むら	個々の雑草は「本」で数えます。雑草が群生していると「むら」で数えます。
さつたば【札束】	●束	紙幣の塊であることを強調するために俗語で「本」「つ」「塊」などで数えることがあります。 ➡紙幣
さつまあげ【薩摩揚げ】	▲枚	
さつまいも【薩摩芋】	▲本、▲個、●株	植物としては「本」「株」で数えます。芋は「本」

▲=漢語数詞〔一(いち)、二(に)、三(さん)…〕などに付く　●=和語数詞〔一(ひと)、二(ふた)、三(み)…〕などに付く

さといも ▶ さやいんげん

数えるもの	数え方	数え方のポイント
	★袋、★山	「個」で数えます。小売単位は「山」「袋」など。芋版は「個」で数えます。➡芋
さといも[里芋]	★個、★本、★株、★袋、★山	植物としては「本」「株」、芋は「個」で数えます。小売単位は「山」「袋」など。➡芋
さとう[砂糖]	★個、★塊、★粒、★顆、★匙、★掬い、★杯、★●カップ、★袋、★本	氷砂糖は「個」「塊」、角砂糖は「個」、ざらめは「粒」「顆」で数えます。使う際は「匙」「掬い」「杯」「カップ」などで分量の目安を表します。小売単位は「袋」。古くは「叺」でも数えました。スティックシュガーは「本」、小分け包装されたガムシロップなどの液状甘味料は「個」でも数えます。
さとうきび[砂糖黍]	★本、★株	
サドル[saddle]	★台、★本	
さなぎ[蛹]	★個、★匹	昆虫の姿のひとつですが、動かないので「匹」よりも「個」で数えることが多くなります。
サファイア[sapphire]	★個、★粒、★顆、★点など	➡宝石
サファリパーク[safari park]	★つ、★園、★箇所	「園」は文語で動物園や遊園地を数える語です。
サブタイトル[subtitle]	★題	
ざぶとん[座布団]	★枚、★客、★重ね	「客」は接待や特別な機会のためにそろえてある道具を数える語です。➡クッション
サブレー[sablé フランス]	★枚	➡焼き菓子
サポーター[supporter]	★枚	手足の関節や局部を保護するものは「枚」で数えます。
	★人、★人	サッカーチームのファンは「人」で数えます。まとまると「団」「群」でも数えます。
サボテン[仙人掌・覇王樹]	★本、★鉢	鉢植えは「鉢」で数えます。
さめ[鮫]	★匹、★頭	「尾」で数えることもあります。➡魚
さや[鞘]	★本	
さやいんげん[莢隠元]	★本、★袋、★山	小売単位は「袋」「山」などを用います。➡豆

★=英語数詞[1（ワン）、2（ツー）、3（スリー）…]などに付く　➡より詳しい解説のある項目へ　→関連項目などへ

さやえんどう ▶ サロン

数えるもの	数え方	数え方のポイント
さやえんどう[莢豌豆]	▲本、●袋、●山	小売単位は「袋」「山」などを用います。➡豆
さやどう[鞘堂]	▲宇	重要な建物を風雨から守るために、おおうようにして建てた建物のことで、「宇」で数えます。「宇」は廟やお堂を数える語です。
さより[細魚・針魚]	▲匹、●条、●筋	商品としては細長いものを数える「条」「筋」でも数えます。➡魚
さら[皿]	▲枚、●個、●客	小皿は「個」で数えることもあります。「客」は接待のため、あるいは特別な機会のためにそろえてある道具を数える語です。まれに、鍋などの料理に使う口の広い器具などを数える「口」を用いることもあります。➡食器
ざらがみ[ざら紙]	▲枚	
さらし[晒し]	▲枚	晒し木綿のことで、「枚」で数えます。
サラダ[salad]	●皿、●品、●品	➡料理
さらばかり[皿秤]	▲台	
サラミ[salami イタリア]	▲本、●枚、●切れ	切り分けると「枚」「切れ」で数えます。
ざらめとう[粗目糖]	●粒、●顆	➡砂糖
サリー[sārī ヒンディー]	▲枚	ヒンズー教徒の女性が腰から肩に巻きつける長い布のことで、「枚」で数えます。
さる[猿]	▲匹、●頭	知能のある、人間に近い動物として数える場合は「頭」を用います。飼育員や研究者などは、猿を人間と対等の存在として捉え、「人」で数えることがあります。
ざる[笊]	▲枚、●個	深いざるや小形のざるは「個」で数えることもあります。
ざるそば[笊蕎麦]	▲枚	➡蕎麦
さるまた[猿股]	▲枚	➡下着
サロン[Salon フランス]	●間、●軒	客間の意では「間」で数えます。美容院などの意では「軒」で数えます。→ホール

▲=漢語数詞[一(いち)、二(に)、三(さん)…]などに付く　●=和語数詞[一(ひと)、二(ふた)、三(み)…]などに付く

サワー ▶ さんめんきょう

数えるもの	数え方	数え方のポイント
サワー【sour】	★杯(はい)	焼酎(しょうちゅう)などにレモンやライムを加えた飲み物のことで、「杯」で数えます。
さん【桟】	★本	
さんかくきん【三角巾】	★枚(まい)	救急処置のときに使う三角形の布のことで、「枚」で数えます。
さんぎ【算木】	★本、★枚(まい)	和算で用いる計算用具の一種で、「本」「枚」で数えます。易で用いる四角の棒も「本」で数え、6本で「ひと組」と数えます。
さんきゃく【三脚】	★台	
サングラス【sunglasses】	★本、★点など	➡眼鏡(めがね)
ざんごう【塹壕】	★本、★箇所(かしょ)	敵が攻め込むのを防ぐ溝(みぞ)や堀のことで、「本」「箇所」で数えます。
さんしつ【蚕室】	★室	蚕(かいこ)を飼う部屋のことで、「室」で数えます。
さんしょう【山椒】	★本、★株(かぶ)、★枚(まい)、★粒(つぶ)、★個	植物としては「本」「株」、葉は「枚」で数えます。サンショウの実は「粒」「個」で数えます。
さんしん【三振】	★個、★つ、★三振	口語などでは「つ」でも数えます。「先発ピッチャーは9{つ|個}の三振を奪う力投」 奪三振数も「個」で数えます。「三振」は「最終戦は無安打3三振に終わった」のように使います。
サンダル【sandal】	★足(そく)、★個	➡靴(くつ)
さんだん【散弾】	★発	
さんだんじゅう【散弾銃】	★挺(ちょう)(丁)	➡銃(じゅう)
さんどう【参道】	★本	
サンドバッグ【sandbag】	★本、★個	ボクシングの練習などに使う円筒状のものは「本」「個」で数えます。
サンドペーパー【sandpaper】	★枚(まい)	紙状のものなので「枚」で数えます。
さんばし【桟橋】	★基、★橋(きょう)	
さんま【秋刀魚】	★匹(ひき)、★尾(び)、★本、★枚(まい)、★連(れん)	複数のサンマを縄などで束ねたものは「連」で数えます。➡魚(さかな)
さんめんきょう【三面鏡】	★台	

★＝英語数詞〔1（ワン）、2（ツー）、3（スリー）…〕などに付く　➡より詳しい解説のある項目へ　→関連項目などへ

さんやく ▶ シーソー

数えるもの	数え方	数え方のポイント
さんやく【散薬】	▲包(ほう)	粉薬のことで、「包」で数えます。 ➡ 薬(くすり)
さんりん【山林】	●つ、▲面(めん)、▲枚(まい)、▲箇所(かしょ)	山林は「面」「枚」で数えることもあります。 ➡ 山(やま)
さんりんしゃ【三輪車】	▲台	➡ 車(くるま)

し

数えるもの	数え方	数え方のポイント
し【詩】	▲編(へん)、▲句(く)、▲作、▲作品	「編」は詩・文章・随筆などを数える語です。
		「句」は詩のひと区切り(5言または7言)を表す語です。
	▲絶(ぜつ)	「絶」は中国古代の詩において、句の字数で区切った詩を数えます。
	▲什(じゅう)	「什」は『詩経(しきょう)』の雅・周頌(しゅうしょう)で、10編で1巻をなすひとまとまりを指す語です。
じ【字】	▲●文字、▲字、●つ	「文字」は平仮名や片仮名などの音と関連したものであるのに対し、「字」は漢字と関連したものを数える傾向があります。「平仮名3文字」「漢字1字の名前」
しあい【試合】	▲●試合(しあい)、▲●★ゲーム、●つ、▲番、▲回戦(かいせん)	「番」は二者による勝負を数える語です。「回戦」はトーナメントの初戦を「1回戦」といったり、「巨人−阪神17回戦」のように、試合の順序や回数を表すのに用いられる語です。プロ野球やプロサッカーリーグなどで、試合日程の区切りを「節」で数えます。「今年のリーグ戦もあと2節を残すのみとなりました」
しいか【詩歌】	▲編(へん)	➡ 詩(し)
シース【sheath】	▲本	ペンなどの筆記用具を数本並べて挿すにしたケースのことで、「本」で数えます。
シーソー【seesaw】	▲台、▲基(き)	公園や校庭などに据えてあるものは「基」でも数えます。

▲=漢語数詞〔一(いち)、二(に)、三(さん)…〕などに付く　　●=和語数詞〔一(ひと)、二(ふた)、三(み)…〕などに付く

しいたけ ▶ ジェットコースター

数えるもの	数え方	数え方のポイント
しいたけ[椎茸]	枚、本、個、株、袋、パック、山	連ねて作った干し椎茸を「連」で数えることがあります。小売単位は「袋」「パック」「山」など。 ➡ 茸
シーツ[sheet]	枚	
シーディー[CD]	枚	コンパクトディスクの略で、「枚」で数えます。 →ディスク
シート[seat]	席、台	➡ 座席
シート[sheet]	枚、張り	覆いや日よけ用シートは「枚」のほかに、テントを数える「張り」を用いることもできます。切手シートは「枚」で数えます。切手シート1枚で「100枚綴り」のようにいうことがあります。
シートベルト[seat belt]	本	
ジーパン＜和製語＞	本、枚、点	商品として扱う場合は「点」で数えます。 ➡ 服
シール[seal]	枚、片	小さいものは「片」でも数えます。 →ステッカー
しいん[子音]	つ、音、子音、個	→母音
シーン[scene]	場面、カット、幕、シーン	映画やテレビドラマの場合は「カット」で数えます。実際あった印象的な場面を「ひと幕」といいます。「失態を演じたひと幕があった」「シーン」は「思い出のワンシーン」などというときに使います。
じいん[寺院]	寺、堂、山、院	「山」は深い山を切り開いて僧が建てた寺を数える語です。
ジーンズ[jeans]	本、枚、点	商品として扱う場合は「点」で数えます。 ➡ 服
シェーバー[shaver]	本、台	電動式のものは「台」で数えます。
ジェットき[ジェット機]	機	➡ 飛行機
ジェットコースター＜和製語＞	台、基	乗り込む部分は「台」、コースターの施設は

★＝英語数詞〔1（ワン）、2（ツー）、3（スリー）…〕などに付く　➡ より詳しい解説のある項目へ　→ 関連項目などへ

数えるもの	数え方	数え方のポイント
		「基」で数えます。
シェル【shell】	▲艘（そう）、▲艇（てい）、▲杯（はい）	競漕用（きょうそう）ボートは「艘」「艇」「杯」で数えます。 ➡ 船（ふね）
	▲個	コンピューター上で、ファイル操作やアプリケーション起動の際にユーザーの入出力操作を受け持つプログラムは、「個」で数えます。
しお【塩】	●つまみ、▲匙（さじ）、●振り、●袋（ふくろ）、▲瓶（びん）、▲叺（かます）	調理に使う際は「つまみ」「匙」「振り」などで分量の目安を表します。 → コラム⑪に関連事項(p.191)　小売単位は「袋」「瓶」など。「叺」は藁（わら）で作った穀物や石炭などを入れる袋のことで、中身の入った袋を数える語です。
しおり【栞】	▲枚（まい）、▲葉（よう）、▲片（へん）、▲本	「葉」は薄く平たいものを数える語です。小さいものは「片」でも数えます。(書籍の) ひも状の栞は「本」で数えます。
しか【鹿】	▲頭、▲匹（ひき）、▲蹄（てい）	「蹄」はひづめのことで、シカを数えることもあります。 ➡ 動物（どうぶつ）
しかく【資格】	●つ、▲種（しゅ）	「卒業までに3｛つ｜種｝の資格を取得」のように用います。会話などでは「個」で数えることもあります。
じかく【字画】	▲画（かく）	漢字を構成する点や線は「画」で数えます。
しかけ【仕掛け】	●つ	
じがぞう【自画像】	▲点、▲枚（まい）	作品としては「点」で数えます。
じかたび【地下足袋】	▲足（そく）、▲枚（まい）	➡ 足袋（たび）
しき【式】	●つ、▲回、▲件、●組（くみ）	入学式や卒業式の開催数は「第〜回」の形で表します。結婚式場などでの挙式の数はカップルを数える「組」でも数えます。計算式は「つ」で数えます。
しき【紙器】	▲個、▲枚（まい）	箱や紙コップは「個」、紙皿は「枚」で数えます。
しぎ【試技】	▲回、▲本	重量挙げでは、3回の演技で試技「1本」と数えます。

▲＝漢語数詞〔一（いち）、二（に）、三（さん）…〕などに付く　●＝和語数詞〔一（ひと）、二（ふた）、三（み）…〕などに付く

数えるもの	数え方	数え方のポイント
しきい【敷居】	★本	
しきいし【敷石】	★枚（まい）	敷き並べた平らな石のことで、「枚」で数えます。
じききらい【磁気機雷】	★本	機雷は「発」で数えることもあります。
しきし【色紙】	★枚（まい）	作品として数える場合は「点」も用います。 → サイン
じきテープ【磁気テープ】	★本	➡ テープ
しきふ【敷布】	★枚（まい）	
しきふく【式服】	★着（ちゃく）	➡ 服（ふく）
しきぶとん【敷布団】	★枚（まい）	➡ 布団（ふとん）
しきぼう【指揮棒】	★本	
しきもの【敷物】	★枚（まい）	
しきゅう【四球】	★個、•つ	フォアボールともいいます。口語などでは「つ」でも数えます。
しきゅう【死球】	★個、•つ	デッドボールともいいます。口語などでは「つ」でも数えます。
じく【軸】	★本、•つ	「この政策には3つの軸がある」のように、たとえて「つ」で数えることもできます。
ジグソー【jigsaw】	★本、★挺（ちょう）（丁）	曲線びき用の糸鋸（いとのこ）のことで、「本」「挺（丁）」で数えます。
ジグソーパズル【jigsaw puzzle】	★片（へん）、★•★ピース、★枚（まい）、★点	ジグソーパズルの盤は「枚」、ジグソーパズルを構成するパズルピースは「片」「ピース」で数えます。完成したジグソーパズルの作品は「枚」「点」で数えます。
シクラメン【cyclamen】	•株（かぶ）、•鉢（はち）	植物全体は「株」で数えます。小売単位は「鉢」など。花は「本」「個」「輪」などで数えます。
しけい【死刑】	★件	死刑執行数は「件」で数えます。
しけい【紙型】	★枚（まい）	活版印刷用の鉛板を作る鋳型（いがた）のことで、「枚」で数えます。
しげみ【茂み】	•むら	「むら」は林・茂みを数える語です。
しけん【試験】	•つ、★試験	1人の人が受験する試験数は「明日3つ試

★=英語数詞[1（ワン）、2（ツー）、3（スリー）…］などに付く　➡ より詳しい解説のある項目へ　→ 関連項目などへ

数えるもの	数え方	数え方のポイント
		験がある」といいますが、同じ会場や日程などで行われる複数の試験は「明日3試験実施」のように「試験」で数える傾向があります。段階を追って行われる試験は、「1次試験」のように「〜次」で表します。
じけん【事件】	●つ、▲件	➡ 出来事
じげん【時限】	●齣（コマ）、▲時限	➡ 授業
しけんかん【試験管】	▲本	
しご【私語】	●言	
じこ【事故】	▲件	
じこくひょう【時刻表】	▲冊、▲枚	冊子の場合は「冊」、綴じてないものは「枚」で数えます。
しごと【仕事】	●口、●つ、▲人時、▲人月	勤め口は「口」で数えます。ひとりの職人が1時間でやる仕事量の単位を「1人時」、1か月でやる仕事量を「1人月」といいます。「手」は仕事や作業の担い手を表す語で、しばしば「一」を伴って「家事を一手に引き受ける」のように使います。
しこり	●つ、▲個	
じざいかぎ【自在鉤】	▲本	囲炉裏などの上にかける長さの調節できる鉤のことで、「本」で数えます。
じさつ【自殺】	▲件	発生数は「件」で数えます。
ししとう【獅子唐】	▲本、▲株、▲●パック、▲山、●袋	シシトウガラシのことで、実は「本」で数えます。植物としては「本」「株」で数えます。小売単位は「パック」「山」「袋」など。
しじみ【蜆】	▲個、▲粒、▲枚	二枚貝は「枚」で数えますが、シジミのような小粒のものにはあまり用いません。 ➡ 貝
ししゃ【試射】	▲発、▲本	
じしゃく【磁石】	▲個、▲本	→ マグネット
ししゅう【刺繡】	▲枚、▲点	作品としては「点」で数えます。

▲＝漢語数詞〔一（いち）、二（に）、三（さん）…〕などに付く　●＝和語数詞〔一（ひと）、二（ふた）、三（み）…〕などに付く

数えるもの	数え方	数え方のポイント
じしょ【辞書】	★冊、★巻	電子辞書は「台」で数えます。➡辞典
じしん【地震】	★件、★回、★度	異なる地域での発生数をいう場合は「件」、同じ地域での発生回数をいう場合は「回」「度」で数えます。地震の揺れの強さは「震度」、地震の規模は「マグニチュード」で表します。
じしん【時針】	★本	時計の短針のことで、「本」で数えます。
しずく【雫】	★滴、・点	したたり落ちる雫は「点」で数えます。
システム【system】	・つ	
システムキッチン〈和製語〉	★・★セット	流し・レンジ・調理台・収納棚などが一式そろったユニット式台所のことで、「セット」で数えます。
しそ【紫蘇】	★枚、★本	葉は「枚」、花や植物全体は「本」で数えます。
じぞう【地蔵】	★体、★尊	「体」は人をかたどったものを、「尊」は石仏をそれぞれ数える語です。
した【舌】	★枚	動物の細長い舌は「本」でも数えます。裏表のある言動をすることを「二枚舌」といいます。
しだ【羊歯】	★本、・株、★枚	植物としては「本」「株」で数えます。葉のついた柄は「枚」「本」で数えます。
したい【死体】	★体	人間の死体の場合、身元がわからない場合は「体」で数えます。➡遺体
じだい【時代】	★・時代、・つ	
したぎ【下着】	★枚、・組	シャツ・ランニング・スリップ・パンツ・ブリーフ・ショーツ・ブラジャー・猿股などはすべて「枚」で数えます。1回分の下着をまとめて「組」でも数えます。「旅行カバンに3組の下着を詰める」➡服
したじき【下敷き】	★枚	
したばき【下穿き】	★枚	➡下着
したばき【下履き】	★足	屋外で使う履き物は「足」で数えます。

★=英語数詞[1（ワン）、2（ツー）、3（スリー）…]などに付く　➡より詳しい解説のある項目へ　→関連項目などへ

したびらめ ▶ じてん

数えるもの	数え方	数え方のポイント
したびらめ〔舌平目〕	▲匹、▲枚	➡ 魚
しだん〔師団〕	▲個	師団は陸上自衛隊の編成単位のひとつで、「個」で数えます。
しちや〔質屋〕	▲軒、▲店	
シチュー〔stew〕	▲鍋、▲杯、▲椀、▲皿、▲品、●品	➡ スープ ➡ 料理
しちりん〔七輪〕	▲台	
しっき〔漆器〕	▲点	作品としては「点」で数えます。漆器の形状によって数え方が異なります。
じっけん〔実験〕	▲回、▲度、▲実験、●つ	
しっさく〔失策〕	●つ	野球のエラーは「個」「失策」でも数えます。 ➡ 失敗
じって〔十手〕	▲本	「挺（丁）」で数えることもあります。
しつどけい〔湿度計〕	▲台、▲本、▲個	小型で細長くないものは「個」でも数えます。
しっぱい〔失敗〕	●つ、▲度、▲跌	次の失敗は予測できないので、「回」よりは「度」で数えます。「跌」はつまづきを意味し、「一」を伴って「一跌の失敗」のようにいいます。 → 成功
しっぷ〔湿布〕	▲枚	
しっぺ〔竹箆〕	▲本	「しっぺい」ともいい、禅家で師家が指導に用いる竹製の平面的な杖のことで、「本」で数えます。
しっぽ〔尻尾〕	▲本	
しつもん〔質問〕	▲回、●つ	出された質問の回数は「回」で数えます。質問数は「つ」で数えます。「会議では3つの質問が出された」
してん〔支店〕	▲支店、●つ	
してん〔視点〕	●つ	
じてん〔辞典〕	▲冊、▲巻	複数の本から成るものはそれぞれを「巻」で数え、「第～巻」といいます。

▲=漢語数詞〔一（いち）、二（に）、三（さん）…〕などに付く　●=和語数詞〔一（ひと）、二（ふた）、三（み）…〕などに付く

じてんしゃ ▶ じどうはんばいき

数えるもの	数え方	数え方のポイント
じてんしゃ【自転車】	★台	自転車は「台」で数えます。車輪の大きさは「インチ」で表します。
じどうかいさつき【自動改札機】	★台	
じどうしゃ【自動車】	★台、★両	古くは車両の「両」で自動車を数えたこともありましたが、現代では「台」で数えます。車についている車輪の数を「輪」で表し、その数から車種を表します。「四輪駆動」「二輪車」→ コラム⑦に関連事項(p.131)
しとうず【襪】	★両	襪(たび)は足袋の一種です。「両」はふたつで対(つい)になるものを表し、古くは装束などで対になるものを数えた語です。
じどうドア【自動ドア】	★台、★枚(まい)	
じどうはんばいき	★台	飲食物・切符・タバコなどを売る販売機は

コラム ❼ COLUMN 〈助数詞「台」の意味は自動車の出現で大きく変化〉

　現代の助数詞「台」は車や機械を数えますが、もともとは人や物を載せる台や台座を数えました。据え置く台はもちろんのこと、やがて荷車や牛車、人力車など、車輪のついた台も数えるようになりました。では、なぜ助数詞「台」は機械を数えるようになったのでしょうか。

　明治時代の文学作品に登場する助数詞「台」を調べてみると、ほとんど台座や荷車を数えていて、機織(はたお)り機や掛け時計などを数えるのには使われていませんでした。しかし、ある時期を境にして機器を「台」で数える表現が登場します。「旧式な手刷りが1台」「オルガン1台」[田山花袋(かたい)『田舎教師』(1909)]、「卓の上に1台の顕微鏡(けんびきょう)が乗っていた」[夏目漱石『明暗』(1916)]などがその例です。この裏には、どうやら日本で初めて国産第1号のガソリン乗用車が製作販売されたことが関係しているようです。「自動車は、人や馬が引くのではない、機械で動く車だ！」これは当時の人々にとっては衝撃でした。機械で動く車も「台」で数えるようになり、機械の性質が「台」の意味に強い影響を与えました。このようにして、助数詞「台」の現在の用法が決まったのだと考えられます。

★＝英語数詞〔1（ワン）、2（ツー）、3（スリー）…〕などに付く　➡ より詳しい解説のある項目へ　→ 関連項目などへ

しない ▶ しへい

数えるもの	数え方	数え方のポイント
【自動販売機】		「台」で数えます。
しない【竹刀】	▲本	➡ 刀（かたな）
しなそば【支那蕎麦】	▲杯（はい）	➡ ラーメン
しなちく【支那竹】	▲片（へん）、●瓶（びん）、▲袋（ふくろ）	➡ メンマ
しなもの【品物】	▲点	
シナリオ【scenario】	▲本	➡ 台本（だいほん）
じねんじょ【自然薯】	▲本、●株（かぶ）	植物としては「本」「株」で数えます。芋は「本」で数えます。
しば【芝】	▲枚（まい）、▲面（めん）	➡ 芝生（しばふ）
しば【柴】	▲本、●束（たば）、▲把（わ）、▲荷（か）	柴を束ねると「束」「把」で数えます。「荷」は肩にかついだり、背負ったりする荷物を数える語です。
しばい【芝居】	▲本、回、●齣（コマ）、▲場（ば）、▲幕（まく）、作、▲作品	出し物や作品は「本」で数えます。「芝居2本立て」 上演数は「回」で数えます。1日に同じ公演をくり返し行う場合、「1日3ステージ」のように「ステージ」で数えることもあります。芝居の場面は「齣（コマ）」「場」「幕」で数えます。 → 劇（げき）
しばふ【芝生】	▲枚（まい）、●束（たば）、▲面	切り分けた状態のものは「枚」、それらを束ねたものは「束」で数えます。小売の場合は、「芝生5枚で1束」などといいます。植えられると「面」で数えます。
じびき【字引】	▲冊（さつ）、▲巻（かん）	➡ 辞典（じてん）
じびきあみ【地引き網】	▲枚（まい）	➡ 網（あみ）
じひょう【辞表】	▲通、▲封（ふう）	「封」は書状などの封じたものを数える語です。
しびん【溲瓶】	▲本	
じぶつどう【持仏堂】	▲宇（う）	「宇」は廟やお堂を数える語です。
しべ【蕊】	▲本	おしべとめしべのことで、「本」で数えます。
しへい【紙幣】	▲枚（まい）、●束（たば）	札束は「束」で数えます。「紙幣一片（いっぺん）」とは、取るに足らない、はした金を意味します。 → コラム⑧に関連事項 (p.133)

▲=漢語数詞〔一（いち）、二（に）、三（さん）…〕などに付く　●=和語数詞〔一（ひと）、二（ふた）、三（み）…〕などに付く

数えるもの	数え方	数え方のポイント
しへん[紙片]	★枚、★片、●片	紙ふぶきなど、宙を舞う紙片は「片」で数えることがあります。
しぼう[脂肪]	●塊（かたまり）、●片（へん）、●つかみ	食肉の脂身は「塊」「片」などで数えます。俗に腹部などの体の一部についた脂肪は、「つかみ」などで分量の目安を表します。
しま[島]	★島（とう）、●つ	「島」は「伊豆七島（いずしちとう）」のように用います。
しまい[仕舞]	●差（さ）し、★手（て）	能の舞の一種。 ➡ 舞（まい）
しまつしょ[始末書]	●通、★枚（まい）	
じむしょ[事務所]	●軒（けん）、●箇所（かしょ）	→ オフィス
しめかざり[注連飾り]	★本	→ お飾り（かざ） → 松飾り（まつかざ）
しめきり[締め切り]	●つ、★本	原稿の締め切りなど、達成すべき課題は「本」で数えます。

コラム 8 COLUMN 〈樋口一葉（ひぐちいちよう）のお札は「1葉」「2葉」？〉

樋口一葉が紙幣に登場すると、「お札1葉（いちよう）」と数えるようになるかもしれない、という川柳が新聞に出ていました。なかなかしゃれた発想ですね。

助数詞「葉（よう）」は、あまり日常的には使いませんが、「絵葉書1葉」「写真1葉」「しおり1葉」のように、平面的な物を数えます。もともとは木の葉を数え、手のひらに乗せられる程度の大きさのものを数えました。一見、「枚」と同じように使われているかのように見えますが、「枚」が「畳1枚」「ベニヤ板2枚」「新聞紙3枚」のように、平面的であればありとあらゆるサイズのものを数えることができるのに対し、「葉」は木の葉のように小さなものだけを数えます。また、「葉」で数えられるものは、手にとって眺めていたいような、本人にとって思い入れのあるもの、ノスタルジックな感情をそそられるものであることが多いようです。例えば、「1葉の写真」は、「1枚の写真」と言うよりも、昔を思い出させるような大切なスナップであることを意味したり、「葉書1葉」と言えば、「葉書1枚」よりもずっと価値のある、大切な人などからの便りを示唆（しさ）します。

もし、樋口一葉の紙幣に特別な思い入れがあったり、大切な人から頂いた貴重な紙幣であれば「お札1葉」と数えられなくもありません。しかし、一般的に流通する紙幣は、依然「枚」のまま数えることでしょう。

★＝英語数詞〔1（ワン）、2（ツー）、3（スリー）…〕などに付く　➡ より詳しい解説のある項目へ　→ 関連項目などへ

しめじ ▶ しゃけん

数えるもの	数え方	数え方のポイント
しめじ〖湿地〗	▲本、●株、▲●パック、▲個、●山	個々のシメジは「本」、多数が群生しているものは「株」で数えます。小売単位は「パック」「個」「山」など。➡茸
しめなわ〖注連縄〗	▲本	
しもん〖指紋〗	●つ、▲個	事件の現場に残された指紋は「個」で数えることがあります。
ジャージー〖jersey〗	▲枚、▲着	布は「枚」で数えます。上下そろった運動着を指す場合は、「着」で数えます。➡服
シャープペンシル〈和製語〉	▲本	芯も「本」で数えます。
シャーベット〖sherbet〗	▲個	➡アイスクリーム
シャーレ〖Schaleドイツ〗	▲枚、●皿	
ジャイロスコープ〖gyroscope〗	▲基	船体などが揺れても一定の方向を指し示す独楽を軸とした器具のことで、据えつけてあるものは「基」で数えます。
ジャガいも〖ジャガ芋〗	▲本、●株、▲個、●粒	植物としては「本」「株」で数えます。芋は「個」で数えます。小形の芋は「粒」でも数えます。➡芋
しゃくし〖杓子〗	▲本	木杓子・玉杓子・しゃもじも「本」で数えます。
しゃくじょう〖錫杖〗	▲本	僧侶や修験者の携える鈴のついた杖のことで、「本」で数えます。
じゃぐち〖蛇口〗	▲本、●口	噴き出し口を数える「口」で数えることもあります。
しゃくはち〖尺八〗	▲本、▲管	「管」は笛・笙などを数える語です。➡楽器
しゃくや〖借家〗	▲軒、▲戸	「軒」は家屋や民家を数える語です。「戸」は、建設・売買・賃貸の対象となる住宅数（アパート・マンションを含む）を数える語です。
しゃけ〖鮭〗	●匹、●尾、▲本	➡鮭
ジャケット〖jacket〗	▲着、▲枚	上着は「着」で数えます。CDなどの表紙は「枚」で数えます。
しゃけん〖車券〗	▲枚	競輪で勝者を予想して買う投票券のことで、「枚」で数えます。

▲＝漢語数詞〔一（いち）、二（に）、三（さん）…〕などに付く　●＝和語数詞〔一（ひと）、二（ふた）、三（み）…〕などに付く

しゃけん ▶ しゃほん

数えるもの	数え方	数え方のポイント
しゃけん[車検]	▲回	自動車の性能検査のことで、「回」で数えます。
しゃこ[車庫]	▲棟(とう)、●棟(むね)	
しゃこ[蝦蛄]	▲匹(ひき)、▲尾(び)	
しゃしん[写真]	▲枚(まい)、▲葉(よう)、▲齣(こま)(コマ)	通常は「枚」で数えますが、デジタルカメラで撮影した写真は「齣(コマ)」でも数えます。昔を思い出させる写真や貴重な写真は詩的に「葉」で数えることがあります。→ コラム⑧に関連事項(p.133)
	▲点	作品として扱う場合や記事の中で用いる写真は「点」で数えます。
	▲●★ポーズ、▲●★カット	写真館や自動撮影機で撮影する場合、撮影数を「ポーズ」で数えることもあります。「カット」は風景写真など幅広く用いますが、「ポーズ」は人物や愛玩動物の写真に対して用いる傾向がある語です。「記念写真をツー{ポーズ｜カット} 撮影」
しゃしんかん[写真館]	▲軒(けん)	
しゃしんき[写真機]	▲台	➡ カメラ
しゃしんばん[写真版]	▲枚(まい)	
しゃせん[車線]	▲本、▲車線	
しゃだんき[遮断機]	▲台、▲基(き)、▲本	踏み切りのバー（棒）は「本」で数えます。
しゃち[鯱]	▲頭(とう)、▲匹(ひき)	
シャツ[shirt]	▲枚(まい)、▲点	商品としては「点」で数えます。 ➡ 服(ふく)
ジャッキ[jack]	▲基(き)、▲台	据えて使うので「基」でも数えます。
シャッター[shutter]	▲枚(まい)	よろい戸は「枚」で数えます。
	▲回	カメラのシャッターを切る回数は「回」で数えます。
シャフト[shaft]	▲本	ゴルフクラブのシャフトも、動力伝導用のシャフトも「本」で数えます。
シャベル[shovel]	▲本	→ スコップ
しゃほん[写本]	▲点、▲部(ぶ)、▲冊(さつ)	歴史的資料として扱う場合は「点」で数えま

★＝英語数詞〔1（ワン）、2（ツー）、3（スリー）…〕などに付く　➡ より詳しい解説のある項目へ　→ 関連項目などへ

シャボンだま ▶ シャンプー

数えるもの	数え方	数え方のポイント
	▲巻(かん)	す。書籍として扱う場合は「部」「冊」「巻」などで数えます。 ➡ 本(ほん)
シャボンだま【シャボン玉】	▲個、●つ	
しゃみせん【三味線】	▲挺(丁)(ちょう)、▲棹(さお)	三味線の柄を「棹」ということから、三味線を「棹」で数えるようになりました。
しゃり【舎利】	●粒(つぶ)、▲本	俗語で、鮨屋のシャリ(飯)2升で「1本」といいます。
しゃりょう【車両】	▲両、▲台	電車の場合は「両」、自動車の場合は「台」で数えます。
しゃりん【車輪】	▲輪(りん)、▲個、▲枚(まい)	手押し車などの木枠の車輪は「枚」で数えます。現代の乗り物についている車輪は「輪」「個」で数えます。「二輪車」 自転車の車輪の大きさは「インチ」で表します。
ジャングルジム【junglegym】	▲基(き)	公園や校庭に据えてある遊具なので「基」で数えます。
シャンデリア【chandelier】	▲灯(とう)、▲台、▲点	「灯」は電灯一般を数える語です。シャンデリアを電気製品として扱う場合は「台」、調度品として扱う場合は「点」で数えます。
ジャンパー【jumper】	▲着(ちゃく)、▲枚(まい)	➡ 服(ふく)
ジャンパースカート <和製語>	▲枚(まい)	➡ 服(ふく)
シャンパン【champagne(フランス)】	▲本、▲杯(はい)	瓶(びん)に入ったシャンパンは「本」、グラスに注ぐと「杯」で数えます。 → ワイン
ジャンプ【jump】	▲本、▲回	「本」はスキーのジャンプなどの記録を競うスポーツでの試技の回数を数える語です。跳躍の回数は「回」で数えます。
シャンプー【shampoo】	▲本	詰め替え用のパックは「個」「パック」で数えます。ポンプタイプのシャンプーを使う際には、英語数詞について「プッシュ」で使用量の目安を表すことがあります。シャンプーする回数は「回」で数えます。

▲=漢語数詞〔一(いち)、二(に)、三(さん)…〕などに付く　●=和語数詞〔一(ひと)、二(ふた)、三(み)…〕などに付く

数えるもの	数え方	数え方のポイント
ジャンボき【ジャンボ機】	▲機	➡飛行機
ジャンル【genreフランス】	•つ、▲•★ジャンル	
じゅう【銃】	▲挺（丁）、▲銃、•口	「挺（丁）」は手に持って扱う武器を数える語です。文語では「銃」で数えることもあります。銃口の数は「口」で数えます。銃の口径は「45口径（直径が100分の45インチ。約11.4mm）」のように表します。そのほかに「番」「ゲージ」「ミリ」などを用いる場合もあります。また、銃弾は「個」で数えますが、発射されると「発」で数えます。
しゅうぎ【祝儀】	▲封、•包み	「封」は書状・包物などの封じたものを数える語です。包んだ贈答品や金品は「包み」でも数えます。祝儀袋は「枚」で数えます。
じゅうきょ【住居】	▲軒	➡家
ジュークボックス【jukebox】	▲台	
シュークリーム	▲個	➡菓子
しゅうごうじゅうたく【集合住宅】	▲軒、▲棟、•棟	➡アパート ➡マンション
ジューサー【juicer】	▲台	
じゅうじか【十字架】	▲本	
シューズ【shoes】	▲足	➡靴
ジュース【juice】	▲本、•瓶、▲•★パック、▲杯	缶に入ったジュースや瓶詰めのジュースは「本」「瓶」で数えます。大形の紙パックのものは「本」、小形の場合は「個」「パック」で数えます。コップやグラスに注いだジュースは「杯」で数えます。
じゅうせい【銃声】	▲発	
じゅうたく【住宅】	▲戸、▲軒、▲棟、•棟、•邸	「戸」は建設・売買の対象となる住宅数を数える語です。「軒」は建物全般を数える語です。「棟」は戸建住宅よりもマンションなど

★＝英語数詞〔1（ワン）、2（ツー）、3（スリー）…〕などに付く　➡より詳しい解説のある項目へ　→関連項目などへ

しゅうだん ▶ じゅぎょう

数えるもの	数え方	数え方のポイント
		の大型住宅を指して数えることが多いようです。高級感を出すために、不動産業者が邸宅の「邸」を用いて戸建住宅を数えることもあります。 ➡ 家
しゅうだん[集団]	●つ、▲団、●グループ	
じゅうたん[絨毯]	▲枚、▲本	販売や配送の際、巻いたものを「本」で数えることがあります。 → カーペット
	▲才	じゅうたんの大きさの単位は「才」です。取引金額はすべてのじゅうたんの面積の合計で決められます。「1才」は1平方フィート(約92cm²)。
じゅうだん[銃弾]	▲発、▲弾、▲個	➡ 弾丸
じゅうでんき[充電器]	▲台	
シュート[shoot]	▲本、▲発	球技の試合で、得点を試みるために放たれるシュートは「本」「発」で数えます。シュートが決まった場合は「本」で数えます。
じゅうにひとえ[十二単]	▲領	「領」は襟を表し、着物を数える語です。 ➡ 着物
しゅうにゅういんし[収入印紙]	▲枚	
じゅうばこ[重箱]	▲重、●重ね、▲段、●組	重箱は、二重・三重・五重に積み重ねます。重箱のそれぞれの段は上から「一の重」「二の重」「三の重」「与の重」…のようにいいます。
じゅうほう[重砲]	▲門	口径の大きな大砲は「門」で数えます。
シューマイ[焼売]	▲個	小さいものは「粒」で数えることもあります。皿に盛ると「皿」、1人前の焼売が載った皿を「枚」で数えることもあります。折り箱に入れると「折」でも数えます。
じゅぎょう[授業]	▲時限、▲時間、●齣(コマ)、▲限、▲課	「時限」は授業などの時間割の単位です。「時間」「限」でも数えます。「コマ」(もっぱらカタカナで書きます)は大学・短期大学などの授

▲=漢語数詞〔一(いち)、二(に)、三(さん)…〕などに付く　●=和語数詞〔一(ひと)、二(ふた)、三(み)…〕などに付く

数えるもの	数え方	数え方のポイント
		業数を数える語です。「課」は授業やレッスンの割り当てを数える語です。地域によっては「1講」「2講」と数える場合があります。
じゅく【塾】	★軒、★校、★教室	
じゅくご【熟語】	•句、•語、•言、•つ	漢字4文字で構成される熟語を「四（文）字熟語」といいます。
しゅくしゃ【宿舎】	★軒、★棟、•棟	
しゅくでん【祝電】	★通	➡電報
しゅくはく【宿泊】	•泊、•宿	
しゅくほう【祝砲】	★発	
しゅし【種子】	•粒、•顆、•個	➡種
しゅじゅつ【手術】	•度、•回、•つ	手術をした回数は「度」「回」で数えます。病院などでの手術の実施数（執刀数）は「つ」でも数えます。「午後は手術が3つ予定されている」 手術をした箇所は「箇所」で数えます。「腹部3箇所を手術」
じゅず【数珠】	★本、•連、•巻き、★具	「連」は連なったものや編んだものを数える語です。「具」は必要なものを備えることを表し、一揃いの用具を数える語です。
しゅだん【手段】	•つ	
しゅつどひん【出土品】	★点	
しゅっぱんぶつ【出版物】	•冊、★部、•刷	「刷」は印刷物を刷った回数を数える語です。特に、出版物で改版をせずに印刷した回数を数えます。改版は「版」で数えます。「第2版第1刷」→本
しゅにく【朱肉】	★個	
じゅばん【襦袢】	•枚	➡着物
シュプール【Spur ドイツ】	★本、•筋	雪面をスキーで滑った跡は「本」「筋」で数えます。
じゅもく【樹木】	★本、•株など	➡木

★＝英語数詞〔1（ワン）、2（ツー）、3（スリー）…〕などに付く　➡より詳しい解説のある項目へ　→関連項目などへ

じゅもん ▶ しょうぎ

数えるもの	数え方	数え方のポイント
じゅもん【呪文】	●つ	
シュレッダー【shredder】	▲台	文書などを裁断する機械のことで、「台」で数えます。
しゅろ【棕櫚】	▲本、▲株(かぶ)	
じゅわき【受話器】	▲本、▲台	電話機に付属している受話器は「本」、独立している受話器（コードレスホンなど）は「台」で数えます。 ➡電話(でんわ)
じゅんい【順位】	▲位(い)、▲番、▲席(せき)、▲等(とう)	「位」は競技や競走などで公式に確定する順位を、「番」は公式ではない場でつけられる序列・順番を表します。「席」は品評会などでの順位、「等」は等級やランクを表します。
しゅんぎく【春菊】	▲本、●株(かぶ)、▲把(わ)、▲束(たば)	植物として扱う場合は「本」「株」で数えます。小売単位は「把」「束」など。
じゅんばん【順番】	▲番	→順位(じゅんい)
しょう【笙】	▲本、▲管(かん)	「管」は尺八・笛・笙など、くだ状の楽器を数える語です。 ➡楽器(がっき)
しょう【賞】	●つ、▲賞、▲度	「賞」は「三賞受賞」などのように用います。受賞経験は「度」で数えます。
じょう【錠】	▲本、▲個	南京錠(ナンキン)は「個」で数えます。鍵(かぎ)の意では「本」で数えます。
しょうか【商家】	▲軒(けん)	
しょうが【生姜】	▲本、▲個、●かけ、▲片(へん)、●袋(ふくろ)、▲●★パック、▲把(わ)、▲束(たば)	定まった数え方はありませんが、塊(かたまり)状のものは「本」「個」、料理で使う場合は「かけ」「片」などで数えます。小売単位は「袋」「パック」、茎つきの場合は「把」「束」など。
しょうかき【消火器】	▲本	
しょうかせん【消火栓】	▲本	
しょうがっこう【小学校】	▲校	
しょうぎ【床几】	▲台	折りたたみ式の腰掛けのことで、「台」で数えます。
しょうぎ【将棋】	▲局、▲番、▲戦(せん)	勝負は「局」「番」「戦」で数えます。駒を打つ

▲＝漢語数詞〔一（いち）、二（に）、三（さん）…〕などに付く　●＝和語数詞〔一（ひと）、二（ふた）、三（み）…〕などに付く

じょうぎ ▶ しょうぞく

数えるもの	数え方	数え方のポイント
		こと（指し手）は「手」で数えます。将棋の駒は「枚」、将棋盤は「面」「枚」で数えます。将棋盤・駒・駒台を合わせて「ひと組」といいます。
じょうぎ【定規】	★本	
しょうぎばん【将棋盤】	★面、★枚	平面的なものなので「面」「枚」で数えます。
じょうきせん【蒸気船】	★隻、★艘	➡船
しょうけん【証券】	★通、★枚	
しょうげん【証言】	•つ	
しょうこ【証拠】	•つ	
じょうご【漏斗】	★本、★個	らっぱ状の器具のことで、「本」「個」で数えます。
じょうざい【錠剤】	★錠、•粒	「錠」は粒状の薬や丸薬（タブレット）の粒を数える語です。錠剤の服用の目安も「1日3錠」のように、「錠」で表します。「粒」は「錠」で数える薬よりも小さいものを数える語です。
じょうさし【状差し】	★本	
しょうし【証紙】	★枚	
しょうじ【障子】	★枚	→襖
しょうしゃ【商社】	★社	
じょうしゃけん【乗車券】	★枚	乗車回数券は「綴り」でも数えます。
しょうじゅう【小銃】	★挺（丁）	➡銃
しょうしょ【証書】	★通、★枚、★札	「札」は証文・書類を数える語です。卒業証書などを筒に入れた場合、「本」で数えることもあります。
じょうすいどう【上水道】	★本	
しょうせつ【小説】	★編、★★作品、★点	「編」は詩・文章・随筆・小説などを数える語です。小説コンクールなどで、応募作品を「点」で数えることもあります。
しょうぞく【装束】	★着、★領、★両、★双、•装い	装束・甲冑などは「着」「領」で数えます。足袋のように対になる装束は「両」「双」で数えます。装束のそろったものは「装い」で数えます。

★＝英語数詞〔1（ワン）、2（ツー）、3（スリー）…〕などに付く　➡より詳しい解説のある項目へ　→関連項目などへ

数えるもの	数え方	数え方のポイント
しょうだん【商談】	●つ、▲件	
しょうちゅう【焼酎】	▲杯、▲本、●瓶、●盃	焼酎を入れた器によって数え方が変わります。焼酎の原料となる醪を蒸留する際、醪1升の量を「ひと盃」といいます。→ 酒
しょうてん【商店】	▲軒、▲店、▲店舗 → 店	
しょうどけい【照度計】	▲台	
しょうにゅうどう【鍾乳洞】	▲個、▲洞	文語では「洞」で数えることがあります。
しょうにん【聖人】	●方	「方」は古くは知徳の高い僧などを数えるのに用いられた語です。
しょうはい【勝敗】	▲勝、▲敗、▲●★ゲーム	スポーツやゲームで勝った数は「勝」、負けた数は「敗」で数えます。野球などでは、勝った試合数を「ゲーム」で数えます。
しょうひん【商品】	▲点、▲個	さまざまな商品の種類をまとめて「点」で数えます。「1000点の商品を扱う店」 個々の品は「個」でも数えます。
しょうひんけん【商品券】	▲枚、●綴り	
しょうぶ【勝負】	▲戦、▲番、●つ、▲回戦	「戦」は試合や戦闘を数える語です。「番」は二者による勝負を数える語です。「三番勝負」「回戦」はトーナメントの初戦を「1回戦」といったり、「巨人-阪神17回戦」のように、試合の順序や回数を表すのに用いられる語です。 → 試合
じょうほう【情報】	●つ、▲件、▲本、▲報	ニュースなどの情報項目は「本」で数えます。「報」は、伝わってきた情報や報告を数える語です。コンピューターでの情報量の単位は「バイト」で表します。
しょうぼうい【消防衣】	▲着	
しょうぼうしゃ【消防車】	▲台	
しょうぼうしょ【消防署】	●つ、▲箇所	
しょうほん【抄本】	▲通	
しょうほん【証本】	▲部、▲冊、▲通	証拠や根拠となる書物のことで、「部」「冊」

▲=漢語数詞〔一（いち）、二（に）、三（さん）…〕などに付く　●=和語数詞〔一（ひと）、二（ふた）、三（み）…〕などに付く

数えるもの	数え方	数え方のポイント
		「通」で数えます。
しょうめい[照明]	★灯、★台、★個、★本、★基	照明全般は「灯」で数えます。家庭用照明器具は「台」、電球は「個」、蛍光灯は「本」、懐中電灯は「本」、街灯などの大型の照明は「基」、ヘッドライトは「個」で、それぞれ数えます。
しょうめいしょ[証明書]	★通、★枚	
しょうもん[証文]	★通、★札	「札」は手紙・証文などを数える語です。
じょうもん[城門]	★基、★対	➡ 門
じょうやとう[常夜灯]	★灯、★個	照明電気器具についている豆電球は「個」で数えます。
しょうゆ[醤油]	★本、★瓶、★樽 ★匙、★★カップ、★垂らし、★滴	小売単位は「本」「瓶」などを用います。料理の味付けに使う際は「匙」「カップ」などで、食卓で使う際は「匙」「垂らし」「滴」で分量の目安を表します。 → ソース
	★駄	また、醤油8升(約14.4リットル)入りの樽8樽で「1駄」と数えます。
じょうようしゃ[乗用車]	★台	乗用車は「台」で数えます。 ➡ 乗り物 目的地までに、車やバスでかかる時間を「車分」で表します。乗用車は1500m/分が目安です。
しょうり[勝利]	★勝、★度、★つ	
じょうろ[如雨露]	★本	「個」で数えることもあります。
ショー[show]	★回、★公演、★つ	
ショーツ[shorts]	★枚	➡ 下着
ショール[shawl]	★枚、★本	女性用の肩掛けのことで、「枚」「本」で数えます。
ショールーム[showroom]	★室、★部屋、★つ	
しょか[書架]	★枚、★台、★本	➡ 棚
しょが[書画]	★幅、★点、★枚	「幅」は掛け物・軸物・絵画一般などを数える語です。作品として数える場合は「点」を用

★=英語数詞[1(ワン)、2(ツー)、3(スリー)…]などに付く　➡ より詳しい解説のある項目へ　→ 関連項目などへ

しょかん ▶ じょこうえき

数えるもの	数え方	数え方のポイント
		います。
しょかん【書簡】	▲通	➡ 手紙
しょくじ【食事】	▲回、▲度、▲飯、▲食	食事の回数は「回」「度」「飯」で、朝食・昼食・夕食を原則とした食事数をいう場合は「食」で数えます。「時間がなくて1食抜く」
	●箸、●匙、●口、▲膳、▲杯、▲椀、▲皿、▲品、●品、▲饌、▲片食	食事を口に運ぶ数は「箸」「匙」「口」などで数えます。食事の量については「膳」「杯」「椀」「皿」「品」などを用いて表します。「饌」は、古くは糧食・食事の回数を数えた語です。1日のうちの食事の回数は「片食」で数えました。
しょくしゅ【触手】	▲本	無脊椎動物の口の周囲にある小突起のことで、「本」で数えます。
しょくぜん【食膳】	▲膳	
しょくだい【燭台】	▲台、▲本、▲対	燭台2台で「1対」と数えます。
しょくたく【食卓】	▲台、▲卓	➡ テーブル
しょくどう【食堂】	▲軒、▲室、●部屋、▲間	定食などを出す食堂は「軒」、寮や宿で食事をする部屋は「室」「部屋」「間」などで数えます。
しょくパン【食パン】	●枚、▲斤	➡ パン
しょくぶつ【植物】	▲本、▲株、●むら	原則として「本」「株」で数えます。林や草むらなど植物が生い茂る所は「むら」でも数えます。 →木 →花 →草
しょくりょうひん【食料品】	▲点	
じょげん【助言】	●言、●つ	与える言葉は「言」、与えた内容項目は「つ」で数えます。
しょこ【書庫】	▲室、●部屋、▲棟、●棟	独立した建物の場合は「棟」「棟」でも数えます。
じょこうえき【除光液】	▲本、▲瓶、▲滴	瓶入りの除光液は「本」「瓶」で数えます。使う際は「滴」で分量の目安を表します。除光液を含ませた綿で爪をぬぐう回数は「ひと

▲=漢語数詞〔一(いち)、二(に)、三(さん)…〕などに付く　●=和語数詞〔一(ひと)、二(ふた)、三(み)…〕などに付く

数えるもの	数え方	数え方のポイント
		拭き」「ふた拭き」といいます。
しょじょう【書状】	★通、★枚	➡ 手紙
しょせき【書籍】	★冊、★部、★巻、★帙、★筆	「帙」は和装の書物を包む覆いを表し、そこから帙に入れた書物や文書（主に和書）を数えるようになりました。雅語的に「筆」で数えることもあります。　➡ 本
しょだな【書棚】	★台、★本、★架	➡ 棚
しょっかく【触角】	★本	触角2本で「1対」と数えます。
しょっき【食器】	★枚、★個、★点、客	原則として、平皿は「枚」、椀・茶碗・鉢は「個」で数えます。商品としては「点」を用います。接客用にそろえている食器は「客」で数えます。「ガラス食器5客」➡ 皿
ジョッキ	★個、★杯、•つ	容器は「個」、ビールが注がれたジョッキは「杯」で数えます。注文の際に「つ」を用いて数えることがあります。「中ジョッキひとつ」
しょっけん【食券】	★枚、•綴り	複数の食券がつなぎ合わされた場合は、「綴り」で数えます。
ショットグラス【shot glass】	★個	➡ グラス
ショッピングカート【shopping cart】	★台	
ショッピングセンター【shopping center】	★箇所、•つ	口語では「つ」でも数えます。センター内のテナント数は「軒」「店」「店舗」で数えます。
しょてん【書店】	★軒	➡ 本屋　➡ 店
しょひょう【書評】	★本、★編	
ジョブ【job】	★個	コンピューターでの処理作業の単位は、本来は「つ」で数える抽象的なものですが、数詞が9以上になる可能性が大きいため、「個」で数える傾向があります。
ショベルカー＜和製語＞	★台	
しょほうせん【処方箋】	★通、★枚	
しょめん【書面】	★枚、★通	➡ 書類

★＝英語数詞〔1（ワン）、2（ツー）、3（スリー）…〕などに付く　➡ より詳しい解説のある項目へ　➡ 関連項目などへ

しょもつ ▶ しる

数えるもの	数え方	数え方のポイント
しょもつ【書物】	▲冊、●部 など	➡ 本
しょるい【書類】	▲枚、●部、●綴り、●束、●括り、▲通、▲札、●ページ	紙片としては「枚」で数えます。コピーしたもの、あるいはコピーして綴じたものは「部」「綴り」、紐で束ねたものは「束」「括り」などで数えます。書類に通達・証明の内容が含まれるものは「通」でも数えます。「札」は証文や書類・手紙を数える語です。
ショルダーバッグ【shoulder bag】	▲個、▲点	商品としては「点」で数えます。 ➡ 鞄
じょれん【鋤簾】	▲本	長い柄の先に歯のついている、土砂をかき寄せる用具のことで、「本」で数えます。
じらい【地雷】	▲個	地雷は発射するものではないので、「発」ではあまり数えません。
しらうお【白魚】	▲匹、▲条、●筋	半透明で繊細な魚であるため、商品としては細長いものを数える「条」「筋」でも数えます。小さい魚なので、俗語で「ちょぼ」(点の意)で数えることもあります。 ➡ 魚
しらが【白髪】	▲本	髪の毛は「本」で数えます。細く差し込む光のように細長いものを数える「筋」や「条」を用いてその人の年齢や苦労をたとえて表現することがあります。「母の髪にふた筋の白髪がまじっている」 ➡ 髪
しらこ【白子】	●腹	1匹分を「ひと腹」と数えます。
しらたき【白滝】	●玉、●束、●袋	現代ではもっぱら「玉」で数えます。ひと玉の半分を袋詰めしたものは「袋」でも数えます。
しらたま【白玉】	▲個	白玉粉の小売単位は「袋」などを用います。
しりょう【資料】	▲点、●つ	資料をまとめて数えると「3点の資料を提出」のように、「点」で数えます。
シリンダー【cylinder】	▲本	円筒や円柱は「本」で数えます。気筒も「本」で数えます。
しる【汁】	▲膳、▲杯、●椀	「汁」は食事の際に出される汁物の数を表す

▲=漢語数詞〔一(いち)、二(に)、三(さん)…〕などに付く　●=和語数詞〔一(ひと)、二(ふた)、三(み)…〕などに付く

しるこ ▶ じんこつ

数えるもの	数え方	数え方のポイント
	★汁(じゅう)	語です。「一汁一菜」の形で用います。
しるこ〔汁粉〕	★杯(はい)、★椀(わん)	
しるし〔印〕	★つ、★個	
じれい〔事例〕	★つ、★例(れい)、★件	
じれい〔辞令〕	★通、★件	辞令の通知は「通」、辞令の件数は「件」で数えます。
しろ〔城〕	★城(じょう)	「一国一城の主(あるじ)」のような成句で使われます。
しわ〔皺〕	★筋(すじ)、★本	
しん〔芯〕	★本	
ジン〔gin〕	★杯(はい)、★本、★瓶(びん)	➡酒(さけ)
じんいん〔人員〕	★人(り/たり)、★人(にん)、★員	「員」はある集団の構成員を数える語です。主に「一員」の形で、その集団に加わっていることを表します。「クラブの一員」
しんぐ〔寝具〕	★組(くみ)、★揃(そろ)い、★重(かさ)ね、★点	寝具一式として数える場合は「組」「揃い」「重ね」を用います。商品としては「点」で数えます。
	★枚(まい)、★個	それぞれの寝具の数え方は、布団・シーツ・毛布・タオルケットなどは「枚」、枕は「個」で数えます。 →布団(ふとん)
しんくうかん〔真空管〕	★本	
じんこうえいせい【人工衛星】	★基(き)、★個、★台	人工衛星は「基」「個」「台」のいずれででも数えますが、文語では「基」を用います。「偵察衛星2基打ち上げ」
しんごうき〔信号機〕	★基(き)、★つ、★箇所(かしょ)	設置場所をいう場合は「箇所」で数えます。「交差点の2箇所に信号機を設置」 道案内をする際、信号は「つ」で数えます。「3つ目の信号を左折」
じんこつ〔人骨〕	★体(たい)、★本、★片(へん)、★点	全身骨格が出土した場合や、殺人事件などで身元を割り出す場合の人骨は「体」で数えます。学術的資料としては「点」で数えます。遺骨は「柱(はしら)」で数えます。 ➡骨(ほね)

★=英語数詞〔1(ワン)、2(ツー)、3(スリー)…〕などに付く　➡より詳しい解説のある項目へ　→関連項目などへ

数えるもの	数え方	数え方のポイント
しんさつしつ【診察室】	▲室、●間、●部屋	
しんしつ【寝室】	▲室、●間、●部屋	➡ 部屋
じんじゃ【神社】	▲社、▲座、▲宇	「社」は神社を数える語です。「座」は祭神・座像（仏像）を数える語で、「宇」は神社を数えるのにも用いる語です。
しんじゅ【真珠】	●粒、▲個、●玉	「粒」でも「個」でも数えますが、貴重な高級品であると強調したい場合は「粒」で数えます。古くは真珠貝を数える「枚」でも真珠を数えました。「玉」は真珠の丸く、つややかなさまを表します。 真珠の質量の単位は「匁」です。「1匁」は約3.75g。真珠を連ねたネックレスは、「2連パールネックレス」のように、「連」で数えます。
しんせき【親戚】	●人/▲人	➡ 親族
しんぞう【神像】	▲体、▲軀	「軀」は仏像などを数える語です。
しんぞく【親族】	●人/▲人、▲親等、▲世	「親等」は親族関係の親疎を測る単位です。直系親では、親子の間を「1世」とし、その世数によって定めます。親子は「1親等」、祖父母・兄弟・孫は「2親等」、おじ・おばは「3親等」、いとこは「4親等」です。
しんたい【神体】	●柱、▲体、▲軀、▲座	「柱」は日本古来の神・神体・神像、また遺骨を数える語です。「体」「軀」は仏像を数え、「座」は祭神・座像（仏像）を数えます。
しんだい【寝台】	▲台、●床	➡ ベッド
じんだい【人台】	▲体	衣類の製作・陳列に用いるボディーのことで、「体」で数えます。
じんばおり【陣羽織】	▲枚	
しんぶつ【神仏】	●柱、▲体 など	➡ 神体
しんぶん【新聞】	▲部、▲紙、▲枚、▲面	新聞の発行数や配達数をいう場合は「部」、新聞の種類をいう場合は「紙」で数えます。新聞紙は「枚」、各ページは「面」で数えます。

▲＝漢語数詞〔一（いち）、二（に）、三（さん）…〕などに付く　●＝和語数詞〔一（ひと）、二（ふた）、三（み）…〕などに付く

じんべい ▶ すいか

数えるもの	数え方	数え方のポイント
		「主要3紙で1面トップ」
じんべい〔甚平〕	▲枚（まい）	上下揃いで「1着」と数えることもあります。
しんぼう〔心棒〕	▲本	車輪などの中心になる軸のことで、「本」で数えます。
シンポジウム〔symposium〕	▲回、•つ	
じんりきしゃ〔人力車〕	▲台、•挺（丁）（ちょう）	駕籠（かご）を「挺（丁）」で数えたことに由来して、人力車も同じ数え方をすることがあります。
しんりょうじょ〔診療所〕	▲軒（けん）、•箇所（かしょ）	➡ 病院（びょういん）
しんれい〔神霊〕	•柱（はしら）、•体（たい）、•座（ざ）	死者の霊が宿る場所を表す「位（い）」で数えることもあります。 ➡ 神体（しんたい）
しんろ〔進路〕	▲本、•つ	将来の進む道などをたとえていうときには「つ」で数えます。「卒業後の進路をふたつに絞る」 ➡ 道（みち）
しんわ〔神話〕	▲話（わ）、•つ	

す

数えるもの	数え方	数え方のポイント
す〔巣〕	▲個	
す〔酢〕	▲本、•瓶（びん）、▲•★カップ、•杯（はい）、•匙（さじ）、•垂（た）らし、•滴（てき）	小売単位は「本」「瓶」などを用います。調理に使う際は「カップ」「杯」「匙」「垂らし」「滴」などで分量の目安を表します。合わせ酢で、酢と醤油、砂糖を合わせたものを「三杯酢」といいます。
ず〔図〕	▲枚（まい）、▲図（ず）、•点	→ イラスト
すあま〔素甘〕	▲本、•棹（さお）、•切（き）れ、•個	餅菓子（もちがし）の一種で、棒状であるため「本」で数えます。羊羹（ようかん）を数える「棹」で数える場合もあります。切り分けたものは「切れ」「個」で数えます。
ずあん〔図案〕	▲点、▲図（ず）、•つ	➡ デザイン
すい〔錘〕	•錘（つむ）	糸を紡ぐ道具のことで、「錘」で数えます。
すいか〔西瓜〕	▲本、•株（かぶ）、•個	植物としては「本」「株」で数えます。スイカ

★＝英語数詞〔1（ワン）、2（ツー）、3（スリー）…〕などに付く　➡ より詳しい解説のある項目へ　→ 関連項目などへ

数えるもの	数え方	数え方のポイント
	●玉、●切れ	の実は、大きさに関わらず「個」でも「玉」でも数えます。切り分けた場合は「切れ」で数えます。
すいがい【水害】	▲件	氾濫した川は「河川」、浸水などの被害にあった家屋は「戸」「世帯」などで数えます。
すいがら【吸い殻】	▲本	➡ タバコ
すいぎんとう【水銀灯】	▲灯	「灯」は街灯や電灯を数える語です。
すいしゃ【水車】	▲基、▲台、▲個、▲本	小屋などに設置されている大型のものは「基」、小さいものは「台」「個」「本」で数えます。
すいしょうだま【水晶玉】	▲個、●玉	
すいせい【彗星】	▲個、▲本	原則として「個」で数えますが、長く尾を引いている星なので「本」でも数えます。 ➡ 星
すいそう【水槽】	▲個、▲槽	商品としては「点」で数えます。
すいそうがっき【吹奏楽器】	▲本	➡ 楽器
すいぞくかん【水族館】	▲軒、▲館	博物館や美術館と同様に「館」でも数えます。
すいそばくだん【水素爆弾】	▲発、▲個	
すいちゅうか【水中花】	▲本	水を入れた器の中で開かせる造花のことで、「本」で数えます。
すいちゅうよくせん【水中翼船】	▲隻、▲艘	➡ 船
すいでん【水田】	▲枚、▲面	➡ 田
すいとう【水筒】	▲本、▲個	中身が入っていない、容器としての水筒は「個」でも数えます。
すいとりがみ【吸い取り紙】	▲枚	
すいはんき【炊飯器】	▲台	
ずいひつ【随筆】	▲編	「編」は詩・文章・随筆・小説などの完結した文書を数える語です。
すいへいふく【水兵服】	▲着、▲枚	➡ セーラー服
すいもの【吸い物】	▲杯、●椀	➡ 椀
すいもん【水門】	▲基	
スウェット【sweat】	▲枚、▲着、▲組	起毛させた綿のメリヤス地のことで、シャツ

▲=漢語数詞〔一(いち)、二(に)、三(さん)…〕などに付く　●=和語数詞〔一(ひと)、二(ふた)、三(み)…〕などに付く

すうじ ▶ すきま

数えるもの	数え方	数え方のポイント
	•揃(そろ)い	とパンツはそれぞれ「枚」、上下セットで「着」「組」「揃い」などで数えます。➡ 服(ふく)
すうじ[数字]	•つ、•個、▲桁(けた)	➡ 数(かず)
すうしき[数式]	•つ	
スーツ[suit]	▲着(ちゃく)、•組(くみ)、•揃(そろ)い、▲点	三つ揃いのスーツは「揃い」でも数えます。商品としては「点」でも数えます。➡ 服(ふく)
スーツケース[suitcase]	▲個	
スーパーマーケット[supermarket]	▲軒(けん)、•店(てん)	➡ 店(みせ)
スープ[soup]	•鍋(なべ)、•杯(はい)、•椀(わん)、•皿、•品(しな)、•品(ひん)	椀によそった場合は「杯」、容器の形に応じて「椀」「皿」などで数えます。コース料理の中の品数として扱う場合は「品」でも数えます。
スカート[skirt]	▲枚(まい)、▲点	商品としては「点」で数えます。➡ 服(ふく)
スカーフ[scarf]	▲枚(まい)、▲点	商品としては「点」で数えます。
ずがいこつ[頭蓋骨]	▲個、▲片(へん)	頭蓋骨全体は「個」で、骨の一部は「片」で数えます。文語では「頭(かしら)」で数えることもあります。➡ 骨(ほね)
すがたみ[姿見]	▲枚(まい)	全身を映すための大きな鏡のことで、「枚」で数えます。
すき[犂]	▲本	牛や馬に引かせて土をおこす耕具のことで、「本」で数えます。「挺(丁)(ちょう)」で数えることもあります。
すき[鋤]	▲挺(丁)(ちょう)、▲本	→ 鍬(くわ)
スキーいた[スキー板]	▲枚(まい)、▲本、•組(くみ)、•揃(そろ)い、▲台	スキー板は2枚で「1組」「ひと揃い」「1台」などと数えます。ストックは2本で「1組」と数えます。エッジは「本」で数えます。
スキーじょう[スキー場]	•つ、▲面、▲箇所(かしょ)	ゲレンデは「面」で数えます。
スキーリフト	▲基(き)、▲台	➡ リフト
すきぐし[梳き櫛]	▲枚(まい)、▲本	➡ 櫛(くし)
すぎな[杉菜]	▲本、▲株(かぶ)	→ 土筆(つくし)
すきま[隙間]	•つ、•本、•筋(すじ)	

★=英語数詞[1(ワン)、2(ツー)、3(スリー)…]などに付く　➡ より詳しい解説のある項目へ　→ 関連項目などへ

すきみ ▶ スケッチブック

数えるもの	数え方	数え方のポイント
すきみ〖剝身〗	▲枚、●切れ、▲片	薄い肉の切り身のことで、「枚」「切れ」「片」で数えます。 ➡肉
スキャナー〖scanner〗	▲台	装置の一種なので「台」で数えます。
スキューバ〖scuba〗	▲台、●組、▲●★セット	自給式水中呼吸器のことで、「台」で数えます。一揃いの道具としては、「組」「セット」で数えます。
ずきん〖頭巾〗	▲枚、▲頭	「頭」は烏帽子・兜・頭巾など、頭にかぶるものを数える語です。
スクイズ〖squeeze〗	▲個、●つ、▲本	スクイズプレーの略で、「個」「つ」で数えます。「本」で数えることもあります。「2本のスクイズなどで3点を先取」
スクーター〖scooter〗	▲台	二輪車の一種なので、「台」で数えます。
スクラップブック〖scrapbook〗	▲冊、▲帖	切り抜き帳のことで、「冊」で数えます。「帖」は薄い物（写真や切り抜き）を貼り合わせることを表す語です。
スクラム〖scrum〗	▲団、▲群、▲列	ラグビーで構成するスクラムは、「列」で数え「1列目」「2列目」のようにいいます。
スクリーン〖screen〗	▲面、▲枚、●張り、●幕	スクリーンは「面」「枚」で数えます。映画の映写幕は「張り」「幕」でも数えます。大画面ほど「面」で数える傾向があります。
スクリュー〖screw〗	▲本、▲個	船舶でのプロペラ型推進装置のことで、「本」で数えます。小形のものは「個」でも数えます。スクリューの羽根は「枚」で数えます。
スケートぐつ〖スケート靴〗	▲足	スケート靴左右ひと組で「1足」と数えます。エッジは「本」で数えます。 ➡靴
スケートリンク〖skating rink〗	▲面	→アイスリンク
すげがさ〖菅笠〗	▲枚、▲蓋	「蓋」は笠などの、上からかぶせるものを数える語です。
スケッチ〖sketch〗	▲枚、▲点、▲図	➡イラスト
スケッチブック〖sketchbook〗	▲冊	

▲＝漢語数詞〔一（いち）、二（に）、三（さん）…〕などに付く　●＝和語数詞〔一（ひと）、二（ふた）、三（み）…〕などに付く

数えるもの	数え方	数え方のポイント
スコアボード【scoreboard】	★面、★枚	「面」は表面に表示するものを数える語です。スコア板を平面的なものとして数えると「枚」も用います。
スコップ【schop オランダ】	★本	→シャベル
すごろく【双六】	★局、★調	「局」は、碁盤や双六盤で行う勝負を数える語です。「調」は、軍隊や物資を動かして調整することを表す意から、駒を動かして遊ぶ遊戯を数える語です。
すし【鮨】	★かん(貫)、★個、・つ	握り鮨や軍艦巻きは、1個で「1かん」と数えます。「貫」は、料理人の間で調理した品を数える「かん」に当てた漢字。店によっては「1かん」で握り鮨を2個出す場合もあります。軍艦巻き1個を「1巻」と数えることも。→コラム⑨に関連事項(p.155)
	★本、・切れ、★個、・つ	巻き鮨や押し鮨は切る前は「本」、切り分けると「切れ」「個」で数えます。いなり鮨や茶巾鮨は「個」、手巻き鮨は「本」で数えます。
	・折、・桶	折り箱に入った鮨は「折」で数えます。鮨桶に盛り合わされていれば「1桶」と数えます。俗語で、鮨屋のシャリ(飯)2升で「1本」といいます。
すじ【筋】	★本、・条、・筋	「条」は枝や道筋を意味することから、細く差し込む光のように細長いものを数える語です。
ずし【厨子】	★基	物を納めた棚のことで、「基」で数えます。「枚」「台」で数えることもあります。
すしおけ【鮨桶】	★枚、★個、★口	「口」は桶やたらいなどの口の広い器具などを数える語です。
すじこ【筋子】	・腹、・粒	➡魚卵
すず【鈴】	★個	
すすき【薄】	★本、★株、・むら	植物としては「本」「株」で数えます。群生し

★=英語数詞〔1(ワン)、2(ツー)、3(スリー)…〕などに付く　➡より詳しい解説のある項目へ　→関連項目などへ

すずむし ▶ ステーキ

数えるもの	数え方	数え方のポイント
		ている場合は「むら」で数えることもあります。ススキの穂は「本」で数えます。
すずむし【鈴虫】	▲匹(ひき)	
すずり【硯】	▲面、▲個、▲枚(まい)、▲石(せき)	「面」は鏡・硯など表面を使う硬く平らな用具を数える語です。硯は「石」でも数えます。
すずりばこ【硯箱】	▲具(く)、●具(よろい)	「具」は必要なものをそろえるという意で、硯箱や弓矢など、そろえたものを数える語です。
スタジアム【stadium】	▲面、▲球場、●つ ➡ 球場(きゅうじょう)	
スタッド【stud】	▲本、▲個	鋲(びょう)のことで、「本」「個」で数えます。
すだれ【簾】	▲枚(まい)、▲張(ちょう)、●張り、●垂(た)れ、▲連(れん)	幕を数える「張り」ですだれを数えることもあります。「垂れ」は垂らして使う物を数える語です。「連」は連なったものや編んだものを数える語です。
スタンド【stand】	▲台	物を立て掛ける台・電気スタンドは「台」で数えます。
	▲基(き)	競技場のスタンドは「基」で数えます。
	▲軒(けん)	また、売店は「軒」で数えます。
スタンプ【stamp】	▲個、▲台	スタンプ台は「個」「台」で数えます。商店などのカードに押して集めるスタンプ印は「個」で数えます。「スタンプ20個たまると商品をプレゼント」
スツール【stool】	▲脚(きゃく)、▲個、▲台 ➡ 椅子(いす)	
ズッキーニ【zucchini イタリア】	▲本 ➡ 野菜(やさい)	
ズック【doek オランダ】	▲枚(まい)	厚地の布は「枚」で数えます。
	▲足(そく)	運動靴は「足」で数えます。 ➡ 靴(くつ)
ステアリング【steering】	▲本	乗り物の方向転換をするためのハンドルのことで、「本」で数えます。
スティック【stick】	▲本	棒は「本」で数えます。ホッケーのスティックも「本」で数えます。
ステーキ【steak】	▲枚(まい)、●切れ	

▲=漢語数詞〔一(いち)、二(に)、三(さん)…〕などに付く　●=和語数詞〔一(ひと)、二(ふた)、三(み)…〕などに付く

数えるもの	数え方	数え方のポイント
ステッカー【sticker】	▲枚、▲片	小さいものは「片」でも数えます。　→ シール
ステッキ【stick】	▲本	→ 杖
ステッチ【stitch】	▲針	ししゅうなどの針目のことで、「針」で数えます。
ステップ【step】	▲歩、▲段、▲●段階、▲●★ステップ	歩みの意では「歩」、階段の意では「段」で数えます。進度や手順などを意味する場合、「第1段階」「第2ステップ」などのようにいいます。
すててこ	▲枚	➡ 下着
ステレオ【stereo】	▲台、▲組、▲●★セット、▲●★ユニット	プレーヤーとスピーカーがそろうと、「組」「セット」「ユニット」で数えます。一揃いのものを「一式」といいます。
ストーブ【stove】	▲台	達磨ストーブは「本」でも数えます。
ストーリー【story】	▲話	➡ 物語

コラム 9　COLUMN 〈「1かん」は歴史の浅い数え方〉

　鮨を数える「かん」は、最近になって生まれた数え方です。握り鮨が誕生した江戸時代からあるのかと思いきや、当時の書物を調べても「一ツ」「一箇」は登場しますが、「1かん」の記述は見当たりません。明治・大正時代になっても変化はなく、志賀直哉の小説『小僧の神様』(1919) でも握り鮨は「一つ」と数えています。

　では、いつから「かん」が使われるようになったのでしょうか。『改訂食品事典』(1974) によると、昭和時代、仕上げた料理を2個盛り付けることを料理人の間で「にかん盛り」と言うようになり、「かん」を「個」の意味で使ったとあります。「個」がなまって「かん」になったとする説も。(『丸善 単位の辞典』(2002)) その後、1990年代のグルメブームに乗じて雑誌に鮨店が頻繁に紹介されました。その時に鮨職人が「1かん」を使うのを聞いた記者が、握り鮨専用の数え方かのように記したために一気に普及したようです。「貫」という漢字を使うのは当て字。筆者が調べたところ、老舗の鮨屋では漢字を使わず「かん」「カン」と記しています。

　「1かん」注文すると鮨が何個出てくるのか議論がありますが、基本的には「1かん」は「1個」を指します。

★=英語数詞〔1(ワン)、2(ツー)、3(スリー)…〕などに付く　➡ より詳しい解説のある項目へ　→ 関連項目などへ

ストール ▶ すな

数えるもの	数え方	数え方のポイント
ストール【stole】	▲枚(まい)	婦人用の細長い肩掛けのことで、「枚」で数えます。
ストッキング【stocking】	▲足(そく)、▲枚(まい)	靴下の一種として数える場合は「足」で数えます。「ストッキング2足入りパック」 身につける場合は「枚」で数えます。「1日に2枚のストッキングが相次いで伝線した」ストッキングの生地の厚さを示す単位は「デニール」です。 →タイツ
ストック【Stockドイツ】	▲本、●組(くみ)	スキーのストックは2本で「ひと組」と数えます。
ストップウオッチ【stopwatch】	▲個	精巧なストップウオッチは「台」で数えることもあります。
ストライキ【strike】	▲回、▲波(は)	「波」は波のように次々と押し寄せるものを数える語です。
ストライプ【stripe】	▲本	縞(しま)のことで、それぞれの柄(がら)を「本」で数えます。「3本のストライプの入ったネクタイ」
ストラップ【strap】	▲本、▲個、▲点	携帯電話のストラップは「個」でも数えます。商品や賞品としては「点」で数えます。
ストレッチャー【stretcher】	▲台	車輪つきの簡易ベッドのことで、「台」で数えます。 →担架(たんか)
ストロー【straw】	▲本	小売単位は「箱」「袋」などを用います。「ストロー100本で1箱」
ストローク【stroke】	●漕(こ)ぎ、●かき、●打(だ)	スポーツなどで腕や道具を振る回数を数えます。ボートは「漕ぎ」、水泳は「かき」、テニスなどは「打」で数えます。
	＊ストローク	ゴルフの打数は「ストローク」で数えます。「首位をツーストローク差で三人が追う」
ストロボ【strobo】	▲台、▲個、▲回	装置は「台」で、閃光電球は「個」で数えます。ストロボの発光回数は「回」で数えます。
すな【砂】	●袋(ふくろ)、●粒(つぶ)、●顆(か)	袋に入った滑り止めの砂は「袋」、砂粒は「粒」「顆」などで数えます。

▲=漢語数詞〔一(いち)、二(に)、三(さん)…〕などに付く　●=和語数詞〔一(ひと)、二(ふた)、三(み)…〕などに付く

数えるもの	数え方	数え方のポイント
	★握	「握」は手で握る程度の分量を詩的に表現する語で、「一握の砂」のように用います。
スナック [snack]	★軒、★店、★店舗、•袋、•箱	スナックバーは「軒」「店」で数えます。スナック菓子は「袋」「箱」で数えます。
スナップ [snap]	★枚、★葉	スナップ写真は「枚」「葉」で数えます。➡ 写真
	★個	服などにつける金具は「個」で数えます。
すなどけい [砂時計]	★個、★本、★点	原則として「個」で数えますが、大きなもの、細長いものは「本」でも数えます。商品や作品としては「点」でも数えます。
すなば [砂場]	★面、•つ	
スニーカー [sneakers]	★足	➡ 靴
すねあて [脛当て]	★足、•組、★枚	脛当て2枚で「ひと組」と数えます。
スノーボード [snow board]	★台、★枚	→ スキー板
スノーモービル [snow mobile]	★台	小型の雪上車のことで、「台」で数えます。
すのこ [簀の子]	★枚	
スパイク [spike]	★本、★発、★打	バレーボールのスパイクは「本」「発」「打」で数えます。滑り止めの鋲は「本」で数えます。
スパイクシューズ [spiked shoes]	★足	➡ 靴
スパイクタイヤ〈和製語〉	★本	
スパイス [spice]	•粒、★個、★本など	➡ 香辛料
スパゲッティ [spaghetti イタリア]	★本、•束、★把、★袋、•皿、★品、★品	ばらばらにした麺は「本」で数えます。小売単位は「束」「把」「袋」など。料理として数える場合は「皿」「品」などを用います。「イカ墨とカルボナーラを2{皿｜品}注文」➡ パスタ
すばこ [巣箱]	★個	
スパッツ [spats]	★枚	➡ 服
スパナ [spanner]	★本	「挺（丁）」で数えることもあります。
ずはん [図版]	★枚、★点	印刷物は「枚」、図自体は「点」で数えます。

★＝英語数詞[1（ワン）、2（ツー）、3（スリー）…]などに付く　➡ より詳しい解説のある項目へ　→ 関連項目などへ

スピーカー ▶ スポン

数えるもの	数え方	数え方のポイント
スピーカー【speaker】	▲本、●個、▲台、▲枚、●組、▲●★セット	スピーカーを数える場合、慣用的に「本」「個」を用います。薄型のものは、製品の薄さを強調するために「枚」で数えることもあります。スピーカー左右2台を「組」「セット」で数えます。
スピーチ【speech】	▲本、▲題、▲件、▲席	弁論大会や講演などのスピーチは「本」「題」で数えます。結婚披露宴などで行うスピーチは「件」「席」で数えます。
スピードガン【speed gun】	▲台	車両や投球の速度を測定する機械のことで、「台」で数えます。
スプーン【spoon】	▲本	➡匙（さじ）
スプリング【spring】	▲本	小さいものは「個」でも数えます。 →発条（ばね）
スプリングボード【springboard】	▲枚、▲台	水泳の飛び込み競技や飛び箱で使う踏み切り台のことで、「枚」「台」で数えます。
スプリンクラー【sprinkler】	▲台、▲基	大形のものは「基」でも数えます。
スプレー【spray】	▲本、●缶	使う際は、和語数詞について「吹き」で使用量の目安を表します。
スペアリブ【spareribs】	▲本	骨付きなので「本」で数えます。 ➡肉
すべりだい【滑り台】	▲基、▲台	公園や校庭に据えてあるすべり台は「基」、家庭用の取り外しできるすべり台は「台」で数えます。
すべりどめ【滑り止め】	●袋、▲本	雪のスリップを防ぐ砂袋は「袋」、階段の滑り止めは「本」で数えます。
スポイト【spuitオランダ】	▲本	スポイトは「本」で数えますが、小型のものは「個」で数えることもあります。スポイトやチューブから垂らす液体の雫（しずく）は「滴」「点」で数えます。
ズボン	▲本、●枚	パンツともいい、ふつうは「枚」で数えますが、商品としてのスーツのズボンなどは「本」で数えることがあります。「上着1着にズボン2本付き」 ➡服

▲＝漢語数詞〔一（いち）、二（に）、三（さん）…〕などに付く　●＝和語数詞〔一（ひと）、二（ふた）、三（み）…〕などに付く

スポンジ ▶ スリット

数えるもの	数え方	数え方のポイント
スポンジ[sponge]	▲個、▲枚	食器洗い用スポンジは「個」で数えます。マットレスに入れる大型のものは「枚」で数えます。
スポンジケーキ[sponge cake]	▲個、▲台	➡ ケーキ
スマッシュ[smash]	▲本、▲打、▲発	テニスや卓球でボールを下に強打することは、「本」「打」「発」で数えます。
すみ[炭]	▲本、▲俵、▲叺	細長いものは「本」で数えます。売買取引単位（炭俵）は「俵」です。「叺」は藁で作った、穀物や炭を入れる袋のことで、中身の入った袋を数える語です。
すみ[墨]	▲挺（丁）、▲本、▲個	手に持ち、摺って使うものなので「挺（丁）」で数えます。現代では「本」も用います。
すみいと[墨糸]	▲本	
すみえ[墨絵]	▲幅、▲点、▲枚	「幅」は掛け物・軸物・絵画一般などを数える語です。作品としては「点」で数えます。
すもう[相撲]	▲番	取組は「番」で数えます。「良い相撲が2番続く」 番付は「枚」、懸賞は「本」で数えます。大相撲の興行は「場所」で数えます。
スモークサーモン【smoked salmon】	▲枚、●切れ、▲箱、▲●★パック	切り分けて売られているものは「切れ」で数えます。切り身の数を「スライス」と表示することがあります。「1パック24スライス入り」
スモック[smock]	▲枚、▲着	ゆったりとした上っ張りのことで、「枚」「着」で数えます。
スライド[slide]	▲枚、▲台	スライド用のフィルムは「枚」、映写機は「台」で数えます。プレゼンテーション用のソフトウエアの各画面は「枚」で数えます。
スラックス[slacks]	▲本、▲枚	➡ ズボン ➡ 服
すりこぎ[擂り粉木]	▲本	
スリット[slit]	▲本	すきまやスカートなどの裾に入れる切れ込みのことで、「本」で数えます。

★＝英語数詞[1（ワン）、2（ツー）、3（スリー）…]などに付く ➡ より詳しい解説のある項目へ → 関連項目などへ

スリッパ ▶ せいきゅうしょ

数えるもの	数え方	数え方のポイント
スリッパ [slipper]	▲足(そく)	片方のスリッパは「個」で数えます。「スリッパ2個で1足」 ➡靴
スリップ [slip]	▲枚(まい)	➡下着
すりばち [擂り鉢]	▲個、▲口(こう)	「口」は鉢などの口の広い器具などを数える語です。
するめ [鯣]	▲枚(まい)、▲足(そく)、●束(たば)、▲把(わ)	するめは「枚」で数えます。ゲソの部分だけを俗に「足」で数えることがあります。小売単位は「束」「把」など。
	▲連(れん)	するめを10枚束ねたものを「1連」といいます。　➡烏賊(いか)　➡コラム①に関連事項(p.21)
スローガン [slogan]	▲言(げん)、●言(こと)、●句(く)、▲●★フレーズ	➡標語(ひょうご)
スロットマシン [slot machine]	▲台	自動販売機も自動賭博機も「台」で数えます。
ずわいがに [ずわい蟹]	▲匹(ひき)、▲杯(はい)、▲肩(かた)	大形の食用ガニを販売する際、切り落とした足数本をまとめたものを「肩」で数えます。　➡蟹(かに)

せ

数えるもの	数え方	数え方のポイント
セイウチ [sivuchロシア]	▲頭	➡動物(どうぶつ)
せいうん [星雲]	▲個、●つ、▲群(ぐん)	➡星(ほし)
せいか [生花]	▲本	小売単位は「束(たば)」「籠(かご)」「基(き)」などです。　➡花(はな)
せいか [聖火]	▲本	
せいかい [正解]	●つ、▲問(もん)	設問について複数の正解がある場合は「この問題には2つの正解がある」といいます。正解した問題数をいう場合は「2問正解」といいます。
せいかだい [聖火台]	▲基(き)	据え付けてあるものは「基」で数えます。取り外しのできるものは「台」でも数えます。
せいき [世紀]	▲世紀、●つ	
せいきゅうしょ [請求書]	▲枚(まい)、▲通	

▲=漢語数詞〔一(いち)、二(に)、三(さん)…〕などに付く　●=和語数詞〔一(ひと)、二(ふた)、三(み)…〕などに付く

数えるもの	数え方	数え方のポイント
せいこう[成功]	★度、★回、★つ	→ 失敗(しっぱい)
せいざ[星座]	★星座、★座(ざ)、★つ	西洋占星術で1年はふつう12星座に分けられます。 ➡ 星(ほし)
せいし[精子]	★個、★匹(ひき)	動くものとして捉(とら)えると「匹」で数えます。通常は「個」で数えます。
せいし[誓紙]	★通、★枚(まい)	
せいしぼさつ[勢至菩薩]	★尊(そん)、★体(たい)	阿弥陀三尊の一つで、阿弥陀仏の右の脇侍(きょうじ)のことで、「尊」「体」で数えます。「尊」は仏を数える語です。
せいしゅ[清酒]	★樽(たる)、★本など	➡ 日本酒(にほんしゅ)
せいしょ[聖書]	★冊(さつ)、★部(ぶ)	歴史的に貴重な聖書は「点」でも数えます。
せいどう[聖堂]	★堂(どう)、★つ	「堂」は広く高い部屋や御殿を数える語で、文語で聖堂・礼拝堂・講堂・ホールを数えます。
せいひょうざら[製氷皿]	★枚(まい)	
せいぶつ[生物]	★匹(ひき)、★個体(こたい)	専門的に研究対象となる生物は「個体」で数えます。「2個体から遺伝子を取り出す」 ➡ 動物(どうぶつ)
せいりゅう[清流]	★本、★流れ、★筋(すじ)	➡ 川(かわ)
せいろう[蒸籠]	★組(くみ)、★段(だん)	木製の框と簀の組み合わせからなる道具で「組」「段」で数えます。 → 蒸(む)し器
	★枚(まい)	蕎麦を蒸籠に盛って出す場合は、「枚」で数えます。「天蒸籠2枚」
セーター[sweater]	★枚(まい)、★点	一般的には「枚」を用いますが、編物(あみもの)の作品や商品として数える場合は「点」を用います。
セーラーふく[セーラー服]	★枚(まい)、★着(ちゃく)	水兵服ともいいます。女子学生の制服は「着」で数えます。
セカンドバッグ[second bag]	★個、★点	商品としては「点」で数えます。
せき[席]	★つ、★席(せき)	➡ 座席(ざせき)
せきざい[石材]	★個、★石(こく)、★切れ	「切れ」は石材の体積の単位で、「切」「才(さい)」ともいいます。「ひと切れ」は1立方尺(0.03m³)です。

★=英語数詞[1(ワン)、2(ツー)、3(スリー)…]などに付く　➡ より詳しい解説のある項目へ　→ 関連項目などへ

せきしつ ▶ せつ

数えるもの	数え方	数え方のポイント
せきしつ【石室】	▲基(き)	古墳の、石で壁や天井を造った部屋のことで、「基」で数えます。
せきしょ【関所】	▲関(せき/かん)	
せきぞう【石像】	▲体(たい)、▲軀(く)、●点	人間や動物をかたどった像は「体」で数えます。「軀」はからだ、胴体を意味することから、石像や仏像などを数える語です。芸術作品としては「点」で数えます。
せきたん【石炭】	▲個、▲片(へん)、●叺(かます)	売買単位は「叺(かます)」です。「叺」は藁(わら)で作った袋のことで、石炭を入れた袋を数える語です。
せきとう【石塔】	▲基(き)	➡塔(とう)
せきはん【赤飯】	●折(おり)、●重ね(かさね)	折り箱に入れた赤飯は「折」、重箱に入った赤飯は「重ね」で数えます。 ➡飯(めし)
せきばん【石版】	▲枚(まい)、▲面	
せきひ【石碑】	▲基(き)	➡碑(ひ)
せきひつ【石筆】	▲本	
せきふ【石斧】	▲挺(丁)(ちょう)	➡斧(おの)
せきふだ【席札】	▲枚(まい)	
せきぶつ【石仏】	▲尊(そん)	→石仏(いしぼとけ)
セスナ【Cessna】	▲機	➡飛行機(ひこうき)
せたい【世帯】	▲●世帯、▲戸(こ)、●つ	「世帯」は住居および生計を共にする者の集団を数える語で、主に調査や課税の対象として数える際に用います。「戸」も同様に用いられますが、住宅を中心として数える傾向があり、自然災害を受けた際によく用いられます。なお、1戸の住宅に2世帯以上が同居することもあるため、「戸」と「世帯」の数が一致するとは限りません。 →家族(かぞく)
せだい【世代】	▲代(だい)、▲●世代、●つ	「代」は家系における世代を表す語です。ある文化・世相をになう年齢層は「世代」で数えます。「三世代で同居」
せつ【説】	▲説、●つ	

▲=漢語数詞〔一(いち)、二(に)、三(さん)…〕などに付く　●=和語数詞〔一(ひと)、二(ふた)、三(み)…〕などに付く

数えるもの	数え方	数え方のポイント
せっき【石器】	▲点、▲個	石器は一般的に「個」で数えますが、出土したさまざまな種類や形の石器をまとめて数える場合は「点」を用います。壊れている石器の破片は「片」で数えます。
せっくつ【石窟】	▲個	
せっけん【石鹸】	▲個、▲本、▲枚、▲箱、▲袋	固形石鹸は「個」、液体石鹸は容器を「本」で数えます。紙石鹸は「枚」、粉石鹸は容器に応じて「箱」「袋」で数えます。
ゼッケン【Deckeドイ】	▲枚	
せっこう【石膏】	▲片	鉱物としては「片」で数えます。　→ ギプス
せつぞう【雪像】	▲体、▲基、▲点	人間の形をかたどったものは「体」で数えます。雪祭りに展示される雪像は大形であるため「基」で数えます。芸術作品としては「点」で数えます。
せった【雪駄】	▲足	左右2枚で「1足」と数えます。
せったい【接待】	▲席、▲回、▲度	
せっちゃくざい【接着剤】	▲本、▲滴、▲点	チューブ形などの容器に入っているものは「本」で数えます。使う際は「滴」「点」などで分量の目安を表します。
セット【set】	▲揃い、▲組、▲★セット	「セット」は「ダイニング3点セット」のように「点」を伴う用法もあります。
せつもん【設問】	▲問、▲つ	「問」は設問・質問を数える語です。
せつわ【説話】	▲話	
ぜに【銭】	▲枚、▲個	「枚」は薄いものを数える語です。銭は「個」で数えることもあります。　➡ 硬貨
	▲結い	四角の穴がある丸形の銭の貨幣単位は「文」「文目」です。江戸時代には、寛永通宝1枚を「1文」としました。1文は1000分の1貫です。「結い」は銭を数える語で、100文で「ひと結い」としました。
せびれ【背鰭】	▲枚、▲本	背鰭は魚の体の中心に据えてあることから、

★＝英語数詞〔1（ワン）、2（ツー）、3（スリー）…〕などに付く　➡ より詳しい解説のある項目へ　→ 関連項目などへ

せびろ ▶ セロハンテープ

数えるもの	数え方	数え方のポイント
		「基」で数えることがあります。
せびろ[背広]	▲着、●揃い など	➡ スーツ
せぼね[背骨]	▲本	➡ 骨
せみ[蝉]	▲匹	セミの抜け殻は「個」で数えます。
ゼミ	●つ	ゼミナールの略で、「つ」で数えます。
セメント[cement]	▲片、▲本	固まったセメント片は「片」で数えます。歯科医が歯に詰めるセメントは「本」でも数えます。
	▲袋、●袋、▲樽	「袋」は袋詰めされた材料の分量を表す単位です。セメント1袋は25kg。「ひと樽」は、セメント170kg分に相当します。
せもたれ[背もたれ]	▲枚	
せり[芹]	▲本、●株	植物としては「本」「株」などで数えます。小売単位は「把」「束」など。
ゼリー[jelly]	▲個	小さいものは「粒」でも数えます。
せりふ[台詞]	●言、▲行	台本に書かれている台詞の分量は「行」で数えます。「30行もの長い台詞を暗記する」コメントをたとえていう場合は「言」を用い、「一流スポーツ選手は引退のとき、ひと言名台詞を残す」のようにいいます。
セル[cell]	▲個	表計算ソフトの升目の意では「個」で数えます。 ➡ 升目
セルが[セル画]	▲枚	セロハンシートに描かれたアニメの原画のことで、「枚」で数えます。
セロハン[cellophaneフランス]	▲枚 ▲連	薄いフィルムなので「枚」で数えます。 「連」はセロハンの取引単位です。「1連」は500m^2。セロハンの厚さの単位は「番」で表します。
セロハンテープ 【cellophane tape】	▲本、●巻き、▲片	巻かれたテープの部分は「巻き」で数えます。使うために切り離すと「片」で数えます。 ➡ テープ

▲=漢語数詞〔一(いち)、二(に)、三(さん)…〕などに付く　●=和語数詞〔一(ひと)、二(ふた)、三(み)…〕などに付く

数えるもの	数え方	数え方のポイント
セロリ[celery]	★本、★株	植物としては「本」「株」で数えます。小売単位は「把」「束」など。
せん[栓]	★本、★個	
せん[線]	★本、★線	
ぜん[膳]	★膳、★客	「膳」はゆとりあるご馳走・料理を表す語です。「客」は客をもてなすためにそろえてある道具を数える語です。
ぜんか[前科]	★犯	「前科3犯」のように用います。
せんかん[戦艦]	★隻	「艘」でも数えることができます。 ➡ 船
せんきょ[選挙]	★度、★回	
せんこう[閃光]	★筋、★本	ぴかりと光ることを「一閃」といいます。
せんこう[線香]	★本、★把、★束、★箱、★巻き	ばらばらの線香は「本」、束ねると「把」「束」で数えます。箱入りは「箱」で数えます。蚊取り線香は「巻き」で数えます。
センサー[sensor]	★本、★台	装置全体を数える場合は「台」を用います。
せんしゃ[戦車]	★台	「両」で数えることもあります。
せんしょくたい[染色体]	★本	「つ」で数えることもあります。ヒトの染色体数46本のうち常染色体44本(22対)をそれぞれ「1番染色体」〜「22番染色体」といいます。
せんす[扇子]	★本、★面、★枚	扇子は閉じると「本」、広げると「面」「枚」で数えます。手に持ってあおぐものなので、「握り」「柄」で数えることもあります。 → 団扇 → 扇
せんすいかん[潜水艦]	★艘、★隻、★艦	「艇」で数えることもあります。
せんたくき[洗濯機]	★台	家電製品は「台」で数えます。洗濯槽は「槽」で数えます。洗濯槽と脱水槽が別々にある洗濯機を「2槽式洗濯機」といいます。
せんたくもの[洗濯物]	★籠、★杯、★竿	洗濯物の分量の目安は、洗濯かごや洗濯槽に対する量がどれくらいかで表します。干した際の分量は物干し竿を表す「竿」で示しま

★=英語数詞[1(ワン)、2(ツー)、3(スリー)…]などに付く　➡ より詳しい解説のある項目へ　→ 関連項目などへ

せんちゃ ▶ そうがんきょう

数えるもの	数え方	数え方のポイント
		す。「ふた竿分の洗濯物」
せんちゃ【煎茶】	▲杯、▲服 など	➡茶
せんとう【戦闘】	▲戦、▲回戦	
せんとう【銭湯】	▲軒	
せんぱく【船舶】	▲隻、▲艘、▲艇 など	➡船
せんばづる【千羽鶴】	▲羽、▲連、▲本、▲束	折り紙で折った鶴は「羽」で数えます。それを連ねたものは「連」「本」、連ねた千羽鶴を複数束ねたものは「束」で数えます。
せんぷうき【扇風機】	▲台	天井などに据え付けてある大型のものは「基」でも数えます。
せんべい【煎餅】	▲枚、▲個、●粒	あられ類は「個」「粒」で数えます。欠けた煎餅は「片」でも数えます。小売単位は「袋」「缶」「箱」など。
ぜんまい【発条】	▲本、▲枚	渦巻状のばねは「枚」で数えます。
ぜんまい【薇】	▲本	山菜は「本」で数えます。
せんまいどおし【千枚通し】	▲本	錐の一種で、「本」で数えます。
せんりゅう【川柳】	▲句	
せんろ【線路】	▲本	

そ

数えるもの	数え方	数え方のポイント
そいば【添い歯】	▲本	八重歯ともいい、「本」で数えます。 ➡歯
ぞう【象】	▲頭	➡動物
ぞう【像】	▲体、▲軀	人間や動物をかたどった像は「体」で数えます。「軀」はからだ、胴体を意味することから、石像や仏像などを数える語です。
そういれば【総入れ歯】	▲枚、▲台	上下2枚で「ひと組」と数えることもあります。 ➡歯
ぞうか【造花】	▲本	
そうがんきょう【双眼鏡】	▲台、▲面	双眼鏡は両目にあてて顔をおおうので、「面」で数えることもあります。 ➡オペラグラス

▲=漢語数詞〔一（いち）、二（に）、三（さん）…〕などに付く　●=和語数詞〔一（ひと）、二（ふた）、三（み）…〕などに付く

ぞうき ▶ ソーセージ

数えるもの	数え方	数え方のポイント
ぞうき【雑木】	▲本、●むら、●束、●把	群生して生えている場合は「むら」、刈り取って束ねたものは「束」「把」で数えます。 ➡ 木
ぞうきん【雑巾】	▲枚	手拭いと同様に、「本」で数えることもあります。
ぞうげ【象牙】	▲本	商品としては「点」でも数えます。
そうこ【倉庫】	棟、棟、戸前	「戸前」は土蔵や倉庫を数える語です。
そうざい【惣菜】	品、品、菜	「菜」は食事の際の総菜の品数を数える語です。「一汁一菜」
そうさくひん【創作品】	▲点、●作、▲●作品	
そうじき【掃除機】	●台	→ クリーナー
そうしゃ【走者】	●人、●人、▲者	野球で塁に出た走者が残塁した時は「2者残塁」のように「者」で数えます。陸上競技のリレーでは「第1走者」から「第2走者」へと順にバトンが手渡されます。
そうじゅうかん【操縦桿】	▲本	
ぞうしょ【蔵書】	冊	貴重なものは「点」でも数えます。 ➡ 本
ぞうすい【雑炊】	●鍋、●椀、●杯	「おじや」ともいい、鍋ごと指していう場合は「鍋」で、椀によそうと「椀」「杯」で数えます。
そうでんせん【送電線】	▲本	
ぞうに【雑煮】	▲杯、●椀	
そうめん【素麺】	▲本、●把、●束、●箱、●袋	ばらばらにした麺は「本」、束ねると「把」「束」で数えます。小売単位は「箱」「袋」など。
ぞうり【草履】	●足	左右2枚で「1足」と数えます。
そえぎ【添え木】	▲本	
そえじょう【添え状】	▲通	メモ程度の添え状なら「枚」でも数えます。
ソース【sauce】	▲本、●瓶、●種、●種類	小売単位は「本」「瓶」などを用います。料理や食卓で使う際は「匙」「垂らし」などで分量の目安を表します。ソースの種類は「種」「種類」で数えます。 → 醤油
ソーセージ【sausage】	▲本、●連、●袋、▲●★パック	連なっているソーセージは「連」で数えます。小売単位は「袋」「パック」など。

★＝英語数詞〔1（ワン）、2（ツー）、3（スリー）…〕などに付く　➡ より詳しい解説のある項目へ　→ 関連項目などへ

そくたつ ▶ ソフトクリーム

数えるもの	数え方	数え方のポイント
そくたつ【速達】	▲通	➡ 郵便
そくどけい【速度計】	▲台	
そこ【底】	▲枚	箱の底や靴の底は「枚」で数えます。
そしき【組織】	●つ、▲組織	
そしょう【訴訟】	▲件	
そじょう【訴状】	▲通、▲枚	
ソックス【socks】	▲足、▲枚など	➡ 靴下
そで【袖】	▲枚	筒形のものは「本」でも数えます。
そとば【卒塔婆】	▲本	
そなえもち【供え餅】	●重ね	➡ 餅
そなえもの【供え物】	●盛り	
そば【蕎麦】	▲本、▲把、▲束、▲袋、▲箱、▲玉、▲杯、▲枚、▲丁	ばらばらにした麺は「本」で数えます。乾麺を束ねると「把」「束」、袋入りのものは「袋」、箱入りのものは「箱」で数えます。1食分の生麺の蕎麦などは「玉」でも数えます。盛りつけ方によって数え方が異なり、椀や丼に盛ると「杯」、ざるそばやもりそばにすると「枚」で数えます。注文数は「丁」でも数えます。
そばがら【蕎麦殻】	●粒、▲個	
ソファー【sofa】	▲台、▲脚、▲本、▲点	長椅子ともいいます。家具店などでは「本」「点」を用いて数えることもあります。 ➡ 家具
ソフトウエア【software】	▲個、●つ、▲本、▲枚、▲点	ハードウエアに対する語で、コンピューターやゲームのソフトウエアは「個」「つ」「本」で数えます。コンピューター分野以外のソフトウエアでは、カセットテープやビデオテープは「本」、CDやMDは「枚」で数えます。商品や作品として扱う場合は「点」でも数えます。
ソフトクリーム【soft ice cream】	▲個、▲本	➡ アイスクリーム

▲=漢語数詞〔一（いち）、二（に）、三（さん）…〕などに付く　●=和語数詞〔一（ひと）、二（ふた）、三（み）…〕などに付く

そめもの ▶ タートルネック

数えるもの	数え方	数え方のポイント
そめもの〔染物〕	★枚、•点	作品としては「点」で数えます。染め物を染料に浸す回数は「入(しお)」で数えます。
そや〔征矢〕	★本、•筋など	戦闘に使う矢のことで、「本」「筋」などで数えます。 ➡ 矢
そらまめ〔空豆〕	•莢(さや)、•個、•粒(つぶ)、•袋(ふくろ)、•山(やま)、▲•★パック	さやに入っているソラマメは「莢」で数えます。豆としては大形なので「粒」だけでなく「個」でも数えます。小売単位は「袋」「山」「パック」など。
そり〔橇〕	▲台	
そろばん〔算盤〕	▲台、▲面、▲挺(丁)(ちょう)	算盤(そろばん)は計算盤の一種として「台」「面」で数えます。手に持って扱う道具のため、「挺(丁)」でも数えます。算盤の珠(たま)は「個」「玉」で数えます。

た

数えるもの	数え方	数え方のポイント
た〔田〕	★枚、▲面	「枚」は田畑を数える語です。棚田も「枚」で数えます。「面」は表面で生産を行う土地としての田畑・水田(跡)などを数える語です。現在の田畑の面積は「ヘクタール」で表します。1ヘクタールは1万 m² です。 ➡ 田畑(たはた) ➡ 畑(はたけ)
ターゲット〔target〕	★枚、•個、•つ	的(まと)のことで「枚」「個」で数えます。標的をたとえて「ターゲットをひとつにしぼる」などといいます。
ダーツ〔darts〕	▲本	衣類を立体的に見せる縫い込みのことで、「本」で数えます。
ダート〔dart〕	▲本	室内遊戯のダーツに用いる矢のことで、「本」で数えます。ダーツの的(まと)は「面」「枚(まい)」で数えます。
タートルネック〔turtleneck〕	★枚(まい)	セーターの一種で「枚」で数えます。

★=英語数詞〔1(ワン)、2(ツー)、3(スリー)…〕などに付く　➡ より詳しい解説のある項目へ　→ 関連項目などへ

数えるもの	数え方	数え方のポイント
タービン[turbine]	▲台、▲基	据えて使用する場合は「基」で数えます。
たい[鯛]	▲匹、▲尾、▲枚、▲本	生きているタイは「匹」、釣りの獲物や水揚げされたタイは「尾」で数えます。平面的な形をしているために「枚」でも数えます。「本」で数えることもあります。➡魚
だい[台]	▲台、▲脚、▲本、▲枚	一般的にテーブルは「台」「脚」、踏み台は「台」、寝台・鏡台は「台」で数えます。花台や鉢乗せ台などは「台」「本」「枚」で数えます。
だい[題]	●つ、▲題	
たいおんけい[体温計]	▲本、▲台	電子体温計などは「台」でも数えます。小さいものは「個」で数えることもあります。
たいかい[大会]	▲回	開催回数は「第〜回大会」で表します。
だいがく[大学]	▲校、▲大学	「大学を5校受験」などのように用います。「六大学野球」のように「大学」も用います。
だいがくいも[大学芋]	▲片、●袋	
たいき[隊旗]	▲本	➡旗
だいぎ[台木]	▲本	接ぎ木の台にする木のことで、「本」で数えます。
たいきょく[対局]	▲局、▲番、▲戦	
たいけい[体系]	●つ、▲体系	
たいこ[太鼓]	▲面、▲張、▲個、▲台、▲基	皮や弦を張った楽器は「面」「張」で数えます。まれに「張り」で数えることもあります。小形のものは「個」、大形のものは「台」や「基」で数えます。➡ドラム
だいこくばしら[大黒柱]	▲本	家の中央にある柱は「本」で数えます。一家を支える担い手を大黒柱にたとえて「人」で数えることもできます。
だいこん[大根]	▲本、●株	植物としては「本」「株」で数えます。食用となる根の部分は「本」で数えます。
だいざい[題材]	●つ、▲点	
たいさく[対策]	▲案、●つ	➡策

▲=漢語数詞〔一（いち）、二（に）、三（さん）…〕などに付く　●=和語数詞〔一（ひと）、二（ふた）、三（み）…〕などに付く

数えるもの	数え方	数え方のポイント
だいし【台紙】	★枚	➡紙
たいしぼうけい【体脂肪計】	★台	
だいしゃ【台車】	★台	物を運搬するための手押し車のことで、「台」で数えます。
たいじゅうけい【体重計】	★台	ヘルスメーターともいい、「台」で数えます。
たいしょうごと【大正琴】	★台	➡琴
だいず【大豆】	★粒、★袋、★叺	豆類の小売単位は「袋」「叺」など。➡豆
たいそう【体操】	★種、★種目	体操競技の場合は「種目」で数えます。
だいだい【橙】	★個、★玉、★顆	植物としては「本」「株」で数え、果実は「個」「玉」「顆」で数えます。
だいたいこつ【大腿骨】	★本	➡骨
タイツ【tights】	★足、★枚	タイツは「足」「枚」で数えます。「本」で数えることもあります。タイツの厚さを示す単位は「デニール」です。女性の冬用タイツの糸の太さ（繊度）は通常50デニール前後です。→ ストッキング
だいどころ【台所】	★つ、★室、★間など	➡キッチン
タイトル【title】	★題	題名は「題」で数えます。
	★冠、★★タイトル	スポーツや将棋などで勝ち取った選手権は「冠」「タイトル」で数えます。
タイトルマッチ【title match】	★戦	
ダイナマイト【dynamite】	★本	爆発させると「発」で数えます。
ダイニングルーム【dining room】	★室、★間、★部屋	家屋の中の食堂の数は「室」「間」「部屋」などで数えます。
だいばかり【台秤】	★台	➡秤
だいはちぐるま【大八車】	★台	荷物運搬用の大型の二輪車のことで、「台」で数えます。
タイピン【tiepin】	★本	
タイプ【type】	★つ、★★タイプ	分類された型を「つ」「タイプ」で数えます。
たいふう【台風】	★個	台風は発生順に「第〜号」と呼び、発生・上陸した台風の数は「個」で数えます。「今年は

★＝英語数詞〔1（ワン）、2（ツー）、3（スリー）…〕などに付く　➡より詳しい解説のある項目へ　→関連項目などへ

だいふく ▶ ダイヤル

数えるもの	数え方	数え方のポイント
		10個の台風が上陸した」
だいふく【大福】	▲個	➡菓子
だいふくちょう【大福帳】	▲冊、▲帖	「帖」は折り本や帳面を数える語です。
だいぶつ【大仏】	▲体、▲尊、▲座	「座」は座像を数える語です。
タイプライター【typewriter】	▲台	
たいほ【逮捕】	●人／▲人、▲件、▲度	逮捕された人数は「人」、逮捕件数は「件」で数えます。逮捕経験は「度」で数えます。➡補導
たいほう【大砲】	▲門	「門」はかろうじて通ることのできる狭い口という意味です。狭い筒の中から弾丸が飛び出ることから、大砲を「門」で数えます。「挺（丁）」で数えることもあります。発射された弾丸は「発」で数えます。
たいほじょう【逮捕状】	▲通、▲枚	
だいほん【台本】	▲冊、▲部、▲本、▲点、▲作品	作品として台本を数えるときは「本」「点」「作品」で数えます。➡脚本
たいまつ【松明】	▲本、●束、●把	➡トーチ
タイム【thyme】	▲本、●株	ハーブの一種で、「本」「株」で数えます。小売単位は「パック」「袋」など。乾燥させて瓶に入れたものは「瓶」でも数えます。
タイムカード【time card】	▲枚	カードを押す回数は「回」で数えます。
タイムカプセル【time capsule】	▲個	
だいめい【題名】	●つ、▲題	➡題
タイヤ【tire】	▲本	小さいタイヤは「個」でも数えます。
ダイヤモンド【diamond】	●粒、▲顆、▲個、▲カラット	個数は「個」「粒」「顆」で数えます。➡宝石 宝石の大きさを表す場合には質量の単位「カラット」（1カラットは200mg）を用います。
ダイヤル【dial】	▲枚、▲台、▲個	電話の回転式文字盤や羅針盤・時計などの指針盤は「枚」、ラジオなどの回転式目盛調整器は「台」「個」で数えます。電話をかける

▲=漢語数詞〔一（いち）、二（に）、三（さん）…〕などに付く　●=和語数詞〔一（ひと）、二（ふた）、三（み）…〕などに付く

数えるもの	数え方	数え方のポイント
		回数は「回」「度」で数えます。
タイル [tile]	★枚	
たうえき【田植え機】	★台	
ダウンジャケット【down jacket】	★着	上着類は「着」で数えます。 ➡ 服
タウンハウス【town house】	★棟、•棟、•戸	連棟式集合住宅のことで、建物全体は「棟」、個々の住戸は「戸」で数えます。 ➡ 住宅
タオル【towel】	★枚、★本	手拭いの数え方からの影響で「本」で数えることもあります。 → 手拭い
タオルケット＜和製語＞	★枚	
たか【鷹】	★羽、★本	「本」はタカを鷹狩りなどに連れて行く際に用いた古い数え方です。 ➡ 鳥
たが【箍】	★本	桶や樽の外側を締める、竹や金属などで作った輪のことで、「本」で数えます。
たかくけい【多角形】	•つ、★個	多角形を形成する線は「辺」で数えます。
たかつき【高坏】	★脚、★個	高坏は脚がついている器なので、「脚」で数えます。
たがね【鏨】	★本	金属を切断したり削ったりする、のみの一種で、細長い形状のため、「本」で数えます。
たかば【高歯】	★足	下駄の一種で「足」で数えます。
たからくじ【宝籤】	★枚	昔の富くじの名残で、くじの当籤数は「本」で数えます。 ➡ 籤
たき【滝】	★本	雅語的に「一瀑」と数えることもあります。
たきぎ【薪】	★本、★束、★把	束ねると「束」「把」で数えます。
タキシード【tuxedo】	★着	➡ 服
たきび【焚き火】	•つ	
だきゅう【打球】	★本	➡ ヒット
たく【卓】	★台、★脚、•卓	➡ テーブル
たくあん【沢庵】	★本、★枚、•切れ	沢庵漬けの略で、切る前の沢庵は「本」、薄切りにすると「枚」「切れ」で数えます。製造単位は「樽」、小売単位は「パック」「袋」など。

★＝英語数詞〔1（ワン）、2（ツー）、3（スリー）…〕などに付く　➡ より詳しい解説のある項目へ　→ 関連項目などへ

タクシー ▶ たこやき

数えるもの	数え方	数え方のポイント
		➡ 漬物（つけもの）
タクシー [taxi]	▲台	
タクト [tact]	▲本	→ 指揮棒（しきぼう）
ダクト [duct]	▲本	冷暖房や送風のための導管のことで、「本」で数えます。
たくほん [拓本]	▲枚（まい）	碑や器に刻み込まれた文字などを紙に写し取ったもので「枚」で数えます。
たけ [竹]	▲本	雅語的に「筋（すじ）」で数えることもあります。
たけうま [竹馬]	▲本、▲対（つい）	竹馬は2本で「1対（いっつい）」と数えます。
だげき [打撃]	▲発、●つ、▲本	被害の意味では「発」「つ」、野球のヒットは「本」「発」で数えます。 ➡ ヒット
たけくぎ [竹釘]	▲本	
たけざいく [竹細工]	▲点	作品・商品としての竹細工は「点」で数えます。
たけざお [竹竿]	▲本、●竿（さお）	➡ 竿（さお）
たけづつ [竹筒]	▲本	
たけとんぼ [竹蜻蛉]	▲本	玩具（がんぐ）・商品としての竹とんぼは「点」でも数えます。
たけのこ [竹の子・筍]	▲本	竹の子は「本」、竹の子の皮は「枚」で数えます。
たけひご [竹籤]	▲本	➡ 籤（ひご）
たけべら [竹箆]	▲本、▲枚（まい）	➡ 箆（へら）
たけやぶ [竹藪]	●むら	→ 竹林（ちくりん）
たけやり [竹槍]	▲本、●柄（から）、▲●柄（へい）など	➡ 槍（やり）
たこ [凧]	▲枚（まい）	連なった凧は「連」でも数えます。
たこ [蛸]	▲匹（ひき）、▲杯（はい）、▲連（れん）	イカと同様にタコを「杯」で数えることもあります。タコの干物は「連」で数えます。足は「本」、吸盤は「個」で数えます。 → コラム①に関連事項 (p.21)
タコメーター [tachometer]	▲基（き）、▲台	回転速度計のことで、「基」「台」で数えます。
たこやき [蛸焼き]	▲個、●皿、	たこ焼きは「個」で数えます。たこ焼きが6

▲=漢語数詞〔一（いち）、二（に）、三（さん）…〕などに付く　●=和語数詞〔一（ひと）、二（ふた）、三（み）…〕などに付く

数えるもの	数え方	数え方のポイント
	パック、舟（ふね）	～10個程度載った皿で「ひと皿」と数えます。パックに盛られていれば「パック」で数えます。舟形の容器に盛られた場合は「舟」で数えることもあります。たこ焼き用の鉄板は「枚」で数えます。
だし〔山車〕	台	祭礼のときに引いて練り歩く屋台のことで、「台」で数えます。
だしもの〔出し物〕	本	手品やコントなどの演目は「本」で数えます。→芸（げい）
だしゃ〔打者〕	人（り/たり）、人（にん）、者	「者」は野球でのあるイニングにおける打者や走者の数を数える語です。「三者凡退」
だじゅん〔打順〕	回、度、巡（じゅん）	➡打席（だせき）
たすき〔襷〕	本	
だせき〔打席〕	打席、巡（じゅん）、回、度	野球の打席数は「打席」で数えます。1試合のうちで回ってくる打席の数は「巡」で数えます。
たたみ〔畳〕	枚（まい）、畳（じょう）	日本の家屋では、「四畳半・六畳・八畳」の部屋が主流です。「畳（じょう）」は「帖（じょう）」とも書きます。畳の寸法を「間（ま）」で表すことがあります。京間は、畳1枚の大きさ、曲尺（かねじゃく）で6尺3寸×3尺1寸5分（ふ）を基準とします。また、「節（ふ）」を用いて畳を編んだ編み目・結い目を数えます。
たたみいわし〔畳鰯〕	枚（まい）	カタクチイワシの稚魚を板海苔（いたのり）状にした食品のことで、「枚」で数えます。
たたら〔踏鞴〕	台	送風するために用いる大きなふいごのことで「台」で数えます。→鞴（ふいご）
たち〔太刀〕	本、振り（ふ）、口（ふり/くち）など	➡刀（かたな）
たちあい〔立ち合い〕	度	相撲の立ち合い（すもう）は「度」で数えます。待ったなどがあった場合は「2度目の立ち合い」のようにいいます。

★＝英語数詞〔1（ワン）、2（ツー）、3（スリー）…〕などに付く　➡より詳しい解説のある項目へ　→関連項目などへ

数えるもの	数え方	数え方のポイント
たちうお[太刀魚]	▲匹、▲尾、▲本	細長い魚なので「本」でも数えることがあります。
たちだい[裁ち台]	▲枚、▲台	布を裁断するための台のことで、「枚」「台」で数えます。
たちば[立場]	●つ	
だちょう[駝鳥]	▲羽	鳥類なので、原則として「羽」で数えますが、大形であるため、「頭」で数えることもあります。
タッグ[tag]	▲枚	荷札は「枚」で数えます。
	▲個	コンピューター言語で使用するタッグは「個」で数えます。
タックル[tackle]	▲回、▲発	
ダッシュ[dash]	▲本	スポーツの練習などで全力疾走をする場合は「本」で数えます。
	▲個、●つ	ダッシュの記号「—」は「個」「つ」で数えます。
ダッシュボード[dashboard]	▲枚	車の運転席とエンジン室の間を区切る仕切り板のことで、「枚」で数えます。
たっつけ[裁っ着け]	▲枚	膝から下が脛に密着している袴の一種で、「枚」で数えます。 ➡袴
たづな[手綱]	▲本、●筋	
たつのおとしご【竜の落とし子】	▲匹	竜に見たて、雅語的に「頭」で数えることもあります。
たつまき[竜巻]	▲本	発生した場所は「箇所」で数えます。
たて[盾]	▲枚、▲帖	「帖」は屏風・盾を数える語です。
たてあな[竪穴]	▲本、▲個	➡穴
たてあなじゅうきょ【竪穴住居】	▲基	「基」は遺跡の住居跡や古墳などを数える語です。
たてうりじゅうたく【建売り住宅】	▲軒、▲戸、▲邸	「軒」は建物を数える語です。「戸」は「一戸建て」のように、建設・売買の対象となる住宅数を数える語です。高級感を出すために、業者が邸宅の「邸」で数えることもあります。

▲=漢語数詞〔一（いち）、二（に）、三（さん）…〕などに付く　●=和語数詞〔一（ひと）、二（ふた）、三（み）…〕などに付く

数えるもの	数え方	数え方のポイント
		販売住宅地を「現場」で数え、「1現場8邸発売」ということもあります。 ➡ 家
たてがみ[鬣]	★本、●むら、★連	一般的にはあまり数えませんが、ライオンのものは「むら」、馬のものは「連」で数えることができます。
たてぐ[建具]	★枚、★本、★面	建具はふすま・障子・戸などの総称で「枚」「本」「面」で数えます。建具の金物は「本」で数えます。
たてこう[立て坑]	★本	まっすぐに掘り下げた坑道のことで、「本」で数えます。
たてごと[竪琴]	★台、★本、★面、●張り	琴の一種なので「面」「張り」でも数えます。 ➡ 楽器
たてぶえ[縦笛]	★本	➡ 笛
たてふだ[立て札]	★枚	通常「枚」で数えますが、「本」で数えることもあります。
だてまき[伊達巻き]	★本、●切れ	切り分ける前の伊達巻きは「本」、切り分けると「切れ」で数えます。
たてもの[建物]	★棟、●棟、★軒	「棟(とう)」は、主として鉄筋コンクリートなどで建てられたビルや大規模住居を数える語です。「棟(むね)」で数えることもできます。一方、「軒」は小規模なビルや家屋・民家を数える語です。 ➡ ビル
たどん[炭団]	★個	木炭や石炭を加工した球状の燃料のことで、「個」で数えます。
たな[棚]	★枚、★台、★本、★架	本棚や食器棚など家具の一種は「台」でも数えます。壁に作った書棚などは「本」でも数えます。
たに[谷]	●つ、★渓	文語では、谷を「渓」で数えることがあります。谷が非常に深いことを「千尋の谷」と表現します。「尋」は長さの単位です。
だに[壁蝨]	★匹	➡ 虫

★＝英語数詞[1(ワン)、2(ツー)、3(スリー)…]などに付く　➡ より詳しい解説のある項目へ　→ 関連項目などへ

数えるもの	数え方	数え方のポイント
たにし【田螺】	▲個、●匹	生物としては「匹」で数えます。タニシも二枚貝のように「枚」で数えることがあります。
たぬき【狸】	●匹	➡動物
たね【種】	●粒、▲顆、▲個	大きさに応じて数えます。米粒大なら「粒」、ケシの実大なら「顆」、梅やカキの大きさの種なら「個」を用いて数えます。
たば【束】	●把、●束	
タバコ【tabacoポルトガル】	▲本、●箱、●缶、▲★カートン	タバコの小売単位は「箱」「缶」「カートン」など。吸殻は「本」、灰皿は「個」「枚」で数えます。タバコの灰を、土ぼこりを表す「塵」で数えることがあります。パイプは「本」、キセル（煙管）は「管」で数えます。
タバコぼん【タバコ盆】	▲面、●枚	
たはた【田畑】	●枚、●面	「枚」は田畑を数える語です。「面」は表面で生産を行う田畑・水田（跡）などを数える語です。
	●段	「段」は田畑の面積の古い単位で、10段で1町（9918m^2）。5畝を「段半」といいます。 ➡田 → 畑
たび【足袋】	▲足、▲点、●枚、●両、●双	左右2枚で「1足」と数えます。商品の場合は足袋1足で「1点」と数えます。かつては足袋のように、左右両方に身につける装束は、「両」「双」などで数えました。足袋や靴などの底の長さの単位は「文」「分」です。1文は2.4cm（10分）に相当します。
たび【旅】	▲回、●度	➡旅行
タピオカ【tapiocaスペイン・ポルトガル】	●粒	ココナツを使ったデザートなどに入れる柔らかい粒状のでんぷんのことで、「粒」で数えます。
タペストリー【tapestry】	●枚、●点	作品としては「点」で数えます。
たほうとう【多宝塔】	▲基	➡塔

▲=漢語数詞〔一（いち）、二（に）、三（さん）…〕などに付く　●=和語数詞〔一（ひと）、二（ふた）、三（み）…〕などに付く

数えるもの	数え方	数え方のポイント
たま[玉・球・珠]	▲個、●玉	さまざまな形状・大きさの玉がありますが、いずれも「個」「玉」で数えます。
たま[弾]	▲発、▲弾、▲個	➡ 弾丸
たまいれ[玉入れ]	▲戦	玉入れ競技は「戦」で数えます。玉入れの籠は「本」「籠」で数えます。籠に入った玉の数を数え上げる場合は「つ」を用います。
たまぐし[玉串]	▲本	
たまご[卵]	▲個、●玉、●粒、▲●★パック	卵は「個」で数えます。魚卵や昆虫の卵など、小さいものは「粒」で数えます。1回の産卵で生む卵の量を「ひと腹」といいます。「ワニはひと腹で16個〜80個の卵を生む」 商品としてのニワトリの卵は「玉」で数えることもあります。現代の小売単位は「パック」、古い小売単位は「籠」など。
たまつき[玉突き]	▲●★ゲーム	➡ ビリヤード
たまねぎ[玉葱]	▲本、●株、●個、●玉、●山、●袋、▲●★ネット	植物としては「本」「株」などで数えます。鱗茎は「個」「玉」で数えます。小売単位は「山」「袋」「ネット」など。
ダム[dam]	▲基、▲箇所	
たもと[袂]	▲枚	和服の袖の下の袋状になった部分のことで「枚」で数えます。
たら[鱈]	▲匹、▲尾、▲本	水揚げされたものは「尾」、取引の対象となるものは「本」でも数えます。➡ 魚
たらい[盥]	▲個、▲口	「口」は口の広い器具などを数える語です。「枚」で数えることもあります。
たらこ[鱈子]	●腹	➡ 魚卵
たらばがに[鱈場蟹]	▲匹、▲杯、▲肩	大形の食用ガニを販売する際、切り落とした足数本をまとめたものを「肩」で数えます。 ➡ 蟹
ダリア[dahlia]	▲本、●株、●輪	花は「本」「輪」で数えます。植物としては「本」「株」で数えます。球根は「個」「球」「本」など

★=英語数詞〔1(ワン)、2(ツー)、3(スリー)…〕などに付く　➡ より詳しい解説のある項目へ　→ 関連項目などへ

たる ▶ タンク

数えるもの	数え方	数え方のポイント
		で数えます。➡花
たる【樽】	▲本、●樽、荷、▲駄	「荷」は天秤棒の前後に下げる荷物を数える語です。樽2本で「1荷」。「1駄」は酒3斗5升入りの樽、2樽のことです。
たるき【垂木】	▲本	家の棟から軒にわたす木材のことで、「本」で数えます。
タルト【tarte（フランス）】	▲台、●個など	➡焼き菓子
だるま【達磨】	▲体	小形のものは「個」でも数えます。
たれ【垂れ】	●瓶、▲本、●杯、●匙	焼肉に使うたれの小売単位は「瓶」「本」、調味料としての分量は「杯」「匙」などで表します。
たれまく【垂れ幕】	▲枚、●張り	➡幕
タワー【tower】	▲基、▲本	据えてある細長い建築物なので「基」「本」で数えます。➡塔
たわし【束子】	▲個、▲本	細長いものや棒付きのものは「本」で数えます。
たわら【俵】	●俵、▲俵、▲本	「俵」は俵に入ったものを数える単位です。米はふつう4斗（約72.16リットル）を「1俵」とします。中身の入っていない俵袋は「枚」で数えます。相撲の土俵の俵は「本」で数えます。
タン【tongue】	▲本、●塊、▲枚	➡肉
たんか【担架】	▲台、▲本	人を乗せる物なので「台」で数えます。「本」で数えることもあります。→ストレッチャー
たんか【短歌】	▲首	五・七・五・七・七の5句31音から成る和歌の一様式のことで、「首」で数えます。➡和歌
タンカー【tanker】	▲隻	➡船
だんがん【弾丸】	▲発、▲弾、▲個	発射されていないものや薬莢は「個」で数えます。
タンク【tank】	▲基、▲個、▲本	ガソリンタンクやガスタンクは「基」、家庭用ポリタンクは「個」「本」で数えます。

▲＝漢語数詞〔一（いち）、二（に）、三（さん）…〕などに付く　●＝和語数詞〔一（ひと）、二（ふた）、三（み）…〕などに付く

数えるもの	数え方	数え方のポイント
たんぐつ[短靴]	足	➡靴
タンクトップ[tank top]	枚	➡服
タンクローリー<和製語>	台	
たんけん[短剣]	本、匕	「匕」は匕首を表し、短剣を数える語です。➡刀
たんげん[単元]	つ、単元、ユニット	「ユニット」は物事の構成単位で、単元を数える語です。
たんご[単語]	語、つ	➡語
だんご[団子]	個、本、串、塊	串に刺した団子は「本」「串」で数えます。土団子は「個」「塊」で数えます。
たんこうぼん[単行本]	冊、部	➡本
たんざく[短冊]	枚、葉	
だんし[檀紙]	枚、帖	「帖」は折り本や帳面を数える語です。
たんしゃ[単車]	台	オートバイのことで、「台」で数えます。
たんしゃ[炭車]	台、両	採掘した石炭を運ぶ箱車のことで、「台」で数えます。石炭を運ぶ列車は「両」で数えます。
たんじゅう[短銃]	挺(丁)	➡銃
たんす[箪笥]	棹、台、点、組	「棹」は、箪笥・長持などを数えるのに用いる語で、箪笥・長持に挿してかつぐのに棹を用いたことに由来します。棹を数える「本」で箪笥を数えることもあります。現代では箪笥は「台」で数えることが多く、家具屋では「点」「組」で箪笥を数えることもあります。
ダンス[dance]	曲	
たんぜん[丹前]	枚	綿を入れた厚手の着物の一種で、「枚」で数えます。➡着物
だんち[団地]	つ、棟	団地群は「つ」、建物は「棟」で数えます。
だんつう[段通]	枚、点	高級な手織りの敷物の一種で、作品・商品としては「点」で数えます。
ダンプカー<和製語>	台	運ぶ砂利などの量の目安は「ダンプカー300杯分の土砂」のように表します。

★=英語数詞〔1(ワン)、2(ツー)、3(スリー)…〕などに付く　➡より詳しい解説のある項目へ　→関連項目などへ

タンブラー ▶ チーズ

数えるもの	数え方	数え方のポイント
タンブラー【tumbler】	▲個	➡ グラス
ダンベル【dumbbell】	▲本、▲個	→ バーベル
だんボール【段ボール】	▲枚、▲個	折りたたんだ状態では「枚」、箱の形にすると「個」で数えます。
たんぽぽ【蒲公英】	▲本、●株、▲輪	植物としては「本」「株」で数えます。花は「本」「輪」などで数えます。綿毛の実がなる部分は「本」で数えます。
タンポン【Tampon ドイ ツ 】	▲本、▲個	止血栓のことで「本」「個」で数えます。生理用タンポンの小売単位は「箱」。
たんもの【反物】	▲反、▲本、▲匹（疋）	「反」は布の大きさの単位で、成人1人前の衣料に相当する分量のことです。1反はふつう、布では並幅で鯨尺2丈6尺または2丈8尺とされます。「反」は「端」とも書きます。反物2反で「1匹（疋）」といいます。 → 織物
だんらく【段落】	●つ、▲段落、●齣（コマ）、▲齣	「齣」は、特に江戸時代の小説の区切りを数える語です。
だんろ【暖炉】	▲基	据え付けてあるものなので「基」で数えます。

ち

数えるもの	数え方	数え方のポイント
ち【血】	▲滴、●筋	ぽたぽたとしたたる場合は「滴」、肌や服を伝って流れる場合は「筋」で数えます。
ちいき【地域】	●つ、▲郭	「郭」は、ひとつの囲いの中の地域及びその周辺を数える語です。「歓楽街の一郭」
チークブラシ【cheek brush】	▲本	化粧筆の一種で、「本」で数えます。
チーズ【cheese】	▲個、▲本、▲点、▲箱、●塊、▲枚、●切れ	形状によって数え方が異なります。チーズの塊は「個」「本」「塊」などで数え、商品としては「点」でも数えます。小売単位は、箱に入っていれば「箱」で数えます。チーズを切り分けたものは「切れ」、スライスしたものは「枚」で数えます。

▲＝漢語数詞〔一（いち）、二（に）、三（さん）…〕などに付く　●＝和語数詞〔一（ひと）、二（ふた）、三（み）…〕などに付く

チーズケーキ ▶ ちくおんき

数えるもの	数え方	数え方のポイント
チーズケーキ【cheesecake】	▲台、▲個、▲切れなど	➡ 焼き菓子
チーム【team】	▲つ、▲組、▲●★チーム、▲軍	プロジェクトチームは「つ」、スポーツのチームは、2人程度の少人数なら「組」、4～5人以上なら「チーム」で数えます。プロスポーツなどのチームは「軍」で数えます。「一軍登録」「二軍に降格」
チェーン【chain】	▲本	➡ 鎖
チェーンソー【chain saw】	▲台	鎖状の歯を持つ電動のこぎりのことで「台」で数えます。
チェス【chess】	▲局、▲戦	「局」は盤で行う勝負を数える語です。チェスの駒は「個」、盤は「枚」「面」で数えます。盤には縦横8列・64枡の市松模様が描かれています。
チェスト【chest】	▲台	蓋つきの収納家具のことで「台」で数えます。箪笥を数える「棹」を用いることもあります。
チェリー【cherry】	▲粒、▲個、▲房	➡ 桜ん坊
チェロ【cello】	▲挺(丁)、▲台	武具の弓を数える「挺(丁)」で弓を使って弾く楽器を数えます。ただしチェロは大形で床に置いて弾く楽器であるため、「台」でも数えます。 ➡ 楽器
ちかてつ【地下鉄】	▲本、▲路線	➡ 鉄道 ➡ 電車
ちかどう【地下道】	▲本	➡ 道
ちきゅうぎ【地球儀】	▲台、▲個	地球儀を「本」で数えることもあります。
ちぎょ【稚魚】	▲匹、▲尾	➡ 魚
チキン【chicken】	▲羽 ▲枚、▲個、▲●★ピース	ニワトリとしては「羽」で数えます。 ➡ 鳥 食物としては「枚」「個」「ピース」などで数えます。「チキン10ピース」骨付きのもも肉などは「本」で数えます。 ➡ 肉
ちくおんき【蓄音機】	▲台	

★＝英語数詞〔1（ワン）、2（ツー）、3（スリー）…〕などに付く ➡ より詳しい解説のある項目へ → 関連項目などへ

数えるもの	数え方	数え方のポイント
ちくでんき【蓄電器】	▲台	
ちくでんち【蓄電池】	▲組(くみ)	➡ バッテリー
ちくび【乳首】	●つ、▲個、▲本	哺乳瓶(ほにゅうびん)の吸い口につけるゴム製の乳首は「本」でも数えます。
ちくりん【竹林】	●むら	「むら」は林、茂みを数える語です。→ 竹藪(たけやぶ)
ちくわ【竹輪】	▲本	小売単位は「袋」「パック」などを用います。
ちけい【地形】	●つ、▲種類(しゅるい)	土地の表面の形態のことで、「この地方には3つの地形が見られる」のように用います。種類をいう場合は「種類」で数えることもあります。
チケット【ticket】	▲枚(まい)、▲片(へん)、●綴(つづ)り	切符や入場券・引換券などはすべて「枚」で数えます。使用済みのものや半券は「片」で数えることもあります。複数のチケットが綴られているものは「綴り」でも数えます。
ちず【地図】	▲枚(まい)、▲舗(ほ)、▲葉(よう)	「舗」は広げて参照する書籍類を数える語です。「鋪」とも書きます。小さい地図は「葉」でも数えます。
ちすじ【血筋】	●つ、▲本、▲筋(すじ)	血統をいうときは「系(けい)」も用います。「万世一系(ばんせいいっけい)」
ちそう【地層】	▲層(そう)、▲段(だん)、●つ	「層」は重なりを数える語です。「堆積岩(たいせきがん)と火山砕屑岩(さいせつがん)の2層の地層」「段」「つ」で数えることもあります。
ちつ【帙】	▲帙、▲套(とう)	和装の書物を包む覆いは「帙」「套」で数えます。
チップ【chip】	▲枚(まい)、▲片(へん)、▲個	ポテトチップ大のものは「枚」、木材を砕いたものは「片」で数えます。マイクロチップは「個」で数えます。
チップ【tip】	▲包(ほう)、●包(つつ)み、▲封(ふう)	現金をそのまま渡すこともありますが、袋に入れる場合は「包」「包み」「封」で数えます。
ちぶさ【乳房】	●房(ふさ)、●つ	
ちほうじちたい【地方自治体】	●つ	数詞に「市町村」をつけて数えることもでき

▲=漢語数詞〔一(いち)、二(に)、三(さん)…〕などに付く　●=和語数詞〔一(ひと)、二(ふた)、三(み)…〕などに付く

数えるもの	数え方	数え方のポイント
		ます。「30市町村で住民調査を実施」
チマ[裳]	★枚	→チョゴリ
ちまき[粽]	★本、●個	中華粽は「個」で数えます。
ちまめ[血豆]	★個、●つ	
チムニー[chimney]	★本	煙突、岩壁の割れ目は共に「本」で数えます。
ちゃ[茶]	★本、●株、★杯、●服、●煎、●袋、★本、●缶、●箱、★封、★個	茶の木は「本」「株」で数えます。「服」は飲む回数を表し「一服する」といいます。煎ずる回数は「煎」で数えます。茶葉は、袋入りのものは「袋」「本」「封」など、缶入りのものは「缶」、箱入りのものは「箱」でそれぞれ数えます。ティーバッグは「個」「袋」で数えます。
チャーシュー[叉焼]	★枚、●切れ、●片	
チャート[chart]	●つ、●点、●図	図表のことで、「つ」「点」「図」で数えます。
チャーハン[炒飯]	●皿、●品、●品	チャーハンはふつう茶碗には盛らないので、「杯」ではあまり数えません。
チャイム[chime]	●組、●台	教会などの組み鐘(カリヨン)は「組」で数えます。玄関のチャイム装置は「台」で数えます。チャイムが鳴る数は「つ」「回」などで表します。
ちゃかい[茶会]	★席	
ちゃがま[茶釜]	●口	「口」は、鍋や壺、茶釜などの料理や湯沸かしに使う口の広い器具を数える語です。
ちゃきん[茶巾]	★枚	茶道で用いる茶碗をふく麻の布のことで、「枚」で数えます。
ちゃきんしぼり[茶巾絞り]	★個	茶巾に包んで絞り、絞り目をつけた菓子のことで、「個」で数えます。
ちゃきんずし[茶巾鮨]	★個	五目鮨を薄焼き玉子で包み、干瓢などで結んだもので、「個」で数えます。
チャコ	★本、★枚	洋裁で、裁断の目印をつける道具のことで、ペン型のものは「本」で数えます。薄いチャコ片は「枚」で数えます。

★=英語数詞〔1(ワン)、2(ツー)、3(スリー)…〕などに付く　➡より詳しい解説のある項目へ　→関連項目などへ

ちゃこし ▶ ちゃわん

数えるもの	数え方	数え方のポイント
ちゃこし【茶漉し】	▲個、▲本	
ちゃさじ【茶匙】	▲本	
ちゃしゃく【茶杓】	▲本	抹茶をすくう際に用いる匙のことで「本」で数えます。茶杓が入れ物に入った状態のときは「筒」でも数えます。
ちゃせん【茶筅】	▲本	抹茶をたてるときに使う竹製の道具のことで、「本」で数えます。
ちゃたく【茶托】	▲枚	茶托と茶碗のセットは「客」で数えます。
ちゃだんす【茶簞笥】	●棹、▲台	➡簞笥
ちゃづけ【茶漬け】	▲杯	
ちゃづつ【茶筒】	▲本、●缶、●筒、▲筒	
ちゃつぼ【茶壺】	▲個、●口	➡壺
ちゃてん【茶店】	▲軒、▲店	茶店ともいい、「軒」「店」で数えます。 ➡店
ちゃば【茶葉】	●袋、●缶、●箱、●匙など	➡茶
ちゃばおり【茶羽織】	▲枚	➡羽織 ➡着物
ちゃばこ【茶箱】	●箱、▲点、▲合	商品として数える場合は「点」を用います。「合」は蓋のある容器を数える語です。
ちゃぶだい【卓袱台】	▲台、▲脚、▲卓	「脚」は(4本の)脚に支えられた台を数える語です。
チャペル【chapel】	▲堂、●つ	「堂」は文語で聖堂や礼拝堂などを数える語です。
ちゃぼん【茶盆】	▲枚	
ちゃや【茶屋】	▲軒、▲店	➡店
チャルメラ【charamelaポルトガル】	▲本	屋台などで客寄せのために鳴らす管楽器の一種で、「本」で数えます。 ➡楽器
ちゃわん【茶碗】	▲個、▲客、▲口	日常使う茶碗は「個」、接客のために使う一揃いのものは「客」で数えます。古くは「口」でも数えました。茶碗に盛った食物(特に飯)は「杯」「膳」「椀」で数えます。

▲=漢語数詞〔一(いち)、二(に)、三(さん)…〕などに付く　●=和語数詞〔一(ひと)、二(ふた)、三(み)…〕などに付く

数えるもの	数え方	数え方のポイント
ちゃわんむし【茶碗蒸し】	★品、★品、個	蓋がついている茶碗蒸しの器は「ひと組」と数えます。
ちゃんこなべ【ちゃんこ鍋】	★鍋	➡ 鍋料理
チャンス【chance】	★つ、★度、★回	→ 機会
ちゃんちゃんこ	★枚	➡ 着物
チャンネル【channel】	★チャンネル、★つ、★局、★個	有線通信の通信路を数える場合は「チャンネル」を用います。テレビやラジオのチャンネルは「つ」「局」で数えます。部品としては「個」で数えます。
チューインガム【chewing gum】	★枚、★粒、★個、★箱	板状のものは「枚」、粒状のものは「粒」「個」で数えます。小売単位は「個」「箱」など。
ちゅうかなべ【中華鍋】	★個、★枚、★口	「口」は口の広い器具などを数える語です。中華鍋は専門的に「本」で数えることもあります。 ➡ 鍋
ちゅうかりょうり【中華料理】	★品、★品、★皿など	➡ 料理
ちゅうきん【鋳金】	★点	作品としては「点」で数えます。
ちゅうこく【忠告】	★言、★つ	
ちゅうしゃ【注射】	★本、★筒	「筒」はアンプルの容量の単位。「1筒」は1cm^3。現在は、容量に関係なく1回の注射、1アンプルの意味で用います。注射針も「本」で数えます。
ちゅうしん【中心】	★つ	
ちゅうせん【抽籤】	★回	当籤数は「本」で数えます。
チューブ【tube】	★本	
ちゅうぼう【厨房】	★つ、★室、★間	➡ キッチン
ちゅうもん【注文】	★件、★点、★品、★品、★つ、★丁、★枚	注文した件数は「件」、注文した品数は「点」「品」「つ」で数えます。料理屋などで料理の注文を受けて、店員が「ラーメン1丁」などと景気付けで「丁」を用いることがあります。「ざる蕎麦1枚」などの数え方は、「丁」よりも古い用法といわれています。 → オーダー

★＝英語数詞〔1（ワン）、2（ツー）、3（スリー）…〕などに付く　➡ より詳しい解説のある項目へ　→ 関連項目などへ

チューリップ ▶ ちょうてん

数えるもの	数え方	数え方のポイント
		→ コラム⑰に関連事項 (p.313)
チューリップ【tulip】	▲本、●株、▲輪、●個、●玉、▲球	植物としては「本」「株」で数えます。花は「輪」で数えます。球根は「個」「玉」「球」で数えます。
チュチュ【tutu (フランス)】	▲枚	バレリーナが着用するスカートのことで、「枚」で数えます。
ちょう【蝶】	▲匹、▲頭、●羽	原則として「匹」を用いて数えますが、慣用的に「頭」でも数えます。雅語的に鳥を数える「羽」を用いることもあります。→ コラム⑩に関連事項 (p.189)
ちょうかん【朝刊】	▲部	➡ 新聞
ちょうこく【彫刻】	▲点、▲体、▲基	作品としては「点」、人間をかたどったものは「体」で数えます。公園などに据えてあるものは「基」でも数えます。
ちょうし【銚子】	▲本	手に提げて持ち運べる銚子は、古くは「提げ」「枝」でも数えました。
ちょうしゃ【庁舎】	▲棟	
ちょうじゅう【鳥獣】	▲匹	鳥と動物をまとめて数える場合は「匹」を用います。
ちょうしょ【調書】	▲通、●枚	報告項目として調書を「本」で数えることもあります。
ちょうしんき【聴診器】	▲台	細長い形をしているので「本」で数えることもあります。
ちょうずばち【手水鉢】	●鉢、▲個、▲口	➡ 鉢
ちょうぞう【彫像】	▲体、▲軀、▲点	作品としては「点」で数えます。➡ 彫刻
ちょうだ【長打】	▲本、▲発	➡ ヒット
ちょうちん【提灯】	●張り、▲張、▲挺（丁）	骨組みに紙を張ったものなので「張り」「張」で数えます。「挺（丁）」は手に持って使う道具を数える語です。
ちょうづめ【腸詰め】	▲本	➡ ソーセージ
ちょうてん【頂点】	●つ、▲箇所	

▲＝漢語数詞（一（いち）、二（に）、三（さん）…）などに付く ●＝和語数詞（一（ひと）、二（ふた）、三（み）…）などに付く

数えるもの	数え方	数え方のポイント
ちょうとう〔長刀〕	★本、●振り、●口 など	➡ 刀
ちょうな〔手斧〕	★挺（丁）、★本	斧で削った跡を平らにするための大工道具のことで、「挺（丁）」「本」で数えます。
ちょうネクタイ〔蝶ネクタイ〕	★本	➡ ネクタイ
ちょうぼ〔帳簿〕	★冊	➡ 帳面
ちょうほう〔弔砲〕	★発	
ちょうみりょう〔調味料〕	●匙、●杯、▲●★カップ、●振り、●つまみ	調理の際、用いる調味料の量は「匙」「杯」「カップ」などで数えます。使用の目安は「振り」「つまみ」などで表します。 ➡ コラム⑪に関連事項 (p.191)

コラム ⑩ COLUMN 〈チョウの数え方〉

　チョウは昆虫の一種ですが、クイズ番組などで出された際の"正しい"数え方は「1頭、2頭、3頭…」とされています。なぜ昆虫のチョウを大形の動物を数える「頭」で数えるのでしょうか。その謎を解くヒントは意外にも英語にあります。

　元来、英語では牛などの家畜を"head"で数え、例えば5頭の牛を"five head of cattle"といいました。日本語にも「頭数を数える」といって、人数を「頭」で把握することがありますが、"head"もこれと同じ発想です。この用法は、動物園で飼育されている動物を数える際にも使われ始めました。西洋の動物園で、しばしば珍しいチョウを飼育・展示していますが、動物園で飼育している生物全体の個体数を、種類に関係なく"head"で数えるようになったのだそうです。そのうち、昆虫学者達が論文などでも研究対象であるチョウの個体を"head"で数えるようになり、それを20世紀初頭に日本語に直訳（誤訳）したものが現代の日本語に定着した、という説が有力です。

　しかし、この他にも、標本としてのチョウには頭部が切断されていないことが重要視されることから「頭」で数えるとする説や、昆虫採集はもともと狩猟の一種として考えられていたために、獲物は動物と同じ数え方をするのではないか、といった説があります。

　いずれにしても、慣用的・専門的にチョウを数える以外は、昆虫の一種として「匹」で数えるのが一般的です。

★=英語数詞〔1（ワン）、2（ツー）、3（スリー）…〕などに付く　➡ より詳しい解説のある項目へ　→ 関連項目などへ

ちょうめん ▶ ちょすいち

数えるもの	数え方	数え方のポイント
	▲本、●瓶、●袋	計量器具ではかる調味料の重さの目安(単位g) |	小匙 5cc	大匙 15cc	カップ 200cc
---	---	---	---
上白糖	3g	9g	110g
塩	5g	15g	210g
酢	5g	15g	200g
醤油	6g	8g	230g
バター	4g	13g	180g	 調味料の小売単位は、醤油や味醂は「本」、香辛料やたれは「瓶」、砂糖や塩は「袋」などです。
ちょうめん【帳面】	▲冊	古くは折り本や帳面を数える「帖」を用いて帳面を数えました。 →ノート
ちょうるい【鳥類】	▲羽	➡鳥
チョーク【chalk】	▲本、▲片	→白墨
ちよがみ【千代紙】	▲枚	
ちょきぶね【猪牙舟】	▲艘、▲隻	江戸市中の河川などで使われた、舳先のとがった細長い舟で「艘」「隻」で数えます。 ➡船
ちょきんつうちょう【貯金通帳】	▲冊、▲通	➡通帳
ちょこ【猪口】	▲個、●杯、●組	注いだ酒の量の目安は「杯」で表します。
チョゴリ【赤古里・襦】	▲枚、▲着	
チョコレート【chocolate】	▲枚、▲個、▲粒、●箱、●袋	形状に応じて、板チョコは「枚」、トリュフチョコは「個」「粒」で数えます。「粒」で数えた方が「個」で数えるよりも高級感が出るといわれます。箱入りは「箱」、袋入りは「袋」で数えます。
ちょさく【著作】	▲点、▲作、▲作品	
ちょしょ【著書】	▲点、▲作、●作品、▲冊	➡本
ちょすいち【貯水池】	▲面、●泓、●つ	「泓」は水が広がるようすを表し、規模の大きな貯水池を数える語です。

▲=漢語数詞〔一(いち)、二(に)、三(さん)…〕などに付く　●=和語数詞〔一(ひと)、二(ふた)、三(み)…〕などに付く

数えるもの	数え方	数え方のポイント
チョッキ	★枚	→ ベスト
ちらしずし[散らし鮨]	★皿、★品、★折、★重	料理としては「品」で数えます。盛りつける容器によって、皿に盛ると「皿」、折り箱や折り詰めに入れると「折」、重箱に入れると「重」で数えます。散らし鮨の具の数は「五目鮨」のように「目」で数えます。➡ 鮨
ちり[塵]	★つ、★本、★葉	何も落ちていない状態を「塵一つ落ちていない」といいます。塵を雅語的に数える際、「本」「葉」を用います。
ちりがみ[塵紙]	★枚、★箱	➡ ティッシュペーパー
ちりなべ[ちり鍋]	★鍋	➡ 鍋料理
ちりれんげ[散り蓮華]	★本	陶製の匙のことで、「本」で数えます。
ちろ[地炉]	★基	炉は一般的に「基」で数えます。
チンゲンサイ[青梗菜]	★株、★把、★束	植物としては「株」で数えます。小売単位は

コラム ⑪ COLUMN 〈手の動きで測る調味料の使用量の目安〉

料理のレシピを見ると、調味料の使う量は「砂糖大さじ1杯」とか「酒1カップ」のように、しばしば計量器を使って示されています。そのような場合、調味料の使用量で戸惑うことはありませんが、「塩ひとつまみ」とか「パン粉ひとにぎり」、「ゴマ油ひとたらし」のように目安が書かれていてどれくらいの分量なのかピンとこないことがあります。

このような調味料の使用量の目安は、調理をする人の手の動きを基準にして与えられています。例えば「ひとつまみ」は、人差し指と中指、そして親指の間に一度に軽く挟み込める分量の目安で、塩なら1g弱。「ひとにぎり」は人差し指から小指までの4本の指を閉じて軽くすくい上げられる分量で、人によって手の大きさが異なりますが、塩ならおよそ40〜50g程度です。「ひとたらし」は油などの入った容器を1秒程度傾けて出る量、およそ5ml程度。「ペッパーソース1ふり」では、ペッパーソースの容器を逆さに振って出る量、1〜2滴が目安です。「コショウ1ふり」は、ペッパーミルで1往復挽いた量、または蓋に10個程度の穴が開いたコショウ瓶を1〜2回振って出る量が目安です。

★=英語数詞〔1(ワン)、2(ツー)、3(スリー)…〕などに付く　➡ より詳しい解説のある項目へ　→ 関連項目などへ

チンパンジー ▶ つきあかり

数えるもの	数え方	数え方のポイント
	•袋	「把」「束」「袋」など。 ➡ 野菜
チンパンジー【chimpanzee】	▲頭、▲匹	人間に近い知能ある動物として数える場合は「頭」を用います。「人」を用いる場合もあります。 ➡ 猿

つ

数えるもの	数え方	数え方のポイント
ついたて【衝立】	▲枚、▲基	古くは「基」で数えましたが、現代では「枚」で数えます。
つうきこう【通気孔】	▲個、•つ、▲本	
つうち【通知】	▲通	「1本の通知が届く」のように、「本」で数えることもあります。
つうちひょう【通知表】	▲通	紙として数える場合は「枚」を用います。
つうちょう【通帳】	▲通、▲冊	ひとつの銀行口座に複数の通帳を持っていたり、使用済みの通帳を数える場合は「冊」を用います。「この口座の使用済みの通帳が2冊ある」
ツーピース【two-piece】	▲着、▲枚	➡ 服
つうろ【通路】	▲本、▲箇所	
つえ【杖】	▲本	
つか【塚】	▲基	墓の一種なので、「基」で数えます。
つがい【番い】	•組、▲番	「番」はふたつでひと組のもの、つがいを数える語です。
つき【月】	•つ	月は通常は数えませんが、「湖面に月がふたつ映っている」のような場合に「つ」を用いて数えることがあります。
	▲か月、•月、▲月	暦の月の数を数える場合は「1か月」「ひと月」といいます。暦の月の順序は「1月」「2月」「3月」のように「月」で表します。
つきあかり【月明かり】	▲幅、▲本、▲条	「幅」は光線・火影などを数える語です。「条」は枝や道筋を意味することから、細く差し

▲=漢語数詞〔一(いち)、二(に)、三(さん)…〕などに付く　●=和語数詞〔一(ひと)、二(ふた)、三(み)…〕などに付く

数えるもの	数え方	数え方のポイント
		込む光のように細長いものを数えます。
つぎめ[継ぎ目]	★つ、★本	
つくえ[机]	★台、★脚、★基、★卓、★前	学習机や事務机は「台」で数えます。机はもともと脚のついた、飲食物を盛った器を載せる台を指し、「脚」「基」「卓」で数えます。書き物をする机や脇息は「前」で数えます。→ デスク
つくし[土筆]	★本	つくしの節にある袴(葉)は「枚」で数えます。
つけあわせ[付け合わせ]	★品、★品	
つけぎ[付け木]	★本	
つけふだ[付け札]	★枚	
つけまつげ[付け睫毛]	★本	➡ 睫毛
つけもの[漬物]	★本、★枚、★切れ、★品、★品	細長い野菜の漬物は「本」、それを切り分けると「枚」「切れ」で数えます。料理屋などでは皿や鉢に盛った漬物を「品」で数えます。漬物を漬け込む糠床は「樽」で数えます。
つじかご[辻駕籠]	★挺(丁)	➡ 駕籠
つち[土]	★簣、★袋、★盛り、★山、★握	「簣」はもっこに盛った土を数える語です。植木用腐葉土などの小売単位は「袋」。盛り上げた土は「盛り」「山」などで数えます。片手で握る土の分量の目安は「握」で表します。→ 砂
つち[槌]	★挺(丁)、★本	手に持つものなので「挺(丁)」で数えます。
つつ[筒]	★本	
つっかけ[突っ掛け]	★足	サンダルの一種で、「足」で数えます。➡ 靴
つつじ[躑躅]	★本、★株、★むら	「むら」はしげみや群れをなして咲く花を数える語です。
つつみ[包み]	★枚、★包み	包み紙や風呂敷は「枚」で数えます。包んだものは「個」「箱」「折」などで数えます。「包み」は、包装した物(贈答品や買い求めた商品)や包んだ金品を数える語です。

★=英語数詞[1(ワン)、2(ツー)、3(スリー)…]などに付く　➡ より詳しい解説のある項目へ　→ 関連項目などへ

つつみ ▶ つみ

数えるもの	数え方	数え方のポイント
つつみ[堤]	▲基	→ 堤防
つづみ[鼓]	▲挺(丁)、▲本、▲張	「張」は弦や布・皮などを張った状態で使用する道具や楽器を数える語です。「張り」で数えることもあります。長唄囃子で、小鼓1挺による独奏を「一調」といいます。
つづら[葛]	▲合、▲荷、▲本	「合」は古くは蓋のある容器を数えた語です。「荷」は肩にかつぐ荷物を数える語です。
つな[綱]	▲本、▲筋、▲条	「筋」は縄や綱を数える語です。→ 縄
ツナかん[ツナ缶]	▲個、▲缶	缶の高さが低いので「本」よりも「個」「缶」で数えます。➡ 缶詰 → コラム③に関連事項 (p.67)
つなぎ[繋ぎ]	▲着	上下がつながっている作業服は「着」で数えます。➡ 服
つなみ[津波]	▲波	最初に来る津波は「第1波」、続いて「第2波」「第3波」と数えます。
つの[角]	▲本、▲角	
つば[唾]	●口、▲滴	口から吐き出す唾は「口」で数えます。「唾をひと口吐いて立ち去る」
つば[鍔]	▲枚	刀の鍔は平面的なので「枚」で数えます。小さいものは「個」で数えることもあります。
つばさ[翼]	▲翼、▲枚	飛行機の翼は「翼」「枚」で数えます。
つぶ[粒]	▲粒、▲顆	「顆」は「粒」と同様に小さい丸いもの、粒状のものを数える語です。
つぼ[壺]	▲個、▲口、▲点、▲客、●壺	「口」は鍋や壺などの器具を数える語です。作品としての壺は「点」、日本料理店などで用いる深く小さな器は「客」でも数えます。
	●つ	鍼灸のつぼや急所は「つ」で数えます。→ 要所
つぼみ[蕾]	▲個、●つ	
つまようじ[爪楊枝]	▲本	小売単位は「箱」など。
つみ[罪]	●つ	「ふたつの罪で起訴される」のように、罪は

▲=漢語数詞〔一(いち)、二(に)、三(さん)…〕などに付く　●=和語数詞〔一(ひと)、二(ふた)、三(み)…〕などに付く

数えるもの	数え方	数え方のポイント
		「つ」で数えます。→犯罪
つみき[積み木]	★個、片(へん)	
つみに[積み荷]	★個、★才	積み荷は「個」で数えます。船の積み荷の容積の単位は「才」で、「1才」は1立方尺（約0.03m³）に相当します。
つむぎ[紬]	★枚(まい)、★点	紬糸で織った絹織物のことで、「枚」で数えます。作品・商品としては「点」で数えます。
つむじ[旋毛]	・つ	「頭に2つ旋毛がある」などと使います。
つめ[爪]	★本、★枚(まい)	マニキュアなどを施す箇所やつけ爪を数える場合は「本」を用います。「10本の爪に違う色を塗る」　人間の爪は比較的平らなので「枚」でも数えられますが、動物や鳥などの鋭い爪は「本」で数えます。
つめきり[爪切り]	★本、挺(ちょう)（丁）	小形の爪切りは「本」、旧式の大形の爪切り鋏(ばさみ)は「挺（丁）」でも数えます。
つめそで[詰め袖]	★枚(まい)	➡着物(きもの)
つゆ[露]	滴(てき)、・零(しずく)、玉(たま)	
つらら[氷柱]	★本	
つりいと[釣り糸]	★本	
つりがき[釣り書き]	★通	縁談の際に双方で取り交わす身上書(しんじょうしょ)のことで、「通」で数えます。紙としては「枚」で数えます。
つりがね[釣り鐘]	★口(こう)	「口」は鍋(なべ)・壺(つぼ)・鐘などの口の開いた道具を数える語です。
つりかわ[吊り革]	★本	吊り革の持ち手の輪の部分は「個」でも数えます。
つりこうこく[吊り広告]	★本、★枚(まい)	広告の数は「本」、広告紙は「枚」で数えます。
つりざお[釣り竿]	★本	釣り竿(ざお)は「本」で数えます。釣りで水の中に釣り糸を入れた回数は「投(とう)」で数えます。接尾語「目」を伴うことが多く、「1投目から大物を釣り上げる」などといいます。

★＝英語数詞〔1（ワン）、2（ツー）、3（スリー）…〕などに付く　➡より詳しい解説のある項目へ　→関連項目などへ

つりだい ▶ であい

数えるもの	数え方	数え方のポイント
つりだい[釣り台]	▲台	台となる板の両端をつり上げ、前後ふたりでかついで人やものを運ぶ道具のことで、「台」で数えます。
つりて[吊り手]	▲本	➡吊り革
つりばし[釣り橋]	▲本	➡橋
つりばり[釣り針]	▲本	
つりぶね[釣り船]	▲隻、▲艘	➡船
つりわ[吊り輪]	▲台	体操競技に使う器具は「台」で数えます。 ➡吊り革
つる[弦]	▲本、▲張、●張り	
つる[蔓]	▲本	
つるぎ[剣]	▲本、●振り、●口 など	➡刀
つるしがき[吊るし柿]	▲枚、▲個、▲連	→干し柿
つるはし[鶴嘴]	▲挺(丁)、▲本	手に持って扱う道具なので「挺(丁)」で数えます。

て

数えるもの	数え方	数え方のポイント
て[手]		原則として「本」で数えますが、意味によって以下のように数え方が異なります。
	▲本	人間の腕やそれに形状の似たものは「本」で数えます。
	▲本	器具の取っ手は「本」で数えます。
	●人/たり、▲人	働き手は「人」で数えます。親が子供をひとりで育てることを「女手(または男手)ひとつで子供を育てる」といいます。
	▲手、▲枚	将棋の指し手は「手」で数えます。トランプの持ち札は「枚」で数えます。
であい[出合い]	●つ、▲度	偶然の出会いは次が予測できないので「度」で数えます。

▲=漢語数詞〔一(いち)、二(に)、三(さん)…〕などに付く　●=和語数詞〔一(ひと)、二(ふた)、三(み)…〕などに付く

てあし ▶ ていてつ

数えるもの	数え方	数え方のポイント
てあし【手足】	★本	→手 →足
てあらい【手洗い】	★箇所、•つ、★室	➡トイレ
てあらいばち【手洗い鉢】	•鉢、★個、★口	➡鉢
ていあん【提案】	•つ、★件、★案、★提案	「案」は提案や企画などを数える語です。
ティーカップ【teacup】	★個、★客	ティーカップは「個」、ソーサー（皿）とティーカップのセットは「客」で数えます。
ティーシャツ【T-shirt】	★枚	➡服
ディーブイディー【DVD】	★枚	
ていえん【庭園】	★園、•つ	「園」は文語で植物園や庭園などを数える語です。
ていきいれ【定期入れ】	★個、★枚	薄いものは「枚」でも数えます。商品としては「点」でも数えます。
ていきけん【定期券】	★枚	
ディスク【disk】	★枚	コンパクトディスクは「枚」で数えます。重量挙げのバーベルにつけるディスクは、「枚」「個」で数えます。
ディスコ	★軒、★店、★店舗	ディスコティークの略で、「軒」「店」「店舗」で数えます。
ディスポーザー【disposer】	★台	台所用ごみ処理器具のことで「台」で数えます。
ていちあみ【定置網】	★枚、★統	沿岸の魚群の通路に設置する定置網（建網）は「統」で数えます。 ➡網
ティッシュペーパー【tissue paper】	★枚、•組、★箱、★個、•★パック、★連	通常、薄い2枚のティッシュ「ひと組」で「1枚」と数えます。箱入りのティッシュは「箱」「個」、箱入りティッシュが複数まとめて売られている場合は「パック」「連」で数えます。「ティッシュボックス5個1パック」 ポケットティッシュは「個」で数えます。 →トイレットペーパー
ていてつ【蹄鉄】	★脚	馬の、それぞれの脚に蹄鉄をつけるので、馬

★＝英語数詞（1（ワン）、2（ツー）、3（スリー）…）などに付く　➡より詳しい解説のある項目へ　→関連項目などへ

数えるもの	数え方	数え方のポイント
		1頭で「4脚(きゃく)」と数えます。
デイパック【daypack】	▲個	小型のナップザックのことで、「個」で数えます。
ていぼう【堤防】	▲基(き)	
ていりゅうじょ【停留所】	●つ、▲箇所(かしょ)、●駅	バスの停留所は「つ」で数えますが、「駅」で数えることもあります。停留所にある目印(ポール)は「本」で数えます。
ティンパニ【timpani イタリア】	▲台	➡楽器(がっき)
データ【data】	●つ、▲個、▲件、▲点、●種類(しゅるい)、▲●★アイテム	磁気テープに記録される1項目分のデータは「アイテム」で数えます。 → テキスト
テープ【tape】	▲本、●巻(ま)き、▲片(へん)	カセットテープ・ビデオテープは「本」、粘着テープ・紙テープは「本」「巻き」、切り分けたテープは「片」で数えます。
テーブル【table】	▲台、▲脚(きゃく)、▲卓(たく)	テーブルは「台」「脚」「卓」で数えます。家具店ではテーブルを商品として「点」「本」で数えることがあります。レストランでは、テーブルごとに「1卓」「2卓」と番号をふって、注文や配膳(はいぜん)・支払いの目安にします。「3卓(3番テーブル)に注文が入りました」
テーブルクロス【tablecloth】	▲枚(まい)	作品・商品としては「点」で数えます。
テーブルセンター〈和製語〉	▲枚(まい)	作品・商品としては「点」で数えます。
テーマ【Thema ドイツ】	●つ、▲●★テーマ	
テーマパーク〈和製語〉	●つ、▲園、▲箇所(かしょ)	「園」は文語で遊園地や動物園などを数えるのに使います。「3園が不況で閉園」
テールランプ【tail lamp】	▲個、▲灯(とう)	自動車の尾灯は「個」、船尾灯は「灯」で数えます。 ➡ランプ
ておしぐるま【手押し車】	▲台	
てかがみ【手鏡】	▲面、▲枚(まい)	➡鏡(かがみ)
てかがみ【手鑑】	▲帖(じょう)、●つ	「帖」は折り本や帳面を数える語です。鑑(かがみ)とは手本となるもののことで、古くは帖に仕立

▲=漢語数詞〔一(いち)、二(に)、三(さん)…〕などに付く　●=和語数詞〔一(ひと)、二(ふた)、三(み)…〕などに付く

数えるもの	数え方	数え方のポイント
		てたことに由来します。
てがかり[手掛かり]	•つ	
てがた[手形]	▲通、▲枚、•つ	証券手形は「通」「枚」で数えます。紙に押した手形は「枚」「つ」でも数えます。
てがみ[手紙]	▲通 ▲本、▲枚、▲葉、 ▲片、▲封、▲札	通常は「通」で数えます。 連絡手段としては「本」でも数え、「彼は手紙1本よこさない」のように用います。葉書や便箋、メモ用紙に書かれた手紙は「枚」「片」、封書は「封」で数えます。思い入れのある葉書などは「葉」で数えることもあります。手紙を数えるのに証文を数える「札」を用いることもあります。「一札添える」
てがら[手柄]	•つ、▲件	社会的に評価される手柄は「件」でも数えます。
デカンタ[decanter]	▲個、▲本	ワインなどを注ぎ入れる広口瓶のことで「個」「本」で数えます。
できごと[出来事]	•つ、▲件	事件・事故・きっかけ・変化など、出来事は「つ」「件」で数えます。
テキスト[text]	▲文、▲個、▲冊	本文・原文を数える場合は「文」、コンピューターのデータ(テキストファイル)を数える場合は「個」、教科書などの印刷物(テキストブック)を数える場合は「冊」を用います。 → データ
できもの[出来物]	•つ、▲個	
でぐち[出口]	▲箇所、•つ	
てこ[梃子]	▲本	
デザート[dessert]	•皿、▲品、▲品	➡ 料理
デザイン[design]	▲点、▲図、•つ	「図」は書物などの中で理解を助けるために添えられた挿絵・デザイン画・スケッチなどを数える語です。独立した作品としてのデザインは「点」で数えます。

★=英語数詞[1(ワン)、2(ツー)、3(スリー)…]などに付く ➡ より詳しい解説のある項目へ → 関連項目などへ

数えるもの	数え方	数え方のポイント
てさげかばん【手提げ鞄】	▲個	
デジタルカメラ【digital camera】	▲台	➡カメラ
デジタルどけい【デジタル時計】	▲個	➡時計(とけい)
てじな【手品】	●つ、▲本、▲芸(げい)	出し物として数える場合は「本」、芸のレパートリーとして数える場合は「芸」を用います。「2本の手品で5芸を披露する」
てじゅん【手順】	●つ、▲段階(だんかい)、▲●★ステップ	
てじょう【手錠】	▲本、▲個、▲組(くみ)	手錠の片手用の輪の部分は「個」で数えます。左右2個で「1本」「ひと組」と数えます。左右合わせて「個」で数えることもあります。➡枷(かせ)
デスク【desk】	▲台、▲脚(きゃく)	➡机(つくえ)
テスト【test】	▲回、▲度、▲枚(まい)	試験や検査の実施数は「回」「度」、答案用紙は「枚」で数えます。
デスマスク【death mask】	▲枚(まい)、▲面	➡マスク
てすり【手摺り】	▲本	
てそう【手相】	●つ	手のひらの筋は「本」「筋」「条」などで数えます。
てだま【手玉】	▲個	お手玉のことで「個」で数えます。
てちょう【手帳】	▲冊(さつ)、▲帖(じょう)	古くは折り本や帳面を数える「帖」も用いました。電子手帳は「台」で数えます。
デッキ【deck】	▲面、▲枚(まい)、▲台	船の甲板は「面」「枚」、乗り物の昇降口の床は「枚」、ビデオデッキは「台」で数えます。
デッキチェア【deck chair】	▲脚(きゃく)、▲台	折りたたみ式のひじ掛け椅子(いす)のことで「脚」「台」で数えます。➡椅子(いす)
デッキブラシ【deck brush】	▲本	
てっきん【鉄琴】	▲台	鉄琴の音階を奏でる鉄板は「本」、演奏に用いる撥(ばち)は2本で「ひと組」と数えます。

▲=漢語数詞〔一(いち)、二(に)、三(さん)…〕などに付く　●=和語数詞〔一(ひと)、二(ふた)、三(み)…〕などに付く

数えるもの	数え方	数え方のポイント
		➡ 楽器
てっきん【鉄筋】	★本	
てっこう【手っ甲】	★枚、★双、★組	手の甲をおおうもので、昔の武士や旅人が身につけました。手っ甲2枚で「1双」「ひと組」と数えます
てっせん【鉄扇】	★本	➡ 扇子
てっせん【鉄線】	★本	巻いてある状態では「巻き」で数えます。
てつづき【手続き】	★回、★度	
てっとう【鉄塔】	★基、★本	形状が細長いため、「本」でも数えます。 ➡ 塔
てつどう【鉄道】	★本、★路線	鉄道路線は「本」「路線」で数えます。
でっぱり【出っ張り】	★つ	➡ 突起
てっぱん【鉄板】	★枚	
てつぼう【鉄棒】	★本	鉄製の棒は「本」で数えます。
	★台	器械運動用の器具は「台」で数えます。
てっぽう【鉄砲】	★挺（丁）	➡ 銃
てつや【徹夜】	★晩	「3日も徹夜している」のような言い方もします。
テニスコート【tennis court】	★面	
テニスラケット【tennis racket】	★本	
デニム【denim】	★枚、★本	布地は「枚」で数えます。パンツ（ジーンズ）を指す場合は「本」でも数えます。 ➡ 服
てぬぐい【手拭い】	★本、★枚、★筋、★条、★掛け	原則として「本」で数えますが、広げて使用する場合は「枚」で数えます。首に掛けた手拭いは「掛け」でも数えます。 → タオル
てば【手羽】	★本	手羽肉のことで「本」で数えます。 ➡ 肉
デパート	★軒、★店、★店舗	デパートメントストアの略で、「軒」「店」「店舗」で数えます。「駅前にデパートが2軒ある」「Aデパートは都内に5｛店｜店舗｝ある」 ➡ 店
てばた【手旗】	★本	手に持つ小旗は「本」で数えます。

★＝英語数詞（1（ワン）、2（ツー）、3（スリー）…）などに付く　➡ より詳しい解説のある項目へ　→ 関連項目などへ

数えるもの	数え方	数え方のポイント
でばぼうちょう[出刃包丁]	▲本、▲挺(丁)	➡包丁
てびょうし[手拍子]	▲回、▲度	手を鳴らす回数は「回」「度」で数えます。三・三・三・一の拍子を1回打つことを「一本締め」といい、3回で「三本締め」といいます。
てぶくろ[手袋]	▲枚、▲双、▲対、●組	手袋は左右2枚で「1双」「1対」と数えます。軍手のように左右が決まっていない場合は「組」でも数えます。手袋を数えるのに「足」を用いることもあります。 ➡ミトン
てふだ[手札]	▲枚	
てほん[手本]	▲帖、●つ	➡手鑑
でまえ[出前]	▲件、▲丁、▲人前	出前の注文件数は「件」、注文数を景気づけでいう場合は「丁」、注文された人数分の料理は「人前」で数えます。
てまきずし[手巻き鮨]	▲本	➡鮨
でまど[出窓]	▲枚、●つ	
でみせ[出店]	▲軒、●店	
デモたい[デモ隊]	▲群、▲団、▲波	「波」は波のように押し寄せるものを数える語です。
デュオ[duo(イタリア)]	●組	歌手のデュエットは「組」、二重奏の楽曲は「曲」で数えます。
てら[寺]	▲軒、▲寺、▲宇、▲山	「寺」は複数の名のある寺をまとめて数える場合に用います。「宇」は廟や寺院を数える語です。「山」は深い山に僧が開いた寺を数える語です。
てらこや[寺子屋]	▲校	江戸時代の庶民向けの初等教育施設のことで「校」で数えました。
テラス[terrace]	▲面	
てりやき[照り焼き]	●切れ、▲枚	切り身魚は「切れ」、鶏肉は「枚」で数えます。
てりゅうだん[手榴弾]	▲個、▲発	「発」は爆発物を数える語です。爆発させる前のものは「個」でも数えます。
テレカ	▲枚、▲度数	テレホンカードの略で、「枚」で数えます。

▲=漢語数詞[一(いち)、二(に)、三(さん)…]などに付く　●=和語数詞[一(ひと)、二(ふた)、三(み)…]などに付く

数えるもの	数え方	数え方のポイント
		1枚のテレカで利用できる通話量を「度数」で表します。「50度数のテレカ」
テレスコープ【telescope】	★台、★本、★基	➡ 望遠鏡（ぼうえんきょう）
テレビ	★台	テレビジョンの略で、「台」で数えます。ブラウン管は「本」「台」、リモコンは「台」「個」で数えます。液晶薄型テレビは、薄さを強調するためにメーカーが「枚」で数えることがあります。テレビ画面のサイズは「インチ」で表します。
テレビゲーム＜和製語＞	★台、★本、★個	ゲーム機本体は「台」、ゲームソフトは「本」「個」で数えます。コントローラーは「台」、クリアすべき場面や段階は「面」で数えます。「10面クリア」
てん【点】	★個、★つ　★点、★★ポイント	句読点やドットは「個」「つ」で数えます。点数・得点は「点」「ポイント」で数えます。➡ 点数（てんすう）
でんがく【田楽】	★本、★串（くし）	田楽豆腐・田楽焼きのことで「本」「串」で数えます。
でんきこんろ【電気焜炉】	★台	鍋（なべ）をかける電熱器部分は「口（くち）」で数えます。➡ 焜炉（こんろ）
てんきず【天気図】	★枚（まい）、★面、★図（ず）	
でんきスタンド【電気スタンド】	★台、★灯（とう）	極端に小型のものは「個」で数えることもあります。
でんきゅう【電球】	★個、★玉（たま）、★本、★灯（とう）	ふつう、電球は「個」で数えますが、球状であることを強調するために「玉」で数えることもあります。細長い電球は「本」でも数えます。「灯」は電灯・電球・ヒーターなど光と熱を発するものを数える語です。➡ 蛍光灯（けいこうとう）
でんきょく【電極】	★枚（まい）、★本	電極プレートは「枚」で数えます。
でんきろ【電気炉】	★基（き）	
でんごん【伝言】	★件、★言（こと）、★つ	

★＝英語数詞［1（ワン）、2（ツー）、3（スリー）…］などに付く　➡ より詳しい解説のある項目へ　→ 関連項目などへ

てんし ▶ テント

数えるもの	数え方	数え方のポイント
てんし【天使】	▲人、●人	人間的な性格を帯びているので「人」で数えます。➡ キャラクター → エンジェル → コラム④に関連事項(p.75)
てんじ【点字】	▲字、▲点、▲行	点字の構成は「3点2行」で「1字」分です。
でんしゃ【電車】	▲両、▲台、▲本	車両は「両」で数えます。玩具の電車は「台」で数えます。電車の一定の時間枠（1日や1時間などの比較的短い間）の運行数は「本」で数えます。これより時間枠が広がると「便」でも数えます。「満員の場合は1台お待ちください」のように「台」でも数えます。 → 汽車 → 列車
てんじょう【天井】	▲枚、▲面	天井は「枚」「面」で数えます。天井板は「枚」、天井に描かれた天井画などは「面」で数えます。
でんしレンジ【電子レンジ】	▲台	
てんしん【点心】	▲個、●粒、▲品、●品、▲皿	シューマイやギョーザなどの中華飲茶（ヤムチャ）の食べ物のことで、「個」で数えます。ひと口で食べられる小さいものは「粒」でも数えます。蒸した蒸籠を用いるため、1人前を「ひと蒸籠」と数えることもあります。
てんすう【点数】	▲点、▲得点、▲★ポイント	スポーツやゲームなどで加算されて増える点数は「得点」「ポイント」で数える傾向があります。
でんせつ【伝説】	▲話、●つ	
でんせん【電線】	▲本、▲線	
でんち【電池】	▲本、▲個	乾電池は「本」、ボタン型電池は「個」で数えます。
でんちゅう【電柱】	▲本	
てんてき【点滴】	▲本	点滴は瓶入り・袋入り共に「本」で数えます。点滴を下げるスタンドも「本」で数えます。
テント【tent】	●張り	「張り」はテント・幕・蚊帳などを数える語で

▲＝漢語数詞〔一(いち)、二(に)、三(さん)…〕などに付く　●＝和語数詞〔一(ひと)、二(ふた)、三(み)…〕などに付く

でんとう ▶ でんわ

数えるもの	数え方	数え方のポイント
		す。「張」で数えることもあります。
でんとう【電灯】	★灯、★個、★基	電灯は「灯」「個」で数えます。街路灯などの設置されている電灯は「基」で数えます。
でんねつき【電熱器】	★台	
てんパン【天パン】	★枚	天火で調理するときに使う鉄製の容器のことで、「枚」で数えます。
てんぴ【天火】	★台	オーブンともいい、「台」で数えます。中に入れる天パンは、上から「1段目」「2段目」と数えます。
でんぴょう【伝票】	★枚	「通」で数えることもあります。
てんびんぼう【天秤棒】	★本	両端に荷物をつるしてかつぐ棒のことで、「本」で数えます。天秤棒の前後に下げる荷物を「荷」で数えます。桶は12個で、樽は2本でそれぞれ「1荷」と数えます。天秤棒のかつぎ手の人数は「纏」で数えます。
てんぷファイル【添付ファイル】	•つ、•個	電子メールに添えて送受信するファイルのことで、「つ」「個」で数えます。「このメールには2つの添付ファイルがある」
テンプラ	★個、★本、★枚、•皿、•品、•品	細長いエビやアナゴのてんぷらは「本」で数えます。かき揚げは「枚」で数えます。料理として数える場合は「皿」「品」などを用います。
テンプレート【template】	★枚、★個	型板・型紙は「枚」、ソフトのサンプル集は「個」で数えます。
てんぽ【店舗】	★軒、•店、•店舗 ➡店	
でんぽう【電報】	★本、★通	連絡手段としての電報は「本」で数えますが、祝電や弔電はもっぱら「通」で数えます。「祝電が20通届く」
てんまく【天幕】	•張り、★面、★枚 ➡幕	
てんらんかい【展覧会】	★回、•つ	展覧会の開催数は「回」で数えます。
でんわ【電話】	★台	携帯電話や公衆電話を含め、電話機はすべて「台」で数えます。

★＝英語数詞〔1（ワン）、2（ツー）、3（スリー）…〕などに付く　➡ より詳しい解説のある項目へ　→ 関連項目などへ

でんわかいせん ▶ といし

数えるもの	数え方	数え方のポイント
	▲回、▲本、▲件、▲通話	電話の契約数は「台」で数えます。「携帯電話の契約1000万台突破」電話をかけた（または受けた）回数は「回」「本」で数えます。「回」は相手に用件が伝わっても伝わらなくても用いますが、「本」は電話がつながらない場合にはふつう用いません。「3{○回｜×本}電話したが誰も出なかった」電話による相談やリクエストなどの数は「件」でも数えます。電話会社では通話数を「通話」で数えます。「500通話分の電話料金を請求」
でんわかいせん【電話回線】	▲本、●●回線	
でんわちょう【電話帳】	▲冊、▲部	
でんわボックス【電話ボックス】	▲個、▲基、▲箇所	据え付けてある施設として電話ボックスを数える場合は「基」を用います。設置場所を数える場合は「箇所」を用います。複数のボックスの連なりを数える場合は「連」を用いることがあります。

と

数えるもの	数え方	数え方のポイント
と【戸】	▲枚	
ドア【door】	▲枚	→扉
ドアスコープ〈和製語〉	▲個	玄関扉につけてある、来訪者を確認できるのぞき口のことで、「個」で数えます。
ドアチェーン【door chain】	▲本	
とい【樋】	▲本	
といあわせ【問い合わせ】	▲件、回、度	異なる人からの問い合わせの数は「件」で数えます。同じ人からの問い合わせが繰り返される場合は「回」「度」で数えます。
といし【砥石】	▲枚、▲個	「挺（丁）」で数えることもあります。

▲＝漢語数詞〔一（いち）、二（に）、三（さん）…〕などに付く　●＝和語数詞〔一（ひと）、二（ふた）、三（み）…〕などに付く

数えるもの	数え方	数え方のポイント
といた[戸板]	▲枚(まい)	人や物をのせたときの雨戸の板をいい、「枚」で数えます。
トイレ	▲箇所(かしょ)、▲室、•つ、▲基(き)	建物や家屋の中に設置されたトイレの数を数える場合は「箇所」「つ」、個室の数は「室」「つ」で数えます。公園等の公共の場に設置されているものや工事現場の仮設トイレは「基」で数えます。家屋の離れにあるトイレは「棟」で数えることもあります。 → 便器(べんき)
トイレットペーパー[toilet paper]	▲個、▲•★ロール、▲本、•巻(ま)き、▲•★パック	トイレットペーパーは「個」「ロール」「本」「巻き」で数えます。まとめて小売りされる場合は、「パック」でも数えます。「12ロールで1パック」 トイレットペーパーの芯(しん)は「本」で数えます。 → ティッシュペーパー
とう[塔]	▲基(き)、▲本、▲塔	塔はもともと供養や報恩を目的とした高層建築であるため「基」で数えます。その細長い形状から「本」で数えることもあります。複数の屋根が重なった塔を「重」「層」を用いて「五重の塔」のように表します。 → タワー
とうあん[答案]	▲枚(まい)	➡ テスト
どうい[胴衣]	▲枚(まい)	➡ 服(ふく)
とういす[籐椅子]	▲脚(きゃく)、▲個	➡ 椅子(いす)
どうが[動画]	▲点、▲•作品 など	➡ アニメーション
どうかせん[導火線]	▲本	物事のきっかけへとつながるものをたとえて数える場合は「つ」を用います。「事件の導火線は2つあった」
とうがらし[唐辛子]	▲本、•株(かぶ)	植物としては「本」「株」で数えます。唐辛子の実は「本」で数えます。小売単位は「袋」など。枝についたまま売られている場合は「束(たば)」「把(わ)」でも数えます。連ねて売られている場合は「連(れん)」でも数えます。
とうがん[冬瓜]	▲本、•株(かぶ)、▲個	植物としては「本」「株」で数えます。トウガ

★=英語数詞[1(ワン)、2(ツー)、3(スリー)…]などに付く　➡ より詳しい解説のある項目へ　→ 関連項目などへ

数えるもの	数え方	数え方のポイント
とうき[陶器]	▲個、▲枚、▲点	ンの実は「個」で数えます。形状によって異なりますが、茶碗・鉢・壺などは「個」、皿は「枚」で数えます。陶器を作品として数える場合は「点」を用います。
どうき[動機]	●つ	
どうぎ[胴着]	▲枚	➡服
とうきゅう[投球]	▲球	野球のピッチャーの投球数は「球」で数えます。
とうきゅう[等級]	▲級、▲段、▲位、▲等、▲等級、●つ、★グレード	さまざまな数え方が可能です。「級」は階級別に分けたものを表し、「段」は区切れやレベルを表す語です。「位」は人や物が置かれる地位や順位、「等」は物事の段階や順序を表す語です。「グレード」で数えることもできますが、その際は「ワン」「ツー」などの英語数詞につきます。「ワングレード上の車を買う」
とうぎゅう[闘牛]	▲頭	
どうぐ[道具]	▲挺（丁）	のこぎりや包丁など、手に握って使う工具や刃物は「挺（丁）」で数えます。その他の器具は形状に応じて数え分けます。 →詳しくは各項目を参照
どうくつ[洞窟]	▲本、▲洞	「洞」は文語で鍾乳洞や洞穴を数える語です。
どうぐばこ[道具箱]	▲個	
どうけつ[洞穴]	▲個、▲本、▲洞	「洞」は文語で鍾乳洞や洞穴を数える語です。
とうけん[刀剣]	▲本、●振り、●口/ふり/くちなど	➡刀
とうこう[投稿]	▲通、▲本、▲件、▲点、▲●作品	応募されたものは「通」「本」で数えます。意見の申し入れなら「件」でも数えます。作品投稿は「本」「点」「作品」などで数えます。

▲＝漢語数詞〔一（いち）、二（に）、三（さん）…〕などに付く　●＝和語数詞〔一（ひと）、二（ふた）、三（み）…〕などに付く

数えるもの	数え方	数え方のポイント
		→投書
とうこうせん【等高線】	★本	
どうさ【動作】	•つ	
とうさん【倒産】	★件、★社	倒産件数は「件」、倒産した会社の数は「社」で数えます。
とうしょ【投書】	★通、★本、★件	意見・苦情・要望などが新聞などに寄せられた数は「通」「本」「件」で数えます。これらは作品としては扱いにくいため、「点」や「作品」では数えません。　→投稿
どうじょう【道場】	★軒	
とうしん【灯心】	★本	油を吸わせて火をともすための糸心のことで、「本」で数えます。
どうじんし【同人誌】	★冊、★号、★部	発行号数は「号」、発行部数は「部」で数えます。
とうしんせん【等深線】	★本	地図で、水深の等しい地点を結んだ曲線のことで、「本」で数えます。
どうせん【銅線】	★本	巻いてある状態では「巻き」で数えます。
どうぞう【銅像】	★体、★基、★点	➡像
どうそじん【道祖神】	★体	道を守る神のことで、双体像の道祖神は2体で「1対」と数えます。
とうだい【灯台】	★基、★灯、★本	船舶用の灯台は「基」「灯」で数えます。細長い形をしているものは「本」でも数えます。照明灯の一種としては「灯」で数えます。
どうたく【銅鐸】	★個、★本、★点	出土品としては「点」で数えます。
どうとう【堂塔】	★基、★宇	➡塔
とうば【塔婆】	★本、★基	卒塔婆ともいい、「本」「基」で数えます。
とうはつ【頭髪】	★本、•筋、★茎	髷やまとめ髪からこぼれた髪は「筋」で数えます。古くは草花の茎を数える「茎」を用いて髪を数えました。女性が髪を束ねる場合、「髪をふたつに結わく」「三つ編み2本を肩に垂らす」などといいます。　➡髪

★=英語数詞〔1（ワン）、2（ツー）、3（スリー）…〕などに付く　➡より詳しい解説のある項目へ　→関連項目などへ

数えるもの	数え方	数え方のポイント
どうばん【銅板】	▲枚(まい)	
とうふ【豆腐】	▲丁(ちょう)、●★パック	現在では「豆腐1丁」というと1個分のことですが、「丁」に偶数の意味があることから、かつては「豆腐1丁」で2個分を指しました。豆腐を1個分買う場合は、「豆腐半丁」といいました。この「丁」は用具を数える「挺(丁)(ちょう)」とは別の語です。現在の小売単位は「パック」なども用い、1パック分を「1丁」ということが多いようです。
どうぶつ【動物】	▲匹(ひき)、▲頭(とう)、個体(こたい)	鳥類を除く動物一般は「匹」で数えます。ただし、その中でも人間が抱きかかえられない大きさのものや、人間にとって希少価値の高いもの、実験動物や盲導犬のように人間の役に立つものは「頭」で数える傾向があります。学術論文などで研究対象となる動物は、種類に関係なく「個体」で数えます。 → コラム②⑫に関連事項（② p.31 ⑫ p.211）
どうぶつえん【動物園】	▲園、●つ	
どうぼこ【銅鉾】	▲本	➡矛(ほこ)
とうほん【謄本】	▲通	
とうみょう【灯明】	▲本、●灯(とう)	神仏に供える灯火は2本で「1対(いっつい)」と数えます。
とうみょう【豆苗】	▲本、●袋(ふくろ)、●山(やま)、●★パック	植物としては「本」で数えます。小売単位は「袋」「山」「パック」など。 → 貝割れ大根(かいわれだいこん)
とうもろこし【玉蜀黍】	▲本、●株(かぶ)、●粒(つぶ)	植物としては「本」「株」で数えます。とうもろこしの果穂は「本」、中の粒状の実は「粒」で数えます。
どうりょくろ【動力炉】	▲基(き)	
とうるい【盗塁】	▲個、●つ、▲盗塁	「1イニングで2盗塁を決める」のように用います。1塁から2塁への盗塁を「二盗」、2塁から3塁への盗塁を「三盗」といいます。

▲＝漢語数詞〔一(いち)、二(に)、三(さん)…〕などに付く　●＝和語数詞〔一(ひと)、二(ふた)、三(み)…〕などに付く

数えるもの	数え方	数え方のポイント
どうろ【道路】	▲本、•筋、▲条	地図などで指し示したり、道順を説明する場合は道路を「本」で数えます。道筋を数える「筋」「条」を用いることもあります。 ➡道
とうろう【灯籠】	▲挺（丁）、▲基、茎	木や竹の枠に紙を張った、持ち運びのできるものは「挺（丁）」で数えます。「基」は庭園に据え付けてある置物（灯籠・石塔など）を数えます。「茎」は細長いものを数える語です。

コラム 12 COLUMN 〈「匹」と「頭」の意外なルーツ〉

　「匹」という漢字は、ふたつのものが対になっているものを表します。例えば、織物2反で「1匹」と数えたり、「匹敵」といえば、2つのものが互角であることを表します。なぜ動物を数えるのに対になっているものを表す「匹」を使うのでしょうか。

　昔、人間にとって最も身近で生活に欠かせない動物（家畜）は馬でした。荷車を引かせたり、農耕をさせたり、人間はいつも馬の背後からその姿を見てきました。当然、馬の尻を見つめる機会も多かったため、馬の尻が2つに割れていることがイメージとして強く焼きつき、2つに割れた尻の対を持つもの、そして綱に繋いで"引く"動物、という意味ともあわせ、馬を「匹」で数えました。『源氏物語』や『今昔物語集』にも馬を「匹」で数える用例が見られます。そこから、「匹」は馬だけでなく、広く生き物を数えるのに用いられるようになりました。

　一方、大形の動物を数える「頭」の歴史は意外にも浅く、夏目漱石の時代にはまだ一般には使われていませんでした。早くても明治末期から、英語の影響を受けたからだと考えられます。西洋では放牧に出した牛の数が減っていないかを確かめるために、頭数を確認することから、牛は"head"で数え、それがやがて大形の家畜一般の数え方となりました。20世紀に入り、西洋の動物学などの論文で"head"と書かれた部分が「頭」と日本語に直訳されました。それを読んだ日本人が、馬や牛のような大形の家畜が「頭」で数えるのなら、当然、他の大形の動物も「頭」で数えるべきだと考え、今日の「頭」の数え方が定着していったと考えられています。その影響で、かつては馬を数えた「匹」は、「頭」では数えられない動物を数える際に使われるように、意味の分化が起こったのです。

★＝英語数詞〔1（ワン）、2（ツー）、3（スリー）…〕などに付く　　➡より詳しい解説のある項目へ　　→関連項目などへ

数えるもの	数え方	数え方のポイント
とうろく【登録】	▲件、▲名	登録された件数は「件」、人を登録する場合は「名」で数えます。
どうろひょうしき【道路標識】	▲枚、▲本、●つ、▲基	道路に据えてある大型のものは「基」で数えます。➡標識
どうわ【童話】	▲話、●つ、▲作品	➡物語
トースター【toaster】	▲台	
トースト【toast】	▲枚、●切れ	➡パン
トーチ【torch】	▲本	→松明
トーチカ【tochka ロシア】	▲基	戦線に構築するコンクリートで出来た防御陣地のことで、「基」で数えます。
トーチランプ〈和製語〉	▲台	ガスの炎を使った携帯用のバーナーのことで、「台」で数えます。
トーテムポール【totem pole】	▲本	ある集団の中で、神聖なものとされている動植物・自然物を彫刻した柱のことで、「本」で数えます。
トートバッグ【tote bag】	▲個	手提げ袋のことで、「個」で数えます。
ドーナツ【doughnut】	▲個	
ドーナツばん【ドーナツ盤】	▲枚	中心に大きな穴があいているレコード盤の一種で、「枚」で数えます。
トーナメント【tournament】	●つ、▲回戦	トーナメントの初戦は「1回戦」、勝つと次は「2回戦」へと進みます。
ドーム【dome】	▲個、●つ	屋根付きの競技場を指す場合は「個」で数えます。「東京ドーム20個分のゴミ」 催し物会場として数える場合は「つ」「箇所」を用います。「3つのドームでコンサート開催」
	▲面、▲枚	半球状の屋根・天井を意味する場合は「面」「枚」でその数を数えます。
とおり【通り】	▲本、●筋、▲条	➡道
とかげ【蜥蜴】	▲匹	切り離したトカゲの尾は「本」で数えます。
どかん【土管】	▲本	
どき【土器】	▲点、▲個、▲口	出土品は「点」で数えます。煮炊きに使った

▲=漢語数詞〔一（いち）、二（に）、三（さん）…〕などに付く　●=和語数詞〔一（ひと）、二（ふた）、三（み）…〕などに付く

どく ▶ としょ

数えるもの	数え方	数え方のポイント
		と推測される土器は「口(こう)」でも数えます。
どく〖毒〗	★滴(てき)、★粒(つぶ)、★包(ほう)、★貼(ちょう)、★瓶(びん)	毒の形状や容器によって「滴」「粒」「包」「貼」「瓶」などで数えます。相手に毒を与える場合、慣用的に「一服盛る」といいます。
とくいさき〖得意先〗	★件、★つ、★社(しゃ)	
どぐう〖土偶〗	★体(たい)	→埴輪(はにわ)
とくてん〖特典〗	★つ、★特典	「特典」は「キャンペーン期間中は3特典おつけします」のように用います。
とくてん〖得点〗	★点、★得点(とくてん)	→点数(てんすう)
どくぼう〖独房〗	★室	
とぐろ〖塒〗	★本	
どくろ〖髑髏〗	★個	➡骨(ほね)
とげ〖刺〗	★本	
とけい〖時計〗	★個、★台、★点、★本、★面	腕時計は「個」「本」、目覚まし時計は「個」、掛け時計は「個」「台」で数えます。時計台に設置されたような大型の時計は「台」で数えます。商品としての時計は「点」で数えます。砂時計は「本」で数えます。日時計は「面」で数えます。
とけいだい〖時計台〗	★基(き)	
とげぬき〖刺抜き〗	★本	
とこぶし〖常節〗	★枚(まい)、★匹(ひき)	アワビに似た巻き貝のことで、「枚」で数えます。生物としては「匹」で数えます。 ➡貝(かい)
ところ〖所〗	★箇所(かしょ)、★つ、★所(ところ)	「所」は地位や場所を表す語です。また、古くは直接指し示すのが恐れ多い、神仏や貴人を数えた語です。
ところてん〖心太〗	★本	盛りつけたものは「杯」で数えます。
とし〖都市〗	★つ、★都市	
どしゃ〖土砂〗	★坪(つぼ)	「坪」は土木関係で慣用的に用いる土砂の体積の単位。6尺立方(約6.01m³)で「ひと坪」。
としょ〖図書〗	★冊(さつ)	➡本(ほん)

★=英語数詞〔1(ワン)、2(ツー)、3(スリー)…〕などに付く　➡より詳しい解説のある項目へ　→関連項目などへ

数えるもの	数え方	数え方のポイント
としょかん[図書館]	▲軒、●つ、▲館	文語では「館」とも数えます。
としょけん[図書券]	▲枚	
としょしつ[図書室]	●つ、▲室、●部屋	
どぞう[土蔵]	▲戸前、▲棟、●棟	「戸前」は蔵を数える語です。➡蔵
とだな[戸棚]	▲本、▲台	➡棚
とち[土地]	▲●区画、▲面、●つ	不動産の売買の単位は「区画」。登記簿の土地の区画は「筆」で数えます。「1筆の土地」
とっき[突起]	●つ、▲個、▲本	細長い場合は「本」でも数えます。
とっくり[徳利]	▲本、▲合	1本の徳利に注がれた酒の量は「1合」(180ml)を目安とします。
とって[取っ手]	▲本、▲個	
とど	▲匹、▲尾	最も成長した段階のボラのことで、「匹」「尾」で数えます。
とど[海馬]	▲頭	➡動物
どのう[土嚢]	▲個	
とばり[帳]	▲枚	区切りや隔てとする布のことで、「枚」で数えます。
とびいし[飛び石]	▲枚、▲個	伝い歩き用の石のことで、「枚」「個」で数えます。
とびぐち[鳶口]	▲本	消防士や鳶職が使う鉄製の鉤がついた棒のことで、「本」で数えます。
とびこみ[飛び込み]	▲本、▲件	飛び込み競技の競技回数は「本」、飛び込み自殺の発生数は「件」で数えます。
とびこみだい[飛び込み台]	▲台、▲基	据えてある大型の飛び込み台は「基」で数えます。飛び込み板は「枚」で数えます。
トピック[topic]	●つ、▲点、▲項目	
どひょう[土俵]	▲面	
とびら[扉]	▲枚、▲扇	「扇」は扉を意味し、古くは閉じるためのものを数えた語です。➡ドア
どびん[土瓶]	▲個	土瓶を「本」で数えることもあります。
どぶ[溝]	▲本	

▲=漢語数詞〔一(いち)、二(に)、三(さん)…〕などに付く ●=和語数詞〔一(ひと)、二(ふた)、三(み)…〕などに付く

数えるもの	数え方	数え方のポイント
どぶいた【溝板】	★枚	
とぶくろ【戸袋】	★枚	
トマト【tomato】	★個、★玉、★粒、★本、★株、★山、★袋、★箱、★●★パック	トマトの実は通常は「個」で数えますが、商品としての丸い形状を強調するために「玉」で数えることもあります。小さな実やプチトマトは「粒」でも数えます。植物として扱う場合は「本」「株」で数えます。小売単位は「山」「袋」「パック」「箱」など。
ドミノ【domino】	★個	ドミノの牌は「個」で数えます。
とめそで【留袖】	★着	➡ 着物
とら【虎】	★頭	➡ 動物
どら【銅鑼】	★枚	手に持って使うものは「挺（丁）」で数えることもあります。
ドライアイス【dry ice】	★個、★片、★塊	→ アイス → 氷
トライアル【trial】	★本、★つ、★回、★度	スポーツでの試技は「本」で数えます。試技の回数は「回」「度」で数えます。
ドライバー【driver】	★本、★挺（丁）	工具は「本」「挺（丁）」などで数えます。
ドライブイン【drive-in】	★軒、★箇所、★つ	
ドライヤー【dryer】	★台	→ ヘアドライヤー
トラクター【tractor】	★台	
ドラゴン【dragon】	★匹	➡ 竜
トラック【track】	★本	陸上競技の競走路は「本」で数えます。
トラック【truck】	★台	トラックは「台」で数えます。➡ 自動車　1台のトラックに積める荷物の量（積載量）は「車」で表します。「10車分の土砂を使用した工事」
ドラッグストア【drugstore】	★軒、★店、★店舗	➡ 薬局 ➡ 店
ドラマ【drama】	★本、★作品、★作、★話、★●★クール	1回に放映する話は「話」で数えます。連続ドラマのひと区切りの単位は、13話前後で「1クール」が目安です。
ドラム【drum】	★台、★個、★本	床に置いて演奏する楽器は「台」で数えます。

ドラムかん ▶ ドレッサー

数えるもの	数え方	数え方のポイント
		抱えて演奏するドラムは「個」「本」でも数えます。ドラムセットは「組」で数えます。 ➡ 太鼓（たいこ）
ドラムかん【ドラム缶】	▲本、▲缶（かん）	
どらやき【銅鑼焼き】	▲個	
トランクス【trunks】	▲枚（まい）	➡ 下着（したぎ） ➡ 服（ふく）
トランジスター【transistor】	▲台、▲石（せき）	電気・電子機器の回路を構成するトランジスターは「石」で数えます。
トランプ【trump】	▲枚（まい）、▲組（くみ）	カードは「枚」、53枚のセットは「組」で数えます。イギリスではトランプひと組を「1パック」といいます。 ➡ カルタ
トランペット【trumpet】	▲本	金管楽器は「本」で数えます。 ➡ 楽器（がっき）
トランポリン【trampoline】	▲台、▲面	運動用の跳躍器具のことで「台」「面」で数えます。
とり【鳥】	▲羽（わ）、▲匹（ひき）、▲翼（よく）、▲隻（せき）、●番（つがい）	鳥類は「羽」で数えます。鳥と動物を合わせて数える場合、「動物園で600頭羽（とうわ）飼育」のように数え方を並べて示すこともあります。詩的に鳥を「翼（よく）」で数えることもあります。「隻」は獲物としての鳥を数える語です。鳥の雌雄ひと組を「一番（ひとつがい）」といいます。➡ コラム⑬に関連事項（p.217）
とりい【鳥居】	▲基（き）	
とりがい【鳥貝】	▲枚（まい）、▲個	➡ 貝（かい）
とりかご【鳥籠】	▲個	「挺（丁）（ちょう）」で数えることもあります。
ドリル【drill】	▲本	電動ドリルは「台」で数えます。
	▲冊（さつ）、▲部（ぶ）	➡ ワークブック
どれい【土鈴】	▲個	
トレーナー【trainer】	▲枚（まい）、▲着（ちゃく）	➡ 服（ふく）
トレーラー【trailer】	▲台	
ドレス【dress】	▲着（ちゃく）、▲枚（まい）	➡ 服（ふく）
ドレッサー【dresser】	▲台	化粧をするための大きな鏡がついている収

▲=漢語数詞〔一（いち）、二（に）、三（さん）…〕などに付く　●=和語数詞〔一（ひと）、二（ふた）、三（み）…〕などに付く

数えるもの	数え方	数え方のポイント
		納台のことで、「台」で数えます。
トレパン	★枚(まい)	トレーニングパンツの略で、「枚」で数えます。➡服
トロールせん【トロール船】	隻(せき)、艘(そう)	トロール網（底引き網の一種）を用いて魚を捕る船のことで、「隻」「艘」で数えます。➡船(ふね)

コラム ⑬ COLUMN 〈「10羽」は「じっぱ」が正しい？〉

　「本(ほん)」などのh音で始まる助数詞は、前に来る数詞によって、例えば「1本(いっ・ぽん)」「2本(に・ほん)」「3本(さん・ぼん)」のようにh・p・bの3つの音形を取ります。h音で始まる助数詞の音変化を包括的に説明できる規則は無いため、日本語学習者にとっては習得が難しいとされます。

　その中でも、鳥を数える「羽」の読み方はしばしば議論の的になります。国語や日本語のテストの模範解答やアナウンサーが読み上げる原稿などでは、「10羽」は「じっぱ」（もしくは「じゅうわ」）、「100羽」は「ひゃっぱ」（もしくは「ひゃくわ」）、「1000羽」は「せんば」（もしくは「せんわ」）を"正しい"ものとしています。しかし、実際に鳥を声に出して数え上げてみるとどうでしょう？1羽、2羽、3羽…10羽。気がつくと我々は「10羽」を知らず知らずのうちに「じゅっぱ」と読んでいて、よほど意識をしていないと「じっぱ」という"正しい"読み方はできません。

　「羽」はもともと「は ha」で、h音の助数詞ですが、現代ではもっぱら「わ wa」となり、h音の助数詞としての認識が薄れつつあります。「羽」を「わ wa」として捉(とら)えると、例えば「1話」「2話」「3話」の「話」と同様、数に応じた音の変化は起こらず、「10羽」を「じゅうわ」と数えられます。また、「3羽」も「さんわ」とも「さんば」とも数えられますが、「さんば」は、「三羽烏(さんばがらす)」などの決まり文句で使われることが多く、「羽」をh音として捉えていた名残を示しています。加えて、現代では、数詞「10」を「ジッ」と読むという習慣は薄れつつあり、「十把一絡げ(じっぱひとからげ)」「十手(じって)」「十派(じっぱ)」「十傑(じっけつ)」などに限って「ジッ」と読む以外は、「じゅっ」という読み方へと移行する傾向が見られます。

　「10羽」の規範的な読み方は「じっぱ」（もしくは「じゅうわ」）ですが、日常で「じゅっぱ」と読んでも間違った日本語とまではいえません。

★＝英語数詞〔1（ワン）、2（ツー）、3（スリー）…〕などに付く　➡より詳しい解説のある項目へ　→関連項目などへ

トロッコ ▶ ナイフ

数えるもの	数え方	数え方のポイント
トロッコ	▲台	手押しで走る小型の貨車のことで、「台」で数えます。
ドロップ【drop】	▲個、●粒、●缶	缶入りのドロップ飴は「缶」で数えます。 ➡ キャンデー
トロフィー【trophy】	▲個、▲本	
トロンボーン【trombone】	▲本	➡ 楽器
とんカツ【豚カツ】	▲枚、●切れ、▲個、●皿、●品、●品	1枚のトンカツを切り分けたものは「切れ」で数えます。ひと口で食べられるトンカツは「個」でも数えます。料理としては「皿」「品」で数えます。 ➡ フライ
どんぐり【団栗】	▲本、▲個、●粒	ブナ科の植物の実のことで、木は「本」、実は「個」「粒」で数えます。
どんちょう【緞帳】	▲枚、●張り、▲張	➡ 幕
トンネル【tunnel】	▲本、●箇所	
どんぶり【丼】	▲個、▲杯	器として数えると「個」、料理を盛ったものとして数えると「杯」を用います。
とんぼ【蜻蛉】	▲匹	

な

数えるもの	数え方	数え方のポイント
な【菜】	▲本、●株、▲把	➡ 野菜
ないしんしょ【内申書】	▲通	
ナイター＜和製語＞	▲●試合、▲●★ゲーム	
ないてい【内定】	▲社、▲件、●つ	就職活動などで会社からもらう内定は「3社から内定をもらう」というように「社」を使います。また、「件」「つ」を用いることもあります。
ナイフ【knife】	▲本	包丁と同じ「挺（丁）」で数えることもあります。

▲＝漢語数詞〔一（いち）、二（に）、三（さん）…〕などに付く ●＝和語数詞〔一（ひと）、二（ふた）、三（み）…〕などに付く

ないよう ▶ ナゲット

数えるもの	数え方	数え方のポイント
ないよう [内容]	★つ	
なえ [苗]	★本、★株、★束	個々の苗は「本」「株」、まとまった苗は「束」で数えます。
ながいす [長椅子]	★台、★脚	➡ ベンチ
ながいも [長芋]	★本	➡ 芋
ながうた [長唄]	★曲、★番	「番」は演技や舞曲の数を数える語です。
ながぐつ [長靴]	足	→ ゴム長 ➡ 靴
なかざし [中差]	★本	箙の中に差した戦闘用の矢（征矢）のことで、「本」で数えます。
ながじゅばん [長襦袢]	★枚	➡ 着物
ながねぎ [長葱]	★本、★束、★把	➡ 葱 ➡ 野菜
ながびつ [長櫃]	★棹、★合	衣服・調度を入れる長櫃は「棹」で数えます。運ぶ際に棒を通してふたりで運んだことに由来します。「合」は上のものと下のものがぴったり合うことを表し、蓋のある容器を数える語です。
ながもち [長持]	★棹、★合	衣服・調度を入れる蓋つきの長方形の箱のことで、「棹」「合」で数えます。 ➡ 長櫃
ながや [長屋]	★棟、★棟、★軒	➡ 住宅
ながれ [流れ]	★本、★筋、★つ	水の流れは「本」、煙や湯気は「筋」で数えます。「話の流れ」「時の流れ」など、流れをたとえていう場合は「つ」で数えます。
ながれぼし [流れ星]	★個、★筋、★本	星は「個」で数えます。流れ星は細長い軌跡を残すため「筋」「本」でも数えます。「夜空にひと筋の流れ星を見た」
なぎなた [長刀・薙刀]	★本、★振り、★柄	「振り」は刀剣を数える語です。「柄」は古くは柄のある器物を数え、のちに刀類や鉄砲などの武器を数えるようになった語です。 ➡ 刀
ナゲット [nugget]	★個	鶏肉や豚肉の小さな塊を揚げたもののことで、「個」で数えます。

★＝英語数詞〔1（ワン）、2（ツー）、3（スリー）…〕などに付く　➡ より詳しい解説のある項目へ　→ 関連項目などへ

なし ▶ なべしき

数えるもの	数え方	数え方のポイント
なし【梨】	▲個、●玉、▲果、▲本、●株	木は「本」「株」で数え、ナシの果実は「個」「玉」で数えます。「果」は果物を表し、果物を数える語です。　➡ 果物
なす【茄子】	▲本、●個、▲株、●袋、●山	植物としては「本」「株」で数えます。ナスの実の数え方は、その形状によって長いものは「本」、長くないものは「個」で数えます。小売単位は「袋」「山」など。
なぞ【謎】	●つ	
なたね【菜種】	●粒、▲俵	アブラナの種子で、「粒」で数えます。取引単位は「俵」です。
ナッツ【nuts】	●粒、●個、▲顆	ピーナツ・アーモンド・カシューナッツなどのナッツ類は「粒」「個」で数えます。小さいものは「顆」でも数えます。
ナット【nut】	▲個	➡ ボルト
なっとう【納豆】	●粒、▲個、▲●★パック、●箱、▲本	納豆の個々の豆は「粒」で数えます。小売単位は、容器に応じて「個」「パック」「箱」など。筒状の藁苞に包んで売られているものは「本」でも数えます。
ナップザック【Knappsackドイ】	▲個	小型のリュックサックのことで、「個」で数えます。
なつめ【棗】	▲本、●株	植物としては「本」「株」で数えます。ナツメの実は「個」で数えます。
	▲個	茶入れは「個」で数えます。
ナプキン【napkin】	▲枚、▲個	生理用ナプキンは「個」でも数えます。
なふだ【名札】	▲枚	
なべ【鍋】	▲個、▲枚、●つ、●口	形状によりますが、原則として「個」「つ」で数え、平面的なものは「枚」でも数えます。電気製品の鍋は「台」で数えることがあります。また、古くは口の広い用具を表す「口」でも鍋を数えました。　➡ 鍋料理
なべしき【鍋敷き】	▲枚	

▲＝漢語数詞〔一（いち）、二（に）、三（さん）…〕などに付く　●＝和語数詞〔一（ひと）、二（ふた）、三（み）…〕などに付く

数えるもの	数え方	数え方のポイント
なべつかみ【鍋摑み】	★枚	
なべりょうり【鍋料理】	★鍋	鍋ごと食卓に出す料理の数は「鍋」で数えます。 ➡ 料理 → 鍋
なまえ【名前】	★つ	
なまこ【海鼠】	★匹、★本	食用の場合は「本」で数えます。
なまず【鯰】	★匹	「尾」で数えることもあります。
なまハム【生ハム】	★枚、★切れ、★本	➡ ハム
なまはるまき【生春巻き】	★本	
なまりぶし【生り節】	★本	カツオを三枚に下ろして蒸したあと半乾きにしたもので、「本」で数えます。 ➡ 鰹節
なみ【波】	★つ、★波	「波」は波紋や波のように次々と押し寄せるものも数える語です。
なみだ【涙】	★筋、★粒、★掬	頬を伝う場合は「筋」で、こぼれ落ちる場合は「粒」で数えます。「滴」はあまり用いません。「掬」は両手ですくうという意で、あふれるばかりの涙を、雅語的に「一掬の涙」といいます。また、この成句はわずかな涙の意でも用います。
なめくじ【蛞蝓】	★匹	
なや【納屋】	★軒、★棟、★棟	
なやみ【悩み】	★つ	
なるこ【鳴子】	★枚、★本	引き板ともいわれ、「枚」で数えます。
なるとまき【鳴門巻き】	★本、★枚、★片、★切れ	切り口に渦巻きが見えるかまぼこのことで、切る前は「本」、切り分けたものは「枚」「片」「切れ」などで数えます。
なわ【縄】	★本、★筋、★条、★把、★束	細長いものなので「本」「筋」「条」で数えます。縄を束ねたものは「把」「束」で数えます。 → 綱
なわとび【縄跳び】	★本、回	縄跳びの縄は「本」で数えます。跳んだ回数は「回」で数えます。「二重跳び連続100回」
なわばしご【縄梯子】	★本	➡ 梯子

★=英語数詞〔1（ワン）、2（ツー）、3（スリー）…〕などに付く　➡ より詳しい解説のある項目へ　→ 関連項目などへ

ナン ▶ にげみず

数えるもの	数え方	数え方のポイント
ナン【naanヒンディー】	▲枚(まい)	インドや中近東の平焼きパンで、「枚」で数えます。
なんど【納戸】	●間、▲室、▲部屋 ➡ 部屋(へや)	
ナンバープレート【number plate】	▲枚(まい)	

に

数えるもの	数え方	数え方のポイント
にがおえ【似顔絵】	▲枚、▲点	作品としては「点」で数えます。
にきび【面皰】	▲個、●つ	
にぎりずし【握り鮨】	▲かん(貫)、▲個、●つ	握り鮨や軍艦巻きは1個で「1かん」と数えます。「1かん」で握り鮨を2個出す店もあります。玉子の握りを「ひと玉」と数える場合も。回転鮨屋では、載っている握り鮨の数に関わらず「ひと皿」と数えます。鮨桶(すしおけ)に盛られている握り鮨を「桶(おけ)」で数えることもあります。 ➡ 鮨(すし) → コラム⑨に関連項目(p.155)
にぎりめし【握り飯】	▲個、●つ	→ お握り(にぎ)
にく【肉】	▲塊(かたまり)、▲本、▲枚(まい)、●切れ、▲片(へん)	牛肉や豚肉の場合、大きな塊(かたまり)は「塊」、スペアリブなどの骨付き肉は「本」で数えます。ステーキ用やトンカツ用に切り分けたものは「枚」、ひと口大なら「切れ」「片」、薄切り肉は「枚」で数えます。鶏肉(とりにく)の場合、丸ごとは「羽」、胸肉やもも肉、ささ身は「枚」「本」、手羽などの骨付き肉は「本」で数えます。挽肉(ひきにく)(ミンチ)の小売単位は、「グラム」などの重さの単位や「パック」などを用います。
にげみず【逃げ水】	●つ	通常、数える対象ではありませんが、水溜(みずた)まりのように見えることもあるため、「つ」で数える場合もあります。

▲=漢語数詞〔一(いち)、二(に)、三(さん)…〕などに付く　●=和語数詞〔一(ひと)、二(ふた)、三(み)…〕などに付く

数えるもの	数え方	数え方のポイント
にげんきん[二弦琴]	面	➡ 琴
にこ[二胡]	挺(丁)、本	2本の弦を弓を使って演奏する中国の伝統楽器のことで、「挺(丁)」「本」で数えます。➡ 楽器
にじ[虹]	本、筋、橋	定まった数え方はありませんが、細長い光の集まりに見えるため、「本」「筋」を用いるのが一般的です。詩的に数える場合、「橋」も用います。
にしき[錦]	枚、点、坪	一般的には「枚」で数えますが、作品としては「点」で数えます。取引単位は「坪」(1坪は約9.2cm²)を用います。
にしきえ[錦絵]	枚、点、杯	作品としての錦絵は、刷り200枚で「1杯」と数えます。➡ 錦
にしめ[煮染め]	品、品、皿、鉢	料理の品数としては「品」で数えます。盛りつける器に応じて、皿に盛られていれば「皿」、鉢に盛られていれば「鉢」で数えます。
にっか[日課]	つ	
にっきちょう[日記帳]	冊	
ニット[knit]	枚	➡ セーター
ニッパー[nipper]	本、挺(丁)	手に持って扱う道具なので、「挺(丁)」でも数えます。
にふだ[荷札]	枚	
にほんしゅ[日本酒]	樽、本、パック、銘柄、升、合、斗	酒の入っている容器に応じて「樽」「本」「パック」などで数えます。酒の種類は「銘柄」で数えます。日本酒の量の単位には「升」「合」「斗」があります。1升は10合で、10分の1斗。現代の1升は約1.8リットルです。➡ 酒
にほんとう[日本刀]	本、振り、口 など	➡ 刀
にまいがい[二枚貝]	個、枚	ハマグリやアサリなどは「個」で数えますが、

★=英語数詞[1(ワン)、2(ツー)、3(スリー)…]などに付く　➡ より詳しい解説のある項目へ　→ 関連項目などへ

にもつ ▶ にんぎょ

数えるもの	数え方	数え方のポイント
		平面的なホタテなどは「枚」で数えることがあります。俗語で「貝(かい)」「貝(ばい)」と数えることもあります。 ➡ 貝(かい)
にもつ【荷物】	▲個	小型で持ち運ぶのが容易な荷物は「個」で数えます。配送業で複数個の荷物を一緒に配達する際「1個口(いっこぐち)」といいます。
	▲荷(か)、▲駄(だ)、▲梱(こり)	肩にかついだ荷物や車に積んだ荷物は「荷」で数えます。「稲3荷」天秤棒(てんびんぼう)の前後に下げる荷物は樽(たる)2本で「1荷」といいます。馬に積んだ場合は「駄」で数えます。行李(こうり)は「梱」で数えます。 　人間ひとりがかついで運べる荷物の重さをもとにした単位に「担(たん)」があります。「1担」は約60kgで、「1ピクル」と同じです。
にもの【煮物】	▲品(ひん)、●品(しな)、▲皿、●鉢(はち)	盛りつける器に応じて、皿に盛られていれば「皿」、鉢に盛られていれば「鉢」で数えます。 ➡ 料理(りょうり)
にゅうし【乳歯】	▲本	➡ 歯(は)
にゅうしょう【入賞】	▲度、▲回	➡ 優勝(ゆうしょう)
ニュース【news】	●つ、▲本、▲項目(こうもく)	ニュース項目は「つ」「本」「項目」で数えます。「今日は5本のニュースをお伝えします」
にゅうどうぐも【入道雲】	●つ、▲座(ざ)	決まった数え方はありませんが、高い山に見立てて「座」で数えることがあります。 ➡ 雲(くも)
にら【韮】	▲本、▲束(たば)、▲把(わ)	小売単位は「束」「把」などを用います。
にりんしゃ【二輪車】	▲台	
にわ【庭】	●つ、▲園	庭園は、公園などを表す「園」でも数えます。
にわとり【鶏】	▲羽(わ)	➡ 鳥(とり) ➡ 家畜(かちく)
にんき【任期】	▲年、▲期	役職などの定められた任期は「期」で数えます。
にんぎょ【人魚】	●人(り/たり)、▲人(にん)	原則として「人」で数えます。人魚と見間違えられるような大形の水中動物は「頭」で

▲=漢語数詞〔一(いち)、二(に)、三(さん)…〕などに付く　●=和語数詞〔一(ひと)、二(ふた)、三(み)…〕などに付く

にんぎょう ▶ ぬいめ

数えるもの	数え方	数え方のポイント
		数えます。→ コラム④に関連項目(p.75)
にんぎょう[人形]	▲体、●個、●人、●人	人間の形状をしているものは原則として「体」で数えますが、指人形などの小形のものは「個」でも数えます。また、人形を人間に見立てて「人」で数えることもあります。→ マネキン
にんげん[人間]	●人、●人など	➡ 人
にんじん[人参]	●本、●株	植物としては「本」「株」で数えます。根の部分は「本」で数えます。小売単位はさまざまで、束ねてあるものは「把」「束」、袋入りは「袋」、箱入りは「箱」で数えます。
にんにく[大蒜]	▲本、●株、●個、●玉、●かけ、●片、●連、●袋、▲●★ネット、●山	植物としては「本」「株」で数えます。食用となる鱗茎は丸ごとでは「個」「玉」(まれに「房」)で数えますが、料理に使用する際の内側の小球は「かけ」や「片」で数えます。小売単位は、連なっていれば「連」、その他に「袋」「ネット」「山」などがあります。
にんむ[任務]	●つ	任務の任期は「期」で数えます。「市長を2期務める」 仕事を任せることを「一任する」といいます。

ぬ

数えるもの	数え方	数え方のポイント
ぬいぐるみ[縫い包み]	▲個、●つ、▲体	通常は「個」「つ」で数えますが、人間が中に入るぬいぐるみ(着ぐるみ)は「体」で数えます。子供が、ぬいぐるみを動物として見なしている場合は「匹」で数えることもできます。
ぬいばり[縫い針]	▲本、▲匹(疋)	縫い針50本で「1匹(疋)」といいます。針の太さの単位は「番手」で表します。 ➡ 針
ぬいめ[縫い目]	●目、●針	布を縫った糸の目は「目」「針」で数えます。傷口や切開手術の縫合数も数えます。「傷口

★=英語数詞[1(ワン)、2(ツー)、3(スリー)…]などに付く　➡ より詳しい解説のある項目へ　→ 関連項目などへ

ぬか ▶ ぬんちゃく

数えるもの	数え方	数え方のポイント
		を5針縫う」
ぬか[糠]	▲樽、●袋	樽に入った糠は「樽」で数えます。糠の小売単位は「袋」など。➡糠床
ぬかづけ[糠漬け]	▲本、●切れ、▲枚	漬け込んだ野菜は「本」、切り分けた場合は「切れ」「枚」などで数えます。➡漬物
ぬかどこ[糠床]	●樽	→糠
ぬきずり[抜き刷り]	▲部	別刷りともいい、「部」で数えます。厚いものでも「冊」では数えません。
ぬけがら[抜け殻]	▲個、▲枚	セミやカニなどの抜け殻は「個」、ヘビなどの紙のように薄いものは「枚」で数えます。
ぬさ[幣]	▲枚	神前に供える紙や布のことで、「枚」で数えます。
ぬの[布]	▲枚、▲片、●巻き、▲本、●点、▲匹	布の一部や切れ端は「片」、生地店で巻かれて売られている状態では「巻き」「本」、商品や作品としては「点」で数えます。「匹」は巻いた布を数える語です。
	▲反、▲匹(疋)、●締め、●幅	布の単位にはさまざまなものがあります。布1反は、並幅で鯨尺2丈6尺または2丈8尺です。布帛2反で「1匹(疋)」、絹布10反で「ひと締め」といいます。布の幅を数えるのには「幅」を用います。「1幅」はふつう、鯨尺8寸(約30cm)ないしは1尺(約38cm)です。しばしば「三幅布団」「四幅布団」など、布団のサイズをいうときに用います。
ぬま[沼]	▲面、●つ	→池 →湖
ぬりわん[塗り椀]	▲個、●客、●口など	➡椀
ぬんちゃく	▲本、●組、●対	短い2本の棒をひもや鎖でつないだ武器のことで、ぬんちゃく棒2本で「ひと組」「1対」と数えます。

▲=漢語数詞[一(いち)、二(に)、三(さん)…]などに付く　●=和語数詞[一(ひと)、二(ふた)、三(み)…]などに付く

ね

数えるもの	数え方	数え方のポイント
ね〖根〗	★本	
ネオン〖neon〗	★本、•つ、•個、★灯	ネオン管は「本」、ネオンサインは「つ」「個」で数えます。照明器具として扱う場合は「灯」でも数えます。→ イルミネーション
ネガ	★枚	ネガティブの略で、写真の陰画は「枚」で数えます。ネガフィルムは「本」で数えます。 ➡ フィルム
ねぎ〖葱〗	★本、•束、★把	植物としては「本」で数えます。小売単位は「束」「把」など。
ネクタイ〖necktie〗	★本、•掛け	首に掛けて使用するため、「掛け」で数えることもあります。蝶ネクタイ・ロープタイは「本」で数えます。
ネクタイピン＜和製語＞	★本	
ネグリジェ〖négligéフランス〗	★枚、★着	
ねこ〖猫〗	★匹	➡ 動物
ねこぐるま〖猫車〗	★台	前輪が1個の、土砂などを運ぶ荷車のことで、「台」で数えます。
ねじ〖螺子〗	★本	小さいものは「個」でも数えます。
ねじまわし〖螺子回し〗	★本	
ねずみ〖鼠〗	★匹	➡ 動物
ねずみとり〖鼠取り〗	★個、★台	かごだけの単純な仕掛けなら「個」、機械仕掛けの複雑なものなら「台」でも数えます。
ネッカチーフ〖neckerchief〗	★枚	
ねつききゅう〖熱気球〗	★機、★台	→ 気球
ネックレス〖necklace〗	★本、★点、★連	ネックレスは原則として「本」で数えますが、宝石店での商品数や個人のコレクション数をいう場合は「点」を用いることもあります。真珠を連ねたひとつづきのネックレスは「連」で数え、重ねづけの数によって「2連」「3

★＝英語数詞〔1（ワン）、2（ツー）、3（スリー）…〕などに付く　➡ より詳しい解説のある項目へ　→ 関連項目などへ

数えるもの	数え方	数え方のポイント
		連」と数えます。→首飾り
ネット【net】	▲枚	➡網
ネットワーク【network】	●つ、▲局	放送網をいう場合、「局」を用います。「民間25局ネットワーク」
ねどこ【寝床】	▲床	寝る場所として数える場合「床」を用います。ベッドは「台」で数えます。➡寝具
ねまき【寝巻・寝間着】	▲枚、▲着	パジャマ・ネグリジェは「着」「枚」、浴衣類は「枚」で数えます。上下揃いのものは「組」でも数えます。➡服
ねんがじょう【年賀状】	▲通、▲枚	年賀状の販売数・作成数・受け取り数を、紙として数える場合は「枚」を用います。単なる紙ではなく、便りとして数える場合は「通」を用います。➡葉書
ねんごう【年号】	▲元	「元」は政治を執り行う天子が在世する期間を表す語で、転じて年号を表します。「一世一元」
ねんしょ【念書】	▲通、▲枚	
ねんど【粘土】	●塊、▲片、▲個	粘土の量・形状によって「塊」「片」「個」などで数えます。粘土で作った作品は「点」でも数えます。
ねんどべら【粘土篦】	▲本	
ねんねこ	▲枚	ねんねこ半纏の略で、「枚」で数えます。
ねんりん【年輪】	●重、▲重、▲本	年輪は重なりながら増えていくので、「重」で数えます。年輪の木目を数える場合は「本」でも数えます。
ねんれい【年齢】	▲歳、●つ	原則として「歳」を用いますが、9歳以下の子供には「つ」を用いることがあります。「子供はまだ4つ」 20歳は「はたち」または「にじっさい」と読みますが、「はたち」には年齢を表すことに加え、「成人」の意味も含まれます。

▲=漢語数詞〔一（いち）、二（に）、三（さん）…〕などに付く　●=和語数詞〔一（ひと）、二（ふた）、三（み）…〕などに付く

数えるもの	数え方	数え方のポイント
	★個	会話などにおいて、わずかな年齢差をいう場合に「2個上」「1個下」と、「個」を用いることがあります。「父は私より30個上」のように、年齢差が大きい場合にはあまり用いません。
	•回り	「回り」は12年を単位として年齢を数える語です。「兄とはひと回り(12歳)違う」
	•代	「代」は10年を単位に年齢や年数の範囲を表す語です。「60代後半」
	•路	「路」は10年を単位として年齢を数える語です。たとえば30代・40代・50代・60代を「三十路」「四十路」「五十路」「六十路」といいます。70代以上にはあまり用いません。

の

数えるもの	数え方	数え方のポイント
のう【能】	★番、★手、•差し	「番」は舞曲の数を数える語です。「差し」は、日本の舞を数える語です。「手」は舞や能などで、一連の動きや技を数える語です。
のう【脳】	★個、•つ	
のうか【農家】	★軒	
のうぐ【農具】	★挺(丁)、★台	鋤や鍬は、手に持って使う用具を数える「挺(丁)」で、コンバインなどの農機類は「台」で数えます。➡用具
のうめん【能面】	★枚、★面など	➡面
ノート【note】	★冊	古くは、折り本や帳面を数える「帖」を用いました。→帳面
ノギス【Nonius ドイ】	★本	物を挟んで厚さを測定する器具のことで、「本」で数えます。
のこぎり【鋸】	★本、★挺(丁)、★枚	電動のこぎりは「台」で数えます。

★=英語数詞〔1(ワン)、2(ツー)、3(スリー)…〕などに付く　➡より詳しい解説のある項目へ　→関連項目などへ

のしあわび ▶ のりもの

数えるもの	数え方	数え方のポイント
のしあわび【熨斗鮑】	▲枚	薄く剝いだアワビの肉を長く伸ばして干したもので、「枚」で数えます。束ねたものは「束」「把」でも数えます。
のしいか【伸し烏賊】	▲枚	➡ 烏賊 → 鯣
のしがみ【熨斗紙】	▲枚	
のしぶくろ【熨斗袋】	▲枚、●封	
のしもち【伸し餅】	▲枚	➡ 餅
ノズル【nozzle】	▲本	形状によっては「個」も用います。
ノブ【knob】	▲本、▲個	ドアノブは形に応じて数え分けます。
のべざお【延べ竿】	▲本	1本の竹で作った釣り竿のことで、「本」で数えます。
のべぼう【延べ棒】	▲本	
のぼり【幟】	▲旒、●流れ、▲本	幟を棹につけたことから、「棹」で数えることもあります。
のみ【蚤】	▲匹	
のみ【鑿】	▲挺（丁）、▲本	手に持って扱う工具なので、「挺（丁）」で数えます。
のり【海苔】	▲枚、●袋、▲帖、●箱、●缶、▲●パック	切り分けていない海苔は「全形1枚」といいます。10枚で「1帖」です。小売単位は「袋」を始めとして、容器に応じて「箱」「缶」「パック」などを用います。
のり【糊】	▲本、●個	スティック糊やチューブ糊は「本」で数えます。袋入りのものは「袋」でも数えます。
のりまき【海苔巻き】	▲本、●切れ、▲個	切り分ける前のものは「本」、切り分けたものは「切れ」「個」で数えます。 ➡ 鮨
のりもの【乗り物】	▲台、▲両、▲機、▲隻、▲艘	原則として、人や物を載せるもの、車輪があり、人力や動力で道路を走行するものは「台」で数えます。線路を走行するものは「両」、空を飛行するものは「機」、水路を航行するものは「隻」「艘」などでそれぞれ数えます。エスカレーター・エレベーターのように建物

▲=漢語数詞〔一（いち）、二（に）、三（さん）…〕などに付く　　●=和語数詞〔一（ひと）、二（ふた）、三（み）…〕などに付く

ノルマ ▶ バーコード

数えるもの	数え方	数え方のポイント
		の中に据えてあるものは「基」で数えます。 → 詳しくは各項目を参照
ノルマ【norma ロシ】	★件、•つ、★本	営業活動などでこなさなければならないノルマは主として「件」で数えます。場合によっては「つ」「本」で数えることがあります。
のれん【暖簾】	★枚、•垂れ、★点	幕や暖簾など、垂らして使うものは「垂れ」で数えます。
のろし【狼煙】	•筋、★本	

は

数えるもの	数え方	数え方のポイント
は【歯】	★本、★枚、★歯	歯は生えてくるもの、骨に類するものなどの理由から、原則として「本」で数えます。前歯は平面的なので「枚」でも数えます。入れ歯は「枚」「本」、総入れ歯は上下2枚で「ひと組」といいます。(専門的に)義歯の数は「床」で数えます。「歯」は(専門的に)欠損した歯の数を数える語です。「2歯欠損」 櫛の歯は「枚」「本」で数えます。 下駄の歯は「枚」で数えます。
は【葉】	★枚、★葉、•葉、•つ	平面的な形をしている葉は「枚」で数えます。針葉樹の葉は「本」で数えます。「最後の{一葉｜一葉}」のように、「葉」「葉」で数えることもあります。ひとつの軸から出ている葉の数は「三つ葉」「四つ葉」のように、「つ」で数えます。
バー【bar】	★本 ★軒、★店、★店舗	→ 棒 酒場の意では「軒」「店」「店舗」で数えます。
パーカ【parka】	★枚	上着として着る場合は「着」でも数えます。 ➡ 服
バーコード【bar code】	•つ、★個、★枚	商品についているバーコード部分を切り取っ

★＝英語数詞〔1（ワン）、2（ツー）、3（スリー）…〕などに付く　➡ より詳しい解説のある項目へ　→ 関連項目などへ

パーコレーター ▶ バイオリン

数えるもの	数え方	数え方のポイント
		て懸賞の応募券として使う場合は「枚」で数えます。「2枚のバーコードを送る」
パーコレーター【percolator】	▲台	濾過装置のついたコーヒー沸かし器のことで、「台」で数えます。
ハードル【hurdle】	▲台、▲個、●つ	陸上競技で飛び越えるハードルの数は「台」「個」で数えます。越えなくてはいけない障害にたとえて数える場合は「つ」を用います。
ハーブ【herb】	▲本、●株	➡香草
ハープ【harp】	▲台	床に置いて演奏する楽器のため、「台」で数えます。 ➡楽器
バーベキュー【barbecue】	▲本	串に刺したバーベキューは「本」で数えます。調理をするバーベキュー用の炉は持ち運びができれば「台」、据え付けてあれば「基」で数えます。
バーベル【barbell】	▲本	→ダンベル
ハーモニカ【harmonica】	▲本	
パール【pearl】	●粒、▲個	➡真珠
パイ【牌】	▲枚	マージャンの牌は「枚」で数えます。 ➡マージャン
パイ【pie】	▲台、▲個、●切れ	丸ごとのパイは「台」「個」、切り分けたものは「切れ」「個」で数えます。生地の層の数は「層」で数えます。「64層のパイ生地」 ➡焼き菓子
バイオリン【violin】	▲挺（丁）、▲本、●つ	バイオリンは弓で弾く楽器のため、弓を数える「挺（丁）」を用いて数えます。オーケストラの中のバイオリン（奏者）は「本」で数えます。バイオリンだけで演奏することを「バイオリン1本で演奏する」ということがあります。演奏の中で登場するバイオリンの数は「つ」でも数えられます。「3つのバイオリンのための協奏曲」 ➡楽器

▲＝漢語数詞〔一（いち）、二（に）、三（さん）…〕などに付く　●＝和語数詞〔一（ひと）、二（ふた）、三（み）…〕などに付く

数えるもの	数え方	数え方のポイント
はいかき【灰掻き】	★本	
はいく【俳句】	★句	「句」は連句・俳諧の作品を数える語です。
バイク【bike】	★台	モーターバイク・マウンテンバイクなどの二輪車は「台」で数えます。
はいざら【灰皿】	★個、★枚	平面的なものは「枚」で数えます。駅の喫煙所に備え付けられているような大型の灰皿は「台」でも数えられます。ポケット灰皿は「個」で数えます。
ばいてん【売店】	★軒、★店、★店舗	➡ 店
パイナップル【pineapple】	★株、★個、★本、★切れ	植物としては「株」で数えます。パイナップルの実は一般的に「個」で数えますが、まれに「本」で数えることもあります。スライスされたものは「切れ」で数えます。
バイパス【bypass】	★本	➡ 道
ハイヒール＜和製語＞	★足	→ パンプス
パイプ【pipe】	★本	喫煙具のパイプ、管は共に「本」で数えます。
パイプライン【pipeline】	★本	
バイブレーター【vibrator】	★台	
バインダー【binder】	★冊	綴じ込み用の用紙は「枚」、穴の数は「穴」で数えます。「26穴バインダー」→ ファイル
ハウス【house】	★軒	➡ 家
はえ【蠅】	★匹	
はえたたき【蠅叩き】	★本	
はおり【羽織】	★枚、★領	「領」は襟のことで、襟を持って衣を数えたことから、羽織・打ち掛け・裃裟などを数える語です。 ➡ 着物
はか【墓】	★基	墓石も「基」で数えます。古墳やピラミッドなどの大形の墓も「基」で数えます。墓標は「本」でも数えます。
はがき【葉書】	★枚、★通、★葉	葉書は「枚」で数えますが、葉書で届いた便りを数える場合は「通」、思い入れのある葉

★＝英語数詞〔1（ワン）、2（ツー）、3（スリー）…〕などに付く　➡ より詳しい解説のある項目へ　→ 関連項目などへ

数えるもの	数え方	数え方のポイント
		書を詩的に表現したい場合は「葉」で数えることもあります。相手が葉書でさえも連絡をよこさない場合に「葉書1本よこさない」のように、「本」で表現することがあります。
はかま【袴】	▲枚、▲具、●具、よう腰、こし腰	古くは衣服・器具などを数える「具」、腰の位置で締め上げる衣類を数える「腰」を用いました。現在は多く「枚」で数えます。
はかり【秤】	▲台	天秤・台秤・竿秤・皿秤・ぜんまい秤など、秤類は一様に「台」で数えます。
バギー【buggy】	▲台	ベビーバギー・サイドバギーなどは「台」で数えます。
はきもの【履物】	●足	➡靴
ばぐ【馬具】	●揃い、●組、く具、●具、せ背、▲本、●足、●掛け、こう口	馬具一式は「ひと揃い」「ひと組」といいます。鞍は「具」「背」、はみと手綱は「本」、鐙は「具」「足」「掛け」でそれぞれ数えます。「口」は馬などの家畜を表したことから転じて、馬につける鞍や轡を数える語です。
バグ【bug】	▲個	コンピューターのプログラムに含まれる誤り（「虫」が原義）のことで、「個」で数えます。
はくげきほう【迫撃砲】	▲門	「門」は大砲を数える語です。
はくさい【白菜】	▲株、▲個、▲枚、●束	植物としては「株」で数えます。野菜としての白菜は「個」、まれに「玉」で数えます。葉は「枚」で数えます。白菜が複数束ねられていれば「束」で数えます。
はくせい【剥製】	▲体、▲点、▲匹、▲頭	動物の標本は原則として「体」で数えますが、「点」でも数えます。生きている様子のまま再現・展示している剥製の場合は動物を数える「匹」「頭」を用いることもあります。
ばくだん【爆弾】	▲発、▲個	
ばくちく【爆竹】	▲本	
はくぶつかん【博物館】	▲軒、▲館	文語では「館」で数えることがあります。

▲＝漢語数詞〔一（いち）、二（に）、三（さん）…〕などに付く　●＝和語数詞〔一（ひと）、二（ふた）、三（み）…〕などに付く

数えるもの	数え方	数え方のポイント
はくぼく[白墨]	★本、★片(へん)	➡ チョーク
はぐるま[歯車]	★枚(まい)	小さいものは「個」、「会社組織の歯車」のようにたとえている場合は「つ」で数えます。
はけ[刷毛]	★本	
バケツ	★個、★杯(はい)	容器は「個」で数えます。バケツにくんだ水などの分量は「杯」で表します。
バケット[bucket]	★台	起重機の先につけて土砂をすくい取る道具のことで、「台」で数えます。
バゲット[baguette フランス]	★本、•切れ	➡ パン
ばけん[馬券]	★枚(まい)、★本、•口(くち)、★片(へん)	馬券の紙は「枚」で数えます。当たり馬券は「本」でも数えます。「万馬券7本的中」馬券の賭け数は「口」で数えます。はずれた馬券はただの紙切れなので「片」でも数えます。
はこ[箱]	★個、•箱(はこ)、•折(おり)、•合(ごう)	箱は「個」「箱」で数えます。折り箱は「折」、蓋(ふた)のある箱は「合」でも数えます。折りたたんだ段ボール箱は「枚」で数えます。
はごいた[羽子板]	★枚(まい)	羽子板は「枚」で数えます。商品・作品としては「点」でも数えます。羽根(はね)は「本」「個」で数えます。
はごろも[羽衣]	★枚(まい)	
はさみ[鋏]	★挺(丁)(ちょう)、★本	鋏(はさみ)はかつては「挺(丁)」で数えましたが、最近では「本」で数えることが多いようです。
はし[箸]	★本、★膳(ぜん)、•揃(そろ)い、•組(くみ)、★具(ぐ)	箸2本で「1膳」「ひと揃い」と数えます。火箸・菜箸は食事用ではないので「膳」では数えず、2本で「ひと揃い」「ひと組」「1具」といいます。割り箸は「膳」で数えますが、未使用のものは「本」でも数えます。
はし[橋]	★本、★基(き)、★橋(きょう)	河川に架けられた橋を数える場合は「本」、建造物として橋を数える場合は「基」を用います。
はしけ[艀]	★艘(そう)	艀船(はしけぶね)のことで、「艘」で数えます。 ➡ 船(ふね)

★=英語数詞[1(ワン)、2(ツー)、3(スリー)…]などに付く　➡ より詳しい解説のある項目へ　→ 関連項目などへ

数えるもの	数え方	数え方のポイント
はしげた【橋桁】	▲本	
はしご【梯子】	▲台、▲本、▲挺(丁)	高い所へ上がるための木製・金属製のはしごは「台」「本」、縄ばしごは「本」で数えます。道具として数える場合は「挺(丁)」も用います。一夜に連続して飲み屋を飲み歩く場合は立ち寄った店を「軒」で数えます。
はしごしゃ【梯子車】	▲台	
はしばこ【箸箱】	▲個	
ばしゃ【馬車】	▲台、▲両	馬車は「台」で数えます。「両」は台の両側に車輪がついているものを数える語です。
パジャマ【pajamas】	▲着、●組、●枚	上下一揃いのパジャマは「着」「組」、上衣・下衣はそれぞれ「枚」で数えます。
ばしょ【場所】	●所、●つ、●箇所	1か所に集まることを「ひと所に集まる」といいます。
はしら【柱】	▲本、▲茎、●つ	建造物を支える柱は「本」で数えます。「議論の柱」のように柱をたとえていう場合は「つ」で数えます。「茎」は細長く立つものを雅語的に数える語です。
バス【bus】	▲台、▲本、▲便	乗り物としては「台」で数えます。運行数は「本」「便」で数えます。「本」は路線バスが1時間にどれだけ運行されているかを数えるのに用い、「便」は観光バスや長距離バスが、1日・1週間などの時間枠内でどれくらい運行されているかを数えるのに用います。バスの運行区画は「区」「区画」で数えます。 →バス停　目的地までに車やバスでかかる時間を「車分」で表します。バスは700m/分が目安で、7キロは「10車分」となります。
バズーカほう【バズーカ砲】	▲門、▲本	「門」は大砲を数える語です。
バスケット【basket】	▲個、●つ	→籠
パスタ【pasta伊】	▲本、▲個、▲枚	形状によって数え方が異なります。スパゲッ

▲=漢語数詞〔一(いち)、二(に)、三(さん)…〕などに付く　●=和語数詞〔一(ひと)、二(ふた)、三(み)…〕などに付く

バスてい ▶ はち

数えるもの	数え方	数え方のポイント
		ティは「本」、マカロニは「個」、ペンネは「本」「個」、ラビオリは「枚」で数えます。
バスてい[バス停]	•つ、•箇所、•駅、▲本	バスの停留所は「つ」「箇所」「駅」などで数えます。バス停の標示板は「本」で数えます。
パスポート[passport]	▲冊、▲通	冊子として数えると「冊」を用いますが、身元証明書として数える場合は「通」を用います。
バスローブ[bathrobe]	▲枚、▲着	
パスワード[password]	•つ、▲個	
パソコン	▲台	パーソナルコンピューターの略で、「台」で数えます。
はた[旗]	▲本、▲枚、•流れ、▲旒、▲棹	旗はポールに掲げられると「本」で数えます。1本のポールに複数の旗が掲げられた場合は「枚」で数えます。古くは「流れ」「旒」「棹」などでも数えました。
バター[butter]	▲箱、個、•塊、▲片	小売単位は「箱」「個」を用います。調味などに使う際は「塊」「片」などで分量の目安を表します。➡ マーガリン
パター[putter]	▲本	
パターン[pattern]	•つ、▲種類、▲•★パターン	「ワンパターン」は変化のないつまらないさまを表します。
はたき[叩き]	▲本	
はだぎ[肌着]	▲枚	➡ 下着
はたけ[畑]	▲枚、▲面	「枚」は区切ったり切り取ったりした部分を数える語で、「畑1枚(1区画)」といいます。「面」は表面で生産を行う田畑を数える語です。➡ 田
はたご[旅籠]	▲軒	近世、宿駅に置かれた食事つきの宿屋のことで、「軒」で数えます。
はたざお[旗竿]	▲本	➡ 旗
はち[鉢]	▲枚、個、▲口、鉢	食器としては「枚」「個」「口」「鉢」、鉢に盛られた料理は「品」「鉢」で数えます。植木鉢のよ

★=英語数詞〔1(ワン)、2(ツー)、3(スリー)…〕などに付く ➡ より詳しい解説のある項目へ → 関連項目などへ

はち ▶ はつどうき

数えるもの	数え方	数え方のポイント
		うに植物を植える容器は「個」「鉢」、植物が植えられた鉢物は「鉢」で数えます。
はち【蜂】	▲匹	ハチの巣は「個」で数えます。ハチが刺した回数は「刺し」で数えます。「ハチのひと刺し」
ばち【撥】	▲本、▲挺(丁)	撥2本で「ひと組」と数えます。手に持つものなので「挺(丁)」でも数えます。
はちまき【鉢巻き】	▲本	まれに「頭」で数えることもあります。
はちゅうるい【爬虫類】	▲匹、▲頭	通常は「匹」で数えますが、ワニや恐竜などの大形の爬虫類になると「頭」でも数えます。希少な個体や人間に脅威を与えるものはその大きさに関わらず、「頭」で数えます。ヘビは大きさに関わらず「匹」で数えます。
ぱちんこだい【ぱちんこ台】	▲台	
バッグ【bag】	▲個、▲点	商品としては「点」で数えます。 ➡ 鞄
パック【pack】	▲個、▲枚、●箱	商品を包装するための包みや小箱は「個」「枚」「箱」で数えます。顔に塗布する基礎化粧品のパックは「枚」で数えます。
バックミラー〈和製語〉	▲面、▲個、▲本	「面」は鏡を数える語です。バックミラーの設置数は「個」で数えます。 ➡ ミラー
バックル【buckle】	▲個	
はっけん【白鍵】	▲鍵、▲本	➡ 鍵
バッジ【badge】	▲個、▲枚	薄型のバッジは「枚」でも数えます。
ばった【飛蝗】	▲匹	
パッチワーク【patchwork】	▲枚	作品としては「点」でも数えます。
バッテリー【battery】	▲組	蓄電池は「組」で数えます。 ➡ 電池
はつでんき【発電機】	▲基	小型のものは「台」でも数えます。
バット【bat】	▲本	
バット【vat】	▲枚、▲個	料理や調合に使う薄型の容器のことで、「枚」で数えます。
パッド【pad】	▲枚	
はつどうき【発動機】	▲台、▲基、●発	➡ エンジン

▲=漢語数詞〔一(いち)、二(に)、三(さん)…〕などに付く　●=和語数詞〔一(ひと)、二(ふた)、三(み)…〕などに付く

数えるもの	数え方	数え方のポイント
はっぴょう【発表】	★件、•つ、★回、★度	発表件数は「件」「つ」、発表回数は「回」「度」で数えます。→ プレゼンテーション
パトカー	★台	パトロールカーの略で、「台」で数えます。
バトン[baton]	★本	
はな【花】	★輪、•つ、★個、★片、•むら、★本、•束、•把、•枝、★朶	車輪の形にも似た、丸く花びらを広げる花は「輪」で数えます。1本の茎に複数咲く花は「つ」「個」、小花は「片」、群をなして咲く花は「むら」でも数えます。切り花は「本」、束ねると「束」「把」でも数えます。「枝」は花のついた枝を数える語です。「朶」は木の枝が垂れ下がるという意味で、枝についた花のかたまりを数える語です。「万朶の花」
はな【鼻】	•つ、★個、★本	ぬいぐるみなどにつける鼻は、丸いものは「個」、細長いものは「本」で数えます。
はなお【鼻緒】	★本	
はなげ【鼻毛】	★本	
はなし	★話、•つ	→ 物語
バナナ[banana]	★本、•株、•房	植物としては「本」「株」で数えます。バナナの実の房は「房」、房からもぎ取った実は「本」で数えます。小売単位は「房」「カット」「山」など。
はなび【花火】	★発、★本、個、★星	打ち上げ花火は「発」、家庭用小形花火は「本」「個」で数えます。「星」は（専門的に）信号弾・花火など、光って落ちるものを数える語です。「赤色3星」
はなびら【花弁・花片】	★枚、★片、★片、★弁	「片」は雪・花びら・紙吹雪などの薄くて宙に舞うほどの小さいものを数える語です。「弁」は文語で花弁を数える語です。
はなれ【離れ】	★棟、•棟	物置や手洗い所などの、住居と離して建てた建物も「棟」で数えます。

★＝英語数詞〔1（ワン）、2（ツー）、3（スリー）…〕などに付く　➡ より詳しい解説のある項目へ　→ 関連項目などへ

数えるもの	数え方	数え方のポイント
はなわ【花輪】	▲本、▲基、▲輪	首にかけるレイや花冠は「本」で数えます。開店祝いや葬儀などに贈られるものは「基」「本」「輪」などで数えます。
はなわ【鼻輪】	▲本	牛の鼻に通す金輪は「本」で数えます。
はにわ【埴輪】	▲体、▲本、▲点	人や動物の形をかたどった埴輪は「体」で数えます。細長いものは「本」でも数えます。出土品として数える場合は「点」を用います。→土偶
はね【羽・羽根】	▲枚、▲本、▲片	昆虫の羽や鳥類の翼は「枚」で数えます。鳥の羽毛は「本」「枚」「片」でも数えます。→羽毛　飛行機の翼は「翼」「枚」で数えます。また、羽根突きの羽根やバドミントンのシャトルコックは「本」で数えます。
ばね【発条】	▲本	小さいものは「個」でも数えます。→スプリング
パネル【panel】	▲枚	
パパイア【papaya】	▲本、●株、▲個	植物としては「本」「株」で数えます。果実は「個」で数えます。
はばつ【派閥】	●つ、▲派	「派」は組織の中で分かれた、立場や利害・思想を共にするグループを数える語です。
パフ【puff】	▲枚、▲個	化粧用のスポンジのことで、形状に応じて「枚」「個」で数えます。
はブラシ【歯ブラシ】	▲本	電動歯ブラシは「台」で数えます。→ブラシ
はまき【葉巻】	▲本	→タバコ
はまぐり【蛤】	▲枚、▲個、▲口	「口」は口の開いているものを数える語です。➡貝
はまや【破魔矢】	▲本	正月の縁起物で「本」で数えます。
はみ【馬銜】	▲本	はみは轡の一部で「本」で数えます。➡馬具
はみがきこ【歯磨き粉】	▲本	チューブに入っている歯磨き粉は「本」で数えます。缶入り歯磨き粉は「缶」、箱入りのものは「箱」で数えます。

▲=漢語数詞〔一(いち)、二(に)、三(さん)…〕などに付く　●=和語数詞〔一(ひと)、二(ふた)、三(み)…〕などに付く

数えるもの	数え方	数え方のポイント
ハム[ham]	塊(かたまり)、本、枚、片(へん)、切れ、パック、袋(ふくろ)、箱(はこ)	切り分ける前の状態は「塊」「本」、切り分けた後は「枚」「片」「切れ」などで数えます。小売単位は「パック」「袋」「箱」など。
ばめん[場面]	場面、シーン、カット、幕(まく)	映画やテレビドラマの場面は「シーン」「カット」などで数えます。実際あった印象的な場面を「幕」で数え、「思い出のひと幕」などといいます。
はもの[刃物]	本	
はもん[波紋]	波(は)、つ	「波」は次々と押し寄せるものを数える語です。
はやし[林]	むら	「むら」は群をなして生える樹木・草木を数える語です。→森(もり)
ばら[薔薇]	本、株(かぶ)、輪(りん)	植物は「本」「株」、花は「輪」で数えます。切り花としては「本」でも数えます。➡花(はな)
バラード[balladeフランス]	曲	
はらあて[腹当て]	領(りょう)、枚(まい)	鎧の一部で、腹をおおうものは「領」で数えます。腹巻きは「枚」で数えます。
はらがけ[腹掛け]	枚(まい)	
パラグライダー[paraglider]	機(き)	「台」で数えることもあります。
パラシュート[parachute]	枚(まい)、つ	まれに「本」でも数えます。
パラソル[parasol]	本	➡傘(かさ)
はらまき[腹巻き]	枚(まい)	
はり[針]	本、針(はり)、刺(さ)し、番、匹(疋)	運針は「ひと針」「ふた針」、針で刺す回数は「ひと刺し」「ふた刺し」で数えます。「番」は針の太さを表す単位です。縫い針50本で「1匹(疋)(いっぴき)」といいます。
はり[梁]	本	
はりいた[張り板]	枚(まい)	布や紙のしわを防ぐために張った状態にして乾かす板のことで、「枚」で数えます。
はりがね[針金]	本、番	巻いてある状態では「巻き」で数えます。「番」

バリカン ▶ パン

数えるもの	数え方	数え方のポイント
		は針金の太さを表す単位です。
バリカン	▲挺(丁)、▲台	手に持って扱う道具なので「挺(丁)」で数えます。電気バリカンは「台」で数えます。
はりこ[張り子]	●張り、▲個、▲体	「張り」は提灯など、紙を張って作ったものを数える語です。人や動物をかたどったものは「体」で数えます。
はりす[鉤素]	▲本	釣り糸の一種なので「本」で数えます。
はりやま[針山]	▲個	
バルブ[valve]	▲本	弁も真空管も「本」で数えます。
パルプざい[パルプ材]	●棚	「棚」はパルプ材を積み重ねた体積の単位です。100立方尺(長さ2尺×幅10尺×高さ5尺)で「ひと棚」といいます。
はるまき[春巻き]	▲本	
はれぎ[晴れ着]	▲枚、▲着	所有している唯一の晴れ着のことを「一張羅」といいます。この由来には、1本のろうそくを意味する「一挺蠟」から転じたという説と、「羅」が薄ごろもを表すことから来たとする説があります。
パレット[palette]	▲枚	絵の具を調色するための板のことで、「枚」で数えます。
パワーショベル【power shovel】	▲台	
ばん[晩]	●晩	
ばん[盤]	▲面、▲枚	碁や将棋などをする盤は「面」「枚」で数えます。盤で行う勝負は「局」で数えます。レコード盤は「枚」で数えます。
バン[van]	▲台	➡車
パン[pan]	▲枚、▲個	平坦な形をした炒め用鍋のことで、「枚」「個」で数えます。
パン[pão ポルトガル]	▲斤、▲枚、▲個、▲本、●切れ	「斤」はかつての食パンの量の単位で、現在はスライスする前の食パンの塊を数える語

▲=漢語数詞[一(いち)、二(に)、三(さん)…]などに付く ●=和語数詞[一(ひと)、二(ふた)、三(み)…]などに付く

はんが ▶ パンスト

数えるもの	数え方	数え方のポイント
		です。スライスした食パン・トーストは「枚」、塊から切り出したり、ちぎったりすると「切れ」でも数えます。細長いフランスパン（バゲット）などは「本」で数えます。その他の円形・楕円形のパンは「個」で数えます。
はんが〔版画〕	★枚、•点	作品としては「点」で数えます。
ハンガー〔hanger〕	★本	ハンガー掛けは「台」で数えます。
ハンカチ	★枚	ハンカチーフの略で、「枚」で数えます。
ハンググライダー〔hang glider〕	★機	
ばんぐみ〔番組〕	★本、•つ、•回、★度	制作・出演する側から番組を数えると「本」、見る側からは「つ」を用いる傾向があります。放映回数は「回」「度」で数えます。
	★番	相撲の組み合わせや演芸の出し物を数える場合は「番」を用います。
	★•*クール	テレビの連続番組のひと区切りの単位は13回前後で「1クール」が目安となります。
はんこ〔判子〕	★個、★本、★顆	「顆」は小さい丸いものを表し、印判・印章を数えることができます。 ➡ 印鑑
はんざい〔犯罪〕	★件	発生数は「件」で数えます。
はんし〔半紙〕	★枚、★束、★帖、★締め、★丸、★折	半紙20枚で「1帖」といいます。半紙10帖で「1束」、100帖（すなわち2000枚）で「ひと締め」と数えます。また、6締めで「ひと丸」とも数えます。「折」は折り重ねたもの、半紙や印刷物を数える語です。
はんしゃろ〔反射炉〕	★基	
パンスト	★枚、★足	パンティーストッキングの略で、通常は「枚」で数えますが、まれに「本」で数えることもあります。ひとつのパッケージに複数の商品が入っていることを示す際には「足」を用います。「2足入りパンスト」 → タイツ

★＝英語数詞〔1（ワン）、2（ツー）、3（スリー）…〕などに付く　➡ より詳しい解説のある項目へ　→ 関連項目などへ

はんズボン ▶ はんぽん

数えるもの	数え方	数え方のポイント
はんズボン【半ズボン】	▲枚	
ばんそうこう【絆創膏】	▲枚	救急絆創膏は「枚」で数えます。
はんだい【飯台】	▲台	食事をする台のことで「台」で数えます。
パンチ【punch】	▲発	くり出されるボクシングなどのパンチは「発」で数えます。
	▲台	紙や板に穴をあける穿孔機は「台」で数えます。あけた穴は「個」「つ」などで数えます。
パンツ【pants】	▲枚	➡下着 ➡ズボン
ばんづけ【番付】	▲枚	演芸や相撲の取組を記した番付表は「枚」で数えます。大相撲の力士の地位も「枚」で数えます。「幕内昇進まであと1枚」
パンティー【panties】	▲枚	➡下着
はんてん【半纏】	▲枚	
バント【bunt】	▲本、▲回、●つ	会話などでは「つ」で数えることもあります。バントを試みる回数は「回」で数えます。
バンド【band】	▲本	ヘアバンドは「本」で数えます。ベルトや時計のバンドも「本」で数えます。
	●組	歌番組などで演奏するグループは「組」で数えます。
ハンドバッグ【handbag】	▲個、▲点	商品としては「点」で数えます。まれに「本」で数えることもあります。
ハンドル【handle】	▲本	
ハンバーガー【hamburger】	▲個	
ハンバーグ【hamburg】	▲個、▲枚	平面的な場合は「枚」でも数えます。
パンプス【pumps】	▲足	➡ハイヒール ➡靴
パンフレット【pamphlet】	▲部、▲冊	ページ数が少なく、折り込んである程度の薄いパンフレットは「部」、雑誌のように綴じた厚いものは「冊」で数えます。
はんぺん【半平】	▲枚	豆腐を数える「丁」を用いてはんぺんを数えることもあります。
はんぽん【版本】	▲部、▲冊、▲点	書籍一般は「冊」で数えます。印刷部数は

▲=漢語数詞〔一(いち)、二(に)、三(さん)…〕などに付く　●=和語数詞〔一(ひと)、二(ふた)、三(み)…〕などに付く

数えるもの	数え方	数え方のポイント
		「部」で数えます。作品としては「点」でも数えます。
ハンマー【hammer】	★挺（丁）、★本	手に持って扱う工具なので「挺（丁）」で数えます。
ハンモック【hammock】	★枚、★本	つり下げたハンモックの数をいう場合は「本」も用います。

ひ

数えるもの	数え方	数え方のポイント
ひ【日】	★日、★日	1か月の日付をいう場合、1日は「ついたち」といい、2〜10日と20日・30日の場合は「日（か）」を用いて表すことができます。
ひ【火・灯】	★つ、★灯、★本	➡ 松明 ➡ 焚き火 ➡ マッチ
ひ【碑】	★基、★点	据えてあるモニュメントや記念碑は「基」で数えます。作品としては「点」で数えます。
ひ【樋】	★本	細長い管も、刀の刃につけた溝も「本」で数えます。
ピアス	★個、★本、★組、★対、★点	ピアスは形状に応じて「個」「本」で数えますが、ボディーピアスはもっぱら「個」で数えます。ピアスの穴の数は「ホール」「穴」で数え、「2穴ピアス」のようにいいます。商品としては「点」で数えます。 ➡ イヤリング
ピアノ【piano】	★台	持ち運びのできない大型の楽器なので「台」で数えます。ピアノだけの演奏の場合「ピアノ1本で演奏」ということがあります。 ➡ 楽器
ビーカー【beaker】	★本	➡ フラスコ
ビーズ【beads】	★粒、★個、★顆	「顆」は小さい丸いものを数える語です。
ヒーター【heater】	★台、★基	持ち運びのできる小型のヒーターは「台」で数えます。据えて使う大型のものは「基」でも数えます。

★＝英語数詞〔1（ワン）、2（ツー）、3（スリー）…〕などに付く　➡ より詳しい解説のある項目へ　→ 関連項目などへ

ビーだま ▶ ひかり

数えるもの	数え方	数え方のポイント
ビーだま〔ビー玉〕	▲個、●つ、●玉	「ビー」は「ビードロ(ガラス)」の略で、ビー玉は「個」「つ」「玉」などで数えます。
ビートばん〔ビート板〕	▲枚	水泳練習の補助に使う発泡スチロール製の板のことで、「枚」で数えます。
ピーナツ〔peanut〕	▲個、●粒	殻に入っている状態は「個」、取り出した実は「粒」で数えます。小売単位は「袋」など。 ➡ナッツ
ビーバー〔beaver〕	●匹、▲頭	➡動物
ビーフステーキ〔beefsteak〕	▲枚、●切れ、▲片	料理としては「皿」「品」などでも数えます。
ビーフン〔米粉〕	▲本、●玉、●束、●袋、▲皿、▲杯	ひとまとまりのビーフンは「玉」、束ねたものは「束」などで数えます。小売単位は「袋」など。皿に盛ったビーフンは「皿」、椀に盛ったビーフンは「杯」で数えます。
ピーマン〔piment フランス〕	▲本、●株、▲個、●袋、●山	植物としては「本」「株」で数えます。小売単位は「袋」「山」など。
ヒール〔heel〕	▲本、▲個	靴のかかとは、形に応じて「本」「個」などで数えます。
ビール〔bier オランダ〕	▲本、●瓶、●缶、▲杯、●つ、▲●ケース、●樽	缶ビールは「缶」、瓶ビールは「瓶」で数えます。缶ビールと瓶ビールをまとめて「本」でも数えます。ジョッキやグラスに注いだものは「杯」、注文する場合は「つ」も用います。酒屋が配達する単位は「ケース」。箱入りのものは「箱」、樽入りのものは「樽」でも数えます。 ➡酒
ひおうぎ〔檜扇〕	▲本、▲面	➡扇
ビオラ〔viola イタリア〕	▲挺(丁)、▲本	バイオリンと同様、弓で弾く楽器であるため、武具の弓を数える「挺(丁)」で数えます。 ➡バイオリン ➡楽器
ひかげ〔日陰〕	▲箇所、●つ	
ひがさ〔日傘〕	▲本	
ひかり〔光〕	●つ、●筋、▲本	「幅」は光線・火影などを雅語的に数える語

▲=漢語数詞〔一(いち)、二(に)、三(さん)…〕などに付く ●=和語数詞〔一(ひと)、二(ふた)、三(み)…〕などに付く

ひきがね ▶ ピザ

数えるもの	数え方	数え方のポイント
	▲幅、▲条、▲道、▲滴	です。ほのかに差し込む光を雅語的に「道」「滴」「条」で数えることもあります。
ひきがね〔引き金〕	▲本、•つ	出来事のきっかけという意味でたとえて使う場合は「つ」で数えます。
ひきだし〔引き出し〕	▲杯、▲段、▲本	事務机や食器棚などについている引き出しは「杯」で数えます。箪笥の引き出しは「本」で数えることもあります。引き出しの段数は「段」で数えます。
ビキニ〔Bikini〕	▲枚、▲着	水着の上下別々は「枚」、そろっているものは「着」で数えます。➡水着
ひきにく〔挽き肉〕	▲•★パック、•塊	➡肉
ピクルス〔pickles〕	▲本、▲枚、•切れ	スライスすると「枚」「切れ」で数えます。小売単位は「瓶」など。
ひげ〔髭〕	▲本	
ひげそり〔髭剃り〕	▲本、▲台	電気かみそりの場合は「台」で数えます。
ひご〔籤〕	▲本	細長いものなので「本」で数えます。
ひこうき〔飛行機〕	▲機	飛行機一般は「機」で数えます。ヘリコプターも「機」で数えます。交通手段としては「便」で、未確認飛行物体は「機」で数えます。「ロンドンへは1日3便」「UFOが5機飛来した」紙飛行機は「つ」で数えます。
ひこうじょう〔飛行場〕	•つ、▲箇所	→空港
ひこうせん〔飛行船〕	▲台、▲機	乗り物の一種として数えると「台」、飛行機と同じものとして数える場合「機」を用います。船の一種としてまれに「隻」で数えることもあります。→気球
ひこうてい〔飛行艇〕	▲機、▲隻	飛行機の一種として扱うと「機」、船の一種として扱うと「隻」を用いて数えます。
ピザ〔pizza イタリア〕	▲枚、•切れ	丸ごとのピザは「枚」、切り分けたものは「切れ」「枚」で数えます。小売単位は「箱」「パック」など。

★＝英語数詞〔1（ワン）、2（ツー）、3（スリー）…〕などに付く　➡ より詳しい解説のある項目へ　→ 関連項目などへ

ひざかけ ▶ ヒット

数えるもの	数え方	数え方のポイント
ひざかけ【膝掛け】	▲枚	
ひさし【庇】	▲枚	
ひじかけ【肘掛け】	▲台、▲本	和室で使う肘乗せ台は「台」、椅子についているものは「本」で数えます。
ひじき【鹿尾菜】	▲本、●株、●袋	海藻としては「本」「株」で数えます。小売単位は「袋」など。
ひしゃく【柄杓】	▲本	
びじゅつかん【美術館】	▲軒、▲館	文語では「館」で数えることがあります。
びじゅつひん【美術品】	▲点	絵画、彫刻、陶芸品などをまとめて「点」で数えます。
ビス【vis フランス】	▲本、▲個	小形のねじのことで、「本」「個」で数えます。
ビスケット【biscuit】	▲枚	➡焼き菓子
ピストル【pistol】	▲挺(丁)	➡銃
ピストン【piston】	▲本	ピストンは「本」で数えます。ピストン運動は「往復」「回」などで数えます。
ひだ【襞】	▲本	
ひたたれ【直垂】	●領	「領」は一揃いの衣装を数える語です。
ひつ【櫃】	▲架、▲合、▲棹	「架」は高くかけ渡した棒・棚を数える語です。「合」は蓋のある容器を数える語です。
ピッケル【Pickel ドイツ】	▲挺(丁)、▲本	杖の先につるはし状の金具をつけた登山用具のことで、「挺(丁)」「本」で数えます。
ひつぎ【棺】	▲基	→棺
ひっきようぐ【筆記用具】	▲本、▲個 など	➡文房具
ひつじ【羊】	▲匹、▲頭	人間よりも大きな羊は「頭」で数えます。羊の数が多く、数の把握が必要な場合は「頭」よりも「匹」の方が用いられます。眠れない夜には「羊が1匹、羊が2匹…」と数え、「羊が1頭、羊が2頭…」とはふつう数えません。羊の群れは「群れ」「群」で数えます。
ヒット【hit】	▲本、▲発、▲安打、▲打、●つ	野球の安打は原則として「本」「安打」で数えます。「今日の成績は5打数1安打」 試合

▲=漢語数詞〔一(いち)、二(に)、三(さん)…〕などに付く　●=和語数詞〔一(ひと)、二(ふた)、三(み)…〕などに付く

数えるもの	数え方	数え方のポイント
	★件	の行方を左右するヒットは「発」で数えることもあります。ヒットが出れば逆転の場面を「1打逆転の場面」と、「打」を用いて表します。ヒットはホームランとは異なり、「第〇号」とは言わず、累積数を「本」で数えます。「2000本安打達成」→ 安打 → ホームラン インターネットのサイトのヒット（アクセス）数は「件」で数えます。
ビデオテープ【videotape】	★本、★巻(かん)	何も録画されていないビデオテープは「本」で数えます。ビデオテープに映画や番組などが録画されて商品・作品として扱われている場合は「巻」で数えます。「上下2巻のビデオ映画」「巻」は続き物の作品を区分けした際に、その1つ1つを数える語です。 ➡ テープ
ひと【人】	★人(り/たり)、★人(にん)	人数は「1人」「2人(ふたり)」「3人(さんにん)」「4人(よにん)」…のように数えます。
	★名(めい)	参加者数・定員数・合格者数・卒業者数など、リストとして名前を書き出すことができる人数は「名」で数えます。「卒業生315名」
	★氏(し)	個人名を挙げた後、それらに敬意をこめて数えるときに「氏」を用います。「3氏を候補者として推薦」
	★方(かた)	「方」は「お」を伴って、人を丁寧に数える語です。「おふた方ご出席」
	★口(くち)	「口」は特に同じ職業や立場の人をまとめて数える際に用いる語です。「講師20口」
	★個、★体(たい)、★頭(ず)	古くは人を「個」「体」「頭」でも数えました。「1個の人間」の「個」は「己」とも書きます。
ひとえ【一重】	★枚(まい)	➡ 着物(きもの)
ひとで【海星】	★匹(ひき)、★個	生物としては「匹」、水揚げされたものは「個」

★＝英語数詞〔1（ワン）、2（ツー）、3（スリー）…〕などに付く　➡ より詳しい解説のある項目へ　→ 関連項目などへ

ひな ▶ ビューロー

数えるもの	数え方	数え方のポイント
		で数えます。
ひな【雛】	▲羽	➡鳥
ひなにんぎょう【雛人形】	▲体、▲組、▲対、▲具、●揃い、●飾り、▲段、▲点	それぞれの人形は「体」で数えます。御内裏様と御雛様のペアは「組」「対」、道具一式は「具」「揃い」「飾り」で数えます。段飾りの段数は「段」で数えます。「雛人形八段飾り」 商品としては「点」でも数えます。 ➡人形
ひのし【火熨斗】	▲挺（丁）	金属製の器に炭を入れて使うアイロンのことで「挺（丁）」で数えます。 ➡アイロン
ひのみやぐら【火の見櫓】	▲基	
ひばし【火箸】	▲本、●揃い、▲組、▲具、●具	火箸2本で「ひと揃い」「ひと組」「1具」「ひと具」と数えます。箸の一種ですが、食事をする道具ではないので「膳」では数えません。 ➡箸
ひばしら【火柱】	▲本、●つ	
ひばち【火鉢】	▲本、▲対	ふたつ揃いの火鉢は「1 対」と数えます。
ひばな【火花】	▲本、●筋、●つ	
ひび【罅】	●筋、▲本	細長いひびは「筋」「本」で数えます。 ➡亀裂
ひふ【皮膚】	▲枚	
ピペット【pipette】	▲本	実験に使う細長いスポイト状の器具のことで、「本」で数えます。
ひも【紐】	▲本、●筋、▲条、●束、●巻き	ひもをまとめたものは「束」「巻き」などで数えます。
ひゃっかてん【百貨店】	▲店、▲軒	大型店舗は「軒」よりも「店」で数える傾向があります。
ひやむぎ【冷麦】	▲本、●把、●束、●箱、●袋	ばらばらにした麺は「本」、束ねると「把」「束」で数えます。小売単位は「箱」「袋」など。
ビューラー	▲本	睫をカールさせる道具のことで、「本」で数えます。
ビューロー【bureau】	▲台、▲本、▲脚	引き出し付きの事務机のことで「台」で数えますが、「本」や「脚」で数えることもあります。

▲=漢語数詞〔一(いち)、二(に)、三(さん)…〕などに付く　●=和語数詞〔一(ひと)、二(ふた)、三(み)…〕などに付く

ひょう ▶ びょうぶ

数えるもの	数え方	数え方のポイント
	つ、部局、部、課	官庁などの局・部・課のことで「つ」「部局」「部」「課」などで数えます。
ひょう[票]	枚、票	札・紙切れ・伝票は「枚」で数えます。選挙で得た票数は「票」で数えます。「1万票差で当選」
びょう[廟]	基、宇	墓の一種なので「基」で数えます。チベット・モンゴルでラマ教の寺は「宇」で数えます。
びょう[鋲]	本、個	短いものは「個」でも数えます。
びょういん[病院]	軒、院	文語で複数の病院をまとめて数える場合は「院」も用います。 → 診療所
ひょうか[評価]	点、段階、ランク	点数は「点」で示します。何段階かに分けた評価は「段階」「ランク」で表します。
ひょうご[標語]	言、言、句、フレーズ	短いものは「言」、文章になっているものは「文」、俳句の形式にのっとっている場合は「句」でも数えます。 → キャッチフレーズ → コピー
ひょうさつ[表札]	枚	
ひょうし[拍子]	拍、拍子	
ひょうしき[標識]	枚、本、つ、基	道路に据え付けてあるものは「基」でも数えます。
ひょうしぎ[拍子木]	本、組、対	拍子木2本で「ひと組」「1対」といいます。
ひょうたん[瓢箪]	本、株、個、瓢	植物としては「本」「株」で数えます。ヒョウタンの実は「個」「本」などで数え、雅語的に数えるときは「瓢」を用います。実を容器に加工したものは「個」「本」で数えます。
びょうとう[病棟]	棟	➡ 病院
びょうぶ[屏風]	帖、架、枚、扇、局、双、隻、点	「帖」「架」は屏風を数える語で、「枚」と同じ意味です。「扇」「局」で数えることもあります。「双」はふたつのものが対となって機能するものを数えます。屏風の片方を「半双」または「1隻」といいます。芸術作品・商品と

★=英語数詞〔1(ワン)、2(ツー)、3(スリー)…〕などに付く　➡ より詳しい解説のある項目へ　→ 関連項目などへ

ひらいしん ▶ びん

数えるもの	数え方	数え方のポイント
		しては「点」でも数えます。屏風を折りたたんだときの面の数を「曲」で数え、「六曲一双の屏風」のようにいいます。
ひらいしん【避雷針】	▲本	
ひらき【開き】	▲枚	魚の干物で開いたものは「枚」で数えます。
ピラミッド【pyramid】	▲基	墓の一種なので「基」で数えます。ピラミッド形の物体は「個」で数えます。 ➡墓
ひらめ【平目】	▲匹、▲尾、▲枚	生きているものは「匹」で数えますが、水揚げされたものは「尾」、その平面的な形から「枚」でも数えます。 ➡魚
ビリヤード【billiards】	▲●★ゲーム	ビリヤードの試合は「ゲーム」で数えます。ビリヤードの玉は「個」、棒（キュー）は「本」、卓は「台」「面」、ポケットは「個」で数えます。
ひりょう【肥料】	●袋、●叺	「叺」は藁で作った袋のことで、肥料の取引単位です。
ビル	▲棟、▲軒、▲本	小規模なものは「軒」で数えます。超高層ビルなど、遠くから細長く見えるものは「本」でも数えます。 ➡建物
ピル【pill】	▲錠、●粒	➡薬 ➡錠剤
ひれ【鰭】	▲枚、▲基	鰭を魚の体に据えてあるものと捉え、雅語的に「基」でも数えます。
ひろま【広間】	●間	「間」は建物の中の仕切られた空間をいうのに用いる語です。 ➡部屋
びわ【枇杷】	▲本、●株、▲個	植物としては「本」「株」で数えます。果実は「個」で数えます。 ➡果物
びわ【琵琶】	▲面	琴や琵琶のような弦楽器は「面」で数えます。まれに「挺（丁）」で数えることもあります。 ➡楽器
びん【便】	▲本、▲便	交通の便は「本」「便」で数えます。「駅へのバスは1時間に3本」「ロスへ毎日2便運行」
びん【瓶】	▲本、▲個、▲瓶	ビール瓶のように口の狭い瓶は「本」で数え

▲=漢語数詞〔一（いち）、二（に）、三（さん）…〕などに付く　●=和語数詞〔一（ひと）、二（ふた）、三（み）…〕などに付く

ピン ▶ ファックス

数えるもの	数え方	数え方のポイント
		ます。ジャムを入れるような背の低い瓶は「個」でも数えます。花瓶は形状に応じて「本」「個」などで数えます。 ➡ 容器
ピン【pin】	★本	ネクタイピンやヘアピン、ボウリングの標的のピンも「本」で数えます。ゴルフのホールにさす目印の旗ざおも「本」で数えます。
ピンセット【pincetフランス】	★本	
びんせん【便箋】	★枚、★冊、•束	小さい便箋は「葉」でも数えます。便箋の小売単位は「冊」「束」など。
ピンポンだま【ピンポン玉】	★個、★球	

ふ

数えるもの	数え方	数え方のポイント
ふ【麩】	★個、★枚、•袋	形状に応じて「個」「枚」で数えます。小売単位は「袋」。連なったものは「連」でも数えます。
ファー【fur】	★枚、★点	毛皮のことで「枚」で数えます。商品としては「点」でも数えます。
ファイバー【fiber】	★本、•筋、•片	繊維の数は「本」「筋」などで数えます。細かいものは「片」でも数えます。
ファイル【file】	★冊、★個、•つ	書類を綴じる文具のファイルは「冊」で数えます。パソコン上で取り扱うファイルは「個」「つ」で数えます。
ファウル【foul】	★度、★回、★個、•つ	スポーツでのファウル(反則)は「度」「回」で数えます。野球のファウルボールは「回」「個」「つ」で数え、「本」では数えません。または投手の投げた球数を「3球続けてファウル」などと数えます。
ファゴット【fagottoイタリア】	★本	木管楽器は「本」で数えます。 ➡ 楽器
ファスナー【fastener】	★本	
ファックス【fax】	★台、•通、★件	機械は「台」、送受信した文書は「通」「件」で数えます。やりとりした文書の枚数は「ペー

★=英語数詞〔1(ワン)、2(ツー)、3(スリー)…〕などに付く　➡ より詳しい解説のある項目へ　→ 関連項目などへ

ファンデーション ▶ フード

数えるもの	数え方	数え方のポイント
		ジ」「枚」で数えます。
ファンデーション【foundation】	▲個、▲本、▲点	化粧品のパウダー類は「個」、リキッド類は「本」で数えます。商品としては「点」でも数えます。
ファンド【fund】	▲本、●口	基金・資金は「本」で数えます。国債・公債は「口」でも数えます。
ファンヒーター【fan heater】	▲台	
ブイ【buoy】	▲基、▲本、▲台、▲個	浮標は「基」「本」「台」、救命袋は「個」で数えます。 ➡浮き
フィールド【field】	▲面	
ふいご【鞴】	▲台、●口	「口」は口から空気や水を噴き出す器具を数える語です。
フィルム【film】	▲枚	➡ラップ
	▲本、▲枚、●齣(コマ)、▲葉	スチールカメラに取りつけて撮影するフィルムは「本」で数えます。現像して齣ごとに分けたフィルムを「枚」「齣(コマ)」「葉」などで数えることもあります。使い捨てカメラ(レンズ付きフィルム)は「本」「個」「台」「点」を用います。
	●巻き、▲●★リール	映画のフィルムは「巻き」「リール」で数えます。
ブーケ【bouquet フランス】	●束、●つ	花嫁などが持つ、小さくまとめた花束のことで、「束」「つ」で数えます。
ふうしゃ【風車】	▲基、▲台、▲個	粉を挽く大形のものは「基」、小形のものは「台」で数えます。 ➡風車
ふうしょ【封書】	▲通、▲封	「封」は「金一封」のように、書状・包み物などの封じたものを数える語です。 ➡手紙
ふうせん【風船】	▲個、●つ、▲枚	ふくらませたものは「個」、ふくらませる前のものは「枚」で数えます。
ブーツ【boots】	▲足	➡編み上げ靴
フード【hood】	▲枚	ジャンパーやコートなどについているフー

▲=漢語数詞〔一(いち)、二(に)、三(さん)…〕などに付く　●=和語数詞〔一(ひと)、二(ふた)、三(み)…〕などに付く

数えるもの	数え方	数え方のポイント
		ド(頭巾)は「枚」で数えます。
ふうとう[封筒]	★枚	→封書
ふうふ[夫婦]	•組、★カップル	
ブーメラン[boomerang]	★本	狩猟・戦闘などに用いる「く」の字形の木製の道具のことで、「本」で数えます。
ふうりん[風鈴]	★本、•個	
プール[pool]	★面	水泳用のプールは「面」で数えます。泳ぐコースは「コース」で数えます。子供用簡易プールは「個」でも数えます。
ふえ[笛]	★本、★管、•個	「管」は尺八・笙などを数える語です。笛の穴は「穴」や「孔」で数えます。 ➡楽器
フェルト[felt]	★枚	羊毛から作った厚手の布の一種で、「枚」で数えます。
フェンス[fence]	★枚	
フォーク[fork]	★本	
フォークリフト[forklift]	★台、★基	人が乗って操作するものは「台」で数えます。土台や地面に据えて使う場合は「基」でも数えます。
ふき[蕗]	★本、•株	植物としては「本」「株」で数えます。小売単位は「束」「把」など。
ぶき[武器]	★本、★振り、•口、★挺(丁)、★銃、★門、•柄、•張り、•発など	刀は「本」「振り」「口」などで数えます。銃は「挺(丁)」「銃」、大砲は「門」、槍は「柄」、弓は「挺(丁)」「張り」などで数えます。爆弾類は「発」で数えます。 →詳しくは各項目を参照
ふきながし[吹き流し]	★本、★旒、★流れ	➡鯉幟
ふきや[吹き矢]	★本	
ぶきょく[舞曲]	★曲、•つ、★番	➡曲
ふきん[布巾]	★枚	
ふく[服]	★着、★枚、•組	服には洋服と和服があります。洋服類は「着」で数えるものと「枚」で数えるものに分けられます。背広・スーツ・ドレス・コート・

ふうとう▶ふく

★=英語数詞〔1(ワン)、2(ツー)、3(スリー)…〕などに付く ➡より詳しい解説のある項目へ →関連項目などへ

数えるもの	数え方	数え方のポイント
		ジャケットのように、全身をおおったり、上着として着るものは「着」で数えます。シャツ・ブラウス・セーター・スカート・ズボンなど、全身をおおうものではない場合や、下着・カジュアルな上着・普段着のワンピースなどは「枚」で数えます。アンサンブル(セットになった上着)は「着」「組」で数えます。ズボンは「本」で数えることもあります。 → 詳しくは各項目を参照
		和服類は「枚」「着」などで数えます。 ➡ 着物
ふぐ【河豚】	▲匹、▲尾	➡ 魚
ぶぐ【武具】	▲領、▲着、▲点、▲具	甲冑は「領」「着」で数えます。「具」は一揃いの衣服・器具などを数える語です。 ➡ 甲冑
ふくさ【袱紗】	▲枚	
ふくしゃき【複写機】	▲台	➡ コピー
ふくぶくろ【福袋】	▲個、▲点、●袋	商店で販売する福袋は「個」「点」「袋」で数えます。
ふくめん【覆面】	▲枚	➡ マスク
ふくろ【袋】	▲枚、▲個、●袋、●叭、▲袋	中身の入っていない袋は「枚」で数えますが、中身が入っている場合は「個」「袋」でも数えます。「叭」は穀物や石炭の入った袋を数える語です。「袋」はセメントや小麦粉の取引単位です。
ふくろう【梟】	●羽	➡ 鳥
ふくろど【袋戸】	▲枚	
ふけ【雲脂】	▲片	
ふさ【房】	●房、▲本	群がり垂れる花や実の房は「房」「本」で数えます。
ふし【節】	●節、▲本、▲個、●つ	植物の茎にある節や動物の関節は「節」「本」「個」で数えます。
ふじ【藤】	▲本、●株、●房	木は「本」「株」、花は「房」「本」で数えます。

▲=漢語数詞〔一(いち)、二(に)、三(さん)…〕などに付く　●=和語数詞〔一(ひと)、二(ふた)、三(み)…〕などに付く

数えるもの	数え方	数え方のポイント
		藤棚は「架」でも数えます。
ふしめ[節目]	★つ	「仕事の節目」などの意では「つ」で数えます。 ➡ 節
ぶしょ[部署]	★つ、★課	「課」は組織・機関の構成や担当区分を表す語です。役割の一端を担当することを「一翼を担う」といいます。
ふすま[襖]	★枚	まれに「領」「本」で数えることもあります。
ふせん[付箋]	★片、★枚	
ふた[蓋]	★枚、★個、★扇、★蓋	ふつう蓋は「枚」で数えますが、小さい蓋は「個」でも数えます。合わせ箱の平蓋は雅語的に「扇」で数えることがあります。「蓋」は文語で蓋を数える語です。
ふだ[札]	★枚、★札	荷札・正札・守り札、トランプ・カルタ・花札など、さまざまな紙片を「枚」で数えます。「札」は札や文書を数える古い語です。
ぶた[豚]	★匹、★頭	➡ 動物 ➡ 肉
ぶたい[部隊]	★つ	
ぶたい[舞台]	★つ、★幕	舞台の場面進行は「幕」「第〜部」で区切ります。「ひと幕の寸劇」「第1幕」
ふたば[二葉]	★本、★枚	芽は「本」、葉は「枚」で数えます。
プチトマト<和製語>	★個、★粒、★★パック、★袋	小売単位は「パック」「袋」などを用います。 ➡ トマト
ぶつぐ[仏具]	★基、★柱、★連、★個、★枚、★挺(丁)	仏壇は「基」、位牌は「柱」、数珠は「連」、木魚は「個」「枚」、ろうそくは「挺(丁)」でそれぞれ数えます。 → 詳しくは各項目を参照
ぶつぞう[仏像]	★体、★軀、★座	「体」は人間の形状を模した彫像類を数える語です。「軀」はからだ・胴体を意味する語です。現代語で仏像は「体」「軀」で数えますが、座像を表す「座」でも数えます。また、仏像の古い数え方に「頭」「尊」「基」があります。
ぶつだん[仏壇]	★基	商品としては「本」「点」でも数えます。

★=英語数詞[1(ワン)、2(ツー)、3(スリー)…]などに付く　➡ より詳しい解説のある項目へ　→ 関連項目などへ

ふで ▶ ふね

数えるもの	数え方	数え方のポイント
ふで【筆】	▲本、▲管（かん）、▲茎（けい）	「管」「茎」は筆の軸を表し、筆を雅語的に数える語です。まれに筆の先を「穂（ほ）」で数えることもあります。筆で書いた書画は「筆」で数えます。「一筆（いっぴつ）したためる」
ブティック【boutiqueブティック】	▲軒（けん）、●店（てん）、●店舗（てんぽ）	➡ 店
ふでばこ【筆箱】	●個、▲本、●箱（はこ）	筆入れ・ペンケースともいい、「個」で数えます。細長いものは「本」でも数えます。筆を入れる箱は「箱」で数えます。
ぶどう【葡萄】	▲本、●株（かぶ）、●粒（つぶ）、●房（ふさ）	ブドウの木は「本」「株」で数えます。個々の実は「粒」、実のついた房は「房」で数えます。ブドウ棚は「架（か）」で数えることもあります。
ぶどうしゅ【葡萄酒】	▲本、▲銘柄（めいがら）、▲杯（はい）	➡ ワイン
ふとん【布団】	▲枚、●組（くみ）、●重ね（かさね）、●揃い（そろい）、●床（しょう）	布団は「枚」で数えます。寝具や夜具一式として数える場合は「組」「揃い」「重ね」も用います。寝る場所として数える場合、「床」を用いることもあります。 ➡ 寝具（しんぐ） 布団の大きさをいうときは「幅（の）」を用います。「三幅（みの）布団」
ふね【船】	▲艘（そう）、▲隻（せき）	使い分けに厳密な区別はありませんが、「艘」の方がボートなどの小型の船に用いられるのに対し、「隻」は大型の船（タンカーや客船など）を数える傾向があります。
	▲艇（てい）	競技用ヨットやボートは「艇」で数えます。ヨットレースの艇は習慣的に「杯」で数えます。
	●航（かわら）、▲葉（よう）	「航」は和船の船首から船尾まで通っている船底材のことで、古く船を数えるのに用いましたが、現代では使いません。かつては詩文では小舟を「葉」でも数えました。
	▲杯（はい）	船はふくらんだ胴体を持っているため、「杯」

▲＝漢語数詞〔一（いち）、二（に）、三（さん）…〕などに付く　●＝和語数詞〔一（ひと）、二（ふた）、三（み）…〕などに付く

ふみきり ▶ ブラシ

数えるもの	数え方	数え方のポイント
		で数えることもあります。「黒船4杯来航」
ふみきり【踏み切り】	★基、★本、★台、★対、★箇所、★つ	鉄道の踏み切りは据えてあるので「基」で数えます。機械で動くので「台」で数えることもあります。大きな踏み切りで2基の踏み切りが対になって開閉するものは「対」でも数えます。
ふみだい【踏み台】	★台、★個	
フライ【fly】	★個、★本	野球での内野フライ・外野フライ・犠牲フライなどは「個」で数えます。球が飛んだ軌跡をたどって打球を数える場合は「本」も用いることができます。 ➡ ヒット
	★本、★点	釣りに使う擬似餌のフライは、「本」で数えます。商品としては「点」でも数えます。
フライ【fry】	★個、★枚、★本、★点	形状によりますが、コロッケやカキフライは「個」、トンカツは「枚」、エビフライや串カツは「本」で数えます。商品としては「点」でも数えます。 → 揚げ物
フライパン【frypan】	★枚、★個	
ブラインド【blind】	★枚、★本	ブラインド全体は「枚」、ブラインドを構成する個々の羽根は「本」で数えます。
ブラウザ【browser】	★種、★種類、★つ	ウェブサイトを検索するブラウザは「種」「種類」「つ」で数えます。ソフトウエアとして数える場合は「点」「本」などを用います。
ブラウス【blouse】	★枚	➡ 服
ブラウンかん【ブラウン管】	★本、★台	テレビの代名詞として使われる場合、「台」でも数えます。 ➡ テレビ
プラグ【plug】	★個、★本	
ブラシ【brush】	★本、★個	髪をとかしたり、服を手入れするためのブラシは「本」で数えます。柄のないものは「個」で数えることもあります。歯ブラシやデッキブラシも「本」で数えます。 → 櫛

★=英語数詞〔1（ワン）、2（ツー）、3（スリー）…〕などに付く　➡ より詳しい解説のある項目へ　→ 関連項目などへ

ブラジャー ▶ フリル

数えるもの	数え方	数え方のポイント
ブラジャー【brassiere】	▲枚、▲個、▲点	ブラジャーのカップは「個」で数えます。メーカーが製品の立体性を強調するために「枚」よりも「個」でブラジャーを数えることもあります。商品としては「点」でも数えます。
ブラス【brass】	▲本	金管楽器類は「本」で数えます。 ➡ 楽器
フラスコ【frasco ポルトガル】	▲本	
フラッグ【flag】	▲本、▲枚	➡ 旗
フラッシュ【flash】	▲台、▲個、▲回	装置は「台」で、閃光電球は「個」で数えます。フラッシュをたく回数は「回」で数えます。
プラットホーム【platform】	▲本、▲番線、▲番ホーム、●つ	駅のプラットホームは「本」、列車が発着する番号を示す場合は「番線」「番ホーム」で示します。会話などでは「つ」も用います。 ➡ ホーム
プラモデル	●箱、▲個、▲本、▲体、▲台	小売単位は「箱」、部品は「個」「本」で数えます。組み立てたものは「体」「個」「台」で数えます。
ぶらんこ【鞦韆】	▲台、▲本、▲基	鎖やひもでつり下げたぶらんこは「本」で数えます。かご状のものは「台」で数えます。公園や校庭に据えてある遊戯施設のぶらんこは「基」で数えます。 ➡ 遊具
ブランド【brand】	●つ、▲銘柄、▲●ブランド	ブランドの種類は「つ」「銘柄」で数えます。「3ブランドで春の新作デザイン発表」のように「ブランド」を付して数えることもあります。
ブリーフ【briefs】	▲枚	➡ 下着
ふりこみ【振り込み】	▲件、▲回、▲度	振込み件数は「件」、振込み回数は「回」「度」で数えます。
プリズム【prism】	▲個、▲本	
ふりそで【振袖】	▲枚、▲着	➡ 着物
フリップ	▲枚	テレビ番組や授業などで用いる説明用の大形のカードのことで、「枚」で数えます。
フリル【frill】	▲本、▲枚	

▲=漢語数詞〔一(いち)、二(に)、三(さん)…〕などに付く　●=和語数詞〔一(ひと)、二(ふた)、三(み)…〕などに付く

プリン ▶ プロジェクト

数えるもの	数え方	数え方のポイント
プリン [pudding]	★個	小売単位で、例えば3個のプリンが連なっている場合は、「3連プリン」といいます。
プリント [print]	★枚	
ふるい [篩]	★個、★台	小形のふるいは「個」、大形のふるいは「台」で数えます。ふるいの面は「面」で数えます。
フルーツ [fruit]	★個、•粒、★玉など	➡ 果物
プルーン [prune]	★本、★株、★個、•粒	植物としては「本」「株」で数えます。果実は「個」「粒」で数えます。小売単位は「袋」など。 ➡ 果物
ブルドーザー [bulldozer]	★台	
ブルマー [bloomers]	★枚	
ブレーキ [brake]	★個、★本	
フレーズ [phrase]	★言、•句、•つ	➡ キャッチフレーズ
プレート [plate]	★枚	
ブレザー [blazer]	★着	上着なので「着」で数えます。 ➡ 服
プレス [press]	★台	圧縮機は「台」で数えます。
	★社	報道機関は「社」で数えます。
ブレスレット [bracelet]	★本、★個、★点	商品としては「点」でも数えます。 → 腕輪
プレゼンテーション [presentation]	★件、•つ、★度、★回、	発表件数を数える場合は「件」「つ」、発表回数は「回」「度」で数えます。 → 発表
フロア [floor]	★面	床は「面」で数えます。
	★階	ビルなどの階は「階」で数えます。
ふろおけ [風呂桶]	★個、•つ、•桶、•据え	現在は「個」「つ」で数えますが、古くは「桶」「据え」で数えました。
ブローチ [broach]	★個、★点	商品としては「点」でも数えます。
プログラム [program]	•つ、★本、★個	演芸の出し物や計画は「つ」「本」で数えます。映画・芝居鑑賞で参照する印刷物は「部」「冊」「枚」で数えます。コンピュータープログラムは「つ」「個」で数えます。 ➡ 番組
プロジェクト [project]	•つ、★案、	「弾」は次々に繰り出す商業的企画をたとえ

ふろしき ▶ ぶんしょう

数えるもの	数え方	数え方のポイント
	▲企画、▲弾	て数える語です。「プロジェクト第1弾」
ふろしき【風呂敷】	▲枚、●包み	物を包んだ場合は「包み」で数えます。
ブロック【block】	▲個、▲枚	壁を作るためのブロックは「個」で数えます。玩具のブロックも「個」で数えます。バレーボールのブロックは、ブロックするために飛んだ人間を「枚」で数えます。
ブロッコリー【broccoli】	●株、▲本、▲個、●房	植物としては「株」「本」で数えます。ブロッコリーの小売単位は「個」「株」「本」。調理する際に小分けにする部分は「房」で数えます。 ➡ 野菜
フロッピーディスク【floppy disk】	▲枚	情報を入れる中身の円盤部分も、外枠のジャケット部分も「枚」で数えます。ディスクのサイズは「インチ」で表します。
ふろば【風呂場】	●つ、▲浴場	
プロペラ【propeller】	▲本	小型のものは「個」でも数えます。プロペラの羽根は「枚」で数えます。 ➡ スクリュー
ブロマイド【bromide】	▲枚、▲点	商品としては「点」でも数えます。
ふろや【風呂屋】	▲軒	➡ 銭湯
ぶん【文】	▲文、●行、▲行、●流れ、●つなど	➡ 文章
ぶんぐ【文具】	▲点など	➡ 文房具
ぶんけん【文献】	▲冊、▲部、▲本、▲点	書籍としては「冊」「部」などで数えます。参考にした文献を項目として挙げる場合は「本」「点」で数えます。 ➡ 本
ぶんこ【文庫】	▲冊、▲部など	➡ 本
ぶんし【分子】	▲個、●つ	
ぶんしょ【文書】	▲通、▲枚、▲部	
ぶんしょう【文章】	▲項、▲段落、●行、▲行、●流れ、▲編、▲章、▲節	「項」は分けられた事柄を表し、法律・文章などの箇条を数える語です。「行」「流れ」は文章を数える語です。「編」は作品としての詩や文章、随筆、小説などを数える語です。

▲=漢語数詞〔一（いち）、二（に）、三（さん）…〕などに付く　●=和語数詞〔一（ひと）、二（ふた）、三（み）…〕などに付く

ぶんじょうち ▶ ヘアピン

数えるもの	数え方	数え方のポイント
ぶんじょうち【分譲地】	★区画、゜つ	➡ 土地
ふんすい【噴水】	★基、★本、★筋、★条	噴水から上がる水筋は「本」「筋」「条」などで数えます。
ぶんせつ【文節】	★文節、゜つ	文を構成する最小の単位のことで、「文節」「つ」で数えます。例えば、「私は、本を、読みます」の文は3文節です。
ぶんちん【文鎮】	★個、★本	形に応じて数え分けます。
ふんどう【分銅】	★個	
ぶんどき【分度器】	★枚、★個	
ふんどし【褌】	★枚、★本	ふんどし以外に何も身につけていない状態を口語で「ふんどし一丁」といいます。 → コラム⑰に関連事項(p.313)
ぶんぼうぐ【文房具】	★点	さまざまな種類の文房具をまとめて数える場合は「点」を用います。
	★本、★個、★挺(丁)、★枚、★箱、★冊	鉛筆、ペン、筆、定規、コンパス、カッターなどは「本」、消しゴム、筆箱、ホッチキスなどは「個」、はさみは「本」「挺(丁)」、下敷きや分度器は「枚」、クレヨンや色鉛筆のセットは「箱」、ノートやファイルは「冊」で数えます。 → 詳しくは各項目を参照

へ

数えるもの	数え方	数え方のポイント
へ【屁】	★発、★回、゜つ	
ペア【pair】	★組、★対、★双	人のペアを数える際は「組」、物のペアを数える際は「組」「対」「双」を用います。 → コラム⑭に関連事項(p.265)
ヘアドライヤー【hair drier】	★台	
ヘアバンド【hair band】	★本	
ヘアピン【hairpin】	★本	髪どめのピンも、道路のヘアピンカーブも「本」で数えます。

★=英語数詞[1(ワン)、2(ツー)、3(スリー)…]などに付く　➡ より詳しい解説のある項目へ　→ 関連項目などへ

へい ▶ へちま

数えるもの	数え方	数え方のポイント
へい[塀]	▲枚(まい)	
へいきんだい[平均台]	▲台	
へいこうぼう[平行棒]	▲台	床に据えて使用する体操用具は「台」で数えます。
へいしゃ[兵車]	▲台、▲乗(じょう)	「乗」は車、特に馬が引く兵車を数える語です。馬4頭で引く兵車を「1乗」といいます。
ベーコン[bacon]	▲枚(まい)、▲片(へん)、▲本、▲●★パック	➡ハム
ページ[page]	▲ページ、▲枚(まい)	「ページ」は書籍やひとまとまりの書類に順番に打たれた番号を表す語です。通常、紙1枚の片面で1ページです。「ページ」は書類や書籍の分量も表します。「100ページの報告書を提出」
ベース[base]	▲塁(るい)、★ベース	➡塁(るい)
ベース[bass]	▲本、▲台	➡楽器(がっき)
ベール[veil]	▲枚(まい)	
ペガサス[Pegasus]	▲頭	ペガサスは空想上の動物ですが、馬の一種と捉えて「頭(とう)」で数えます。「匹(ひき)」で数えることもあります。➡キャラクター →コラム④に関連事項(p.75)
へきが[壁画]	▲面、▲枚(まい)、▲点	洞窟(どうくつ)や寺院の天井や壁に描かれている場合は「面」を使うことが多いようです。作品として数える場合は「点」も用います。
ベスト[vest]	▲枚(まい)	→チョッキ
ペダル[pedal]	▲枚(まい)、▲個	ミシンやオルガンのペダルは「枚」で数えます。自転車のペダルは「個」で数えます。
ペチカ[pechkaロシア]	▲基(き)	ロシア式の暖炉のことで、「基」で数えます。
ペチコート[petticoat]	▲枚(まい)	➡下着(したぎ)
へちま[糸瓜]	▲本、▲個	ヘチマはつる性植物なので株は「本」で数えます。ヘチマの実は「本」、たわしなどに加工された場合は「個」でも数えます。

▲=漢語数詞〔一(いち)、二(に)、三(さん)…〕などに付く　●=和語数詞〔一(ひと)、二(ふた)、三(み)…〕などに付く

数えるもの	数え方	数え方のポイント
べつずり[別刷り]	★部	→ 抜き刷り
べっそう[別荘]	★軒	
ベッド[bed]	★台、★床	家具のベッドは「台」で数えます。病院のベッド数も「台」で数えることができますが、入院患者の受け入れ数を指す場合は「床」を用います。➡家具
ペットボトル[PET bottle]	★本、★個	中身が入っていなければ「個」で数えます。
ヘッドホン[headphone]	★台、★本、★組	ヘッドホンは「台」で数えますが、ステレオなど、音を出す機械がなければ使うことができない付属的機能を持つものであるため、「本」「組」で数えることもあります。→イヤホン
ヘッドライト[headlight]	★個、★灯、★組	「灯」は電灯などの照明を数える語です。自動車のヘッドライトは2個で「ひと組」と数えることもあります。

コラム 14 COLUMN 〈ペアになるものを数える助数詞〉

「箸2本で1膳」の「膳」や、「靴下2枚で1足」の「足」のように、2つのものがペアになって初めて使うことができる助数詞が多数あります。左右そろって使うものでは、手袋は「1双」、イヤリングは「1組」、竹馬は「1対」で数えます。古くからある数え方では、「屏風2枚で1双」、「掛け軸2幅で1対」、「鐙2本で1掛け」、「籠手2枚で1双」、「道祖神2体で1対」などがあります。正月の松飾りは左右2本で「1門」または「1揃い」、2枚の扉で開閉する門は「1対」と数えます。上下2つ以上のものがそろって完備するものは「具」で数え、例えば「袴1具」、「御衣1具」などと言います。

一方、2つがペアであるもの（男女・雌雄・左右など）の、片方だけを数える数え方に助数詞「隻」があります。もともと漢字「隻」は「鳥1羽を片手で持つこと」を表し、鳥1羽を意味しました。鳥はいつも2羽（＝1雙：雙は双の旧字体）が"つがい"で見かけられるからです。そこから、片方の翼や、2枚で1組となる片方の屏風、また甲矢乙矢で1組となる片方の矢を「一隻」というようになりました。

★＝英語数詞〔1（ワン）、2（ツー）、3（スリー）…〕などに付く　➡より詳しい解説のある項目へ　→関連項目などへ

ペナルティー ▶ ペン

数えるもの	数え方	数え方のポイント
ペナルティー【penalty】	●つ、▲回、▲度、▲罰打	課せられるペナルティーは「つ」、その回数は「回」「度」で数えます。ゴルフでスコアに加えられるペナルティーを「罰打」で数えます。
ベニヤいた【ベニヤ板】	▲枚	
へび【蛇】	▲匹、▲本	原則として「匹」で数えますが、ヘビのオモチャなどは「本」「個」でも数えます。
ベビーカー＜和製語＞	▲台	
ベビーサークル＜和製語＞	▲台、▲個	
へや【部屋】	●部屋、▲室、●間、●つ、▲畳	ホテルや旅館の部屋は「2名1室」のように、「室」で数えます。ふすまや障子で仕切った（日本風の）部屋の数は「間」で数えます。会話などでは「つ」も用います。「畳」は部屋に敷くことができる畳の数で部屋の大きさを表す語です。「6畳ふた間」
へら【箆】	▲本、▲枚	
ヘリコプター【helicopter】	▲機	➡ 飛行機
ベル【bell】	▲個	大型のものは「台」でも数えます。
ヘルスメーター＜和製語＞	▲台	→ 体重計
ベルト【belt】	▲本	
ベルトぐるま【ベルト車】	▲個	ベルト伝動（動力伝達の一種）に用いるベルトに掛ける車のことで、「個」で数えます。
ベルトコンベヤー【belt conveyor】	▲基、▲台	➡ コンベヤー
ヘルメット【helmet】	▲個	
ベレー【béretフランス】	▲個、▲枚	
べん【弁】	▲枚	管の途中に取りつける弁は「枚」で数えます。
べん【便】	▲個、●つ、▲片、●塊、▲回、▲度	お通じの回数は「回」「度」で数えます。細長い形状の場合は「本」も用います。
ペン【pen】	▲本、▲点	筆記用具は「本」で数えます。商品としては「点」でも数えます。ペン先とペン軸はそれぞれ「本」で数えます。 ➡ 文房具

▲＝漢語数詞〔一（いち）、二（に）、三（さん）…〕などに付く　●＝和語数詞〔一（ひと）、二（ふた）、三（み）…〕などに付く

へんあつき ▶ ホイール

数えるもの	数え方	数え方のポイント
へんあつき【変圧器】	★台	
べんき【便器】	★個、★据え	「据え」は家屋内に据えられている用具を数える語です。 → 便座
ペンキ	★缶、★刷毛	ペンキの小売単位は「缶」を用います。刷毛でペンキをひと塗りすることを「ひと刷毛塗る」といいます。
ペンギン【penguin】	★羽	希少な種類は「頭」で数えることがあります。➡ 鳥
べんざ【便座】	★個	温水や温風が出る機能を持つ便座は「台」でも数えます。 → 便器
べんじょ【便所】	★箇所、★室、★つ、★基、★棟	➡ トイレ
ペンション【pension】	★軒	
ペンダント【pendant】	★個、★本、★点	ペンダントヘッドが大きい場合は「個」で数えます。
ベンチ【bench】	★基、★本、★台、★脚	公園や駅などに据えてあるベンチは「基」、移動できるベンチは「本」「台」で数えます。椅子を数える「脚」を用いることもあります。
ペンチ	★本、★挺（丁）	
べんとう【弁当】	★折、★重、★個、★食、★食分	折り箱・折り重に入っている弁当は「折」、重箱に入っているものは「重」、その他の弁当類は「個」「食分」で数えます。弁当箱は「個」で数えます。
ペンネ【penne イタリア】	★本、★個	➡ パスタ
ペンライト【pen light】	★本	細長くないものは「個」でも数えます。

ほ

数えるもの	数え方	数え方のポイント
ほ【帆】	★枚、★反	「反」は（専門的に）船の帆を数える語です。
ほ【穂】	★本	雅語的に「一穂」とも数えます。
ホイール【wheel】	★本	自動車のホイールは4本で「1セット」とし

★＝英語数詞〔1（ワン）、2（ツー）、3（スリー）…〕などに付く　➡ より詳しい解説のある項目へ　→ 関連項目などへ

ホイールキャップ ▶ ぼうぐ

数えるもの	数え方	数え方のポイント
		て販売されます。➡車輪（しゃりん）
ホイールキャップ【wheel cap】	▲枚（まい）	皿状の覆いなので「枚」で数えます。
ほいくえん【保育園】	▲校、▲園	原則として「校」で数えます。学校と区別するため、「園」で数えることもあります。→幼稚園（ようちえん）
ほいくき【保育器】	▲台	
ホイッスル【whistle】	▲本、▲個	細長いものは「本」で数えますが、細長くないものは「個」でも数えます。
ボイラー【boiler】	▲基（き）	据えて使うものなので「基」で数えます。
ぼいん【母音】	●つ、▲母音、▲音（おん）、▲個	単一音節を成す2つの母音を「二重母音（にじゅうぼいん）」といいます。→子音（しいん）
ポイント【point】	●つ、▲点、▲★ポイント	要点は「つ」「点」で数えます。点数は「点」「ポイント」で数えます。
ほう【砲】	▲門（もん）	「門」は大砲を数える語です。
ぼう【棒】	▲本、▲把（わ）	片手で握れる棒は「把」でも数えます。
ほうあん【法案】	▲本、▲法案、●つ	法律の条文は慣用的に「本」で数えます。
ぼうえんきょう【望遠鏡】	▲台、▲本、▲基（き）	原則として「台」で数えますが、小型で持ち運びができるものは「本」、展望台などに据え付けてあるものは「基」でも数えます。
ぼうえんレンズ【望遠レンズ】	▲本、▲台	レンズ自体は「枚」で数えますが、複数のレンズを組み合わせた細長い円筒状の機材なので「本」「台」で数えます。
ぼうかシャッター【防火シャッター】	▲枚（まい）	→シャッター
ぼうかど【防火戸】	▲枚（まい）	防火扉ともいい、「枚」で数えます。
ほうかん【砲艦】	▲隻（せき）	➡船（ふね）
ほうがん【砲丸】	▲個	
ほうがんし【方眼紙】	▲枚（まい）	
ほうき【箒】	▲本	
ぼうぐ【防具】	▲具（く）、●装（よそ）い、▲個	「具」は衣服・器具などを数えるのに用いる

▲＝漢語数詞〔一（いち）、二（に）、三（さん）…〕などに付く　●＝和語数詞〔一（ひと）、二（ふた）、三（み）…〕などに付く

数えるもの	数え方	数え方のポイント
		語です。「装い」は衣服・調度などのそろったものを数えるのに用いる語です。個々の防具は「個」でも数えます。膝あてや脛あては2枚で「ひと組」と数えます。
ほうこく[報告]	★報、•つ	最初の報告を「第一報」、2番目の報告を「第二報」といいます。ひとまず知らせることを「一報」といいます。「ご存じの方はご一報下さい」 → レポート
ぼうさいずきん[防災頭巾]	★枚、★点	防災用具として数える場合は「点」を用います。
ほうさく[方策]	•つ、★方策、★策	
ほうし[胞子]	★個	ふつうは数えることはありませんが、実験などで数を数える場合は「個」を用います。 → 花粉
ぼうし[帽子]	★個、★枚、★点	麦藁帽子・シルクハットなど、折りたたみにくい立体的な帽子類は「個」で数えます。水泳帽やニット帽・ナースキャップのように、平面的に折りたためるものは「枚」でも数えます。商品としては「点」でも数えます。
ほうしき[方式]	•つ、★方式	
ほうしょ[奉書]	★枚、★通	主人の意を受けて従者が下達する文書のことで、用紙は「枚」、通達する文書としては「通」で数えます。
ほうじょう[法帖]	★帖	手習い・観賞用に、有名な古人の筆跡を石刷りにした折り本のことで、「帖」で数えます。
ほうしょくひん[宝飾品]	★点	宝飾品をまとめて数える場合は「点」を用います。
ほうじん[法人]	★法人、•つ	
ぼうすいぎ[防水着]	★着	➡ 服
ぼうすいろ[防水路]	★本	
ほうせい[砲声]	★発	

★＝英語数詞[1（ワン）、2（ツー）、3（スリー）…]などに付く　➡より詳しい解説のある項目へ　→関連項目などへ

ほうせき ▶ ボウル

数えるもの	数え方	数え方のポイント
ほうせき【宝石】	▲個、●粒、▲石、▲顆、★ストーン	通常は「個」で数えます。宝石が小さい場合や商品価値を高めたい場合、指輪やブローチ、王冠などにあしらわれた数を数える場合は「粒」「石」「顆」「ストーン」を用います。指輪などで宝石を支える立て爪の数は「6爪」のように「爪」で表します。
	▲点	宝石店で商品として数える場合は「点」を用います。
	▲カラット	宝石の質量の単位は「カラット」です。
ぼうせん【傍線】	▲本、●つ	
ほうそうきょく【放送局】	▲局、●つ	
ほうそうし【包装紙】	▲枚	
ほうそく【法則】	●つ、▲法則	
ほうたい【包帯】	▲本、●巻き	体に巻きつける前の包帯は「本」、巻いた数は「巻き」で数えます。
ほうだい【砲台】	▲基	
ほうだん【砲弾】	▲発	
ほうちょう【包丁】	▲本、▲挺（丁）	もっぱら「本」で数えますが、用具を数える「挺（丁）」でも数えます。柄のある道具を数える「柄」でも数えます。→俎板
ぼうてん【傍点】	▲個、●つ	➡点
ほうどうきかん【報道機関】	▲社、▲誌	報道会社は「社」、新聞や雑誌の報道媒体は「誌」で数えます。
ほうほう【方法】	●つ、▲法、▲方法、▲手	
ほうもんぎ【訪問着】	▲枚、▲着	➡着物
ぼうりょくだん【暴力団】	●組、●つ	
ボウリング【bowling】	▲●★ゲーム	ボウリングの試合数は「ゲーム」で数えます。玉は「個」、ピンは「本」、ボウリングのレーンは「レーン」で数えます。
ボウル【bowl】	▲個、●つ	料理に使う丸くて深い容器のことで「個」

▲=漢語数詞〔一（いち）、二（に）、三（さん）…〕などに付く　●=和語数詞〔一（ひと）、二（ふた）、三（み）…〕などに付く

数えるもの	数え方	数え方のポイント
		「つ」で数えます。
ほうれんそう[菠薐草]	★株、★把、★束	植物としては「株」で数えます。小売単位は「把」「束」。➡ 野菜
ほうろく[焙烙]	★枚、★台	平たい土鍋の一種で「枚」「台」で数えます。
ポークカツレツ[pork cutlet]	★枚	
ポークソテー[pork sauté]	★枚	
ホース[hoosオラ ンダ]	★本、★巻き	ホース自体は「本」で数えます。ホースが巻かれている状態は「巻き」で数えます。
ほおずき[酸漿]	★本、★株、★鉢、★個	鉢に植えられている場合は「鉢」で数えます。実は「個」で数えますが、雅語的に提灯を数える「ひと張り」で数えることもあります。
ポーチ[pouch]	★個	小物を入れる小さなバッグのことで「個」で数えます。
ボート[boat]	★艘、★隻、★艇、★台	小形の舟なので「隻」よりも「艘」で数える傾向があります。競技用ボートは「艇」、遊覧用のスワンボートは「台」で数えます。➡ 船
ボード[board]	★枚	ホワイトボードは「面」で数えます。サーフボードは「艇」でも数えます。
ボーナス[bonus]	★回	1年に支給される回数は「1年にボーナス2回支給」のようにいいます。
ホーム	★本、★番線、★番ホーム、★つ	➡ プラットホーム
ホームラン[home run]	★本、★発、★弾	「本」はヒットやホームランなどを数える語です。ボールがスタンドへと飛ぶ軌跡を数えるともされますが、ランニングホームランも「本」で数えます。当たりの大きさや迫力を強調する場合は「発」「弾」でも数えます。ホームランで返るランナーの数を「ラン」で示します。「スリーランホームラン」
	★号	バッターの通算のホームラン数や大会通算のホームラン数は「第○号ホームラン」で表

★=英語数詞[1(ワン)、2(ツー)、3(スリー)…]などに付く　➡ より詳しい解説のある項目へ　→ 関連項目などへ

ボーリング ▶ ポケベル

数えるもの	数え方	数え方のポイント
		します。 → ヒット
ボーリング【boring】	▲台、▲本	穴開けを行うボーリング機械は「台」で、地面に開けた穴は「本」で数えます。 ➡ 穴(あな)
ホール【hall】	●間(ま)、●つ、▲堂(どう)	広間は「間(ま)」、コンサートホールなどの施設は「つ」「ホール」で数えます。「堂」は広く高い部屋や御殿を表す語で、文語で聖堂・礼拝堂・講堂・ホールなどを数えます。
ホール【hole】	▲個、●つ、▲ホール	ゴルフのホールの順番は「1番ホール」のように「番」を伴って数えます。 ➡ 穴(あな)
ボール【ball】	▲個、●玉(たま)、▲球(きゅう)	球技に使うボールは「個」「玉」「球」で数えます。野球で、ストライクにならない投球を「ボール」で数えます。「フォアボール」
ポール【pole】	▲本	→ 柱(はしら)
ボールペン	▲本	複数の色を備えているボールペンは「4色ボールペン」のようにいいます。 ➡ ペン ➡ 文房具(ぶんぼうぐ)
ボーロ【boloポルトガル】	▲個、●粒(つぶ)	小さいボーロは「粒」でも数えます。 ➡ 焼(や)き菓子(がし)
ほかげ【火影】	●つ、▲幅(ふく)	「幅」は雅語的に火影を数える語です。「幅」は「ほ」と読むことがあります。
ほかけぶね【帆掛け船】	▲隻(せき)、▲艘(そう)	小型の船は「艘」でも数えます。
ぼくじゅう【墨汁】	▲本、●滴(てき)	➡ 墨(すみ)
ぼくじょう【牧場】	▲面、●つ、▲牧場	
ぼくとう【木刀】	▲本	→ 刀(かたな)
ほくろ【黒子】	▲個、●つ	
ポケット【pocket】	▲枚(まい)、●つ	ポケットは「枚」で数えますが、「つ」も用います。
ポケットティッシュ【pocket tissue】	▲個	➡ ティッシュペーパー
ポケベル	▲台、▲個	かつての小型携帯用受信器。「台」だけでな

▲=漢語数詞〔一(いち)、二(に)、三(さん)…〕などに付く　●=和語数詞〔一(ひと)、二(ふた)、三(み)…〕などに付く

数えるもの	数え方	数え方のポイント
		く、「個」で数えることもありました。
ほけん【保険】	★つ、★件、★口	加入している保険の数は「つ」で数えます。契約数は「件」「口」で数えます。　➡契約
ほこ【矛・鉾】	★本、★台、★基	長柄の先につけるものは「本」、山車は「台」「基」で数えます。
ほこうき【歩行器】	★台	
ほし【星】	★個、★つ	天体としての星は「個」で数えます。流星や彗星を数える際は、尾を引いているので「本」「筋」も用います。星座は「座」、星雲は「個」「群」などで数えます。勝ち星や評価の星数をいう場合は「つ」(10以上の場合は「個」)で数えます。「白星2つリード」「3つ星の評価」などといいます。
ポシェット【pochetteフランス】	★個	
ほしえび【干し海老】	★本、★匹、★尾	形の小さいものは「本」で数えます。大きいものは「匹」「尾」でも数えます。　➡海老
ほしがき【干し柿】	★枚、★個、★玉、★本、★連	平面的な干し柿は「枚」で数えます。丸い干し柿は「個」「玉」でも数えます。連ねて干したものは「本」「連」で数えます。
ほしぶどう【干し葡萄】	★粒、★個	
ポスター【poster】	★枚	丸めたものは「本」でも数えます。
ポスト【post】	★本、★つ、★箇所	郵便を投函するポストはかつては円筒形であったことから「本」で数えました。現在の直方体のポストも同様に「本」で数えます。ポストが設置されている場所は「箇所」で数えます。
	★本	サッカーのゴールポストは「本」で数えます。
	★つ、★口	地位や役職は「口」でも数えます。「教員ひと口募集」
ボストンバッグ【Boston bag】	★個	
ぼせき【墓石】	★個、★基	

★=英語数詞[1(ワン)、2(ツー)、3(スリー)…]などに付く　➡より詳しい解説のある項目へ　→関連項目などへ

ほたてがい ▶ ポップコーン

数えるもの	数え方	数え方のポイント
ほたてがい[帆立貝]	▲枚(まい)	平面的な貝なので、しばしば「枚」で数えられます。ホタテガイの貝柱は「個」、ひもは「本」で数えます。 ➡貝(かい)
ほたる[蛍]	▲匹(ひき)	雅語的に「灯(とう)」で数えることもあります。
ボタン[botão ポルトガル]	▲個、▲枚(まい)、●つ	洋服のボタンは「個」、薄いものは「枚」で数えます。上着やシャツについているボタンの位置を襟元(えりもと)から順に「第1ボタン」「第2ボタン」「第3ボタン」といいます。「暑くて第2ボタンまで外した」 機械を操作するために押すボタンは「つ」「個」で数えます。
ほちゅうあみ[捕虫網]	▲本	➡網(あみ)
ほちょうき[補聴器]	▲台	小型のものは「個」でも数えられます。
ホック[hook]	▲個	洋服につける留め具のことで、「個」で数えます。ホック2個で「ひと組」と数えます。
ボックス[box]	▲個	➡箱(はこ)
ホッチキス[Hotchkiss]	▲台、▲本、▲個	ホッチキス本体は大型のものや電動のものは「台」、小型のものは「個」「本」で数えます。ホッチキスの針は「本」「玉」で数えます。
ポット[pot]	▲本、▲個	高度な機能が備わったマイコン湯沸かしポットを「台」で数えることもあります。
ホットカーペット【hot carpet】	▲枚(まい)、▲台	「枚」でも「台」でも数えますが、電気製品として数えると「台」を用いる傾向があります。
ホットケーキ[hot cake]	▲枚(まい)	ホットケーキの材料となる粉の小売単位は「箱」「袋」です。
ホットドッグ[hot dog]	▲個、▲本	
ホットパンツ[hot pants]	▲枚(まい)	➡服(ふく)
ホットプレート[hot plate]	▲台	「枚」で数えることもあります。
ほづな[帆綱]	▲本	
ポップコーン[popcorn]	●粒(つぶ)、●袋(ふくろ)、●箱(はこ)	小売単位は「袋」「箱」などを用います。紙コップに入っていれば「杯」でも数えます。

▲=漢語数詞[一(いち)、二(に)、三(さん)…]などに付く　●=和語数詞[一(ひと)、二(ふた)、三(み)…]などに付く

数えるもの	数え方	数え方のポイント
ボディースーツ【bodysuit】	★着、★枚	➡服
ポテトチップス【potato chips】	★枚、★片、★袋	ポテトチップス自体は「枚」「片」で数えます。小売単位は袋に入っていれば「袋」、円筒形の容器に入っていれば「個」でも数えます。
ホテル【hotel】	★軒、★棟、★棟	宿泊施設として数える場合は「軒」、建物を数える場合は「棟」を用います。利用客の宿泊数は「泊」「宿」などで数えます。
ほどう【歩道】	★本、★つ	➡道
ほどう【補導】	★人、★人、★件、★度	補導人数は「人」、補導件数は「件」で数えます。補導経験は「度」で数えます。 ➡逮捕
ほどうきょう【歩道橋】	★本、★橋、★基、★箇所	橋として数える場合は「本」「橋」「基」を用います。歩道橋の架かっている箇所を数える場合は「箇所」を用います。 ➡橋
ほとけ【仏】	★尊、★仏、★体	1体の仏のことを「一仏」といいます。 →コラム⑮に関連事項

コラム ⑮ COLUMN 〈「仏の顔も三回」と言える？〉

ことわざに「仏の顔も三度」というものがありますが、この「三度」を「三回」に言い換えて、「仏の顔も三回」と言うことはできるでしょうか？

答えはNOです。なぜなら、「度」と「回」の間には意味の違いがあり、単純に入れ替えることができないからです。「度」は、「回」に比べると度重なる経験や繰り返されることが予測しにくい行為を数える傾向があります。例えば、「太郎には一度会ったことがある」「二度目の優勝」のように、再び太郎に会う保証がない場合、次に優勝することを予測することができない場合には「度」で数えます。一方、「回」は、「三回忌」や「第三回大会」のように、繰り返されることが予測・期待される行為や催しを数えます。

もし、「仏の顔も三回」と言ってしまうと、同じこと（仏の顔をなでる行為）を意図的に繰り返して行うことになり、ことわざとして説得力が無くなってしまいます。わざと計画的に仏を怒らせるわけではありませんので、「三度」を「三回」に置き換えることはできません。

★＝英語数詞〔1（ワン）、2（ツー）、3（スリー）…〕などに付く　➡より詳しい解説のある項目へ　→関連項目などへ

数えるもの	数え方	数え方のポイント
ボトル【bottle】	▲本、●瓶	➡瓶
ほにゅうびん【哺乳瓶】	▲本、●個	短い小容量の哺乳瓶は「個」でも数えます。哺乳瓶の乳首は「個」で数えます。
ほね【骨】	▲本、●個、▲片	一般的に「本」で数えますが、細長くないものや頭蓋骨のようなものは「個」でも数えます。(専門的な数え方はこの限りではありません) 骨のかけらは「片」で数えます。全身の骨格標本は「体」で数えます。
ホバークラフト【hovercraft】	▲艘、▲隻	➡船
ぼひょう【墓標】	▲本	まれに「柱」で数えることもあります。
ボビン【bobbin】	▲個、▲本	糸巻き、あるいは電線を巻いてコイルを作る筒のことで「本」「個」で数えます。
ほぶね【帆船】	▲隻	➡船
ほや【海鞘】	▲匹、▲個	
ほようじょ【保養所】	▲軒、●つ、▲施設	
ほらあな【洞穴】	▲個、●つ、▲本	➡穴
ほらがい【法螺貝】	▲個	巻き貝なので「個」で数えます。 ➡貝
ほり【堀】	▲本	
ポリープ【polyp】	▲個	
ポリタンク	▲個、●缶、▲本	中身が入っていない場合は「個」で数えます。中身が入っている場合は「缶」「本」で数えます。「ポリタンク2{缶｜本}分の灯油」
ポリぶくろ【ポリ袋】	▲枚	中身が入っている場合は「袋」で数えます。
ボルト【bolt】	▲本、●個	
ボレロ【bolero】	▲着、▲枚	丈の短い上着のことで「着」「枚」で数えます。 ➡服
ポロシャツ【polo shirt】	▲枚	➡服
ほん【本】	▲冊	「冊」は書籍・本を数える語です。
	▲点	作品や商品としては「点」で数えます。「今月、本を3点出版」
	▲部	本の発行部数や売上部数を数える場合は

▲=漢語数詞〔一(いち)、二(に)、三(さん)…〕などに付く　●=和語数詞〔一(ひと)、二(ふた)、三(み)…〕などに付く

数えるもの	数え方	数え方のポイント
	★巻	「100万部突破」のように「部」を用います。シリーズ本や続き物の本、百科事典は「巻」を用い、「第〜巻」といいます。
	★帙	「帙」は和装の書物を包む覆いのことで、そこから帙に入れた書物や文書（主に和文）を数えます。
ぼん【盆】	★枚	
ぼんさい【盆栽】	★鉢	
ほんぞん【本尊】	★尊	「尊」は本尊や石仏を数える語です。
ほんだな【本棚】	★台、★本、★架	➡棚
ぼんだな【盆棚】	★架	「架」は飾り掲げるものを数える語です。
ほんばこ【本箱】	★個、★つ	→箱
ポンプ【pompオランダ】	★台、★本、★個	石油ポンプや水汲みポンプのように、仕組みが単純で小型のものは「本」「個」でも数えます。
ほんぶし【本節】	★本	大形のカツオの身を三枚におろし、さらにふたつに切り分けて作った上等の鰹節のことで、「本」で数えます。➡鰹節
ボンベ【Bombeドイ】	★本	
ぼんぼり【雪洞】	★本、★張り	提灯を数える「張り」を用いて数えることもあります。雪洞2本で「1対」と数えます。
ボンボン【bonbonフランス】	★個、★粒	洋酒の入った砂糖（チョコレート）菓子のことで「個」「粒」で数えます。
ポンポン【pompon】	★個、★房	帽子や服・靴につける房飾りは「個」で数えます。チアガールが振る応援用の玉房は「個」「房」で数え、左右2個で「ひと組」ともいいます。
ほんや【本屋】	★軒、★店、★店舗	チェーン店の本屋は「店」「店舗」でも数えます。➡店
ほんるいだ【本塁打】	★本など	➡ホームラン

★＝英語数詞〔1（ワン）、2（ツー）、3（スリー）…〕などに付く　➡より詳しい解説のある項目へ　→関連項目などへ

ま

数えるもの	数え方	数え方のポイント
マーカー【marker】	●人/たり/にん、▲本	印をつける人は「人」で数えます。印をつける筆記用具や標識は「本」で数えます。
マーガリン【margarine】	▲箱(はこ)、▲袋(ふくろ)、▲個、▲匙(さじ)	商品として売られている場合は「箱」、小袋に小分けされていれば「袋」「個」で数えます。また使う際は「匙」などで分量の目安を表します。 → バター
マーク【mark】	●つ、▲個	
マークシート＜和製語＞	▲枚(まい)	マークシートの塗りつぶす部分は「箇所(かしょ)」で数えます。
マージャン【麻雀】	▲荘(チャン)	親が4巡する正式な1ゲームを「一荘(イーチャン)」といいます。2巡する場合は「半荘(ハンチャン)」といいます。麻雀牌は「枚(バイ)」「個」で数えます。麻雀をするテーブルは「卓(たく)」で数えます。「3卓囲む」
まい【舞】	●差し、▲手(て)	日本舞踊では、踊りを「差し」で数えます。「手」は舞や能など、決まって行う一連の動きや技を数える語です。
マイカー＜和製語＞	▲台	→ 車(くるま)
マイク【mike】	▲本	ワイヤレスマイクも「本」で数えます。
マイクロバス【microbus】	▲台	
マイクロしゃしん【マイクロ写真】	▲枚(まい)、▲齣(コマ)(こま)、▲●カット	写真は「枚」で、撮影数は「齣(コマ)」「カット」で数えます。 → 写真(しゃしん)
マイクロフィルム【microfilm】	▲本、▲枚(まい)、▲齣(コマ)(こま)	現像する前は「本」で、現像して切り分けたものは「枚」「齣(コマ)」で数えます。
マイクロリーダー【microreader】	▲台	マイクロフィルムなどの画像を拡大して見るための装置で、「台」で数えます。
マイコン	▲個、▲台	マイクロコンピューターの略で、マイクロプロセッサーとメモリーなどを組み合わせた小型コンピューターのことです。小さな基盤にのせたものなので、「台」よりも、通常

▲=漢語数詞[一(いち)、二(に)、三(さん)…]などに付く　●=和語数詞[一(ひと)、二(ふた)、三(み)…]などに付く

マイホーム ▶ まく

数えるもの	数え方	数え方のポイント
		チップを数える「個」を用います。
マイホーム〈和製語〉	★軒、★戸など	➡ 家
マウス【mouse】	★匹	ハツカネズミは「匹」で数えます。 ➡ 動物
	★個	コンピューターの入力装置は、独立しては機能できないので「台」ではなく「個」を用います。
マウスパッド【mouse pad】	★枚	
マウスピース【mouthpiece】	★個、★本	格闘技をする際、口の中を保護するためにふくむ用具は「個」で数えます。管楽器の吹き口は「個」「本」で数えます。
マウンテンバイク【mountain bike】	★台	悪路・荒れ地などで乗るのに適した自転車のことで、「台」で数えます。
まえかけ【前掛け】	★枚、•掛け	→ エプロン
マガジン【magazine】	★冊、★部	➡ 雑誌
マカロニ【macaroni】	★個	形状によって異なりますが、通常は「個」で数えます。長めのものは「本」で数えます。 ➡ パスタ
まき【薪】	★本、•束、•把	薪を束ねたものは「束」「把」で数えます。
まきす【巻き簀】	★枚	巻き鮨を巻く道具のことで、「枚」で数えます。
まきずし【巻き鮨】	★本、•切れ、★個	太巻きや細巻き鮨は「本」、切り分けたものは「切れ」「個」で数えます。 ➡ 鮨
まきタバコ【巻きタバコ】	★本	➡ タバコ
まきもの【巻き物】	★巻、★本、★軸、★幅	書物としての巻き物は「巻」、掛け軸などは「本」「軸」でも数えます。掛け物・軸物・絵画一般・レリーフ（浮き彫り）などは「幅」でも数えます。
まく【幕】	★枚、•張り、★張、★垂れ、★帖	幕自体は「枚」で数えます。張ると「張り」「張」で数えます。「垂れ」は幕や暖簾などの垂らして使うものを数える語です。幕2張りで「1帖」といいます。
	★幕	芝居や劇のひと区切りを表す場合は「幕」で

★＝英語数詞〔1（ワン）、2（ツー）、3（スリー）…〕などに付く　➡ より詳しい解説のある項目へ　→ 関連項目などへ

まく ▶ ます

数えるもの	数え方	数え方のポイント
		数えます。
まく[膜]	▲枚(まい)	
マグカップ＜和製語＞	▲個	
マグネット[magnet]	▲個、▲枚(まい)	黒板や金属製の板に掲示物をつける小形の磁石は「個」で、板状の磁石は「枚」で数えます。
まくら[枕]	▲個、▲基(き)	頭を据える箇所という意味で、文語では「基」を使うこともあります。
まくらぎ[枕木]	▲本	
まぐろ[鮪]	▲匹(ひき)、▲本、▲尾(び)、▲丁(ちょう)、●さく、●切れ	生きているものは「匹」、水揚げされて取引されるものは「本」で数えます。頭と背骨を落とした半身の、さらに半分は「丁」で、ころと呼ばれるブロック状の肉片を小さく切り分けると「さく」で数えます。さらに刺身や鮨にするひと口大に切り分けたものは「切れ」で数えます。→コラム⑥に関連事項(p.117)
まげ[髷]	▲束(そく)	→髻(もとどり)
まさかり[鉞]	▲本、▲挺(ちょう)（丁）	
マジックインキ[Magic Ink]	▲本	揮発性(きはつ)のインクをフェルトに染み込ませたペンのことで、「本」で数えます。
マジックテープ[magic tape]	▲枚(まい)、▲組(くみ)	2枚のテープを嚙(か)み合わせて使うため、「組」で数えることがあります。
マジックミラー【magic mirror】	▲枚(まい)	➡鏡(かがみ)
まじょ[魔女]	●人(り/たり)、▲人(にん)	➡キャラクター →コラム④に関連事項(p.75)
マシンガン[machine-gun]	▲挺(ちょう)（丁）	➡銃(じゅう)
ます[升・枡]	▲個、●升(ます)	木製・金属製の四角い容器は「個」で数えます。その容器で測る分量を「升」で表します。「升」は木材で座席を仕切った場所も指し、相撲や劇場の枡席(すもう)は1区画で「ひと升」と数えます。

▲=漢語数詞〔一（いち）、二（に）、三（さん）…〕などに付く　●=和語数詞〔一（ひと）、二（ふた）、三（み）…〕などに付く

数えるもの	数え方	数え方のポイント
ます〔鱒〕	★匹、★尾、★本、★石	「石」はマス・サケなどの魚をまとめて数える取引単位です。マスは60尾で「1石」といいます。➡魚
マスク〔mask〕	★枚、★面	口元をおおうマスクは「枚」、仮面・デスマスク・ガスマスク・野球のキャッチャーがかぶるものは「面」で数えます。
ますせき〔枡席〕	★升	相撲の枡席は、4人でひと升に座ります。
マスト〔mast〕	★本	
ますめ〔升目〕	★升、★目、★個、★つ	表の升目は「升」で数えます。「100升計算」
まだら〔斑〕	★斑、★つ	「斑」はまだら模様を数える語です。
まちあいしつ〔待合室〕	★部屋、★間、★室	➡部屋
まちばり〔待ち針〕	★本	
まつ〔松〕	★本、★本	「本」は草木を雅語的に数える語です。
まつかざり〔松飾り〕	★本、★門、★対、★揃い	松飾り2本で「ひと門」「1対」「ひと揃い」といいます。 ➡お飾り ➡注連飾り
まつげ〔睫〕	★本	付けまつげも「本」で数えます。
まつたけ〔松茸〕	★本	小売単位は「箱」「籠」などを用います。➡茸
マッチ〔match〕	★本、★箱、★個	マッチ棒は「本」、マッチ箱は「箱」で数えます。紙マッチは「個」で数えます。
マット〔mat〕	★枚	
マットレス〔mattress〕	★枚、★台、★点	家具店・寝具店では商品として「台」「点」で数えることがあります。
まつばづえ〔松葉杖〕	★本、★対、★組	個々の松葉杖は「本」で数えます。2本で一揃いのものは「1対」「ひと組」といいます。
まつぼっくり〔松毬〕	★個	
まつり〔祭り〕	★つ、★回、★度	祭りの種類は「つ」で数えます。祭りの開催数は「回」で数えます。「度」は開催頻度を数える傾向があります。「7年に1度の祭り」
まと〔的〕	★枚、★個	➡ターゲット
まど〔窓〕	★枚、★個、★つ	

★=英語数詞〔1(ワン)、2(ツー)、3(スリー)…〕などに付く　➡より詳しい解説のある項目へ　➡関連項目などへ

マドラー ▶ マヨネーズ

数えるもの	数え方	数え方のポイント
マドラー[muddler]	▲本	飲み物をかきまぜる棒状の道具のことで、「本」で数えます。
マドレーヌ[madeleineフランス]	▲個	➡ 焼(や)き菓(が)子(し)
マドロスパイプ＜和製語＞	▲本、●個	
まないた[俎板]	▲枚(まい)、▲挺(ちょう)(丁)	まな板はふつう「枚」で数えますが、包丁と同種の調理用具と見なし、「挺(丁)」で数えることがあります。 ➡ 包(ほう)丁(ちょう)
マニキュア[manicure]	▲本	マニキュア液の入った瓶も「本」で数えます。
マネキン[mannequin]	▲体(たい)	人の形を模したものなので「体」で数えます。 ➡ 人(にん)形(ぎょう)
まねきねこ[招き猫]	▲個、▲体(たい)	小さいものは「個」で数えます。大きいものは「体」でも数えます。
マフィン[muffin]	▲個	➡ 焼(や)き菓(が)子(し)
まぶた[瞼]	▲枚(まい)、●重(え)	まぶた全体は「枚」で数えます。目を開いた際、重なって見えるまぶたを「ふた重(え)まぶた」といいます。
マフラー[muffler]	▲枚(まい)、▲本、▲点	防寒のために首に巻くマフラーは「枚」「本」、商品としては「点」で数えます。首などに巻いた回数を「巻き」で数えます。 ➡ 襟(えり)巻(ま)き 自動車の部品としてのマフラーは「本」で数えます。
まほうびん[魔法瓶]	▲本、●個	➡ ポット
まむし[蝮]	●匹(ひき)	➡ 蛇(へび)
まめ[豆]	●粒(つぶ)、●莢(さや)、●袋(ふくろ)、●叺(かます)	豆は「粒」で数えます。空豆やグリンピースのように豆がさやに入っているものは「莢」でも数えます。小売単位は「袋」「叺(かます)」など。
まめでんきゅう[豆電球]	▲個	➡ 電(でん)球(きゅう)
まゆ[繭]	▲個	蚕の繭は、「粒」で数えることがあります。
まゆげ[眉毛]	▲本、●筋(すじ)	
マヨネーズ[mayonnaiseフランス]	▲本、●匙(さじ)	瓶やチューブに入っているものは「本」で数えます。使う際は「匙」などで分量の目安を

▲=漢語数詞〔一(いち)、二(に)、三(さん)…〕などに付く　●=和語数詞〔一(ひと)、二(ふた)、三(み)…〕などに付く

数えるもの	数え方	数え方のポイント
		表します。
まり［毬］	★個、★顆（か）、★つ	「顆」は丸いものを数える語です。→ボール
マリオネット【marionnette フランス】	★体（たい）	➡人形（にんぎょう）
マリンバ【marimba】	★台	➡楽器（がっき）
まる［丸］	★個、★つ	図形（円）として描くときには「個」、正解として答案に書く印の場合は「つ」で数える傾向がありますが、厳密な区別はありません。重ねて描かれた丸の数は「二重丸（にじゅうまる）」のように「重（じゅう）」を用います。
まるき［丸木］	★本	
まるきぶね［丸木舟］	★艘（そう）、★本	1本の丸木からくりぬいた丸木舟は「本」でも数えます。➡船（ふね）
まるぼん［丸盆］	★枚（まい）	
マロングラッセ【marron glacé フランス】	★粒（つぶ）、★個、★箱（はこ）、★缶（かん）	「粒」で数える方がクリの実を一つ一つ丁寧に数えているニュアンスになります。ふつうは「個」で数えます。小売単位は「箱」「缶」など。→コラム⑯に関連事項（p.285）
まわし［回し］	★枚（まい）、★本	腰に巻くふんどしは「枚」で数えます。➡褌（ふんどし） 力士が相撲を取るときに締める回しは「本」「枚」で数えます。➡化粧回し（けしょうまわし）
まんが［漫画］	★点、★★作品、★作、★冊、★部、★本、★齣（コマ）	作品としての漫画は「点」「作品」「作」で数えます。漫画本は「冊」で、その発行数は「部」で数えます。テレビアニメ番組やアニメ映画は「本」で数えます。漫画家が抱える連載の数は「本」で数えます。漫画の中のそれぞれの絵は「齣（コマ）」で数えます。「4コマ漫画」
マンゴー【mango】	★個	➡果物（くだもの）
マンゴスチン【mangosteen】	★個	➡果物（くだもの）
まんじゅう［饅頭］	★個	➡菓子（かし）

★＝英語数詞〔1（ワン）、2（ツー）、3（スリー）…〕などに付く　➡より詳しい解説のある項目へ　→関連項目などへ

マンション ▶ ミートボール

数えるもの	数え方	数え方のポイント
マンション[mansion]	▲棟（とう）、●棟（むね）、●戸（こ）、▲邸（てい）	マンションの建物全体は「棟」で数えますが、個々の世帯用の部屋は「戸」で数えます。「新築マンション520戸販売」 販売業者が高級感を出したい場合に「邸宅」の「邸」を使って販売戸数を数えることもあります。マンションの部屋は「室」で数えます。 → コラム⑯に関連事項(p.285)
マント[manteau フランス語]	●枚（まい）	上着の一種として「着」で数えることもあります。
マンドリン[mandolin]	▲本	➡ 楽器（がっき）
まんねんひつ[万年筆]	▲本	筆を数える「管（かん）」を用いることもあります。
まんぽけい[万歩計]	▲台、▲個	精密機械ですが、小型で機能が単純なため、「個」で数えることもできます。
マンホール[manhole]	▲個、▲本	マンホールの蓋（ふた）は「枚」「個」で数えます。
マンモス[mammoth]	▲頭	マンモスの骨格標本は「体」で数えます。 ➡ 動物（どうぶつ）
まんりき[万力]	▲挺（ちょう）（丁）、▲台	物を挟んで固定させる工具の一種で、「挺（丁）」「台」で数えます。

み

数えるもの	数え方	数え方のポイント
み[実]	▲個、▲本、●粒（つぶ）	原則として「個」で数えますが、細長いものは「本」、小さいものは「粒」でも数えます。
み[箕]	●枚（まい）	穀物の殻を取り除く、ざるのような農具で、「枚」で数えます。
みあい[見合い]	▲回、▲度、●組（くみ）	見合いをする回数は「回」「度」で数えます。「3{回｜度}目の見合いで結婚を決めた」 見合いをするカップルの数は「組」で数えます。
ミーティング[meeting]	▲回、▲席（せき）、▲度など	➡ 会議（かいぎ）
ミートボール[meatball]	▲個	

▲=漢語数詞〔一（いち）、二（に）、三（さん）…〕などに付く　●=和語数詞〔一（ひと）、二（ふた）、三（み）…〕などに付く

数えるもの	数え方	数え方のポイント
ミートローフ【meat loaf】	▲個、▲本、▲切れ、▲片（へん）、▲品（しな）、▲品（ひん）、▲皿	切り分ける前は「個」「本」、切り分けたものは「切れ」「片」で数えます。料理としては「品」「皿」で数えます。
ミイラ【mirra ポルトガル】	▲体（たい）、▲点など	➡剝製（はくせい）
みがきにしん【身欠き鰊】	▲本、▲枚（まい）	取引では「本」を用います。通常、ニシンを3枚におろして2本の身欠き鰊を作ります。
みかん【蜜柑】	▲本、▲株（かぶ）、▲個、▲果（か）、▲房（ふさ）、▲つ	ミカンの木は「本」「株」。果実は「個」「果」、小さいものは「粒」でも数えます。果実の中にある房は「房」「個」「つ」で数えます。
みき【幹】	▲本	
ミキサー【mixer】	▲台	電動泡立て機やジューサーもコンクリートミキサー車も「台」で数えます。
みこし【御輿】	▲基（き）、▲挺（ちょう）（丁）	原則としては「基」で数えますが、駕籠（かご）のようにかつぎ上げるものなので「挺（丁）」で数えることもあります。

コラム 16　COLUMN〈商品の見栄えを良くする数え方〉

　同じ商品を数えるにも、数え方によって商品の見栄えが違ってくることがあります。例えば、戸建住宅の販売数を言う際、建物を数える「戸」や「棟」を使って、「新築住宅3戸分譲」「現場5棟販売」のように数えます。最近の不動産会社の広告では、「邸宅」の「邸」を使って「新築住宅3邸分譲」のように数えるものが目立ちます。「邸」は、一戸建て住宅に限らず、マンションの販売数にも使うことができる上、商品の高級感を高める働きがあります。

　その他にも、例えば「弁当1個」というと、量産される安価なものを想像させますが、「弁当1折（ひとおり）」というと高級な折り詰め弁当を期待させます。また、「マカデミアナッツ1粒を贅沢（ぜいたく）に使ったチョコレート」「マロングラッセ10粒入りギフト」のように、ナッツ類は「粒」で数えた方が「個」で数えるよりも高級感が出るようです。商品としてのリンゴや桃、メロンなどの果物やトマト、玉ねぎ、キャベツなどの野菜を数える「玉」も、商品の丸々としたさま、中身の充実感を表現するのに一役買っています。

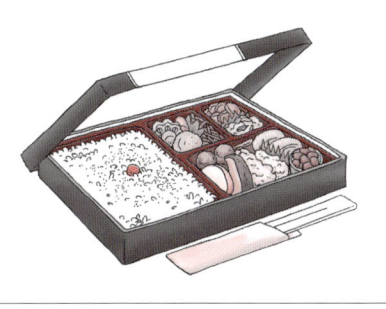

★＝英語数詞〔1（ワン）、2（ツー）、3（スリー）…〕などに付く　➡より詳しい解説のある項目へ　→関連項目などへ

ミサイル ▶ みずぎ

数えるもの	数え方	数え方のポイント
ミサイル[missile]	▲発、▲機	誘導装置を持つため、飛行機を数える「機」を用いることがあります。発射台は「基」で数えます。
みさき[岬]	●つ、▲箇所、▲岬	有名な岬を数え上げる場合「岬」を用いることがあります。
ミシン	▲台	
ミシンめ[ミシン目]	▲本	切り離し用のミシン目のことで、「本」で数えます。「2本のミシン目で切り離す」
みす[御簾]	▲枚	
みず[水]	▲滴、▲雫、▲杯、▲本、▲筋、▲●★パック	水自体を数えることはできませんが、したたり落ちる雫は「滴」「雫」「点」、水道の蛇口から出るものは「筋」、コップに注いだものは「杯」で数えます。ミネラルウオーターは入れた容器に応じて「本」「パック」などで数えます。水の流れは「本」「筋」などで数えます。水の硬度や濁度（濁り具合）は「度」で表します。水深を「尋」で表すことがあります。「1尋」は5尺（約1.52m）または6尺（約1.82m）のことです。
みずあめ[水飴]	▲瓶、▲壺、▲掬い、▲匙	瓶に入っている場合は「瓶」、壺に入っている場合は「壺」で数えます。食する際に「掬い」「匙」などで分量の目安を表します。
みずいれ[水入れ]	▲個	水を入れるための小形の容器のことで、「個」で数えます。
みずうみ[湖]	●つ、▲湖、▲泓	原則として「つ」で数えますが、「富士五湖」のように「湖」で数えることもあります。文語で、水が広がるさまを表す「泓」を用いて数えることがあります。→池
みずぎ[水着]	▲着、▲枚	ワンピースの水着は「着」、セパレートの水着や海水パンツは「枚」で数えます。→海水着

▲=漢語数詞[一（いち）、二（に）、三（さん）…]などに付く　　●=和語数詞[一（ひと）、二（ふた）、三（み）…]などに付く

数えるもの	数え方	数え方のポイント
みずくさ【水草】	本、株	
みずぐるま【水車】	台、基、個、本	➡水車
みずたま【水玉】	つ、個	水玉模様の水玉は「個」で数えます。
みずでっぽう【水鉄砲】	本、挺（丁）	形状によって異なりますが、筒形は「本」、ピストル形は「挺（丁）」で数えます。
みずばしょう【水芭蕉】	本、株	植物としては「本」「株」で数えます。花は「本」で数えます。
みずひき【水引】	本 枚、張り	進物に結ぶものは「本」で数えます。 仏前・御輿などに張り渡す幕は「枚」「張り」で数えます。
みずようかん【水羊羹】	個、棹	➡羊羹
みずわり【水割り】	杯	➡ウイスキー
みせ【店】	軒、店、店舗	比較的小規模の商店・売店・飲食店は「軒」で数えます。屋台などの簡易店舗は「台」「軒」で数えます。「店舗」は独立した建物を持たず、ビルに入っているものも含みます。店舗の規模が大きくなると、「店」で数えることがあります。チェーン店は「店舗」を用いて数えることもあります。
みそ【味噌】	樽、本、パック、袋、匙、掬い	樽入りの味噌は「樽」「本」で数えます。現代ではパックに包装された状態で小売りされていることが多く、「パック」「袋」などで数えることが増えています。料理などに使う際は「匙」「掬い」で分量の目安を表します。
みぞ【針孔】	本	針の穴のことで、「本」で数えます。
みぞ【溝】	本	
みそしる【味噌汁】	杯、椀	
みだし【見出し】	文、題、言、つ、項目	文章になっている見出しは「文」で数えます。タイトルとしての見出しは「題」で、フレーズ（句）の見出しは「言」「つ」などで数えます。

数えるもの	数え方	数え方のポイント
		インデックスは「項目」「つ」で数えますが、辞典では「語」を用いることがあります。
みち[道]	▲本、●筋、●条、●つ	通常は「本」で数えますが、どこに通じるのか分からない小道、先が消え入りそうな野山の道や獣道(けものみち)は「筋」でも数えます。町の整備された碁盤の目のような通りは「条」で数えます。人生の進路や進むべき選択にたとえた道は「つ」で数えます。「就職か進学か、2つに1つの道を選ぶ」
みつ[蜜]	▲本、●杯(はい)、●匙(さじ)	瓶などの容器に入っている場合は「本」で数えます。匙(さじ)ですくった分量の目安を「杯」「匙」で表します。
ミット[mitt]	▲個、●枚(まい)	→ グローブ
みつば[三つ葉]	▲本、●株(かぶ)、●束(たば)、▲把(わ)	植物としては「本」「株」で数えます。八百屋などで商品として売られる場合は「束」「把」で数えます。
みつもり[見積もり]	▲件、▲通、●枚(まい)	見積もりをする件数は「件」、見積書は「通」「枚」で数えます。➡ 書類(しょるい)
みとりず[見取り図]	●枚(まい)、▲図(ず)、▲点	
ミトン[mitten]	▲双(そう)、●組(くみ)、●枚(まい)	手袋の一種なので、「双」「組」で数えます。片方だけなら「枚」でも数えます。➡ 手袋(てぶくろ)
ミニカー[minicar]	▲台、▲個、▲点	乗り物として扱う場合は「台」、玩具(がんぐ)として扱う場合は「個」で数えます。商品としては「点」で数えます。
ミニスカート[miniskirt]	●枚(まい)	➡ 服(ふく)
みね[峰]	▲嶺(れい)、▲峰(ほう)、●つ	「嶺(れい)」「峰(ほう)」は峰(みね)を数える語です。「嶺」は高い峰続きを数え、「峰」は険しい山の頂を数えます。「中国五嶺(ごれい)」
みの[蓑]	●枚(まい)	藁(わら)などを編んで作った肩にかける雨よけのことで、「枚」で数えます。
みのむし[蓑虫]	▲匹(ひき)、▲個	中の虫が抜けた後の蓑は「個」で数えます。

▲=漢語数詞〔一(いち)、二(に)、三(さん)…〕などに付く ●=和語数詞〔一(ひと)、二(ふた)、三(み)…〕などに付く

数えるもの	数え方	数え方のポイント
みぶんしょうめいしょ【身分証明書】	★通、★枚	身分を証明する文書として扱う場合は「通」、カードや紙として扱う場合は「枚」で数えます。
みみ【耳】	★つ、★枚、★本、★対	原則として「つ」で数えますが、動物の耳などは「枚」で数えることもできます。パンの耳は「つ」、運動競技用のマットの耳は「本」で数えます。
みみあて【耳当て】	★個、★組、★対、★双	2個で「ひと組」と数えます。2つのものが対になって機能する性質から「対」「双」で数えることもあります。
みみかき【耳掻き】	★本	
みみかざり【耳飾り】	★個、★組、★対	➡ イヤリング
みみず【蚯蚓】	★匹、★本	釣り餌の場合は「本」でも数えます。
みみずく【木菟】	★羽	➡ 鳥
みみずばれ【蚯蚓脹れ】	★筋	
みみせん【耳栓】	★個、★組、★対	耳栓2個で「ひと組」「1対」と数えます。
みみわ【耳輪】	★本	➡ イヤリング
みゃく【脈】	★筋、★本、★回	血管は「筋」「本」で数えます。脈を打つ回数は「回」で数えます。
ミュージアム【museum】	★軒、★館	➡ 美術館
ミュージカル【musical】	★本、★回、★公演など	➡ 劇
ミュール【mule】	★足	女性用サンダルの一種で「足」で数えます。 ➡ 靴
みょうが【茗荷】	★個、★本、★株	植物としては「本」「株」で数えます。食用の部分は「個」「本」で数えます。小売単位は「山」「袋」「パック」など。
ミラー【mirror】	★枚、★本、★基、★面	鏡は「枚」で数えます。車のバックミラー・サイドミラー・歯科医が口の中を見るために使うミラーは「本」で数えます。見通しの悪い道路などに据え付けてあるものは「基」、

★＝英語数詞〔1（ワン）、2（ツー）、3（スリー）…〕などに付く　➡ より詳しい解説のある項目へ　→ 関連項目などへ

数えるもの	数え方	数え方のポイント
		店内の防犯ミラーは「面」「枚」などで数えます。→鏡(かがみ)
ミラーボール【mirror ball】	▲個、▲台、▲本	天井からつり下がっているものは「本」で数えます。
みりん【味醂】	▲本、●瓶(びん)、●匙(さじ)、▲杯(はい)、▲●★カップ	小売単位は「本」「瓶」など。料理で使う際は「匙」「杯」「カップ」などで分量の目安を表します。
ミルク【milk】	▲本、▲杯(はい)など	➡牛乳(ぎゅうにゅう) →粉ミルク(こな)
ミルフィーユ【millefeuille フランス】	▲個、▲台、▲本、●切れ	➡焼き菓子(やがし)
みんか【民家】	▲軒(けん)、●戸(こ)、▲棟(とう)、▲棟(むね)など	➡家(いえ)
みんげいひん【民芸品】	▲個、●つ、▲点	形状によって数え方が異なりますが、作品・商品として数える場合は「点」を用います。
みんよう【民謡】	▲曲	➡謡(うたい)
みんわ【民話】	▲話(わ)、●つ	➡物語(ものがたり)

む

数えるもの	数え方	数え方のポイント
ムース【moose】	▲頭	ヘラジカともいい、「頭」で数えます。➡動物(どうぶつ)
ムース【mousse】	▲個	菓子のムースは「個」で数えます。
	▲本	スプレー缶に入った整髪料のムースは「本」などで数えます。使用量の目安は「ピンポン玉1個分」などで表します。
ムートン【mouton フランス】	▲枚(まい)、▲着(ちゃく)	毛皮は「枚」、ムートンジャケットに加工した場合は「着」で数えます。➡ファー ➡服(ふく)
ムームー【muumuu ハワイ】	▲枚(まい)、▲着(ちゃく)	ハワイの女性が着る、派手な柄のゆったりした民族服のことで、「枚」「着」で数えます。➡服(ふく)
ムールがい【ムール貝】	▲個	➡貝(かい)
ムーンストーン【moonstone】	▲個、●粒(つぶ)	➡宝石(ほうせき)

▲=漢語数詞〔一(いち)、二(に)、三(さん)…〕などに付く　●=和語数詞〔一(ひと)、二(ふた)、三(み)…〕などに付く

むかで ▶ むすこ

数えるもの	数え方	数え方のポイント
むかで【百足】	▲匹(ひき)	
むぎ【麦】	▲本(ほん)、●粒(つぶ)	植物としての麦は「本」で数えます。麦の穂は「本」、実は「粒」で数えます。　→ 小麦粉
むぎちゃ【麦茶】	▲杯(はい)、▲本(ほん)、●瓶(びん)、▲缶(かん)、▲袋(ふくろ)、●個、▲●★パック	湯のみやグラスに注いだものは「杯」、瓶・ペットボトル・缶・水筒に入ったものは「本」「瓶」「缶」などで数えます。麦茶用の炒った大麦の小売単位は「袋」「個」「パック」など。 ➡ 茶(ちゃ)
むぎめし【麦飯】	▲杯(はい)、▲膳(ぜん)など	➡ 飯(めし)
むぎわら【麦藁】	▲本(ほん)、▲筋(すじ)など	➡ 藁(わら)
むぎわらぼうし【麦藁帽子】	▲個	➡ 帽子(ぼうし)
むささび【鼯鼠】	▲匹(ひき)	➡ 動物(どうぶつ)
むし【虫】	▲匹(ひき)	通常は「匹」で数えます。貴重な種類・個体の場合、専門的に「頭」で数えることがあります。　→ コラム⑩に関連項目 (p.189)
むしき【蒸し器】	▲台、●個、▲具(く) ▲段(だん)	現代の蒸し器は「台」「個」で数えます。古くは揃いの器具を数える「具」で数えました。かまどに据える、複数の蒸籠(せいろう)を重ねる蒸し器を数える場合は、それぞれの蒸籠を「段」で数えます。「3段蒸し器」
むしば【虫歯】	▲本	➡ 歯(は)
むしピン【虫ピン】	▲本、●個	
むしめがね【虫眼鏡】	▲本、▲面、▲個など	➡ ルーペ
むしろ【筵】	▲枚(まい)、●片(ひら)	薄いものなので「枚」で数えます。「片(ひら)」は古くは紙・葉・筵などを数えた語です。
むすこ【息子】	●人(り/たり)、▲人(にん)、▲男(なん)	「男」は息子の数を数える語です。「3男をもうける」 1番目の息子は「長男」、2番目は「次男(二男)」、3番目以降は必ず漢語数詞について、「三男」「四男」「五男」…と生まれた順番を表します。

★＝英語数詞〔1（ワン）、2（ツー）、3（スリー）…〕などに付く　➡ より詳しい解説のある項目へ　→ 関連項目などへ

むすびめ ▶ め

数えるもの	数え方	数え方のポイント
むすびめ【結び目】	▲個	
むすめ【娘】	●人/たり、▲人にん、▲女じょ	「女」は娘の数を数える語です。「3女をもうける」1番目の娘は「長女」、2番目は「次女（二女）」、3番目以降は必ず漢語数詞について、「三女」「四女」「五女」…と生まれた順番を表します。
むち【鞭】	▲本	
ムック【mook】	▲冊さつ、▲部ぶ	雑誌（magazine）と書籍（book）の性格をあわせ持つ出版物のことで、「冊」で数えます。発行数は「部」で数えます。号数は「号」で表します。 ➡ 雑誌ざっし ➡ 本ほん
むなぎ【棟木】	▲本	
ムニエル【meunièreフラ】	●切れ、▲品しな、▲品ひん、▲皿	料理としては「品」「皿」などで数えます。 ➡ 料理りょうり
むね【棟】	▲本	→ 棟木むなぎ
むねあて【胸当て】	▲枚まい	
むねにく【胸肉】	▲枚まい	鶏肉の胸肉は「枚」で数えます。 ➡ 肉にく
むら【村】	▲村そん、●つ	地方公共団体の1つとして数える場合は「村」を用います。「2村が合併する」 場所として数える場合は「箇所かしょ」を用います。
むれ【群れ】	●つ、▲群ぐん、●群む	「群」は人間のまとまりを数える語です。動物の場合は「群れむ」で数えます。

め

数えるもの	数え方	数え方のポイント
め【目】	●つ、▲個、▲対つい	生き物の目の数をいう場合は「つ」を用い、物体として目玉を数える場合は「個」を用います。台風の目など、目にたとえた意味を持つ場合は「個」（口語などでは「つ」も可能）で数えます。

▲=漢語数詞〔一（いち）、二（に）、三（さん）…〕などに付く　●=和語数詞〔一（ひと）、二（ふた）、三（み）…〕などに付く

数えるもの	数え方	数え方のポイント
め[芽]	★本、•つ	
めいがら[銘柄]	•つ、★銘柄、★種、★種類	「銘柄」は「ワイン5銘柄を試飲」のように用います。
めいさいしょ[明細書]	★通、★枚	
めいさんひん[名産品]	★点、★個	商品の種類をまとめて数える場合は「点」で数えます。「名産品100点展示」
めいし[名刺]	★枚、★葉	ふつうは「枚」で数えます。「葉」は名刺やカード類を雅語的に数える語です。
めいしいれ[名刺入れ]	★個、•つ	薄いものは「枚」でも数えます。
めいしょ[名所]	★箇所、•つ	
めいしん[迷信]	•つ、★説	
めいだい[命題]	•つ、★個、★文、★命題	命題は「個」でも数えます。真偽を判断する文は「文」で数えます。
めいちょう[名帳]	★冊、★帖	古くは、折り本や帳面を数える「帖」で数えました。 ➡ 名簿
めいぼ[名簿]	★枚、★通、★冊	紙に書かれた名簿は「枚」で数えます。人名のリストを広く知らせる目的を含むなら「通」でも数えます。名簿が冊子になっている場合は「冊」で数えます。名簿に登録された人の人数は「名」で数えます。商店の作る顧客リストなどは記載されている項目を「件」で数えることもあります。
メーカー【maker】	★社、•人/たり、★人	製造会社は「社」、製造者は「人」で数えます。
メーター【meter】	★台、★基	据え付けて使う大型メーターは「基」で数えます。
メール【mail】	★通、★回、★件	電子メールは郵便と同じ「通」で数えます。電子メールの送受信回数は「回」で数えます。「3回の送受信で10通のメールをやりとりした」 やりとりしたメッセージの用件は「件」で数えます。会話などでは「つ」「個」も用います。 ➡ 手紙

★=英語数詞[1(ワン)、2(ツー)、3(スリー)…]などに付く　➡ より詳しい解説のある項目へ　→ 関連項目などへ

めかくし ▶ めじ

数えるもの	数え方	数え方のポイント
めかくし【目隠し】	▲本、●枚	目をおおう細長い布は「本」「枚」で数えます。アイマスクは「枚」で数えます。部屋の内部が見えないようにする覆いは、形状に応じて数え方が異なります。板は「枚」、植え込みは「本」「株」などで数えます。
めがね【眼鏡】	▲本、▲点、●つ、●個	原則として眼鏡は「本」で数えます。商品として数える場合は「本」「点」を用います。「2本で10000円の格安メガネ」 個人が所有する眼鏡の数をいう場合は「本」「つ」「個」を用います。「私は4{本｜つ｜個}の眼鏡を持っている」 眼鏡のフレームは「本」、レンズは「枚」で数えます。
メガホン【megaphone】	▲本、●個	拡声器は「台」で数えます。
めキャベツ【芽キャベツ】	▲本、▲株、●個、●玉	植物としては「本」「株」で数えます。食用の部分は「個」で数えます。やや大きめの場合は「玉」でも数えます。小売単位は「パック」「袋」「山」など。 ➡野菜
めぐすり【目薬】	▲本、▲滴、▲点	目薬の瓶（容器）は「本」で数えます。使用する際は「滴」「点」で分量の目安を表します。
めざし【目刺し】	▲連、●串、▲匹	数匹のイワシを連ねて串に刺して干した食品で、そのひとまとまりを「連」「串」で数えます。
めざましどけい【目覚まし時計】	●個	大型のものは「台」で数えることもあります。 ➡時計
めし【飯】	▲膳、●装い、▲杯、▲度、▲飯	現代語では「杯」「膳」を用います。改まった場面では、茶碗に盛った飯を「装い」で数えます。古くは椀に盛った飯を「飯」でも数えました。食事を意味する場合は「度」でその頻度を表します。「三度の飯」 ➡米
めじ【目地】	▲本、●筋	タイルなどを接合するときにできる継ぎ目のことで、「本」「筋」で数えます。

▲＝漢語数詞[一（いち）、二（に）、三（さん）…]などに付く　●＝和語数詞[一（ひと）、二（ふた）、三（み）…]などに付く

数えるもの	数え方	数え方のポイント
メス【mes オランダ】	▲本	外科手術や解剖用の刃物のことで、「本」で数えます。
メスシリンダー【Messzylinder ドイツ】	▲本	円筒状の体積計のことで、「本」で数えます。
めだか【目高】	▲匹(ひき)	小さい魚なのでふつう「尾」では数えません。➡魚(さかな)
めだま【目玉】	▲個	➡目(め)
メダル【medal】	▲枚(まい)、▲個、•つ	通常は「枚」で数えますが、オリンピックなどで獲得するメダルは「個」「つ」でも数えます。「日本は金メダルを3{個｜つ}獲得」
メッシュ【mesh】	▲枚(まい)	網目の布地を「枚」で数えます。
メッセージ【message】	▲通、▲件、•つ	厳密な区別はありませんが、相手に伝達する内容まで意識してメッセージを数える場合は「通」を用い、用件として数える場合は「件」を用いる傾向があります。口語などでは「つ」でも数えます。
メドレー【medley】	▲曲	メドレー曲の場合は「曲」で数えます。
	▲•★レース、▲種目(しゅもく)	メドレーリレーの場合は「レース」「種目」などで競走競技を数えます。
メトロノーム【Metronom ドイツ】	▲台	振り子の原理を応用して作られた、楽曲の速度を知らせるための機械で、「台」で数えます。
メニュー【menu フランス】	•つ、▲種(しゅ)、▲種類(しゅるい)、▲部(ぶ)、▲枚(まい)、▲冊(さつ)	献立の数は「つ」「種」「種類」で数えます。「週末は3つのメニューしか出さない店」 レストランなどで参照する献立表は「部」「枚」、冊子なら「冊」で数えます。
	▲画面、•つ	コンピュータ操作に使用するメニューは、画面やボタンなどの形状によって異なりますが、「画面」「つ」などで数えます。
メモ【memo】	▲枚(まい)、▲片(へん)	メモ用紙は「枚」で数えます。紙の切れ端に書いたメモは「片」で数えます。内容の伝達

★＝英語数詞〔1（ワン）、2（ツー）、3（スリー）…〕などに付く　➡より詳しい解説のある項目へ　→関連項目などへ

数えるもの	数え方	数え方のポイント
		回数やメモに書かれた用件を数える場合は「1{通｜件}のメモが残されていた」などといいます。
めもり【目盛り】	●つ、▲目盛り	「本」で数えることもあります。
メモリー【memory】	▲枚、▲バイト	パソコンのメモリーの装置の数は「枚」で数えます。メモリーの容量の単位は「バイト」です。
メリーゴーラウンド【merry-go-round】	▲基	装置全体は「基」で数えます。人が乗る個々の木馬や馬車は「台」「席」で数えます。
メロディー【melody】	▲曲、●節、●節、▲●★フレーズ	
メロン【melon】	▲本、●株、▲個、●玉、●切れ、▲●★カット	植物としては「本」「株」で数えます。果実は「個」「玉」で数えます。果実を切り分けた場合は「切れ」「カット」で数えます。
めん【面】	▲枚、●個、▲面、●頭、●つ	能面・狂言面は「面」で数えます。古くは頭(顔)のあるものを数える「頭」も用いました。物事の側面をいう場合は「つ」も用います。「この問題は2つの面を持つ」
めん【麺】	▲本、●玉、●束、▲把、●袋	それぞれの麺は「本」で数えます。1食分をまとめた麺の塊は「玉」で数えます。そうめんなどの乾麺は「束」「把」でも数えます。小売単位は「袋」など。　→詳しくは各項目を参照
めんか【綿花】	▲個、▲枚、●包み	➡綿
めんきょしょう【免許証】	▲枚、▲通	➡免状
めんこ【面子】	▲枚	
めんじょう【免状】	▲通、▲枚	資格取得を証明・通知する内容を示す証書として扱う場合は「通」を用います。紙やカードとして扱う場合は「枚」で数えます。
めんせつ【面接】	▲回、▲度、●つ	面接を実施する回数は「回」「度」で数えます。異なる会社や学校などの面接を受けた

▲=漢語数詞(一(いち)、二(に)、三(さん)…)などに付く　●=和語数詞(一(ひと)、二(ふた)、三(み)…)などに付く

めんたいこ ▶ もうせん

数えるもの	数え方	数え方のポイント
		場合、その数を「つ」で数えます。「1日で違う会社の面接を3つも受けた」
めんたいこ[明太子]	★腹、★粒	「腹」は魚類の産出前の卵塊（はららご）を数える語です。ひと腹を切り分けたものは「片」「かけら」で数えます。個々の卵は「粒」で数えます。小売単位は「樽」「パック」「箱」など。→ 魚卵
メンチカツ〈和製語〉	★枚、★個	形状に応じてどちらででも数えることができます。➡ フライ
メンバー[member]	★り/たり人、★にん人	ある集団を構成する人員を「一員」の形で表すことがあります。この場合は人間でなくてもいうことができます。「ペットは家族の一員」
めんぼう[綿棒]	★本	小売単位は「パック」「箱」「袋」など。
めんぼう[麺棒]	★本	
メンマ[麺麻]	★片、★瓶、★袋	支那竹ともいい、個々のメンマは「片」で数えます。小売単位は「瓶」「袋」など。
めんよう[綿羊]	★匹、★頭	→ 羊 ➡ 動物

も

数えるもの	数え方	数え方のポイント
も[藻]	★本、★筋、★株、★房	形状によって数え方が異なり、細長いものは「本」「筋」で数え、根を持ってまとまって生えているものは「株」「房」などで数えます。
モアイ[moai]	★体、★基	「体」は人間の形状を模した彫像類を数える語です。地面に据えてあるので「基」で数えることもあります。
もうこん[毛根]	★本	
もうさいかん[毛細管]	★本	
もうじゅう[猛獣]	★頭、★匹	➡ 動物
もうせん[毛氈]	★枚	敷物などにするための織物のことで、「枚」

★＝英語数詞［1（ワン）、2（ツー）、3（スリー）…］などに付く　➡ より詳しい解説のある項目へ　→ 関連項目などへ

数えるもの	数え方	数え方のポイント
		で数えます。
もうどうけん【盲導犬】	▲頭	➡犬
もうはつ【毛髪】	▲本	➡髪
もうふ【毛布】	▲枚	電気毛布は「台」でも数えます。
モーター【motor】	▲基、▲台	小さいものは「個」でも数えます。
モーターボート【motorboat】	▲隻、▲艘、▲艇	船舶類をまとめて数える場合は「隻」で数えます。小型船は「艘」で数えることがあります。競技用モーターボートは「艇」で数えます。➡船
モーニング	▲着	モーニングコートの略で、「着」で数えます。➡服
モール【mall】	▲箇所、▲本、●つ	商店などが並ぶ遊歩道のことで、「箇所」「本」「つ」で数えます。
モール【mogol ポルトガル】	▲本	飾り用のひものことで、「本」で数えます。
もくぎょ【木魚】	▲個、▲台	木魚は、禅寺で食事の合図に打ち鳴らす、平らな魚形の板であることに由来し、「枚」で数えることがあります。
もぐさ【艾】	▲個、●つ	灸治に用いるヨモギを綿のようにしたもので「個」「つ」などで数えます。
もぐさ【藻草】	▲本、●株など	➡藻
もくざい【木材】	▲本	木材の体積の単位は「才」です。1寸角(約3.03cm×3.03cm)で1間(約182cm)、または2間の長さの材積を「1才」とします。
もくぞう【木像】	▲体	
もくぞうかおく【木造家屋】	▲軒、●棟、▲棟、▲戸、▲邸	通常は「軒」で数えます。建築現場などでは「棟」も用います。不動産会社が商品として家屋を数える際、「戸」「邸」で数えることもあります。➡家
もくたん【木炭】	▲個、▲本	
もくてき【目的】	●つ	
もくば【木馬】	▲台、▲個	遊具の木馬は「台」「個」、体操用具の木馬は

▲=漢語数詞[一(いち)、二(に)、三(さん)…]などに付く　●=和語数詞[一(ひと)、二(ふた)、三(み)…]などに付く

もくはん ▶ もちあみ

数えるもの	数え方	数え方のポイント
		「台」で数えます。
もくはん[木版]	▲枚、▲点	作品として数える場合は「点」で数えます。
もくひょう[目標]	▲つ、▲点、▲項目	ふつうは「つ」で数えますが、掲げて示す場合は「点」「項目」などで数えます。
もくへん[木片]	▲片	
もぐら[土竜]	▲匹	
もくろく[目録]	▲通	目録は「通」で数えます。目録に書いた項目は「つ」で数えます。式典などでその各項目を「ひとつ」で列挙しながら読み上げます。「目録、ひとつ、記念品。ひとつ、記念樹一株。……」
モザイク[mosaic]	▲面、▲点、▲作品、▲作	床や壁にほどこされたものは「面」で、工芸品として数える場合は「点」「作品」「作」で数えます。モザイクタイルの取引単位は「才」です。
もじ[文字]	▲文字、▲個、▲つ、▲流れ	「流れ」は文字列のように縦に並んでいるものを数える語です。文字の大きさの単位には「級」「ポイント」「号」などがあります。「級」は写真植字での文字の大きさを表す単位です。記号は「Q」。4分の1 (0.25) mm角のもので「1級」。➡字 ➡活字
もぞうし[模造紙]	▲枚	
もち[餅]	▲枚、▲切れ、▲個、▲重ね、▲臼	のし餅は「枚」、切り分けたものは「切れ」「個」、丸餅は「個」で数えます。鏡餅や重ね餅は、餅を重ねてあるので「重ね」で数えます。「ひと重ねの鏡餅を供える」 1回分の餅搗きで搗ける餅の分量を「餅ひと臼」といいます。
もちあみ[餅網]	▲枚	餅焼き網ともいい、平面的なので「枚」で数えます。

★＝英語数詞〔1（ワン）、2（ツー）、3（スリー）…〕などに付く　➡ より詳しい解説のある項目へ　→ 関連項目などへ

数えるもの	数え方	数え方のポイント
もちざお【黐竿】	▲本、●竿	虫や鳥を捕るためのとりもちを竿の先につけたもので「本」「竿」で数えます。　➡竿
もちば【持ち場】	●つ	
もっかん【木簡】	▲枚、▲片、▲点	原則として「枚」で数えますが、部分的に存在するものである場合は「片」、出土品として数える場合は「点」を用います。
もっかんがっき【木管楽器】	▲本	➡楽器
もっきん【木琴】	▲台、▲面	木琴を叩く撥は2本で「ひと組」と数えます。　➡楽器
もっこ【畚】	▲枚、▲簣	「簣」はもっこ、あるいはそれに盛った土を数える語です。「一簣」には、わずかな量の意味があります。「一簣の功（＝事業を完成させるために積み重ねる一つ一つの努力の大切さのこと）」
モップ【mop】	▲本	
モデル【model】	●つ、▲個、▲点	模範・手本の意味でのモデルは「つ」で数えます。模型の意味のモデルは「個」「点」で数えます。
	●人、▲人	ファッションモデルや絵画・写真の製作対象となる人のモデルは「人」で数えます。
もとどり【髻】	▲束	髻をひと握り程度の長さに切ることを「一束切り」といいます。　➡髷
もなか【最中】	▲個	➡菓子
モニター【monitor】	▲台、▲インチ	ディスプレーは「台」で数えます。パソコンのモニター画面の大きさは「インチ」で表します。
	●人、▲人	商品の批評者は「人」で数えます。
モニュメント【monument】	▲基	記念建造物（像や碑など）のことで、「基」で数えます。
ものおき【物置】	●棟、▲棟	移動できる組み立て式の簡易物置は「台」でも数えます。

▲＝漢語数詞〔一（いち）、二（に）、三（さん）…〕などに付く　●＝和語数詞〔一（ひと）、二（ふた）、三（み）…〕などに付く

数えるもの	数え方	数え方のポイント
ものがたり[物語]	★話、★つ	民話・説話・おとぎ話などは「話」で数えます。会話などでは「つ」も用います。
モノグラフ[monograph]	★編、★本	研究論文のことで、「編」で数えます。研究業績の項目として数える場合は「本」を用います。 ➡ 論文
ものさし[物差し]	★本	
モノレール[monorail]	★本、★両	モノレールの路線は「本」で数えます。車両は「両」で数えます。 → 電車
もはん[模範]	★つ	
モビール[mobile]	★本、★点、★基	空気の微動でも動くように作られた彫刻やクラフトのことで、「本」で数えます。作品としては「点」で数えます。大型のものは「基」でも数えます。
もふく[喪服]	★着	➡ 服
もみ[籾]	★粒	籾米は「粒」で数えます。
もみのり[揉海苔]	★片、★袋	
もも[桃]	★本、★株、★個、★玉、★果、★切れ、★つ	木は「本」「株」で数えます。果実は「個」「玉」で数えます。「果」は果物を表す語です。切り分けた桃の果肉を「切れ」「片」「つ」で数えます。缶詰用に加工された果肉は「二つ割り」「四つ割り」などといいます。 ➡ 果物
ももひき[股引]	★枚	ズボンと同様、「本」で数えることもあります。 ➡ 下着
ももんが[鼯鼠]	★匹	➡ 動物
もやし[萌やし]	★本、★袋、★山	小売単位は「袋」「山」など。 ➡ 野菜
もよう[模様]	★つ	
もよおし[催し]	★回、★つ	イベントとしては「つ」で数えます。開催数は繰り返し行われる場合は「回」で数えます。
もり[森]	★つ	→ 林
もりあわせ[盛り合わせ]	★皿、★枚	料理の盛り合わせは、器に応じて「皿」「鉢」などで数えます。盛り合わされた料理の品

★＝英語数詞〔1（ワン）、2（ツー）、3（スリー）…〕などに付く　➡ より詳しい解説のある項目へ　→ 関連項目などへ

もりそば ▶ や

数えるもの	数え方	数え方のポイント
		数は「品」で数えます。「前菜3品盛り合わせ」 ➡ 料理
もりそば【盛り蕎麦】	▲枚	➡ 蕎麦
モルモット【marmotオランダ】	▲匹、▲頭	実験動物として扱う場合、専門家の間で「頭」と数えることがあります。
もろみ【諸味】	●盃	（専門的に）焼酎の原料となる諸味を蒸留する際、1升で「ひと盃」といいます。
もん【門】	▲基、▲門、▲対	凱旋門のように大型のものは「基」で数えます。楼門は「門」で数えます。2枚の扉が左右に開閉する門は「対」で数えます。運動会などの入場門（アーチ）は「本」で数えることもあります → ゲート
もん【紋】	●つ	
もんし【門歯】	▲枚、▲本	➡ 歯
もんしょう【紋章】	●つ、▲種、▲種類	→ 家紋
モンスター【monster】	▲匹、▲人／たり、▲人	動物に近い場合および人間か動物か区別できない場合は「匹」、人間に近い場合は「人」で数えます。 ➡ キャラクター → コラム④に関連事項(p.75)
モンタージュ【montageフランス】	▲枚	モンタージュ写真の略で、「枚」で数えます。
もんだい【問題】	▲問、●つ、▲点、▲題	試験の問いは「問」で数えます。論争や研究の対象となる事柄、解決しなくてはいけない課題の意味では「つ」「点」で数えます。
もんつき【紋付】	▲着、●揃い	礼服の紋付袴は「揃い」で数えます。 ➡ 着物
もんぺ	▲枚	➡ 服
もんよう【文様】	●つ	

や

数えるもの	数え方	数え方のポイント
や【矢】	▲本、●筋、▲条、●束、●締め、	一般的に矢は「本」で数えますが、「筋」「条」でも数えます。靫目の矢20本で「1束」、50

▲=漢語数詞〔一（いち）、二（に）、三（さん）…〕などに付く　●=和語数詞〔一（ひと）、二（ふた）、三（み）…〕などに付く

やいた ▶ やきがし

数えるもの	数え方	数え方のポイント
	★乗、●伏せ	本で「ひと締め」と数えます。「乗」は矢4本をひとまとまりとする単位です。矢の長さをはかる単位は「伏せ」で、指1本分の幅が「ひと伏せ」です。弓術で甲矢乙矢合わせて2本で「1手」といい、どちらか一方の矢を「1隻」といいます。弓道で4本(もしくは2本)の矢を持って的に向かうことを「一立」「一立」といいます。 ➡ 弓
やいた[矢板]	★枚	水害を防止するために河川や海に接する地表に打ち込む板状の杭のことで、「枚」で数えます。
やえば[八重歯]	★本	➡ 歯
やおや[八百屋]	★軒、●店、●店舗	チェーン店などの店舗数を数える場合は「店」「店舗」を用います。 ➡ 店
やかいふく[夜会服]	★着	➡ 服
やかた[館]	★軒、●邸	館の大きなさまを表すのに「邸」を用いて数えることもあります。
やかたぶね[屋形船]	★隻、●艘	➡ 船
やかん[薬缶]	★個	ケトルともいい、「個」で数えます。まれに「本」で数えることもあります。
やぎ[山羊]	★頭、★匹	➡ 動物
やきいも[焼き芋]	★個、★本	
やきいん[焼き印]	★個、★本、★顆、●つ	金属製の焼き印は「個」「本」で数えます。小さいものは「顆」でも数えます。つけられた印は「つ」「個」、焼き印を押した場所は「箇所」で数えます。
やきうどん[焼き饂飩]	●皿、★枚など	→ 焼き蕎麦
やきがし[焼き菓子]	★枚、★個、★本、★台	クッキーやビスケットなど切り分けずに食べる平面的な焼き菓子は「枚」、マドレーヌやカップケーキは「個」で数えます。パウンドケーキは「本」、焼き型で丸く焼き上げた

★=英語数詞[1(ワン)、2(ツー)、3(スリー)…]などに付く　➡ より詳しい解説のある項目へ　→ 関連項目などへ

やきざかな ▶ やくそく

数えるもの	数え方	数え方のポイント
	●切れ、▲●★ピース	スポンジケーキは「個」「台」で数えます。切り分けた焼き菓子は「切れ」「ピース」、それを小売りする場合は「個」などで数えます。➡ 菓子 → ケーキ（図）
やきざかな[焼き魚]	▲本、▲匹、●切れ	切り身の魚は「切れ」で数えます。料理の品数として数える場合は「品」「皿」などを用います。➡ 料理
やきそば[焼き蕎麦]	▲本、●玉、●袋、●皿、●枚、▲丁、▲●★パック、●舟	皿に盛られていれば「皿」「枚」で数えます。注文数は「丁」でも数えます。屋台などで売られているものは、パック入りは「パック」、舟形容器なら「舟」で小売単位を表します。
やきとり[焼き鳥]	▲本、●串、●皿、●折	折り箱に詰めたものは「折」でも数えます。
やきもの[焼き物]	●個、●枚、●点	茶碗・湯のみ・鉢・壺類は「個」、平皿は「枚」で数えます。作品として焼き物を扱う場合は「点」で数えます。
やきゅう[野球]	▲戦、▲試合、▲●★ゲーム	試合数は「戦」「試合」「ゲーム」で数えます。チーム数は「チーム」で数えます。プロチームは「球団」でも数えます。ヒットやホームランは「本」、凡打・三振・四球は「個」「つ」で数えます。
やぎゅう[野牛]	▲頭	➡ 動物
やきゅうじょう[野球場]	▲面、▲球場、●つ	➡ 球場
やく[役]	●役、●つ	ひとりの役者が同じ作品で複数の役を演じる場合は「ひとりふた役」のようにいいます。また、「3つの役を演じる」のように、「つ」でも数えます。
やぐ[夜具]	●揃いなど	➡ 寝具
やくしゃ[役者]	●人、▲人	
やくしょ[役所]	●つ、▲軒	
やくそく[約束]	●つ	

▲＝漢語数詞［一（いち）、二（に）、三（さん）…］などに付く　●＝和語数詞［一（ひと）、二（ふた）、三（み）…］などに付く

数えるもの	数え方	数え方のポイント
やくそくてがた〔約束手形〕	★通、★枚	
やくひん〔薬品〕	★本、★瓶、★個、★袋	形状・容器によって異なります。瓶に入っていれば「本」「瓶」、箱や細長くない容器に入っている場合は「個」、袋に入っていれば「袋」で数えます。➡薬
やくほう〔薬包〕	★包、★包み、★貼	「貼」は紙に包んだ薬を数える語です。
やぐら〔櫓〕	★基	
やぐらごたつ〔櫓炬燵〕	★台	➡炬燵
やくわり〔役割〕	★つ	
やけど〔火傷〕	★つ	やけどをした場所は「箇所」で数えます。やけどの程度は「度」で表します。
やけん〔野犬〕	★匹、★頭	➡犬
やさい〔野菜〕	★本、★個、★玉、★株	形状によって数え方が異なります。ダイコン・ニンジン・ゴボウ・サツマイモのように細長い根菜類は「本」で数えます。また、ネギ・キュウリ・ナス・タケノコなどの野菜類も「本」で数えます。ジャガイモ・サトイモなどの根菜類、タマネギ・ピーマン・トマトなどの細長くない野菜類はもっぱら「個」で数えます。白菜・キャベツ・レタスなどの葉物が球状になっている野菜は「玉」、ブロッコリー・カリフラワーは「個」「株」で数えます。
	★把、★束、★山、★●★パック、★袋、★●★ネット	ホウレンソウ・小松菜・ニラなど、葉物が束になっているものは「把」「束」で数えます。八百屋などで、野菜が小売用の平籠に盛られている場合は「山」と数え、スーパーでパック詰めされている野菜は「パック」で数えます。袋詰めのものは「袋」、ネットに入っているものは「ネット」で数えます。もやし・つまみ菜などの袋に入って売られるものは「袋」

★＝英語数詞〔1（ワン）、2（ツー）、3（スリー）…〕などに付く　➡より詳しい解説のある項目へ　→関連項目などへ

数えるもの	数え方	数え方のポイント
		で数えます。 → 詳しくは各項目を参照
やし【椰子】	▲本、▲個	ヤシの木は「本」、ヤシの実は「個」で数えます。
やしき【屋敷】	▲軒（けん）、▲邸（てい）	家の大きさを強調する場合は「邸」で数えることがあります。
やじゅう【野獣】	▲頭	➡動物（どうぶつ）
やじり【鏃】	▲個、▲本	矢の先端につけ、射当てたとき突き刺さる部分のことで、「個」「本」で数えます。
やしろ【社】	▲社（しゃ）	➡神社（じんじゃ）
やすり【鑢】	▲本、▲挺（ちょう）（丁）、▲枚（まい）	棒状のものは「本」「挺（丁）」、紙やすりは「枚」で数えます。
やそう【野草】	▲本、▲茎（けい）など	➡草（くさ）
やたい【屋台】	▲台、▲軒（けん）	簡易に組み立てられる売り台・店舗のことで、「台」「軒」で数えます。能楽や演劇などの舞台は「台」で数えます。
やちょう【野鳥】	▲羽（わ）	➡鳥（とり）
やっきょう【薬莢】	▲個、▲本	➡銃（じゅう）
やっきょく【薬局】	▲軒（けん）、▲店（てん）、▲店舗（てんぽ）	チェーン店やドラッグストアの場合は「店」「店舗」でも数えます。 ➡店（みせ）
やづつ【矢筒】	▲本	矢を入れる筒のことで、「本」で数えます。
やっとこ【鋏】	▲挺（ちょう）（丁）	熱した板や針金を挟むための道具のことで「挺（丁）」で数えます。
やど【宿】	▲軒（けん）	➡ホテル
やどかり【宿借り】	▲匹（ひき）	
やな【梁】	▲枚（まい）、●つ、●箇所（かしょ）	川魚を捕るための仕掛けのことで、「枚」で数えます。仕掛けた場所は「つ」「箇所」で数えます。
やね【屋根】	▲枚（まい）	
やばね【矢羽根】	▲枚（まい）、●尻（しり）	「尻」は矢羽根に用いる鳥の羽を数える語です。
やぶ【藪】	●むら、●つ	「むら」は茂みを数える語です。
やぶれめ【破れ目】	●筋（すじ）、●つ	「本」で数えることもあります。

▲=漢語数詞〔一（いち）、二（に）、三（さん）…〕などに付く　●=和語数詞〔一（ひと）、二（ふた）、三（み）…〕などに付く

やま ▶ ゆうぐ

数えるもの	数え方	数え方のポイント
やま[山]	★座、★峰、★山、•山、★岳	高い山を数える場合は「座」、景勝地や登山地として有名な山は「山」「岳」「峰」で数えます。「世界7峰に登頂」　また、大変な事態を乗り越えることをたとえて「ひと山越える」といいます。 登山の路程の10分の1を「合」で、100分の1を「勺」で数えます。　➡丘
やまいも[山芋]	★本	➡芋
やまといも[大和芋]	★個、★本	細長くないので「個」でも数えます。　➡芋
やまぼこ[山鉾]	★台	山車の一種で「台」で数えます。　➡山車
やり[槍]	★本、★筋、★条、•柄、★柄	槍は「本」で数えます。古くは「筋」「条」でも数えました。「柄」は柄のある道具を数える語です。 槍で相手を攻撃する回数は「槍」で数えます。
やりいか[槍烏賊]	★杯、★匹	➡烏賊
やりど[遣り戸]	★枚	鴨居と敷居の溝にはめ込み、左右に開閉する戸のことで、「枚」で数えます。

ゆ

数えるもの	数え方	数え方のポイント
ゆいごん[遺言]	★通、★件、★言、•つ	遺言が記された遺言状は「通」、遺言の件数は「件」で数えます。口伝えなら「言」「つ」も用いることがあります。
ゆうえんち[遊園地]	★園、•つ、★箇所	
ゆうがとう[誘蛾灯]	★灯、★台	
ゆうかん[夕刊]	★部	➡新聞
ゆうぐ[遊具]	★点、★台、★基	公園や校庭にあるさまざまな種類の遊具をまとめて数える場合は「点」、ぶらんこやすべり台などを個々に数える場合は「台」を用います。ジャングルジムなど、据え付けて遊ぶ大型の遊具は「基」でも数えます。

★=英語数詞(1(ワン)、2(ツー)、3(スリー)…)などに付く　➡より詳しい解説のある項目へ　→関連項目などへ

数えるもの	数え方	数え方のポイント
ゆうし【融資】	▲件、●口	「口」は融資の単位となる金額を設定する語です。
ゆうしょう【優勝】	▲度、▲回	次に優勝することが保障されていないので、優勝回数は「度」で数えます。ただし、同じ選手やチームが連続して、あるいは数を重ねて優勝した場合は「回」で数えることもあります。「連続10回目の優勝を飾る」
ゆうびん【郵便】	▲通、▲個	封書・葉書は「通」で数えます。郵便私書箱は「個」で数えます。
ゆうびんきょく【郵便局】	▲軒、▲箇所、▲局	
ゆうびんポスト【郵便ポスト】	▲本、●つ、▲箇所	➡ ポスト
ゆうれい【幽霊】	●人、▲人	人間の姿・形をしていれば「人」でも数えます。 ➡ キャラクター → お化け → コラム④に関連事項(p.75)
ゆおけ【湯桶】	▲個、▲本	
ゆかいた【床板】	▲枚	
ゆかた【浴衣】	▲枚、▲着	➡ 着物
ゆかたじ【浴衣地】	▲枚、▲反	大人ひとり分の布地は「反」で数えます。
ゆき【雪】	●片	「片」は雪・花びら・紙吹雪などの薄く平らで、宙に舞うほどの小さいものを数える語です。
ゆきかき【雪掻き】	▲本	雪かき用の道具は「本」で数えます。
ゆきぐつ【雪沓】	▲足	➡ 靴
ゆきだるま【雪達磨】	▲個、▲体	人間をかたどったものなので「体」でも数えます。 → 雪像
ゆきやなぎ【雪柳】	▲本、●株、●朵	植物としては「本」「株」で数えます。花は「本」「朵」などで数えます。「朵」は垂れ下がる花のかたまりを数える語です。
ゆきやま【雪山】	▲山、▲座など	➡ 山
ゆげ【湯気】	▲筋、▲本、▲条	煙と同様、湯気も「筋」「本」「条」で数えます。 ➡ 煙
ゆげた【湯下駄】	▲枚、▲足	昔、湯殿で用いた下駄のことで、左右2枚で

▲=漢語数詞〔一(いち)、二(に)、三(さん)…〕などに付く　●=和語数詞〔一(ひと)、二(ふた)、三(み)…〕などに付く

ゆず ▶ ゆびぬき

数えるもの	数え方	数え方のポイント
		「1足」と数えます。
ゆず[柚]	▲本、▲株、•個、•玉、▲顆	木は「本」「株」で数えます。ユズの実は「個」「玉」「顆」で数えます。
ゆずりじょう[譲り状]	▲通、▲枚	所領や財産を子孫などへ譲り渡すことを記した文書のことで、「通」「枚」で数えます。
ゆたん[油単]	▲枚	油をしみ込ませた布・紙のことで「枚」で数えます。
ゆたんぽ[湯湯婆]	▲個	
ゆでん[油田]	▲箇所、•つ	
ユニコーン[unicorn]	▲匹	想像上の動物で、まれに「頭」で数えることもあります。 ➡ キャラクター → コラム④に関連事項(p.75)
ユニット[unit]	•つ、▲種、▲種類	全体を構成する1つ1つの要素のことで、「つ」「種」「種類」で数えます。「組み合わせ自由の5つのユニットを用意」
	•組、▲•★ユニット	俗語で、ふたり(以上)で構成されるグループをいい、「組」「ユニット」で数えます。また、ユニットを構成する人数を「人」で数えます。「2人のアーティストによるユニット」→デュオ
ユニホーム[uniform]	▲着	➡ 服
ゆのみ[湯呑み]	•個、▲口	「口」は口の開いている器を数える語です。
ゆば[湯葉]	▲枚	豆乳を煮たときに上面にできる薄黄色の皮膜をすくいとったもので、「枚」で数えます。
ゆび[指]	▲本、▲指	原則として「本」で数えます。「指」は指を折って数え上げる際に用いる慣用表現です。片手で足りる場合は「五指」、片手で足りない場合は「十指」といいます。「十指に入る名作」
ゆびサック[指サック]	▲本、▲個	
ゆびにんぎょう[指人形]	▲個	➡ 人形
ゆびぬき[指貫]	▲個	裁縫するときに針の頭を押さえるため指にはめる用具で、「個」で数えます。

★=英語数詞〔1(ワン)、2(ツー)、3(スリー)…〕などに付く　➡ より詳しい解説のある項目へ　→ 関連項目などへ

ゆびわ ▶ ようぐ

数えるもの	数え方	数え方のポイント
ゆびわ[指輪]	▲個、▲点、▲本、▲号	商品や所有数は「点」で数えます。サイズは「号」。結婚指輪2本で「一組(ひとくみ)」といいます。
ゆぶね[湯船]	●据(す)え	「桶(おけ)」で数えることもあります。
ゆみ[弓]	▲挺(ちょう)(丁)、▲本、●張(は)り、▲張(ちょう)	「挺(丁)」は手に持って使う刃物類や、用具・武器を数える語です。「張り」「張」は弦などを張って使う用具を数える語です。弓と矢の揃いで「一具(いちぐ)」といいます。 ➡ 矢(や)
ゆり[百合]	▲本、●株(かぶ)、▲輪(りん)	植物としては「本」「株」で数えます。花は「輪」で数えます。 ➡ 花(はな)
ゆりかご[揺り籃]	▲台	
ゆりね[百合根]	▲個、●玉(たま)、▲球(きゅう)、●かけ	百合根の鱗片(りんぺん)は「かけ」で数えます。

よ

数えるもの	数え方	数え方のポイント
ようが[洋画]	▲枚(まい)、▲点、▲本	➡ 絵画(かいが) ➡ 映画(えいが)
ようかい[妖怪]	▲匹(ひき)	➡ キャラクター → 幽霊(ゆうれい)
ようがさ[洋傘]	▲本	➡ 傘(かさ)
ようかん[羊羹]	▲本、●切れ、▲個、●棹(さお)、●箱(はこ)、●折(おり)	切る前の棒状の羊羹は「本」、切ったものは「切れ」「個」で数えます。細長く棒状にして作る菓子は棹物菓子(さおものがし)と呼ばれ、「棹」でも数えます。小売単位は「箱」「折」など。
ようかん[洋館]	▲軒(けん)、▲邸(てい)	➡ 館(やかた)
ようき[容器]	▲個、▲本、▲合(ごう)	原則として容器は「個」で数えます。瓶やペットボトルなどの細長い容器は「本」でも数えます。「合」は蓋(ふた)のある容器を数える語です。
ようきょく[謡曲]	▲番	
ようぐ[用具]	▲本、▲挺(ちょう)(丁)、▲台	形状や機能によって異なりますが、細長いものは「本」、手に持って扱う道具は「挺(丁)」、機械や特定の機能を備えている器具類は「台」で数えます。

▲=漢語数詞〔一(いち)、二(に)、三(さん)…〕などに付く　●=和語数詞〔一(ひと)、二(ふた)、三(み)…〕などに付く

ようけん ▶ よくそう

数えるもの	数え方	数え方のポイント
	▲具、•具	「具」は必要なものを備えることを表し、一揃いの用具を数える語です。→詳しくは各用具項目を参照
ようけん[用件]	▲件、•つ	
ようこうろ[溶鉱炉]	▲基	
ようし[用紙]	▲枚	➡紙
ようし[洋紙]	▲枚、▲連	洋紙は「枚」で数えます。➡紙 「連」は洋紙の枚数の単位で、平判では1000枚、巻き取り紙では規定寸法の1000枚分、板紙では100枚を、それぞれ「1連」といいます。
ようじ[用事]	▲件、•つ	
ようじ[楊枝]	▲本	
ようしゅ[洋酒]	▲本、▲杯など	➡酒
ようしょ[洋書]	▲冊など	➡本
ようしょ[要所]	•つ、▲点	
ようすいろ[用水路]	▲本	
ようそ[要素]	•つ、▲要素	
ようそう[様相]	•つ	
ようちえん[幼稚園]	▲校、▲園	原則として「校」で数えますが、学校と区別するため「園」で数えることもあります。→保育園
ようちゅう[幼虫]	▲匹	
ようてん[要点]	•つ、▲点	
ようとう[洋刀]	▲本など	➡ナイフ ➡刀
ようふく[洋服]	▲着、▲枚など	➡服
ようれい[用例]	•つ、▲件、▲例	
ヨーグルト[Yoghurtドイツ]	▲個、▲杯	小売単位で、例えば3個のヨーグルトが連なっている場合は「3連ヨーグルト」といいます。皿に盛ると「杯」で数えます。
よくそう[浴槽]	•据え	「桶」で数えることもあります。

★=英語数詞〔1（ワン）、2（ツー）、3（スリー）…〕などに付く　➡より詳しい解説のある項目へ　→関連項目などへ

数えるもの	数え方	数え方のポイント
よこづな【横綱】	▲本、●人／り/たり／にん	横綱の締める綱は「本」で数えます。横綱の地位にある力士は「人」で数え、横綱は「第〜代」で歴代の数を表します。
よこぶえ【横笛】	▲本、▲管	「管」は、くだ状の楽器（笛・笙など）を数える語です。➡楽器
よせ【寄席】	▲席	➡落語
よだれかけ【涎掛け】	▲枚、●掛け	「掛け」は、ネクタイやエプロンのように、体の前面にかけて使うものを数える語です。
ヨット【yacht】	▲艇、▲艘、▲隻、▲杯	ヨットは小舟を意味する「艇」で数えますが、「艘」「隻」でも数えます。競技用ヨットは「杯」で数えます。「ヨット6杯でレースの優勝を争う」➡船
ヨットパーカ【yacht parka】	▲枚	上着として着る場合は「着」でも数えます。➡服
よてい【予定】	▲件、●つ	
よびこう【予備校】	▲校	
よやく【予約】	▲件、●人／り/たり／にん、▲名	予約件数は「件」、予約した人数は「人」「名」で数えます。
よる【夜】	▲晩、●夜	テレビ番組やドラマなどで続けて夜に放送するものを「3夜連続放送」のようにいいます。昔は、日暮れから夜明けまでの間を5つに分けた時間の単位を「更」で表しました。
よろい【鎧】	▲領、●領、●着	鎧は装束などと同じ「領」で数えます。

ら

数えるもの	数え方	数え方のポイント
ラーメン【拉麺】	▲本、▲杯、▲丁、●玉	スープ・具・麺を椀や丼に盛ると「杯」で数えます。飲食店で注文を受け、景気付けに店員が「ラーメン1丁」のように「丁」で注文を数えることがあります。ばらばらの麺は「本」、

▲＝漢語数詞〔一（いち）、二（に）、三（さん）…〕などに付く　●＝和語数詞〔一（ひと）、二（ふた）、三（み）…〕などに付く

ライオン ▶ ライム

数えるもの	数え方	数え方のポイント
		1食分の麺の分量は「玉」で表します。➡ 麺(めん) → コラム⑰に関連事項(p.313)
ライオン[lion]	★頭	➡ 動物(どうぶつ)
ライス[rice]	★皿、★枚(まい)	米飯を平皿に盛ったものは「皿」「枚」で数えます。 ➡ 飯(めし)
ライター[lighter]	★個、★本	細長い形のライターは、「本」でも数えます。
ライチー[lychee マレーシア]	★本、★株(かぶ)、★個、★粒(つぶ)	荔枝(れいし)ともいい、植物としては「本」「株」で数えます。果実は「個」「粒」で数えます。 ➡ 果物(くだもの)
ライナー[liner]	★本	野球での一直線に飛ぶ打球は「本」で数えます。 ➡ ヒット ➡ 野球(やきゅう)
	★便(びん)、★本	定期船や定期便は「便」、快速列車は「本」で数えます。
ライフジャケット[life jacket]	★着(ちゃく)、★枚(まい)	
ライフル[rifle]	★挺(ちょう)(丁)	➡ 銃(じゅう)
ライム[lime]	★本、★株(かぶ)、★個、★玉(たま)、★切れ	植物としては「本」「株」で数えます。実は「個」「玉」、切り分けると「切れ」で数えます。

コラム ⑰ COLUMN〈景気付けの「ラーメン1丁!」〉

　ラーメン屋に入って「ラーメン1つ」と注文すると、厨房(ちゅうぼう)から威勢良く「へい、ラーメン1丁!」という声が聞こえます。注文したのはラーメン1杯。なぜ「1丁」という数え方をするのでしょうか。

　助数詞「丁」は、豆腐や拳銃を数えるのとは別に、景気付けのために数詞に添えられることがあります。ですから、これは客よりも店を盛り立てようとする店員の側が使います。

　漢字の「丁」には、最も良い時期の盛んな様子を表す意味もあり、大衆的な飲食店で店の雰囲気を活気付けるために、注文を数える際に用いられるようになったようです。

　「丁」の景気付けの意味は、「一丁、挑戦してみるか」といったような、話し手の意志に基づいて思い切って起こす行動を景気付けて言ったり、「ふんどし一丁」のように唯一(ゆいいつ)身に付けているものを強調して威勢の良さを表現したりするのにも使われます。

★=英語数詞[1(ワン)、2(ツー)、3(スリー)…]などに付く　➡ より詳しい解説のある項目へ　→ 関連項目などへ

ライン ▶ ラビオリ

数えるもの	数え方	数え方のポイント
ライン【line】	▲本、●流れ	線や行のラインは「本」で数えます。流れ作業によって物を生産するためのラインは「本」「流れ」で数えます。
らくご【落語】	▲題	落語の演目は「題」で数えます。「お笑いを一席」といって噺を始めますが、この「席」は宴会や会合の場を表す語です。
らくだ【駱駝】	▲頭	背中のこぶは「こぶ」「つ」で数えます。「ふたこぶラクダ」➡動物
らくらい【落雷】	▲個、●つ	➡雷
ラケット【racket】	▲本	
ラジオ【radio】	▲台	
ラジカセ	▲台	
ラスク【rusk】	▲枚	ビスケットの一種で、平面的な形から「枚」で数えます。➡焼き菓子
らせん【螺旋】	▲本、●筋、●つ	
らっかさん【落下傘】	▲枚、▲本	➡パラシュート
らっかせい【落花生】	▲本、●株、●莢、▲個、●粒、●袋	植物としては「本」「株」で数えます。殻のついた豆の部分は「莢」「個」、取り出した豆（ピーナツ）は「粒」で数えます。小売単位は「袋」など。
らっきょう【辣韭】	▲本、●株、●粒、▲個	植物としては「本」「株」で数えます。小売単位は「袋」「瓶」など。
ラック【rack】	▲台、●枚	➡棚
らっこ【猟虎】	▲頭、●匹	➡動物
ラッセルしゃ【ラッセル車】	▲両	除雪機関車の一種で、「両」で数えます。
らっぱ【喇叭】	▲本	玩具のらっぱは「個」でも数えます。➡楽器
ラップ【wrap】	▲本、●枚	ラップフィルムのことで、芯に巻かれていれば「巻き」「本」で数えます。芯に巻かれていない薄いフィルム状のものを数える場合は「枚」を用います。
ラビオリ【ravioli】	▲個	➡パスタ

▲=漢語数詞〔一（いち）、二（に）、三（さん）…〕などに付く　●=和語数詞〔一（ひと）、二（ふた）、三（み）…〕などに付く

数えるもの	数え方	数え方のポイント
ラベル【label】	▲枚、●片	商標や分類記号表示のために貼る紙片のことで、小さいものは「片」でも数えます。➡シール
ラムネ	▲本、●個、●粒、●袋	瓶詰めの飲み物は「本」、菓子は「個」「粒」「袋」などで数えます。
ラリー【rally】	▲本	テニスや卓球で行う連打のことで「本」で数えます。
らん【蘭】	▲本、●株、●輪、●鉢	植物としては「本」「株」で数えます。鉢植えの場合は「鉢」で数えます。園芸作品としてのランは「点」でも数えます。➡花
らんかん【欄干】	▲本	
ランク【rank】	▲位、●番、●席、●等、●●★ランク	格が一段上のことを「1ランク上」といいます。➡順位
らんし【卵子】	▲個	
ランジェリー【lingerie フランス】	▲枚	➡下着
ランドセル	▲個	
ランニングシャツ〈和製語〉	▲枚	➡下着
ランプ【lamp】	▲個、●本、●灯、●基	アルコールランプやオイルランプなどの小型ランプは「個」「本」で数えます。電灯は「灯」、据えて使う大型ランプは「基」で数えます。

り

数えるもの	数え方	数え方のポイント
リース【wreath】	▲本	壁面や扉などに飾る花輪飾りのことで、「本」で数えます。クリスマスリースも「本」で数えます。
リール【reel】	▲本、●巻き	釣り糸や映画フィルムを巻き取る枠のことで、「本」「巻き」で数えます。
リコーダー【recorder】	▲本	木管楽器は「本」で数えます。➡楽器
りこん【離婚】	▲件、●組	件数を数える場合は「件」、離婚した夫婦の数を数える場合は「組」を用います。➡結婚

★=英語数詞〔1（ワン）、2（ツー）、3（スリー）…〕などに付く　➡より詳しい解説のある項目へ　→関連項目などへ

リサイタル ▶ リモコン

数えるもの	数え方	数え方のポイント
		➡ 再婚（さいこん）
リサイタル[recital]	▲回、▲公演（こうえん）、▲本	主として「回」「公演」で数えますが、興行ツアーを組む場合、「本」でも数えます。
りす【栗鼠】	▲匹（ひき）	➡ 動物（どうぶつ）
リスト[list]	●つ、▲件、▲通、▲枚（まい）	リストは「つ」で数えますが、ある項目ごとにまとめたものは「件」、相手に通知する目的で作成されたものは「通」で数えます。リストの紙を数える場合は「枚」を用います。
リストラ	▲件	企業が行う構造改革のことで、その件数を「件」で数えます。リストラによって解雇される人数を「人」で数えます。
リズム[rhythm]	▲拍（はく）、▲拍子（ひょうし）、●つ	
りっきょう【陸橋】	▲本、▲基（き）	➡ 橋（はし）
りつぞう【立像】	▲体（たい）、▲軀（く）	➡ 像（ぞう）
リップクリーム[lip cream]	▲本、▲個	スティック型やチューブ型のものは「本」で数えます。容器の形状に応じて「個」でも数えます。商品としては「点」で数えます。
りっぽうたい【立方体】	▲個、●つ	
リニアモーターカー【linear motor car】	▲台、▲両	電磁石の力で浮上・走行する電動車のことで、「台」「両」で数えます。
リハーサル[rehearsal]	▲回	繰り返し行うので、「度」よりも「回」を用いて数えるのが適当です。
リビング[living]	▲室、▲間（ま）、▲部屋、▲畳（じょう）	家屋の中での居間の数は「室」「間」「部屋」などで数えます。部屋の広さは「畳」で表します。 ➡ 部屋（へや）
リフト[lift]	▲基（き）、▲台	斜面に据え付けてあるリフトを動かす部分は「基」で数えます。乗る部分は「台」で数えます。
リボン[ribbon]	▲本	幅の広いものは「枚」でも数えます。
リモコン	▲台、▲個	リモートコントロールの略で、「台」で数えます。小型のものは「個」でも数えます。

▲＝漢語数詞[一（いち）、二（に）、三（さん）…]などに付く　●＝和語数詞[一（ひと）、二（ふた）、三（み）…]などに付く

数えるもの	数え方	数え方のポイント
リヤカー〈和製語〉	★台	
りゆう[理由]	★つ、★点	
りゅう[竜]	★匹、★頭	竜は「匹」「頭」で数えます。ただし、想像上の動物として民話などに登場する場合は「匹」で数えます。「頭」で数えると、竜の現実的な存在感が増します。 ➡ キャラクター ➡ 動物 → コラム⑫に関連項目(p.211)
りゅうせい[流星]	★個、★筋、★本	➡ 星 → 流れ星
りゅうは[流派]	★つ、★派	
リュックサック[Rucksack^{ドイ}]	★個	
りょうけん[猟犬]	★匹、★頭	大形なら「頭」でも数えます。 ➡ 犬
りょうしゅうしょ[領収書]	★枚、★通	通常は「枚」で数えます。領収したことを通知するものは「通」で数えることもあります。 → レシート
りょうてい[料亭]	★軒、★店	
りょうり[料理]	★品、★品、★皿、★種、★種類	料理の種類は「品」「種類」で数えます。別々の皿に盛られた料理の品数は「皿」で数えます。「パスタをふた皿注文する」 同じ皿に複数の料理が盛られた場合は「品」で数えます。「前菜3{○品｜×皿}盛り合わせ」
りょかん[旅館]	★棟、★棟、★軒	建物を数える場合は「棟」、宿泊施設として数える場合は「軒」を用います。
りょけん[旅券]	★冊、★通	➡ パスポート
りょこう[旅行]	★回、★度	旅行回数を数える場合は「回」、旅行経験を数える場合は「度」を用いる傾向があります。旅行日程の日数をいう場合は「2泊3日の旅行」「8日間の旅行」などといいます。
りょこうこぎって[旅行小切手]	★枚、★綴り、★冊	トラベラーズチェックともいいます。個々の小切手は「枚」で数え、小切手が複数枚綴られている場合は「綴り」や「冊」でも数えます。
リレー[relay]	★★レース、	

★=英語数詞〔1（ワン）、2（ツー）、3（スリー）…〕などに付く ➡ より詳しい解説のある項目へ → 関連項目などへ

りれきしょ ▶ ルート

数えるもの	数え方	数え方のポイント
	▲●種目、●つ	
りれきしょ【履歴書】	▲枚、▲通	記入用紙は「枚」で数え、履歴内容を書き込んで提出・応募したものは「通」で数えます。
りんかく【輪郭】	●つ	
リンク【link】	●つ、▲箇所	ウェブページで示されるリンクは「つ」「箇所」などで数えます。
リンク【rink】	▲面	アイススケート場は「面」で数えます。
リング【ring】	▲面	ボクシングやレスリングのリングは「面」で数えます。
	▲個、▲点	指輪は「個」、商品としては「点」で数えます。
	▲本	カードなどをまとめる留め具類は「個」「本」で数えます。 ➡輪
りんご【林檎】	▲本、▲株、▲個、●玉、●切れ、●山、●箱、●袋	リンゴの木は「本」「株」で数えます。果実は「個」「玉」で数えます。リンゴを切り分けると「切れ」で数えます。小売単位は「山」「箱」「袋」など。 ➡果物 → コラム⑯に関連事項(p.285)

る

数えるもの	数え方	数え方のポイント
ルアー【lure】	▲本	擬餌針のことで、「本」で数えます。
るい【塁】	▲塁、●つ、★ベース	野球の塁は「本塁」「1塁」「2塁」「3塁」があります。ヒットで走者が到達した塁を示す場合は「ツーベース」「スリーベース」と、英語数詞について表します。
	▲枚、▲個	1・2・3塁に置かれているカンバス地の四角いマットは「枚」「個」で数えます。
るいけい【類型】	●つ	
ルート【route】	▲本、●つ、▲ルート	道筋のことで、「本」「つ」で数えます。登山路などを数える場合は「ルート」を用います。 → 道

▲=漢語数詞〔一(いち)、二(に)、三(さん)…〕などに付く　●=和語数詞〔一(ひと)、二(ふた)、三(み)…〕などに付く

数えるもの	数え方	数え方のポイント
ループ[loop]	★本、★個	➡輪
ループタイ<和製語>	★本、★掛け	首に掛けて使用するため、「掛け」で数えることもあります。 ➡ネクタイ
ルーペ[Lupeドイツ]	★本、★面、★個、★枚	比較的大型のものは「本」「面」で数えます。小型のものは「個」「枚」を用います。
ルール[rule]	★つ、★項目	ルールの項目は「項目」で数えます。
ルーレット[rouletteフランス]	★台	カジノで使う賭博用具は「台」で数えます。
ルビ[ruby]	★文字、★字、★箇所	振り仮名の文字数は「文字」「字」で数えます。ルビをふった箇所は「箇所」で数えます。
ルビー[ruby]	★粒、★顆、★個、★カラット	個数を数える場合は「個」「粒」「顆」を用います。宝石の大きさを測る場合は、単位「カラット」を用います。 ➡宝石
ルレット[rouletteフランス]	★本	紙や布に点線状の印をつけるのに用いる洋裁用具のことで、「本」で数えます。

れ

数えるもの	数え方	数え方のポイント
れい[礼]	★礼、★回、★度	軽く会釈を一回することを「一礼する」といいます。
れい[例]	★つ、★例	
れい[霊]	★位、★柱	「位」は死者の霊を数える語です。「柱」は英霊を数える語です。
レイ[leiハワイ]	★本	首にかける花輪のことで「本」で数えます。
れいじょう[礼状]	★通、★枚	➡手紙
れいぞうこ[冷蔵庫]	★台	
れいとうしょくひん[冷凍食品]	★個、★本、★袋、★★パック、★点	形状や包装によって異なりますが、個々の食品は「個」「本」、包装された商品は「袋」「パック」「点」などで数えます。
れいはいどう[礼拝堂]	★堂	「堂」は広く高い部屋や御殿を表し、文語で聖堂や礼拝堂などを数える語です。
レーザー[laser]	★台、★本、★筋	光線を発する機械は「台」、発された光線は

★=英語数詞[1(ワン)、2(ツー)、3(スリー)…]などに付く ➡より詳しい解説のある項目へ →関連項目などへ

レーザーディスク ▶ レストハウス

数えるもの	数え方	数え方のポイント
		「本」「筋」で数えます。
レーザーディスク【laser disc】	▲枚(まい)	
レース【lace】	▲枚(まい)、▲点	透かし模様のある布地のことで「枚」で数えます。作品としては「点」で数えます。
レース【race】	●つ、▲●★レース、▲回	「第〜レース」の場合は漢語数詞につきます。競走の回数を数える場合は「回」を用います。
レーズン【raisin】	●粒(つぶ)、▲個	大きいレーズンは「個」でも数えます。小売単位は「袋」など。
レーダー【radar】	▲台、▲基(き)、▲本	レーダー装置は「台」で数えます。据えてあるものは「基」、細長いものは「本」でも数えます。
レール【rail】	▲本	➡ 鉄道(てつどう)
レーン【lane】	▲本	車線や競走路のコース、ボウリングのレーンなどは「本」で数えます。
レーンコート【raincoat】	▲着(ちゃく)、▲枚(まい)	レーンコートを重ね着することはまれなので「枚」よりも「着」で数える方が一般的です。 ➡ 服(ふく)
レコーダー【recorder】	▲台、●人(り/たり)、▲人(にん)	録音機は「台」、録音係の人を指す場合は「人」で数えます。
レコード【record】	▲枚(まい)	音盤は「枚」で数えます。
	●つ	記録を意味する場合は「つ」で数えます。「3つの世界レコードを持つ選手」
レジ	▲台、▲箇所(かしょ)、●つ	レジスターの略で、会計を行う金銭登録機は「台」、会計場所を指す場合は「箇所」「つ」で数えます。レジ番号をいう場合は「1レジ」「2レジ」と、数詞に直接「レジ」をつけます。
レシート【receipt】	▲枚(まい)	紙切れとして数える場合は「片(へん)」も用います。 ➡ 領収書(りょうしゅうしょ)
レストハウス【rest house】	▲棟(とう)、●棟(むね)、▲軒(けん)	建物を数える場合は「棟」、休憩施設として数える場合は「軒」を用います。

▲=漢語数詞〔一(いち)、二(に)、三(さん)…〕などに付く　●=和語数詞〔一(ひと)、二(ふた)、三(み)…〕などに付く

レストラン ▶ レモン

数えるもの	数え方	数え方のポイント
レストラン【restaurant フランス】	▲軒、▲店舗、店	飲食店は「軒」で数えますが、チェーン店などを数えるときには「店舗」「店」も用います。
レタス【lettuce】	●株、●個、▲玉、▲枚	植物としては「株」で数えます。「玉」は球状の野菜や果物を数える語です。レタスの葉はそれぞれ「枚」で数えます。➡野菜
れっしゃ【列車】	▲本、●列車、▲両	列車の運行数は「本」で数えます。走る列車や見送る列車の数を数える際に「列車」を用いることがあります。車両は「両」で数えます。特急列車の号数は「号」で表します。→汽車 →電車
レッスン【lesson】	●つ、▲●★レッスン、▲課、▲回	練習や授業・稽古のことで、「つ」「レッスン」で数えます。行われる回数は「回」で数えます。「課」は授業での学習量の割り当てを数える語です。
レバー【lever】	▲本、▲個	取っ手のことで、形状に応じて「本」「個」で数えます。
レバー【liver】	▲個、●切れ、▲片	食用にする牛・豚・鶏などの肝臓のことで、切り分けた場合は「切れ」「片」で数えます。
レベル【level】	▲段、▲段階、▲●次元、●つ	「段」「段階」を用いて、難易度や格の違いを示します。「次元」は比較対象との著しい格の違いを示す語です。その場合は和語数詞「一」がついて、「彼はひと次元違う」などといいます。
レポート【report】	▲件、▲報、通、▲枚、▲本	報告内容は「件」で数えます。報告書は「報」「通」「枚」で数えます。課題・仕事として作成するものは「本」でも数えます。会話などでは「つ」で数えることもあります。
レポートようし【レポート用紙】	▲枚、▲冊、▲束	それぞれの用紙は「枚」で数えます。小売単位は「冊」「束」など。罫線の間は「行」で数えます。
レモン【lemon】	▲本、●株、●個、	レモンの木は「本」「株」で数えます。果実は

★=英語数詞〔1（ワン）、2（ツー）、3（スリー）…〕などに付く　➡より詳しい解説のある項目へ　→関連項目などへ

れんが ▶ ろ

数えるもの	数え方	数え方のポイント
	●切れ、▲枚	「個」で数えます。櫛型に切り分けた場合は「切れ」、レモンスライスは「枚」で数えます。
れんが［連歌］	▲句	短歌から派生したものなので、「句」で数えます。
れんが［煉瓦］	▲枚、▲個	
れんげ［蓮華］	▲本	→ 散り蓮華
れんけつき［連結器］	▲台	
れんこん［蓮根］	▲本、●節、●切れ、▲枚	切り分ける前のレンコンは「本」「節」で数えます。切り分けた場合は「切れ」「枚」で数えます。
れんさい［連載］	▲本	小説家や漫画家などが抱えている連載数を数える際に「本」を用います。連載の回数は「回」で数えます。「120回を超える連載」
レンジ［range］	▲台	電子レンジ・ガスレンジは「台」で数えます。
れんしゅう［練習］	▲回	練習は継続して繰り返し行うものなので「度」よりも「回」の方が適当な数え方です。
レンズ［lensオランダ］	▲枚、▲面、▲度、▲度数	レンズは「枚」、レンズ面は「面」で数えます。「度」「度数」は眼鏡やコンタクトレンズの強さの単位です。
れんたん［練炭］	▲個	縦に複数の穴を通した円筒形の固形燃料のことで、「個」で数えます。
レンチ［wrench］	▲挺（丁）、▲本	スパナともいい、「挺（丁）」「本」で数えます。
レントゲン［roentgen］	▲台、▲枚	レントゲン機は「台」、撮影したレントゲン写真は「枚」で数えます。
れんらくせん［連絡船］	▲隻、▲艘、●便	定期的な運行数は「便」で数えます。 ➡ 船

ろ

数えるもの	数え方	数え方のポイント
ろ［炉］	▲基	香炉や暖炉など据えて使う道具は「基」で数えます。原子炉や溶鉱炉なども「基」で数えます。

▲＝漢語数詞〔一（いち）、二（に）、三（さん）…〕などに付く　●＝和語数詞〔一（ひと）、二（ふた）、三（み）…〕などに付く

ろ ▶ ロールキャベツ

数えるもの	数え方	数え方のポイント
ろ〔櫓〕	▲挺（丁）、▲本	「挺（丁）」は手に持って使う用具を数える語です。
ろうか〔廊下〕	▲本	図面などで廊下の数を指し示す場合は「箇所」でも数えます。
ろうそく〔蠟燭〕	▲本、▲個、▲挺（丁）	形状によって数え方が異なります。細長いものは「本」、燭台に載せて手に持って使うものは「挺（丁）」で数えます。立方体や太く短い円柱などの、細長くはない形状のろうそくは「個」で数えます。取引単位はろうそく100本で「1束」。 → キャンドル
ろうと〔漏斗〕	▲本、▲個	「じょうご」ともいい、「本」「個」で数えます。
ろうにん〔浪人〕	•人、▲人、▲浪	受験生が浪人として過ごす年数を「浪」で表し、1年浪人することを「1浪」といいます。
ろうにんぎょう〔蠟人形〕	▲体	➡ 人形
ろうもん〔楼門〕	▲門	二階造りの門のことで「門」で数えます。
ローテーション〔rotation〕	▲巡	プロ野球で、投手が3日の休みをはさんで登板することを「中3日のローテーション」といいます。
ロープ〔rope〕	▲本、•巻き	巻いたものは「巻き」で数えます。
ローファー〔loafer〕	▲足	靴の一種なので「足」で数えます。 ➡ 靴
ロープウエー〔ropeway〕	▲基	人が乗り込むゴンドラ部分は「台」で数えます。
ローラー〔roller〕	▲本、▲個、▲台	小型のものは「本」「個」で数えます。グラウンドやコートなどを平らにする大型のものは「台」で数えます。
ローラースケート〔roller skate〕	▲足	
ロール〔roll〕	▲本、•巻き、▲•★ロール	巻いてあるものは原則として「本」「巻き」で数えます。トイレットペーパーやキッチンペーパーは「ロール」で数えます。 ➡ 巻き物
ロールキャベツ	▲個、•品、•皿	料理としては「品」「皿」などで数えます。

★＝英語数詞〔1（ワン）、2（ツー）、3（スリー）…〕などに付く　➡ より詳しい解説のある項目へ　→ 関連項目など へ

ロールケーキ ▶ ロボット

数えるもの	数え方	数え方のポイント
【rolled cabbage】	•皿	
ロールケーキ【rolled cake】	▲本、▲•★ロール、•切れ、•個	切り分ける前のものは「本」「ロール」、切り分けたものは「切れ」「個」で数えます。 ➡ 焼(や)き菓(が)子(し)
ロールパン＜和製語＞	▲個	➡ パン
ログアウト【log out】	▲回	複数ユーザー用のシステムの使用を終了することで、その回数を「回」で数えます。
ログイン【log in】	▲回	複数ユーザー用のシステムに対し、その端末から使用を開始することで、その回数を「回」で数えます。
ログハウス＜和製語＞	▲軒(けん)、▲戸(こ)など	➡ 家(いえ)
ろくろ【轆轤】	▲台、▲基	
ロケット【rocket】	▲機(き)、▲台、▲本	ロケットは「機」「台」で数えます。小型で細長いロケットは「本」でも数えます。ロケットの発射台は「基」で数えます。
ロケットだん【ロケット弾】	▲発、▲本、▲個	
ろし【濾紙】	▲枚(まい)	
ろじ【路地】	▲本	➡ 道(みち)
ろせん【路線】	▲本、▲路線、•つ	
ロッカー【locker】	▲台、▲本	ロッカーの箱は「台」「本」で数えます。ロッカールームは「箇(か)所(しょ)」で数えます。
ロッジ【lodge】	▲棟(とう)、•棟(むね)、▲軒(けん)	建物を数える場合は「棟」、宿泊施設として数える場合は「軒」を用います。
ロッド【rod】	▲本	伸縮する釣り竿(ざお)のことで、「本」で数えます。
ろてん【露店】	▲軒(けん)、•店(てん)	➡ 店(みせ)
ろば【驢馬】	▲頭(とう)、▲匹(ひき)	人間よりも小形のロバは「匹」でも数えられます。 ➡ 動(どう)物(ぶつ)
ロボット【robot】	▲台	原則として「台」で数えますが、人間に近い形状・機能を持つものは「体(たい)」「人」でも数えます。また、犬や猫など生き物を模したロボットは「匹(ひき)」「頭」でも数えます。→ コラム

▲＝漢語数詞〔一（いち）、二（に）、三（さん）…〕などに付く　●＝和語数詞〔一（ひと）、二（ふた）、三（み）…〕などに付く

数えるもの	数え方	数え方のポイント
		⑱に関連事項(p.325)
ろんきょ【論拠】	★つ	
ろんそう【論争】	★つ	論争を数える場合は「つ」を用います。
ろんてん【論点】	★つ、★点	
ろんぶん【論文】	★本、★報、★編	論文を個人や研究グループの業績として数える場合は「本」「編」を用います。「本」は始まりと終わりがあるひと続きの作品・業績を数える語です。報告論文は「報」でも数えます。複数書くことがまれな学位論文は数える対象となりにくく、あえて数えるなら「つ」「編」を用います。「Aさんは修士論文を2つ書いた」

コラム ⑱ COLUMN 〈数え方で分かるロボットの身近さ〉

　技術の進歩に伴って、私達の身近な所に様々なロボットが登場しています。例えば、犬型のペットロボ（通称ロボット犬）の発売以来の数え方の変遷をたどると、ロボットがどれくらい私達にとって身近なものになってきているかが分かります。

　ロボット犬が初めて市場に登場した1999年、メーカーは開発商品の一種として「ロボット犬1点」と数えていました。発売開始から注文が殺到し、大量生産が始まると新聞やニュースでは「ロボット犬1台」というふうに、機械を数える数え方へと変化しました。そして、多くの人がロボット犬を飼うようになって情が移ると、「ロボット犬1匹」と、動物を数える助数詞で数えるようになったのです。ロボット犬が、商品や機械という扱いを経て、ペットの一種として我々の生活に浸透していった様子が、数え方の移り変わりからも伺うことができます。

　漫画の世界には多くのロボットが登場します。鉄腕アトムはロボットですが、人間的な振る舞いをするので「1人」と数えます。ドラえもんはネコ型ロボットだから「匹」か、と思いきや、2本足で歩き、人間さながらの生活を送っているので、これも「1人」と数えます。

　現在開発途中の二足歩行のロボットが、近い将来、我々の仲間として、「1人」と数えられる日が来るかもしれません。

★＝英語数詞〔1（ワン）、2（ツー）、3（スリー）…〕などに付く　➡より詳しい解説のある項目へ　→関連項目などへ

わ

数えるもの	数え方	数え方のポイント
わ【輪】	▲本、▲輪、▲個	吊り輪やフラフープのように細長い輪は「本」「輪」で数えます。指輪のように小さいものは「個」でも数えます。ドーナツや浮き輪のように太い輪は「本」よりも「個」で数えます。
ワークブック【workbook】	▲冊、▲部	➡ドリル
ワープロ	▲台	ワードプロセッサーの略で、「台」で数えます。
ワイシャツ	▲枚	➡服
ワイパー【wiper】	▲本	
ワイヤロープ【wire rope】	▲本	
ワイン【wine】	▲本、▲瓶、▲樽	ボトルに入ったワインは「本」「瓶」、樽入りワインは「樽」で数えます。
	▲杯	ワインをグラスに注ぐと「杯」で数えます。
	▲銘柄	ワインの銘柄は「銘柄」で数えます。 ➡酒
ワインオープナー【wine-opener】	▲本	
ワイングラス【wineglass】	▲個、▲脚、▲客	ワイングラスは「個」で数えます。細長い脚で支えられているため、雅語的に「脚」で数えることがあります。客をもてなすために用意されているワイングラスは「客」で数えます。 ➡グラス
わか【和歌】	▲首	「首」は漢詩や和歌を数える語です。和歌の5文字または7文字のひと区切りを「句」で数えます。仮名で示される字（音節）の数を「文字」で数えます。
わかめ【若布】	▲本、●株、▲片、●袋	海藻としては「本」「株」で数えます。乾燥ワカメは「片」で数えます。小売単位は「袋」などです。
わかれ【別れ】	●つ、▲度、▲回	

▲=漢語数詞〔一（いち）、二（に）、三（さん）…〕などに付く　●=和語数詞〔一（ひと）、二（ふた）、三（み）…〕などに付く

数えるもの	数え方	数え方のポイント
わきみず【湧き水】	★箇所	湧き水の場所を数える場合は「箇所」で数えます。水を容器にくむと「杯」、瓶やペットボトル入りは「本」で数えます。➡水
わく【枠】	★本、•つ、枠、人(分)、人(分)	額や窓、眼鏡の枠は「本」で数えます。出場枠や採用枠などのたとえていう場合は「つ」「枠」「人(分)」を用います。
わくぐみ【枠組】	★本、•つ	➡枠
わくせい【惑星】	•個	➡星
ワクチン【vaccine】	★本	➡注射
わゴム【輪ゴム】	★本	→ゴム輪
ワゴン【wagon】	★台	手押し車も、移動式の陳列台も、ワゴン車も「台」で数えます。➡車
わざ【技】	•つ、手、芸、★本	技一般は「つ」で数えます。勝負に関する技や決まり手は「手」で数えます。芸の技は「芸」で数えます。
わし【和紙】	★枚、•締め	紙全般は「枚」で数えます。和紙2000枚で「ひと締め」といいます。➡紙
わし【鷲】	★羽	鳥類として扱う場合は「羽」で数えます。人間に脅威を与える対象として数える場合は「頭」で数えることがあります。➡鳥
わた【綿】	★本、•株、個、枚	植物としては「本」「株」で数えます。綿の実は「個」で数えます。成形した綿は「枚」で数えます。
	•包み、梱、俵	取引単位は綿10枚(3〜3.75kg)を包装したものを「ひと包み」と数えます。「梱」「俵」で綿の分量を表すこともあります。
わたあめ【綿飴】	★本、•袋、•つ	綿菓子ともいいます。綿飴に串が入っている場合は「本」、入っていない場合は「袋」「つ」などで数えます。
わだち【轍】	★本、•筋	車の通ったあとに残る車輪の跡のことで、「本」「筋」で数えます。

★=英語数詞〔1(ワン)、2(ツー)、3(スリー)…〕などに付く　➡より詳しい解説のある項目へ　→関連項目などへ

わたぼうし ▶ ワンピース

数えるもの	数え方	数え方のポイント
わたぼうし【綿帽子】	●頭、▲枚	婚礼のときに新婦の前頭部分をおおうもののことで、「頭」「枚」で数えます。「頭」は頭にかぶるものを数える語です。
ワッフル【waffle】	▲枚、▲個	
ワッペン【Wappen ドイ ツ 】	▲枚	エンブレムともいい、「枚」で数えます。
わに【鰐】	▲匹、▲頭	爬虫類として扱う場合は「匹」、大形の動物として扱う場合は「頭」で数えます。 ➡動物
わふく【和服】	▲枚、▲着	➡着物
わら【藁】	▲本、●筋、▲把、▲束	束ねたものは「把」「束」などで数えます。
わらじ【草鞋】	▲枚、▲足	わらじ左右2枚で「1足」と数えます。「1双」と数えることもあります。
わらづと【藁苞】	▲本	藁でできた筒状の容器のことで、「本」で数えます。
わらにんぎょう【藁人形】	▲体、▲個、▲本	➡人形
わらばんし【藁半紙】	▲枚	➡紙
わらび【蕨】	▲本	
わりあい【割合】	▲割、▲パーセント、▲ポイント	「ポイント」は「パーセント」で示される2つ以上の数値の差を表し、「物価が前年同期より0.3ポイント上昇」のように用います。
わりばし【割り箸】	▲膳、▲本	割り箸は「膳」で数えますが、未使用のものは「本」で数えることもあります。箸袋は「枚」で数えます。 ➡箸
わん【椀】	▲個、▲客、▲口、▲杯、▲膳、●椀	食器としては「個」で数えますが、接客のために使うものとして数える場合は「客」で数えます。古くは「口」でも数えました。椀に盛った汁物や飯は「膳」「杯」「椀」などで数えます。
わんしょう【腕章】	▲枚	
ワンピース【one-piece】	▲着、▲枚	➡服

▲＝漢語数詞〔一（いち）、二（に）、三（さん）…〕などに付く　●＝和語数詞〔一（ひと）、二（ふた）、三（み）…〕などに付く

第2章

助数詞
単位一覧
CHAPTER-2

あ行

アール[are フラ] 漢
〈単位〉面積の単位で記号は「a」。「1アール」は100m²、10アールで「1デカール」。1アールの100倍は「1ヘクタール」 →デカール →ヘクタール

アイテム[item] 漢 和 英
項目・品目・商品などを数えます。「人気の2アイテムで流行を着こなす」「生活に欠かせない5アイテム」 →品 →点²

あく【握】漢
❶手に握った砂・粉・米などの分量の目安を表します。「一握の砂」 →掴み →握り
❷〈単位〉こぶしを握ったときの指4本分の長さ。

あた【咫】和
〈単位〉上代の長さの単位。手のひらの下端から中指の先端までの長さ（親指と中指とを開いた長さとも）に相当します。現在でも「箸は一咫半の長さがいい」などと使います。

八咫
8倍の咫から転じて、長く巨大なさまを表します。「八咫の鏡」「八咫烏」

あめ【雨】和
雨が降る回数を数えます。「ひと雨ごとに春が来る」といった表現で用います。

あん【案】漢
計画・着想・策略・企画・提案・推量した事項を数えます。「それも一案だ」「公的年金改正、負担の見直し5案を提示」

い【位】漢
❶等級・順番・程度を示します。「3位入賞」「第1位」
❷計算をする際のくらい取りを表します。「100位の数」
❸人や物が置かれる等級を示します。「正一位」
❹「位」が心霊の宿る場所を表すことから、死者の霊を数えます。「英霊100位」

イニング[inning] 漢 英
❶野球の試合で、両チームが攻撃と守備とを交互に行う試合の区分を数えます。表と裏で1イニング、通常9イニングまであります。
❷1人の選手がプレーをしたイニングの長さや累積数を表します。特に、投手が投げ抜く長さを表します。「年間200イニング投げるのが目標」 →回

いろ【色】和
色を数えます。「七色の虹」 →カラー →色

いん【員】漢
ある集団を構成する人員を数えます。通常は「一員」の形で、その集団に加わっていることを表します。「吹奏楽団の一員」

いん【院】漢
❶文語で、病院を数えます。「3院で医療ミス発覚」
❷寺院を数えます。

インチ[inch・吋] 漢
❶〈単位〉ヤード・ポンド法での単位で、長さを表します。1インチは2.54cm、1フィートの12分の1。自転車の車輪の大きさ、テレビの画面・パソコンのモニター・フロッピーディ

スクのサイズなどに使います。漢字では「吋」とも書きます。　→ヤード

❷＜単位＞テレビの受像機の大きさのインチに「型」をあてはめて、14インチテレビを14型テレビのようにいいます。　→型

う【宇】 漢
❶堂（金堂・持仏堂・鞘堂など）を数えます。「一宇の堂塔」
❷神社を数えます。
❸廟（チベット・モンゴルでラマ教の寺）を数えます。
❹屋根のある建物を数えます。

え【柄】 和
→柄　→柄

え【重】 和
重なっているものを数えます。「二重まぶた」「八重桜」　→重ね　→重

エーカー【acre】 漢
＜単位＞ヤード・ポンド法の面積の単位。記号は「ac」。「1エーカー」は4840平方ヤードで、約4047m^2。　→ヤード

えき【駅】 和
❶列車や電車の駅を数えます。「池袋から新宿まで山手線で4駅」　口語では「つ」を用いることもあります。「あと3つで新宿に着く」　→つ
❷バスの停留所を数えます。

えだ【枝】 和
花・実・葉などがついた枝を雅語的に数えます。「紅梅ひと枝」　花などがついていない枝は「本」で数えます。

えん【園】 漢
❶文語で、動物園・遊園地などを数えます。「遊園地3園建設」
❷文語で、庭園・農園・果樹園などを数えます。
❸文語で、幼稚園・保育園などを数えます。

おう【泓】 漢
「泓」は、水がいっぱいに広がるさまを表し、文語で、池を数えます。まれに湖も数えます。

おうぎ【扇】 和
→扇

おけ【桶】 和
❶桶・風呂桶を数えます。
❷桶に汲んだ水の量を、桶の数で表します。
❸鮨桶に盛り合わされた鮨の分量を表します。

おり【折】 和 漢
❶「折り」とも書き、折り重ねたもの・折り重ねた回数を数えます。「紙袋の口をひと折りする」
❷折り箱・折り詰め（折り箱につめた食品・菓子類）を数えます。「赤飯ひと折」「菓子3折」「折」で数えると、「箱」よりも進物としての高級感が出ます。　→箱
❸和語数詞・漢語数詞を伴い、半紙や印刷物を数えます。「半紙ふた折」「16折のうち1折から5折まで責了」

おん【音】 漢
❶音を数えます。「ひらがな50音」「俳句は17音を定型とする」
❷音階を数えます。「最も高い1音を出す」

オンス【ounce】 漢

<単位>ヤード・ポンド法の質量の単位。記号は「oz」「℥」。「1オンス」は16分の1ポンドで、約28.35g。貴金属・宝石の計量に用いられるトロイ-オンスは12分の1ポンドで、約31.1g。　→ヤード

か行

か【日】　和　読み方注意
❶日数を数えます。「3日間の旅程」
❷日付を表します。　→日　→日
読み方
　　一日　　ついたち（「月立」の変化した語で、かくれていた月が出始めるという意味です）
　　二日　　ふつか
　　三日　　みっか
　　四日　　よっか
　　五日　　いつか
　　六日　　むいか
　　七日　　なのか・なぬか
　　八日　　ようか
　　九日　　ここのか
　　十日　　とおか
　　二十日　はつか
　　三十日　みそか（月末の意味としても使います。大晦日は12月31日のことです）

か【価】　漢
化学用語で、元素・基などの原子価、イオンの電荷などを表します。「一価アルコール」

か【果・菓】　漢
「果」は果物を表し、果物を数えます。「菓」と書くこともあります。「白桃1果」

か【架】　漢
「架」は、高く掛け渡した棒・棚を表します。
❶稲掛け・衣桁などを数えます。
❷棚・書棚・櫃を数えます。
❸屏風を数えます。屏風1枚は「1架」、屏風1双（2枚）は「2架」と数えます。
❹飾り掲げるものを数えます。「優勝額1架」

か【荷】　漢
❶天秤棒の前後に下げる荷物を数えます。桶は12個で、樽は2本でそれぞれ「1荷」です。「ただのわりご五十荷添へて参れり」［宇津保物語・蔵開上］　天秤棒で物を運ぶ回数は「担げ」で数えます。　→担げ
❷肩にかついだり、肩にかける荷物を数えます。
❸釣りで、2匹（以上）の魚が同時に釣れることを「1荷」といいます。　→杯

か【箇・個・个・ケ】　漢
「箇」（現代は平仮名で「か」と書くことが多い）は、個々の物を指し示し、漢語名詞の前について物を数えます。「2箇所」「7か国」「3か月」など。「个」の本字は「箇」で、「ケ」は「个」から来ているといわれ、「個」と同様に使われます。　→個

か【課】　漢
「課」は、義務としての割り当てを表します。
❶授業やレッスンの割り当てを数えます。「第1課」「授業は1か月で3課進む」
❷組織・機関の構成や担当区分を表します。「捜査1課」「営業2課」

か【顆】　漢
❶「顆」は、「粒」と同様、小さい丸いもの・粒状のものを数えます。　→粒
❷古くは、ウリ・ユズなどの実や鞠など、玉のように丸いものを数えました。　→玉

漢＝漢語数詞〔一（いち）、二（に）、三（さん）…〕などに付く　　和＝和語数詞〔一（ひと）、二（ふた）、三（み）…〕などに付く

❸古くは、印判・印章を数えました。「印判1顆出土」

が【河】 漢
河川（かせん）を数えます。名前のある河川をまとめて数える際に、雅語的に用います。→河川（かせん）

カートン[carton] 漢 英
❶紙箱を数えます。
❷＜単位＞英語数詞を伴い、巻きタバコ10箱（または20箱）をひと包みにした大箱を数えます。「ワンカートン購入」

かい【回】 漢
❶動作や行為を数えます。
a．連続した行為・規則的に反復する行為を数えます。「度」「遍」とも共通の意味を持ちます。「立て続けに3回くしゃみする」「腕立て伏せを20回やる」→度¹ →遍（へん）
b．定期的に行われる行為・催しの頻度（もよお）を数えます。「週2回通う」「年5回開催」「毎日3回食べる」
c．繰り返されることが予測・期待される行為や行事を数えます。「三回忌」「10回目の結婚記念日」
❷行為の分割数を数えます。「2回に分けて食べる」「クレジット10回払い」
❸確率をいう場合に用います。「3回に1回は失敗する」
❹野球でのイニングを数えます。「9回の裏の攻撃」→イニング
→コラム⑮に関連事項（p.275）

かい【貝】 和
❶膏薬（こうやく）を数えます。古くは膏薬を貝に入れていたことに由来します。

❷貝類を数えることがあります。「貝（ばい）」ともいいます。

かい【海】 漢
文語で、海を数えます。「世界七海を渡る」

かい【階】 漢
建物の床の層（重なり）を数えます。「地下1階」しばしば「建て」を伴い、建物の高さを表します。「60階建て高層ビル」→層（そう）

がい【蓋】 漢
❶文語で、上からかぶせる覆（おお）い・蓋（ふた）を数えます。「蓋（かい）」とも読みます。
❷笠（かさ）を数えます。
❸屋根や屋根のように重なりあった形を雅語的に数えます。「三蓋松（さんがいまつ）」

かいきゅう【階級】 漢 和
❶等級・順序・位の上下のきざみを表します。
❷地位・官職・俸給などの等級を表します。「2階級昇進」

かいせん【回線】 漢 和
電信・電話・光通信・ケーブルテレビなどの通信施設で使う通信回線の数を数えます。

かいり【海里・浬】 漢
＜単位＞海面上・航海上の距離の単位。「1海里」は1852mで、緯度1分の長さに相当します。1時間に1海里進む速さが「1ノット」です。

かく【角】 漢
❶角（つの）を数えます。「一角獣」
❷俗語で、公文書を数えます。「1角（＝文書1件）」 かつて軍隊で号令を伝える際に角笛（つのぶえ）を用いたことに由来します。

英＝英語数詞〔1（ワン）、2（ツー）、3（スリー）…〕などに付く　→類似・関連する助数詞および単位などへ

かく▶かせん

❸＜単位＞中国の貨幣の単位。「1角」は1元の10分の1。

かく【画】 漢
❶漢字およびそれを構成する部首の画数を数えます。「10画の漢字」「2画の部首」
❷区切り・区画を数えます。　→区

かく【郭】 漢
ひとつの「かこい」の中の地域、およびその周辺を数えます。「荒れ地の一郭を敷地にする」

がく【岳】 漢
景勝地や登山地として有名な山を雅語的に数えます。「四岳(しがく)」

がくせつ【楽節】 漢
楽節を数えます。「第2楽節を演奏する」

かけ【片】 和
❶大きな塊(かたまり)から離れたかけらを数えます。「かけら」ともいいます。「パンひとかけ」「バターひとかけ」
❷ニンニクや百合根の小鱗茎(りんけい)(可食部)を数えます。ニンニクひとかけで約10g程度。ショウガの使用量の目安にも使われます。ショウガひとかけは2〜3cmの大きさで15〜20g程度。「この料理にはニンニクふたかけを入れる」　→片(へん)

かけ¹【掛け】 和
❶ネクタイ・よだれ掛け・前掛け・エプロンなどの、体の前面にかけて使うものを数えます。
❷(着物の)掛け襟(え)を数えます。
❸馬の背にかけた鐙(あぶみ)を数えます。

かけ²【掛け】 漢
漢語数詞について、取引価格の割合や歩合などを表します。例えば、「7掛け」といえば、価格の7割で取引するという意味です。

かけ【懸け】 和
肩にかけてになう荷物の数量を数えます。

かご【籠】 和
籠(かご)に盛った、野菜や果物などの食べ物類を数えます。籠に盛った炭も数えます。以前は、貝類や卵の小売単位としても用いました。

かさね【重ね・襲】 和
重ねたものを数えます。衣類・重箱・鏡餅(かがみもち)・寝具などを数えます。「供え餅ひと重ね」「ふた重ねの座布団」　→重(え)　→重(じゅう)

かしら【頭】 和
❶人の頭数(あたまかず)を表します。特に大名を数えました。「あれへ大名一頭、瓜核顔(うりざね)の旦那(だんな)殿」〔浄・丹波与作〕
❷古く、仏像などを数えました。「(仏師に)幾かしら造り奉りたるぞと問へば(え)」〔宇治拾遺・七〕
❸烏帽子(えぼし)・兜(かぶと)・頭巾(ずきん)など、頭にかぶるものを数えます。「烏帽子八頭(やがしら)」

かせ【綛】 和
❶糸や毛糸の束を数えます。
❷＜単位＞糸の長さの単位。糸によって異なり、「ひと綛」は、綿糸768m分、梳毛糸512m分に相当します。

かせん【河川】 漢
河川を数えます。特に、氾濫(はんらん)した河川を数えるのに用います。「2河川で堤防が決壊」　→河(が)

がそ【画素】 漢

＜単位＞画像を構成している最小単位。テレビ・パソコン・デジタルカメラなどの画像を構成します。「ピクセル」ともいいます。「600万画素の液晶テレビ」

かた【方】 和 漢

❶ 接頭語「お」を伴って、人を丁寧に数えます。「おひと方お見えです」「名」と異なり「様」を伴うことはできません。→人 →人 →名
❷ 聖人（知徳の高い僧）を数えます。
❸ 作業の割り当てを表します。1日24時間を8時間ずつの3つの区切りに分け、朝を「1方」、昼夕を「2方」、夜を「3方」（3方交替）と呼びます。「番方」ともいいます。

かた【肩】 和

❶ 大形の食用ガニを販売する際、脚の付け根から切り落とし、脚の数本ついた塊を「肩」で数えます。「足」ともいいます。「タラバガニ1肩1000円」
❷ ＜単位＞木材の体積を表す単位。人が肩にかつぐ木材の重さ、約15貫（56.25kg）を標準とします。

かた【型】 漢

❶ ＜単位＞時計の大きさ。1型は2.258mmで、通常は3.5型以上の大きさの製品が作られます。
❷ ＜単位＞テレビの受像機の大きさを表すインチに「型」をあてはめたもの。「14型テレビ」

かたけ【片食】 和

古く、1日のうちの食事の回数を数えました。

かたげ【担げ】 和

天秤棒などで物をかつぐ回数を数えます。

かつ【括】 漢

＜単位＞生糸の包装単位。捻造りした生糸の綛を30本ずつ束ねたものを数えます。「1括」は約2.1kg。

がつ【月】 漢

暦の月の順番を表します。「1月」「2月」「3月」…などのようにいいます。 →月

カット【cut】 漢 和 英

「カット」は、漢語数詞だけでなく、英語数詞の「ワン」「ツー」や和語数詞を伴うことができます。
❶ 切り分けた果物などを数えます。「メロン1カット」「ケーキ2カット」
❷ 映画の構成単位。ひとつの連続した場面やそれが写っているフィルムを数えます。「今日の映画ロケでは6カット撮影した」
❸ 小さな挿絵を数えます。「コラムに2カット入れる」

カップ【cup】 漢 和 英

「カップ」は、漢語数詞だけでなく、英語数詞の「ワン」「ツー」や和語数詞も伴うことができます。
❶ ＜単位＞カップに注いだ分量の目安を表します。料理に使う調味料や粉などの容積も測ります。一般的に、200mlのものを使いますが、炊飯器に付属しているカップ180ml（＝1合）を使うこともあります。
❷ カップに入った商品を数えます。「アイスクリーム4カップ」
❸ ゴルフで、ボールを入れるグリーン上のホール（穴）を数えます。

かぶ¹【株】 和

英＝英語数詞〔1（ワン）、2（ツー）、3（スリー）…〕などに付く　→類似・関連する助数詞および単位などへ

かぶ ▶ かん

かぶ【株】

❶ 草木・植木・竹など、根のついた植物のひとまとまりを数えます。「株(しゅ)」と同じです。「イチゴの苗ひと株を植える」→株(しゅ)
❷ 切り株(かぶ)を数えます。
❸ 株単位で売られる茸(きのこ)類を数えます。「シメジふた株」「エノキダケ5株」

かぶ²【株】 [和]

株および株券を数えます。「出来高2万株」

かま【釜】 [和]

❶ 釜を数えます。
❷ 釜を容器として調理したものを数えます。「おこわ3釜」

かます【叺】 [和]

「叺」は、藁(わら)・筵(むしろ)で方形に作った、穀物・石炭などを入れる袋のことです。古く、肥料・穀物・塩・石灰(せっかい)などを入れて数えました。現代は、もっぱら「袋」で数えます。 →袋(ふくろ)

かめ【瓶・甕】 [和]

瓶(かめ)を数えます。主に梅干・味噌(みそ)・飴(あめ)などが入った瓶(かめ)を数えます。

から【柄・幹】 [和]

❶ 古く、柄(え)のある器物を数えました。
❷ 扇・扇子を数えます。
❸ 刀類・槍(やり)・鉄砲などの武器を数えます。「鉄砲100柄」→柄(へい)

カラー【colo(u)r】 [漢][英]

英語数詞を伴って、色(カラー)を数えます。主にファッションに関するものに使われます。 →色(いろ) →色(しょく)

❶ 化粧品の色の種類を示します。「スリーカラーのアイシャドー」
❷ 「トーン」を伴い、色調を表します。「ツートーンカラーのワンピース」

カラット【carat】 [漢]

❶ <単位>合金中に含まれる純金の比率を示す単位。記号は「K」「kt」。純金は24カラット。例えば18カラットは、24分中に18分の金を含むことで、「18金」ともいいます。
❷ <単位>宝石の質量の単位。記号は「ct」「car」。「1カラット」は200mg。

ガロン【gallon】 [漢]

<単位>ヤード・ポンド法の容積(液量)の基本単位。記号は「gal」。「1ガロン」はアメリカでは約3.785リットル。日本でもこれを用います。イギリスでは「1ガロン」は約4.546リットル。
→リットル →ヤード

かわら【航】 [和]

「航」は、和船の船首から船尾まで通っている船底材のことで、古く船を数えるのに用いました。

かん【缶】 [和]

❶ 中身の入っている缶を数えます。「缶詰ひと缶」 中身の入っていない空き缶は「個」でも数えます。
❷ ペンキ缶・スプレー缶などを数えます。
❸ <単位>石油「ひと缶」は18リットル。

かん【冠】 [漢]

スポーツ・将棋などの競技や大会などで、勝ち取った選手権や優勝数を数えます。「重賞レース三冠達成」

かん【巻】 [漢]

❶ 巻物を数えます。古くは書物一般を数えました。

[漢]=漢語数詞〔一(いち)、二(に)、三(さん) …〕などに付く　　[和]=和語数詞〔一(ひと)、二(ふた)、三(み) …〕などに付く

❷続き物の書籍・カセットテープ・ビデオテープの区分を数えます。「テープ5巻分のビデオ資料」 雑誌や全集・百科事典のような続き物の書物に順序をつける際にも用います。「全3巻本」「第10巻」
❸＜単位＞映画フィルムの長さの単位。例えば、35ミリフィルムでは305m、16ミリフィルムでは122m、8ミリフィルムでは61mで「1巻」です。

かん【竿】 漢
竹・竹ざおなどを数えます。 →棹 「一竿の風月（=釣り竿1本に心をまかせ、俗事を忘れること）」

かん【貫】 漢
❶＜単位＞重さの単位。尺貫法の目方の基本単位。「1貫」は1000匁で3.75kg。 →尺
❷＜単位＞貨幣を数える単位。「貫」は、穴のあいた銭に紐を通してつなぐことを意味します。1000文で「1貫」が基本ですが、江戸時代には960文を、明治時代になると俗に10銭を「1貫」ともいいました。
❸握り鮨を数える「かん」の当て字。

> **鮨は銭1貫と関係が？**
>
> 握り鮨を数える「貫」の由来の1つに、握り鮨の大きさが紐を通した穴あき銭1貫分の大きさと同じだったからというものがあります。しかし、実際の銭1貫は穴あき銭1000枚、長さ1.3m、重さが3.6kgにもなります。江戸時代の握り鮨が現在のものより大ぶりだったとはいえ、とても銭差しの大きさに相当するとは考えられません。 →コラム⑨に関連事項（p.155）

❹武士の扶持高（俸禄、すなわち給料）の単位。「1貫」は10石分に相当します。

かん【管】 漢
「管」は管状のもの、特に竹で作ったものを数えます。
❶筆を数えます。「筆を3管携える」→茎
❷楽器（笛・笙など）を数えます。「尺八2管」
❸キセル（煙管）を数えます。

かん【館】 漢
文語で、博物館・美術館・水族館などを数えます。「月曜日は3館とも閉館」

き【寸】 漢 和
❶＜単位＞古代の長さの単位。後世の曲尺の「寸」に相当します。 →寸
❷馬の丈を測る目安に用います。4尺（約120cm）を標準とし、それを超す高さを「ひと寸」「ふた寸」と数え、5尺を「十寸」といいます。

き【匹・疋】 漢 和
❶「匹」と同じです。「ぎ」とも読み、古く、馬を数えました。「ゆきやらで雪の尾花と見つるかなひときふたきの駒にまかせて」[夫木和歌集・一八]
❷＜単位＞布・反物の長さを測る単位。和歌では多く「木」にかけて用います。「幾きともえこそ見わかね秋山のもみぢの錦よそにたてれば」[後撰和歌集・秋下] →匹²

き【季】 漢
❶季節を数えます。「四季」
❷＜単位＞1年を単位として数えます。1年を「1季」、半年を「半季」といいます。
❸陰暦で四季の末の月。3月・6月・9月・12月をいいます。

き【紀】 漢

地質時代の区分の単位を数えます。「新生代第四紀」

き【基】 漢

「基」は、建物の四角い土台・基盤・根元を表します。据え置くもの、人間ひとりの手では動かしがたいものなどを数える語です。

❶ 墓・神仏を数えます。
a. 墓を数えます。ピラミッド・古墳・墓穴・石室などを数えます。「25基の古墳を調査」
b. 鳥居・神輿（みこし）を数えます。「神社に鳥居15基を設置」「神輿60基が練り歩く」
c. 仏壇を数えます。

❷ 置物・設置物などを数えます。
a. 庭園に据え付けてある置物（灯籠（とうろう）・石塔など）を数えます。「石灯籠3基を配する」
b. 公園に据えてある像・碑を数えます。「記念碑3基設置」
c. 公園などの公共の場に設置されているベンチ・遊具・トイレなどを数えます。「公園にベンチ5基寄贈」
d. 据えてある大型機械を数えます。
e. 照明設備（照明施設・街灯・信号機）を数えます。「信号機を1基設置」「13基の街路灯が壊された」→灯（とう）
f. 住居跡・窯跡（かまあと）などの遺跡を「基」で数えることがあります。「縄文時代の竪穴住居（たてあな）3基を発見」
g. ブイ（浮標）を数えます。
h. ビルの壁面に設置された大型のモニタースクリーン・画面を数えます。
i. 大型タンクを数えます。「石油タンク3基が炎上」
j. 魚のひれを体に据えてあるものと見立て、まれに「基」で数えることがあります。

❸ 台や塔、堤（つつみ）などの建造物を数えます。
a. タワー・塔を数えます。
b. やぐらを数えます。
c. 灯台・展望台を数えます。「33基の灯台を文化財に指定」
d. 砲台・ロケットの発射台を数えます。
e. 堤防・消波堤を数えます。
f. 橋脚を数えます。
g. ダムを数えます。「ダム4基建設」

❹ 炉・発電機を数えます。
a. 炉を数えます。「現在稼動中の原子炉は430基」
b. 原子力発電所・風力発電所の発電機を数えます。

❺ 設置された乗り物を数えます。
a. スキーのリフト施設を数えます。「リフト5基がナイター営業」
b. エレベーター・エスカレーター・自動遊歩道などを数えます。エレベーターを他の階に移動するために利用する時は「台」で数えます。「このエレベーターは満員のため、1台お待ち下さい」

❻ 飛行する機械・乗り物に関するものを数えます。「機」と同様の意味を持ちます。
a. 人工衛星を数えます。人工衛星は惑星の周回軌道に据え置くものであることから「基」で数えます。「偵察衛星2基打ち上げ」
b. 飛行機のエンジンを数えます。「事故機は2基のエンジンが停止していた」
→機（き）

き【期】 漢

❶ 一定の期間・時期を数えます。継続的に行われる物事のひと区切りを表します。原則として、1か月ないしは1年のことです。
❷ 決められた任務・就業期間を数えます。任務によって期間の設定が異なります。

漢 ＝漢語数詞〔一（いち）、二（に）、三（さん）…〕などに付く　　和 ＝和語数詞〔一（ひと）、二（ふた）、三（み）…〕などに付く

❸ある人が学校や会社の創立何年目に構成員に加わったかを示します。
❹将棋界の大きなタイトルの獲得を数えます。「タイトル10期の大台に乗せた棋士」

き【機】漢

❶「機」は、もともとは織機を表しました。現代ではもっぱら飛行機を数える語です。「ジャンボ機2機が離陸」「ヘリコプター3機が出動」

なぜ飛行機は「台」で数えない?

「台」が、土台、すなわち大地が支えているものという意味を持つため、大地と離れて飛ぶ飛行機の数え方には適さないと思われました。そこで、やむを得ず、「機」をあてて飛行機の数え方としました。　→台

❷誘導装置を持つミサイルを数えます。
❸(専門的に)空軍組織の最小単位で、航空機とその乗員から構成されるまとまりを数えます。

き【騎】漢

❶馬に騎乗した戦士を数えます。転じて、馬を数えます。「数千騎の群兵」
❷運動会の騎馬戦などで、3人が組んで別の1人が騎乗している隊を数えます。

き【簣】漢

❶もっこ(土を運搬するための、縄などで編んだかご)を数えます。
❷もっこに盛った土を数えます。「一簣」は、もっこ一杯分の量のことで、わずかな量のたとえにも用います。「九仞の功を一簣に虧く(=高い山を築くのに、最後のもっこ一杯の土が足りないために完成しない。長い間の努力も最後の少しの過失からだめになってしまうことのたとえ)」

き【饋】漢

「饋」は、食物や金品の贈り物を表します。そこから、(もてなしのための)糧食・食事の回数を雅語的に数えます。

一饋に十起

ある王が賢者を迎えるため、食事中に10度も席を立ったという故事から、ゆっくり食事もできないほど政治などに熱中しているさまを表します。

ぎ【儀】漢

事柄を数えます。「件」と同じです。　→件

きく【掬】漢

両手にすくえる水などの分量を雅語的に表します。「杯」「掬い」と同じです。「一掬の涙」→杯　→掬い

きだ【段・常】和 漢

❶「段」は、切れ目・分かれ目を表し、上代語では切り分けたもの、区切りを数えました。「十拳剣を乞ひ度して、三段に打ち折りて」[古事記・上]
❷<単位>布の長さの単位。「1段」は1丈3尺で、約393.9cm。　→反²
❸<単位>田畑の面積の単位。「1段」は10分の1町で、約991.74m²。また、10畝で1段なので、5畝を「段半」といいます。「およそ田は、長さ三十歩、広さ十二歩を段とせよ」[孝徳紀]

きてい【規定】漢

❶法令の個々の条文を数えます。
❷<単位>化学で、溶液の濃度を表す単位。記号は「N(ノルマル)」。「1規定」は、溶液1

リットル中に1g当量の溶質を含むときの濃度を表します。

きゃく【客】漢
客をもてなすため、あるいは特別な機会のためにそろえてある道具類を数えます。「コーヒーカップ6客」「座布団5客」「漆塗りの吸い物椀5客」

きゃく【脚】漢
❶脚のある道具(家具)を数えます。椅子・机・肘掛け・ワイングラスなどを数えます。「2脚の椅子」　ベッドやソファーなどの脚部が比較的短い家具は「台」でも数えます。→台
❷馬の脚は4本あるため、そこから蹄鉄を数えます。馬1頭で4脚。
❸運動会などでふたり以上の人が内側にある足をくくって走る競技において、運ぶことができる脚の数を数えます。参加人数に1を足した数が「脚」の数です。ふたりなら「二人三脚」、10人なら「10人11脚」といいます。

きゅう【弓】漢
❶<単位>古代中国における長さの単位。
❷<単位>弓から的までの距離を表す単位。6尺で「1弓」。
❸<単位>土地を測量するための単位。8尺で「1弓」。→尺

きゅう【丘】漢
文語で、丘・丘陵を数えます。

きゅう【級】漢
「級」は、上下の地位・程度の位置づけや順序、段階を表します。
❶試験を受けて合格すると与えられる、技量の等級を表します。「簿記1級」→段
❷学校教育で、学年を表す、やや古い言い方です。「彼は尋常小学校で1級上だった」
❸戦などで取った、相手の首を数えます。古い中国の法で、敵の首を取るごとに爵位(級)が上がったことに由来します。
❹<単位>写真植字での文字の大きさを表す単位。記号は「Q」。4分の1(0.25)mm角のもので「1級」。→ポイント

きゅう【球】漢
❶主に野球の競技で、投手(ピッチャー)が投げた球の順番および数を数えます。「ピッチャーが第2球目を投げる」「一球入魂」「投球数は100球を超えた」→投
❷電飾の電球を数えます。「1万球のLEDライト」
❸球根を数えます。「花壇にチューリップの球根50球を植える」

きょう【橋】漢
❶文語で、橋・桟橋などを数えます。
❷詩的に、虹を数えます。

ぎょう【行】漢
❶文字の縦の並び、および文字列が入る空欄・罫線を数えます。現代では横の並びも数えます。「20行のレポート用紙」
❷文章の行数を示します。「行」ともいいます。「2行の短い手紙」→行

きょく【曲】漢
❶音楽や歌謡の調子や節、また楽曲を数えます。「カラオケで10曲以上歌う」
❷屏風を折りたたんだときの面を数えます。「屏風六曲一双」

きょく【局】漢
❶碁盤・将棋盤・双六盤などで行う勝負を数

えます。また、碁盤・将棋盤も数えます。「将棋盤2局」

❷ 放送網を数えます。「民間25局のネットワーク」

❸ 郵便局を数えます。「県内2局に郵便貯金する」

きり【切り・限】 和

切ったものを数えます。「切れ」と同じです。「干し瓜三切りばかり食ひきりて」[宇治拾遺物語・七]
→切れ

きれ【切れ】 和

❶ 大きな部分(塊)から切り取ったり、切り分けたりしたものを数えます。主に食べ物を数えます。「塩鮭ふた切れ」「餅ひと切れ」「刺身5切れ」 切り取った部分が平面的な場合は、「枚」でも数えることができます。紙切れ・木切れは「片」で数えます。 →枚 →片

❷ <単位>江戸時代に小判・分判を数えました。「ひと切れ」は、金1分(1両の4分1)に相当します。

❸ <単位>コンクリートや石材の体積の単位。「切」「才」ともいいます。「ひと切れ」は、1立方尺で約0.03m³。

キロメートル【kilomètreフランス・粁】 漢

<単位>長さの単位。記号は「km」。「1キロメートル」は1000m。国字「粁」の成り立ちは、「米(メートルの当て字)+千」です。

きん【斤】 漢

❶ <単位>尺貫法による重量の単位。「1斤」は160匁(600g)に相当します。 →尺

❷ <単位>食パンの量の単位。明治初期にパン「1斤」をひと山、すなわち1ポンド(約454g)を目安にしたことに由来します。その後、パンの重さに関係なく、スライスする前の食パンの塊を数えるようになりました。現在は、規約で、包装食パン1斤の重さは340g以上と定められています。「1斤の食パンを8枚にスライスする」

きん【金】 漢

<単位>「カラット」に同じ。「K」とも書きます。「18金」 →カラット

く【口】 漢
→口 →口

く【区】 漢

❶ 区切った場所・区切りを表します。

❷ 行政上の区画を数えます。

❸ 選挙区を数えます。「2区で投票率50%」

❹ 駅伝で、走者が走る区間を表します。「往路2区を走る」

❺ バスの運行区間を数えます。

く【句】 漢

❶ 連歌・俳諧で、作品を数えます。「お祝いの席で1句詠む」 詩歌(漢詩や和歌)を数える場合は「首」を用います。 →首

❷ 詩のひと区切り(五言または七言)、和歌では5文字または7文字のひと区切りを表します。

く【軀】 漢

「軀」は、仏像や銅像を数えます。「金銀の像両軀」[三蔵法師伝古点] →頭 →体

く【齣】 漢
→齣

ぐ【具】 漢

クール▶くち

「具」は必要なものを備えることを表し、一揃い(ひとそろい)の用具を数えます。「具」と同じです。「具(よろい)」ともいいます。衣服・器具などを数えるのに用います。 →揃(そろ)い →装(よそ)い

❶ ふたつ以上のものがそろって完備する衣裳(いしょう)を数えます。「裃(かみしも)1具」「御衣(おんぞ)一具」
❷ 印籠(いんろう)・輿(こし)などを数えます。
❸ 数珠(じゅず)を数えます。
❹ 櫛(くし)を数えます。
❺ 鞍(くら)を数えます。
❻ 駕籠(かご)を数えます。

一具弓懸(いちくゆがけ)
弓を射るときに指を守るための手袋のことです。両手用を「一具弓懸」といいます。

クール【cours】フランス 漢 和 英

〈単位〉「流れ」の意味に由来します。放送で、週1回放送される連続番組のひと区切りの単位です。一般に13週を1クールとし、1年を4クールと数えます。「このドラマはワンクール放送される」

くかく【区画】漢 和

区画・区切られたものを数えます。「3区画の菜園」→区

くさり【齣】和

楽曲・遊芸・講談の段落を数えます。「講談をひと齣聞く」

くし【串】和

串に刺した食物を数えます。「ウナギの蒲焼(かばやき)2串」「団子3串」 串そのものを数える場合は「本」を用います。

くせ【癖】和

人が持つ癖の数・種類を数えます。「なくて七癖」

くだり【行】和

文章の行(ぎょう)を数える語です。「行(ぎょう)」ともいいます。「三行半(みくだりはん)」 文字列は「流れ」でも数えます。→行(ぎょう) →流(なが)れ

くだり【領・襲】和

「領」は、首筋や着物の襟(えり)を表し、衣裳(いしょう)などの揃いを数える語です。「領(りょう)」ともいいます。「宮の御装束ひと領(くだり)かづ(ず)け奉(たてまつ)り給(たま)ふ」〔源氏物語・若菜下〕 →領(りょう)

くち【口】和

❶ 物を口に入れたり、口から出す回数を数えます。
a. 食べ物や飲み物を口に入れる回数を数えます。「ひと口で食べる」「酒はひと口も飲めない」
b. 口から出したり吐いたりする回数を数えます。「ひと口の唾(つば)を吐く」
c. 一度に口に含める分量を表します。「ふた口で食べ終わる」

❷ 口のような形をしているものを数えます。主に蛇口(じゃぐち)・釣り鐘・こんろ・グリルなどの機器の噴出する部分を数えます。「ふた口こんろ」→口(こう)

❸ 人を数えます。特に同じ職業や立場の人をまとめて数える際に用います。「講師4口」

❹ 分担の単位として用います。
a. 寄付や出費・融資の単位となる金額を設定します。「ひと口1万円の寄付を3口以上お願いします」
b. 取引を数えます。「口座ひと口」
c. 懸賞の応募単位を設定します。「応募券2枚でひと口、ひとり3口まで」

漢=漢語数詞〔一(いち)、二(に)、三(さん)…〕などに付く 　和=和語数詞〔一(ひと)、二(ふた)、三(み)…〕などに付く

❺刀剣を数えます。刀は振り下ろして切り口をつけるので、「口」ともいいます。「銅剣300口が出土」→口

くみ【組】 和 漢

❶和語数詞を伴って、個々のものが組み合わさってひとまとまりを成しているものを数えます。「揃い」ともいいます。「重箱ひと組」複数の商品をまとめて売買する際にも用います。「2個組商品」→揃い

❷ふたり以上の人のまとまりを数えます。
a. ペア、夫婦、来店客や旅行客などのグループを数えます。「大安の日には20組以上が挙式」「毎年2万組の夫婦が離婚」「先着30組に飲み物サービス」「4名様ひと組で旅行にご招待」
b.「人」を伴い、グループが何人で構成されているかを示します。「3人組のグループ」

❸漢語数詞を伴って、共に事を行うための集まりを数えます。特徴や関心を共有するグループ・仲間・団体などの構成単位を表します。学校では学級・クラスのことです。「1年1組」

「2人組」は「ふたりぐみ」?「ににんぐみ」?

「ふたりぐみ」と「ににんぐみ」のどちらでも読みます。ただし、この場合、2つの読み方には多少意味の違いがあります。例えば「ゲームで2人組になる」場合は「ふたりぐみ」と読み、「2人組の強盗が押し入った」となれば「ににんぐみ」と読みます。「ににんぐみ」という読み方は、事件の報道で「ふたりの犯人が共謀して事件を起こした」という意味を与えます。

クラス【class】 和 漢 英

❶和語数詞・漢語数詞を伴い、学校などの組・クラスを数えます。「ひとクラス増える」→組

❷等級・レベルを表します。この場合、英語数詞を用います。「ワンクラス上の贅沢」

グラム【gramme フランス・gram・瓦】 漢

＜単位＞質量の基本単位で、記号は「g」。国際キログラム原器の1000分の1の質量で、「1グラム」の1000倍が1kg。ギリシャ語の「グラーンマ（＝小さな重さ）」に由来します。制定当初は、セ氏3.98度の水1cm^{3}の質量にほぼ等しいとされました。現在は、「キログラム」が基本単位となっています。　→メートル

くるまふん【車分】 和 漢

＜単位＞目的地までに、車やバスでかかる時間を表します。乗用車は1500m／分、バスは700m／分。「別荘分譲地まで乗用車で駅からひと車分（＝1500m）」

ぐん【軍】 漢

❶戦うための兵士のまとまりを数えます。
a. 中国の周代の軍隊編制の単位。1師を2500人とし、5師で「1軍」といいます。天子は6軍、大国は3軍を置きました。軍の数で軍事力を表しました。
b. 日本の明治以後の兵制のことで、軍隊編制の単位を表します。「第3軍」

❷プロスポーツなどの、勝つことを目的とするチームを数えます。よりすぐれたチームの方が若い数字をあてられます。「一軍・二軍」

ぐん【群】 漢

群れを数えます。多くの数の人間の集まり、同じ目的を持って行動する仲間を表します。数詞はもっぱら「一」を伴います。「一群のデモ隊」→団

英＝英語数詞〔1（ワン）、2（ツー）、3（スリー）…〕などに付く　→類似・関連する助数詞および単位などへ

けい【茎】 漢

❶ 細長いものを雅語的に数えます。
a. 草を数えます。
b. 髪を数えます。
c. 竹管で作った筆を数えます。
❷ 柱や灯籠を数えます。

けい【景】 漢

文語で、景色を表します。「富岳三十六景」「近江八景」「街並み100景」

げい【芸】 漢

芸のレパートリーや特技を数えます。数詞はもっぱら「一」を伴って「一芸」といい、それ以上は「多芸」といいます。「一芸入試」 →能

ゲーム[game] 漢 英 和

❶ 勝負や遊戯の回数を数えます。「100円で2ゲーム遊ぶ」
❷ スポーツでの試合数を数えます。「3ゲームが雨で中止」
a. 試合での勝ち数を表します。「首位と2.5ゲーム差」
b. テニスやバドミントンの試合で、セットを構成する部分を数えます。「5ゲーム先取」

けた【桁】 和 漢

「桁」は、算盤の珠を縦に貫く棒を表し、数値の位取り(桁)を数えます。「昭和ひと桁生まれ」「値段がふた桁違う」

けつ【穴】 漢

❶ 必要に応じて開けた穴を数えます。「2穴パンチ」「26穴ルーズリーフ」
❷ たこ焼き器のくぼみの数を数えます。
❸ 鍼灸をすえる箇所を数えます。

げつ【月】 漢

暦の月を数えます。「か月」「箇月」に同じです。 →月 →月

けん【犬】 漢

文語で、犬を数えます。

一犬虚に吠ゆれば万犬実を伝う
一人がいいかげんなことをいうと、世間の多くの人はそれを真実のこととして広めてしまうことのたとえです。

けん【件】 漢

「件」は、人や物が接触し、発生した事象を数えます。

❶ 犯罪・事故・被害を数えます。「2件のひったくり事件」「同夜に10件もの放火があった」「交通事故が300件以上発生」
❷ 倒産・不祥事・トラブルなどを数えます。「昨年の取引停止処分は1万件」「離婚3万件」
❸ 申し込み・問い合わせ・届出・申し出・苦情などを数えます。「3件の申し込み」「100件以上のクレーム」
❹ 取引の数を数えます。「商談3件成立」
❺ 扱うべき議題や話し合うべき案件を数えます。「議題3件を話し合う」
❻ 登録件数を数えます。「世界遺産に2件登録」
❼ インターネットのアクセス数や発言・投稿数を数えます。「10万件のアクセスを記録」
❽ 対象者に送信されたメッセージや音声・画像・動画・やりとりされたメール・チャットなどを数えます。「録音メッセージが5件ある」

けん【間】 漢

❶ 「間」は、柱と柱の間で部屋の大きさを表し、古く家を数えました。「板屋一間」[正倉院文書]

漢=漢語数詞〔一(いち)、二(に)、三(さん)…〕などに付く　　和=和語数詞〔一(ひと)、二(ふた)、三(み)…〕などに付く

また、部屋の数も数えました。→間

❷〈単位〉長さの単位。主に、土地・建物などに用います。ふつう、「1間」は6尺で約1.82m。「間」は、日本建築で、柱と柱との間を表します。　→尺

❸将棋盤・碁盤の面に引いた線のます目を数えます。「二間びらき」「三間とび」

けん【軒】 漢

❶「軒」は「のき・ひさし」を表し、独立した家屋・民家を数えます。人が住んでいない家屋も数えます。「地震で200軒が倒壊」→戸 →棟

❷商店や飲食店を数えます。店舗は独立した建物を持たず、ビルに入っていてもかまいません。屋台などの簡易店舗であっても「軒」で数えられます。「2000軒以上の飲食店が並ぶ福岡中洲」 店は「店」でも数えます。→店

❸個人規模で生産活動を行っている農家や工場を数えます。「34軒の農家」

❹絞り込まれた条件に該当する世帯を数えます。「この町内に"山本"さんは7軒ある」

❺宛名・宛先を数えます。「中元を3軒に送る」

けん【鍵】 漢

楽器・コンピューターのキーボード上の鍵を数えます。「24鍵キーボード」

げん【元】 漢

❶次元・場所を数えます。「二元中継」

❷古く、「元」は政治を執り行う天子が在位する期間を表しました。そこから、年号を数えます。「一世一元」

❸〈単位〉中国の貨幣の単位。「1元」は10角。

げん【言】 漢

口から出たり、書きつけたりした格言・名言・決意・意見などを示すことばを数えます。「言」ともいいます。「一言一行」「二言はない」→言

げん【限】 漢

主に、大学・短期大学の授業時間を数えます。「時限」ともいいます。「明日の1限はフランス語だ」 授業数を数える場合は「齣(コマ)」を用います。　→時限　→齣

こ【戸】 漢

人の住む家(民家)、人が住むために建てられた住まい(マンションの各部屋など)を数えます。建物のみは「軒」で数えます。　→軒

❶建設・売買・賃貸の対象となる住宅を数えます。「新築住宅10戸販売」

❷集合住宅の各世帯が入居する住居単位を数えます。「駅前マンション30戸販売」 集合住宅の建物全体は「棟」で数えます。→棟

❸被害・調査の対象となる民家を数えます。この場合は、住人も被害にあったことを示唆します。「この地震で住宅13戸が倒壊」 停電・断水といった、建物に直接及ばない被害は「世帯」でも数えます。「この地震で停電したのは約6万{世帯|戸}」 1戸の住宅に二世帯以上が同居することもあるため、「戸」と「世帯」の数が一致するとは限りません。→世帯

こ【個・箇】 漢

❶「個」は、個別の物体を数えます。「つ」でも数えることができます。　→つ

a. 細長くもなく、平面的でもない三次元的な物体を数えます。「帽子3個」「クロワッサン1

個」「鳥の巣1個」「おはじき2個」「コイン1個」
「金メダル5個」

「枚・個・本」数え方の目安

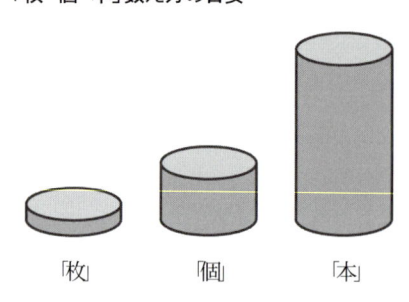

「枚」　「個」　「本」

b. (空の)容器・器を数えます。「空き缶1個」「料理用ボウル2個」「ダンボール箱10個」
c. 穴・くぼみ・突起などを数えます。「壁に穴が1個あいた」

❷ 極端に大きなもの、小さなものも数えます。写真や図面でその全体像が把握でき、主にその数が問題となるものを数えます。
a. 台風を数えます。「今年は台風5個上陸」
b. 星を数えます。「惑星3個発見」
c. 細胞や花粉などを数えます。「細胞100個」「花粉の飛散数1cm³当たり3個」

❸ 手に取ることのできない抽象的なもの・概念的なものを数えます。口語で数詞が9以下の場合は「つ」で数えることもできます。　→つ
a. 野球で三振・盗塁などのプレーを数えます。「盗塁を2個決める」
b. 大相撲で、星(白星・黒星・金星)を数えます。「金星6個獲得」
c. コンピューターに関するもの(プログラム・ウインドウ・パスワードなど)を数えます。「IPアドレス3個」
d. 会話で、「つ」をはじめとする助数詞の代わりに用います。「彼は学年が2個上」「新宿から3個目の駅で下車」　→つ

❹ 人間としての尊厳を表します。もっぱら数詞「一」を伴い、「一個の人間として扱う」といい

ます。この場合は「一己の人間」とも書きます。
→人　→人　→人

❺ ＜単位＞湧き水などの流水量の単位。毎秒1立方尺(約27.63リットル)で「1個」。

こ【絇】漢

古く、縒って練り染めた、絇と呼ばれる糸すじを数えました。

こ【湖】漢

文語で、湖を数えます。「富士五湖」

ご【語】漢

❶ 文書や作文を構成する単語数をいいます。英文の場合は「ワード」ともいいます。「最も適当な1語を答える」→ワード
❷ 語彙・語彙項目を数えます。「フランス語の単語を2000語マスター」「10万語収録の辞書」

こう【口】漢

❶ 口の開いている器、液体を口から噴出する器具などを数えます。「口」と同じ。　→口
a. 鍋・壺・瓶・鉢・茶釜といった、料理・湯沸かし・水くみなどに使う器具を数えます。
b. 釣り鐘を数えます。
c. ふいごを数えます。
d. 銃口を数えます。

❷ 切り口をつける道具を数えます。
a. 刀を数えます。　→口
b. 剃刀を数えます。
c. 鍬を数えます。

❸ 口は、食い扶持を表し、人や動物などを数えます。
a. 古く、馬などの家畜を数えたことに由来して、鞍・轡を数えます。
b. 同じ職業や立場の人をまとめて数えます。

漢=漢語数詞〔一(いち)、二(に)、三(さん)…〕などに付く　　和=和語数詞〔一(ひと)、二(ふた)、三(み)…〕などに付く

こう ▶ ごう

「講師3口」「伴僧20口」　→口

こう【行】漢

❶ 列・行・文字などを数えます。古くは、兵士25人で「1行」。

❷ 商店や大きな問屋を「行」で表したことに由来して、文語で、銀行を数えます。「大手3行が合併」　銀行の各支店は「支店」「店」「店舗」などでも数えます。　→店　→店舗

❸ 行いを表します。数詞はもっぱら「一」を伴い、「一言一行」のようにいいます。

こう【更】漢

日没から日の出までの間(夜)を5つに分けた時間の単位。初更から五更まであります。

目安

初更	戌の刻(午後7時から9時前後)
二更	亥の刻(午後9時から11時前後)
三更	子の刻(午後11時から午前1時前後)
四更	丑の刻(午前1時から3時前後)
五更	寅の刻(午前3時から5時前後)

こう【岬】漢

文語で、有名な岬を数えます。

こう【校】漢

❶ 学校を数えます。小学校・中学校・高等学校・大学などを数えます。塾や予備校も数えます。

❷ 校正の回数を数えます。1回目は「初校」、2回目は「再校」、3回目は「三校」といいます。

こう【項】漢

❶ 法律・文章などの箇条を数えます。「項目」でも数えます。「第1項」　→項目

❷ 数学で多項式を組みたてる単位を表します。「2項の方程式」

ごう【号】漢

❶ 接頭語「第」を伴って、ある名称や称号・資格の与えられたものの順序を表します。「合格者第1号」

❷ 特急列車や特別列車の名前に付してその運行順を特定します。「あずさ52号」「のぞみ145号」

❸ 続き物の雑誌や定期的に発行される書籍の発行順序を示します。発行年月日に付されることもあります。「雑誌の6月号」「学術雑誌第3巻2号(通巻10号)」という場合は、「巻」は年度ごとの順序、「号」で複数回発行された雑誌の発行順序が示されます。これは3番目のテーマあるいは編集方針にそって発行された2番目の雑誌ということです。発行された雑誌の順序の総数は「通巻〜{○号|×巻}」で示します。

❹ <単位>活字の大きさを表します。5号(約3.79mm)が基準で、最小単位はその8分の1です。初号(5号の4倍)、1号〜8号(5号の8分の3倍)まで9種類あります。ポイント活字の大きさの単位は「ポイント」です。　→ポイント

❺ <単位>カンバス(画面)の大きさを表します。サイズ基準には、ゼロ号、1号・2号・5号、10号・50号・100号があり、それぞれに人物型(F)・風景型(P)・海景型(M)の3種類があります。欧米とはカンバスの大きさの基準が多少異なります。

ごう【合】漢

❶ 「合」は、上のものと下のものがぴったり合うことを表し、蓋のある容器を数えます。「皮籠3合」「香合1合」

❷ 文語で、戦いや試合で、互いに兵をまじえ、刀を合わせたり、切り合ったりする回数を数

えます。「刀を交えること三合」
❸ <単位>尺貫法による容量の単位。「1合」は約0.18リットル。10分の1升。現在も米の計量に用います。「米を3合炊く」→尺
❹ <単位>尺貫法による土地の面積の単位。「1合」は約0.33m²。10分の1坪(歩)。
❺ 登山の路程などを10に分けたひと区切りを表します。「1合」は、その山の10分の1の高さ。接尾語「目」を伴って登った分量を示します。「富士山の5合目に到達した」

こうもく【項目】 漢 和
文章・文書の内容や物事をある基準で区分した各部分を数えます。「アイテム」「項」と同じです。「3項目」 →アイテム →項

こえ【声】 和
❶ 相手への呼びかけを数え、もっぱら「一」を用います。値段交渉での駆け引きをいいます。「もうひと声安い値段なら買う」
❷ 野鳥や動物の鳴き声を数えます。「野鳥100声を収録」

ゴール【goal】 英 漢
サッカー・バスケットボール・アイスホッケーなどのスポーツでの得点を数えます。「1試合でツーゴール決める」

こく【石】 漢
❶ <単位>尺貫法による体積の単位。主に米穀を量るのに用います。「1石」は10斗で約180リットル。 →尺
❷ <単位>江戸時代の俸禄(禄高・知行高とも)の単位。「加賀百万石」
❸ <単位>和船の積量の単位や材木などを量る単位。「1石」は10立方尺で約0.28m³。「三十石の船」
❹ <単位>サケ・マスなどをまとめて数える単位。サケは40尾、マスは60尾で「1石」といいます。

こく【国】 漢
国を数えます。「一国一城の主」「3国協定」 それぞれの国を個別に扱った上で、まとめて数える場合は「3か国」のように「か国」で数えます。「独仏英3か国会談」

こし【腰】 和
❶ 腰につけるものを数えます。「袴ひと腰」「太刀ひと腰」「化粧回し3腰」
❷ 矢を盛った箙を数えます。「矢ひと腰」

こたい【個体】 漢
(専門的に)研究対象となる生物を数えます。

こと【言】 和
❶ 口から出る言葉を数えます。「ひと言アドバイスする」「ひと言余計だ」
❷ 挨拶・訓辞・祝辞・弔辞・誓詞など、改まった場面で個人が口頭で発するひとまとまりの言葉や意見を数えます。「ひと言ご挨拶する」「コメントをひと言どうぞ」
❸ 添え書き・メッセージを数えます。
❹ 標語・スローガン・コピー文句を数えます。

こま【小間】 和
<単位>江戸幕府が、江戸町人に課した、屋敷地の広狭に応じた公役の賦課単位。20坪で「ひと小間」といいます。 →坪

こま【齣】 漢 和
並んだものの区切れを表します。「齣」は、「コマ」と書くこともあります。
❶ 戯曲・芝居などの場面を数えます。「場」「幕」

とも数えます。→場 →幕

❷ 大学・短期大学などの授業数を数えます。「明日は1コマしか授業がない」「週8コマ教える」 時間割での位置は「限」で数えます。→限

❸ 映画の場面やカットを数えます。「古い映画のひとこま」

❹「齣」ともいい、文章の段落を数えます。

こり【梱】 和

❶「梱」は、竹や柳で編んだかごを表し、行李を数えます。

❷ ＜単位＞糸の重さの単位。糸ごとに基準が異なります。綿糸は400ポンド(40玉、181.44kg)、生糸9貫目(33.75kg)、麻糸65.4kgなど。

ころ【両・塊】 和

❶ 塊を数えます。特に、マグロを解体してブロック状の塊にしたものを「ころ」で数えます。「マグロふたころ」→さく

❷ 行李などの荷物を、塊になぞらえて数えます。

❸ ＜単位＞金銀などの重さの単位。一両は24銖。

こん【鯇】 漢

「鯇」が女房詞で魚を指したことに由来し、古く、魚を数えました。「尾」「匹」と同じです。「一鯇の魚」→尾 →匹[1]

こん【献】 漢

「献」は、酒杯をさしたり、食事をすすめる回数を数えます。客をもてなす際、膳に杯・銚子・肴などを出し、酒3杯をすすめてから膳を下げるのを「一献」といいます。「盃を傾けること三献」「一献にうちあはび、二献にえび、三献にか

いもちひにてやみぬ」[徒然草・二一六]

さ行

さ【差】 漢

試合数や得点数における他者との差を表します。「首位のチームと2差(＝2ゲーム差)」「1差(＝1点差)で追う」

ざ【座】 漢

❶ 祭神・座像(仏像)を数えます。

❷ 神社を数えます。

❸ 高い山や、観光地となっている山を数えます。「気軽に楽しめる地元30座」

❹ 里神楽などで、曲の数を数えます。

❺ 芝居や興行団体を「座」といい、劇団を数えます。「芝居一座」

❻ 星の集まり・星座を数えます。

❼ (小型)飛行機の座席数を数えます。

さい【才】 漢

❶ ＜単位＞石材の体積の単位、および船の積荷の容積の単位。「切れ」「切」ともいいます。ともに「1才」は1立方尺(約$0.03m^3$)に相当します。→石

❷ ＜単位＞木材の体積の単位。1寸角(約3.03cm×3.03cm)で1間(約182cm)、または2間の長さの材の体積を「1才」とします。

❸ ＜単位＞じゅうたんの大きさの単位。取引金額はすべてのじゅうたんの面積の合計で決められます。「1才」は1平方フィートで約$92cm^2$。

❹ ＜単位＞モザイクタイルの取引単位。「1才」は1平方フィートで、約$92cm^2$。

❺ 年齢の「歳」の代用字。幼い年齢のときに使う傾向があります。「子供は1才になった」「青二才」

さい【彩】 漢
色・色彩を雅語的に数えます。　→色　→色

さい【菜】 漢
惣菜の品数を数えます。「一汁一菜」

さい【歳】 漢
❶ 人間や動物の年齢を数えます。1年で1歳。代用で「才」とも書きます。

"20歳"の読み方

20歳は「にじっさい」「はたち」のどちらでも読むことができます。ただし、「にじっさい」が単なる年齢を表しているのに対し、「はたち」は成人を迎えたことを意味する傾向があります。「飲酒は20歳になってから」という場合、「20歳」は「はたち（=成人）」と読みます。

年齢が1～9歳の間は「つ」を用いることができますが、たいていは子供が幼児期の間に口語で用いられます。「子供は3つになった」 →つ
数え年は、生まれた年を1歳とし、正月を迎えるたびに1歳を加えて数える年齢です。

年齢の異称

志学		15歳
弱冠		20歳
而立		30歳
不惑		40歳
知命		50歳
耳順		60歳

賀寿（*いずれも数え年）

還暦	華甲	61歳
古希		70歳
喜寿		77歳
傘寿		80歳
半寿		81歳
米寿		88歳
卒寿		90歳
白寿		99歳
上寿		100歳（120歳とも）

❷ 「周年」と同じです。「我が社も20歳（=創立20年）になった」 →周年

さお【竿・棹】 和
❶ 竿を数えます。竿は「本」でも数えます。　→本¹
❷ 簞笥・長持に竿をさして運んだことから、簞笥・長持を数えます。「簞笥を1竿（棹）かつぐ」現在では、簞笥を「台」で数えることもあります。
❸ 竿にさした旗や幟を数えます。「幟3竿」
❹ 竿に干す洗濯物の分量を表します。「ふた竿分の洗濯物」
❺ 羊羹・州浜などの棹物菓子を数えます。

棹物菓子

古くは、細長く棒状にして作る菓子は棹物菓子と呼ばれ、「棹」で数えました。

❻ 三味線の柄を「棹」ということに由来して、三味線を数えます。

さか【尺】 和
<単位>長さの単位。「尺」と同じです。「杖足らず八尺の嘆き嘆けども」〔万葉集・三三四四〕 →尺

さく 和
マグロなどの魚を、刺身などに作りやすいように短冊状に切ったブロックを数えます。「マグロふたさく」「柵」「冊」を当てて書くこともあります。　→ころ　→切れ

さく【作】 漢
ある作家や監督などが作った小説や映画の作

さくひん▶し

品を数えます。「作品」ともいいます。「直木賞受賞後の第1作」「監督第1作」 俳優が出演した作品数も数えます。 →作品

さくひん【作品】漢 和
作品を数えます。「作」と同じです。 →作

さげ【提げ】和
手に提げて持ち運ぶ徳利・銚子を数えます。「徳利ひと提げ」

さし【刺し】和
針・刃物などで、対象を刺す回数を数えます。「蜂のひと刺し」「犯人は包丁で被害者をふた刺しして逃走」

さし【差し】和
「差し」は、物事が一連の動きをもって進むことを表し、舞踊の舞を数えます。「ひと差し舞う」

さじ【匙】和
食物、主に調味料・香辛料・食材などを匙（スプーン）ですくう量の目安を表します。厳密には、計量スプーンで大匙は15ml、小匙は5ml。家庭で料理をする際はティースプーンで小匙を代用することもあります。

さつ【冊】漢
❶ 書籍を数えます。漢字「冊」は、木簡・竹簡をひもでとじた形の象形文字です。「参考書を5冊借りる」「辞書2冊」
❷ 複数の紙類を綴じたひとまとまりを数えます。また、何も書かれていないノートやメモ帳も数えます。

「冊」と「部」の違い

・何枚かの紙をホッチキスやクリップで留めた程度のものや、薄い冊子は「冊」ではなく、「部」で数えます。「パンフレット3{°部|×冊}配布」
・綴じてある紙類が印刷物である場合、その内容が同じものの複製であれば、「部」で数える方が適当です。「会議の資料を10部作成する」「100万{×冊|°部}のベストセラー」 →部

さつ【札】漢
「札」は、文字を記した薄い木の札を表しました。現在は、札・証文・書類・手紙を雅語的に数えます。

さや【莢】和
豆のさやを数えます。殻ごとの落花生も「さや」で数えます。「1さやに豆が3粒入っている」

さら【皿・盤】和
❶ 別々の皿に盛られた料理の品数を数えます。「パスタをふた皿注文する」 同じ皿に複数の料理が盛られた場合は「品」で数えます。「前菜3{°品|×皿}盛り合わせ」→品
❷ 実験に使うシャーレを数えます。シャーレは「枚」でも数えます。 →枚

さん【山】漢
❶ 景勝地や登山地の山を数えます。「名峰五山」 ふつう「ござん」のように「ざん」と濁ります。 →山
❷ 深い山を切り開き、僧が開いた寺を数えます。 →寺

し【枝】漢
❶ 細長いものを数えます。「長刀2枝」
❷ 銭を数えます。銭100文で「1枝」。

し【指】漢

助数詞・単位一覧

し【紙】漢
新聞の種類を数えます。「A新聞とB新聞の2紙を購読」

し【歯】漢
(専門的に)歯の数を表します。ふつう、歯は「本」で数えます。「2歯欠損」

し【誌】漢
発行される雑誌の種類を数えます。「C出版社では雑誌を5誌発行している」

じ【字】漢
❶ 文字を数えます。「四字熟語」
❷ 文字を書き入れる空欄を数えます。主に原稿や答案の文章量を指定する場合に用います。「400字詰め原稿用紙」「1000字の随筆を依頼」 →文字

じ【寺】漢
寺を数えます。特に複数の、高名な寺をまとめて数え上げる場合に用います。「末寺数百寺を数える本山」 寺は「山」でも数えます。 →山

じ【次】漢
物事の行われる順番を表します。主に公に行われる事業・計画・試験・歴史的な事実などに用います。「1次試験」「第3次整備計画」「第二次世界大戦」

じ【児】漢
親から見た、子供の数を数えます。「一児の母」「二児の父」

指を折って数え上げる際に用いる慣用表現です。「五指に入る名作」「十指に余る」

じ【時】漢
<単位>1昼夜を24等分したひと区切りを表します。1時間(60分)。また、時刻を示します。「午後5時(=17時)」 →時

じ【路】和　読み方注意
❶ 30歳代から60歳代までの10年刻みの年齢区分を示します。「三十路に入る(=30歳代になる)」「四十路を過ぎる(=40歳を超える)」 50歳代を「五十路」、まれに60歳代を「六十路」ともいいますが、それ以上の年代にはあまり使いません。
❷ 日数を表す語につき、それだけの日数が必要な道のりという意味を表します。「二日路」

しあい【試合】漢 和
スポーツの試合を数えます。「プロ野球3試合が雨で中止」 →ゲーム

しお【入】和
染める物を染料に浸す回数を数えます。しばしば、喜びに浸ることにたとえて「喜びもひとしお」のように用います。

じかん【時間】漢
❶ <単位>時の長さを数える単位。「1時間」は60分、3600秒。「8時間眠る」
❷ 授業などの時間割のひと区切りを表します。「時限」ともいいます。 →時限

じく【軸】和
「軸」は、巻物の中心になる棒を表し、巻物・掛け物・軸に巻きつけた糸を数えます。「巻物1軸」 掛け物は「幅」でも数えます。 →幅

じげん【次元】漢 和
❶ 漢語数詞を伴い、空間(数学的空間)の広が

り方の度合を表します。直線は一次元、平面は二次元、立体的空間は三次元といいます。
❷ 比較対象との著しいレベルの違いを次元にたとえて表します。その場合は、和語数詞「一(ひと)」を伴い、「あの人の才能はひと次元違う」などといいます。

じげん【時限】 漢

授業などの時間割のひと区切りを表します。「時間」ともいいます。接尾語の「目」を伴って、当該の授業を指します。「明日の1時限目は国語だ」 大学などでは「齣(コマ)」「限(げん)」ともいいます。 →齣 →限

しずく【雫・滴】 和

❶ ある高いところからしたたり落ちるしずくを数えます。しずくは「滴(てき)」「点」でも数えます。 →滴 →点¹
❷ 涙や水滴が平面を伝ってしたたり落ちる数を数えます。「涙がひとしずく、頬(ほお)を伝う」

しつ【室】 漢

❶ 部屋を数えます。 →間(ま)
❷ 旅館・ホテルなどの、宿泊に使われる部屋を数えます。「2名1室」

しな【品】 和

→品(ひん)

しめ【締め】 和

たばねたもの(主に日本紙類)を数える単位。「ひと締め」で和紙2000枚、絹布10反。

しゃ【社】 漢

❶ 神社を数えます。
❷ 会社を数えます。「15社の面接を受ける」

しゃ【車】 漢

❶ 車輪のついた荷台・貨車を数えます。一般的に、車は「台」で数えます。 →台(だい)
❷ 1台の車(トラック・貨車など)に積める荷物の量(積載量)を表します。

しゃ【者】 漢

❶ 行為当事者・該当者を数えます。「三者面談」
❷ 野球での、あるイニングにおける走者や打者を数えます。「3者凡退」「2者残塁」

しゃく【勺】 漢

❶ <単位>尺貫法の容積の単位。「1勺」は1合の10分の1で約18ml。
❷ <単位>尺貫法の面積の単位。「坪」の補助計算単位。1坪の100分の1で約0.03m²。
❸ 登山の路程で、1合の10分の1。全行程の100分の1。 →合(ごう)

しゃく【尺】 漢

<単位>尺貫法の長さの単位。「1尺」は1寸の10倍で約30.3cm。

尺貫法

長さに「尺」、体積に「升」、重さに「貫」を単位とする日本古来の度量衡法(どりょうこうほう)。1921年までわが国の基本単位系で、1959年に廃止されました。現在は、慣用的に日常生活で用いています。

長		さ
1尺		約30.3cm
1間	6尺	約1.82m
1町	60間	約109.1m
1里	36町	約3.93km
面		積
1坪		約3.31m²
1反	300坪	約991.7m²
1町	10反	約9917m²

体	積	
1合		約0.18リットル
1升	10合	約1.8リットル
1斗	10升	約18リットル
1石	10斗	約180リットル

質	量	
1匁		3.75g
1斤	160匁	600g
1貫	1000匁	3.75kg

しゃく【隻】漢
→隻

しゅ【炷】漢
❶古く、香をたくことを数えました。
❷線香を雅語的に数えます。→本¹
❸灯心(火をともす油をしみこませた芯)を数えます。

しゅ【首】漢
詩歌(漢詩・和歌)を数えます。漢字「首」が、漢詩・和歌を指すことに由来します。「百人一首」連歌・俳諧を数える場合は、「句」を用います。
→句

しゅ【株】漢
草木・植木・竹など、根のついた植物のひとまとまりを数えます。「株」に同じです。「立木3株」
→株¹

しゅ【種】漢
種類・種目・種別を数えます。「三種の神器」「近代五種競技」→種類

じゅ【樹】漢
樹木を雅語的に数えます。樹木は「木」でも数えます。「一樹の陰」→木

しゅう【舟】漢
舟を雅語的に数えます。ふつう舟は「隻」「艘」などで数えます。→隻 →艘

一月三舟
仏の教えを仰ぐ人の向きや立場によって異なって解釈することです。同じ月を、停泊している舟、南行の舟、北行の舟から見ると違って見えることからいいます。

しゅう【周】漢
「周」は、あまねく行き渡るという意味で、ある地点やコースをまわる回数を数えます。「回り」と同じです。「北海道を自転車で1周する」「競技場を5周する」→回り

しゅう【週】漢
7日をひとまとまりとした暦上の期間をいいます。「月」よりも短い期間を表します。接尾語「目」や接頭語「第」を、しばしば伴います。「妊娠20週目」「8月の第3週はお盆休み」

じゅう【什】漢
❶10のものが集まってひとつのまとまりを成すものを数えます。
❷古い軍隊の編成で、10人をひと組として数えました。
❸『詩経』の雅・周頌の各10編で1巻をなすひとまとまりを指すことに由来し、10編の漢詩をまとめて数える際に用います。

じゅう【汁】漢
汁物の品数を数えます。「一汁一菜」

じゅう【重】漢
❶同じものが重なった状態を数えます。「五重の塔」「二重線を引く」→重 →重ね

漢＝漢語数詞〔一(いち)、二(に)、三(さん)…〕などに付く　　和＝和語数詞〔一(ひと)、二(ふた)、三(み)…〕などに付く

❷ 重箱に入っているものを数えます。料理が重箱の何段目に入っているかを示します。「一の重」「二の重」ともいいます。

❸ 繰り返し行う行為を表します。「二重三重に確認する」

じゅう【銃】漢
文語で、銃類を数えます。ふつう銃類は「挺（丁）」で数えます。 →挺

しゅうねん【周年】漢
ある時点から数えて、過ぎた年数を数えます。「4月1日で創立100周年」 まる1年は「1周年」、1年に満たない場合は「1年目」といいます。成長途中にある会社の創立年数などを、年齢にたとえて「歳」でいうこともあります。「我が社は今年で20歳」 →歳

しゅく【宿】漢
旅中の宿の宿泊数を数えます。「泊」に同じです。「一宿一飯」 →泊

しゅもく【種目】漢 和
スポーツ競技などでの種類別の項目を数えます。「水泳競技2種目で優勝」

しゅるい【種類】漢 和
種類を数えます。「種」ともいいます。「2種類の微生物を研究する」 →種

じゅん【巡】漢
❶ 順番が決まっているあるまとまりの中で、番がめぐる回数を表します。「(野球で)打者一巡」「トランプの2巡目」

❷ 聖地・霊場を参拝してまわる回数を数えます。

じょ【女】漢
娘の数を数えます。「1男2女をもうける」 →男

しょう【升】漢
<単位>尺貫法の容量の単位。「1升」は1合の10倍で約1.8リットル。米や日本酒の単位として現在も使われています。「米を2升炊く」「1升瓶」 →尺

しょう【床】漢
❶「床」は、細長い板を並べて作られた台を表し、寝台（ベッド）・寝床を数えます。主に病院で用い、入院患者の受け入れ数を指します。「床」と同じです。「大部屋のベッドが3床空く」 →床 寝具としてのベッドは「台」で数えます。 →台

❷ いかだを数えます。

❸ (専門的に)義歯を数えます。

じょう【丈】漢
❶ <単位>尺貫法の長さの単位。「1丈」は1尺の10倍で約3.03m。

❷ <単位>中国古代の周尺で、「1丈」は約1.7m。成人男子の身長に相当し、「丈夫」という語の由来となりました。

じょう【条】漢
❶「条」は細く枝分かれしたさまを表し、光・煙・水の流れなどを雅語的に数えます。「一条の光が射す」 →筋 →本[1]

❷ 細長いものを数えます。「本」と同じです。「帯1条」 →本[1]

❸ 体の筋や靭帯を数えます。「声帯は2条の靭帯でできている」

じょう【帖】漢
「帖」は、薄い物を貼り合わせることを表します。

じょう▶じん

じょう【帖】

❶ 紙・海苔・幕などをまとめて数えます。
a. 紙の一定の枚数をひとまとめにして数えます。紙の種類によってまとめ方が異なります。美濃紙は48枚、半紙は20枚で「1帖」。
b. 海苔の小売単位。10枚で「1帖」。
c. 幕2張りをひとまとめとして数えます。
d. 折り本・帳面を数えます。

❷ いくつかの平面的なものをつなぎ合わせて使うものを数えます。
a. 屏風・楯を数えます。
b. 袈裟を数えます。
c. 畳を数えます。「畳」に同じです。→枚 →畳
d. 網を数えます。
e. 写真帳やスクラップブックを(詩的に)数えます。

❸ 雅楽の各楽章を構成する小曲を数えます。

じょう【乗】 漢

❶ 車・兵車を数えます。兵力を示す目安として用い、数はふつう千・万の単位になります。「万乗之国」は、1万台の兵車を備えた大国のことです。

 千乗
 周の兵制で、大国の諸侯は戦時にその領地から1000台の兵車を出したことから、大諸侯のことです。

❷ ＜単位＞兵車を馬4頭で引いたことに由来し、馬4頭をひとまとまりとする単位。
❸ ＜単位＞矢4本をひとまとまりとする単位。
❹ 数を上に乗せていくことから、掛け算の回数を表します。「2の2乗は4」

じょう【城】 漢

❶ 城を数えます。「一国一城の主」
❷ 西洋の宮殿を城にたとえて数えることもあります。

じょう【畳】 漢

部屋に敷きつめられる畳の数でその大きさを表します。和室だけでなく、畳を敷かない洋室にも適用されます。通常、日本の家屋では「4畳半・6畳・8畳」の部屋が主流です。「帖」とも書きます。「1000畳の大広間」→帖

じょう【錠】 漢

❶ 粒状の薬や丸薬(タブレット)の粒を数えます。「食後に3錠服用」 薬以外の粒状のものは「粒」で数える傾向があります。「マーブルチョコ2{○粒|×錠}」「サプリメント5{○粒|×錠}」→粒

❷ 俗語で、糸車・紡績車を数えます。

しょく【色】 漢

色を数えます。「白黒2色」「24色のクレヨン」
→色 →カラー

しり【尻】 和

古く、矢羽に用いる鳥の羽を数えました。「鷲の羽百尻、よき馬三疋」[義経記・二]

しん【針】 漢

→針

じん【陣】 漢

❶ 軍勢を数えます。 →軍
❷ 軍勢のように、押し寄せては去る気配や殺気、荒れ模様の天気のようすを雅語的に表します。「風雨一陣」
❸ 目的地に乗り込む順番をいいます。「第1陣が到着」

じん【尋】 漢

＜単位＞長さの単位。ひとりの人間が両手を広げた長さを基準とします。日本では5尺(約

漢=漢語数詞(一(いち)、二(に)、三(さん)…)などに付く　　和=和語数詞(一(ひと)、二(ふた)、三(み)…)などに付く

1.52m)、または6尺（約1.82m）。古代中国では8尺。「尋(ひろ)」ともいいます。　→尺　→尋

千尋(せんじん)
山などの非常に高いこと、谷などの非常に深いことを表します。「千尋の谷」

しんとう【親等】漢
親族関係で、続き柄の近さを区分して表したものです。親子は「1親等」、祖父母・兄弟・孫は「2親等」、曾祖父・曾孫は「3親等」、従兄弟は「4親等」です。

ず【図】漢
物語や説明の理解を助けるために添えられた挿絵・デザイン画・スケッチ・見取り図などを数えます。「文書に2図挿入する」　独立した絵画作品は「点」でも数えます。　→点[2]

ず【頭】漢
人の頭数(あたまかず)、すなわち人数を数えます。現在の大形の動物を数える「頭(とう)」より古い用法です。　→頭

すい【錘】漢
糸をつむぐ道具（錘(つむ)）を数えます。紡績工場の生産力の目安を表す単位としても使われます。「5万錘の生産力」

すえ【据え】和
家の中に据えてある用具（風呂桶(ふろおけ)・便器・臼(うす)など）を数えます。

すくい【掬い】和
液体・粘液・粉状のものの分量の目安を表します。すくう道具や手段によって分量はさまざまですが、例えば、お玉杓子(じゃくし)・匙(さじ)・へら・カップなどですくった量を表します。両手ですくった量は「掬(きく)」でも表します。　→掬

すじ【筋】和
❶定まった形を持たない、細長く切れ切れに伝わり続くものを数えます。安定した形状を持つ細長い物を数える場合は「筋」よりも「本(ほん)」を用います。　→本[1]
a. 差し込んだ光を数えます。光は「条(じょう)」でも数えます。「ひと筋の光が差す」　→条
b. 立ちのぼった煙・狼煙(のろし)を数えます。「ふた筋の煙が立ちのぼる」
c. 伝い落ちるしずく、特に涙や汗を雅語的に数えます。「彼女の両目から2筋の涙が頬(ほお)を伝った」
d. しわ・ひびを数えます。「目じりには深いしわがひと筋刻まれた」「壁にふた筋のひびが走る」
e. おくれ毛や髪を数えます。白髪を数えて年老いてきたさまを表します。
f. 縄・綱(つな)を数えます。
❷鏑矢(かぶらや)を数えます。
❸帯を数えます。
❹＜単位＞江戸時代、銭100文(ぜに)を「ひと筋」で数えました。「銭さしひと筋」

すり【刷】漢
印刷物を刷った回数を数えます。特に、出版物で改版をせずに印刷した回数を数えます。改版は「版」で数えます。「第2版第1刷」　→版

すん【寸】漢
＜単位＞尺貫法の長さの単位。「寸(き)」と同じです。「1寸」は1尺の10分の1で約3.03cm。「一寸法師」　→寸　→尺

せ【背】漢
馬の背に乗せる鞍(くら)を数えます。

せ【畝】 漢

<単位>土地面積の単位。「1畝」は1反の10分の1で約0.99アール。中国の田地面積を表す「畝(ほ)」とは別の単位です。

せい【世】 漢

❶ 人の一生、人の一代、親子・家・位の続きを数えます。「ルイ14世」 世代も数えます。「二世議員」→代(だい)

❷ 比較的長い時間の単位で、30年・100年などで「1世」といいます。「世」は時間・時代のひと区切りを表します。

せい【声】 漢

❶ 声や音の発せられた回数を数えます。「汽笛一声」「寺の鐘を二声つく」→声(こえ)

❷ 発声・発言の順番を示します。「第一声を発する」

❸ 音楽の旋律を数えます。定旋律だけの曲は「1声」といいます。

❹ 中国語などでの声調を表します。例えば北京語(ペキンご)の声調には四声(しせい)あります。

せい【星】 漢

(専門的に)信号弾・花火などの光って落ちるものを数えます。「赤色3星」

せいき【世紀】 漢

<単位>西暦で100年を1つの年代の区切りとした単位のことです。21世紀は2001年から2100年まで。

せき【石】 漢

❶ 石を数えます。主に数詞の「一」を伴います。「一石二鳥(いっせきにちょう)」「一石を投じる」 石は「個」でも数えます。

❷ 硯(すずり)を数えます。

❸ 時計や宝飾品に使う宝石の数を数えます。

❹ 電気・電子機器の回路を構成するトランジスターの数を表します。

せき【席】 漢

❶ 店や施設での座席数を表します。

❷ 宴会や会合の場を表し、会議・会合を数えます。「一席設ける」

❸ 落語の演目を数えます。「お笑いを一席」

❹ 品評会などでの順位を表します。「絵画コンクールの第一席」

せき【隻】 漢

「隻」は、対になっているものの片方を表します。

❶ 対で使うべき屏風(びょうぶ)の片方を表します。

❷ 古くは矢・鳥・魚などを数えました。「箭二隻を着て」[続日本紀]

一隻眼(いっせきがん)
　物を見抜く力のある独得の眼識、また、ひとかどの見識のことです。

❸ 船を数えます。古くは「隻(しゃく)」とも読みました。「2隻の大型船が入港」 水面に浮かぶ程度の小さい舟は「艘(そう)」、競艇用の舟艇は「艇(てい)」でも数えます。→艘(そう) →艇(てい)

せき【関】 漢

文語で、関所を数えます。「関(かん)」とも読みます。

せき【齣】 漢

→齣(こま)

せたい【世帯】 漢 和

❶ 住居および生計を共にする者の集団を数えます。「所帯」ともいいます。「全国900万世帯を対象に調査」 一戸の住宅に二世帯以上が同居することもあるため、「戸」と「世帯」の

数が一致するとは限りません。「二世帯住宅を3戸販売」→戸
❷停電・断水などの被害数、調査などの対象世帯数を数えます。「地震で停電したのは約6万世帯」→戸

せつ【節】漢
❶文章や音楽の区切りを数えます。
❷プロ野球やプロサッカーリーグなどで、試合日程の区切りを数えます。「第1節」

せつ【説】漢
説明・仮説・異説などを数えます。「一説によれば」「この語の由来には3説ある」

ぜつ【絶】漢
中国古代の詩において、句の字数で区切った詩を数えます。「五言絶句」を略して「五絶」といいます。

せん【泉】漢
文語で、泉を数えます。

せん【扇】漢
「扇」は、扉を意味し、古くは閉じるためのものを数えました。扉・合わせ箱の蓋・窓板・屏風などを数えます。「釵は一股を留め、合は一扇」[白居易・長恨歌]

せん【戦】漢
❶戦闘や勝負を数えます。「一戦交える」
❷スポーツの試合やゲームを数えます。「開幕第2戦」→試合

せん【銭】漢
<単位>日本の貨幣の単位。1円の100分の1。為替や株の値動きを示す際に用います。

せん【線】漢
❶線を数えます。線は「本」でも数えます。→本¹
❷区切りを数えます。「一線を画する」 ある分野における最前線のことを「第一線」といいます。
❸鉄道路線を数えます。「私鉄3線ストライキ」

せん【選】漢
選ばれたものを数えます。「銘菓ギフト100選」

ぜん【前】漢
❶机・脇息・懸盤などを数えます。「行基、一前の閼伽を備へて」[今昔物語集・十一]
❷神・社祠を数えます。「摂社、末社、すべて三十余前」[東海道中膝栗毛・八]

ぜん【膳】漢
「膳」は、ご馳走・料理を表します。
❶椀に盛った食物(特に飯)を数えます。「ご飯を1膳食べる」 「杯」で数えるよりも、飯をありがたく食事として楽しむさまを表します。盛る動作に焦点を当てると、「装い」で数えます。→杯 →装い
❷箸2本を1対として数えます。食事に使わない火箸や菜箸は「膳」では数えません。「塗り箸1膳」 口語で未使用の割り箸を数える場合は「本」も用います。「お弁当には割り箸2本つけて下さい」→本¹

センチメートル【centimètre】フランス・糎 漢
<単位>長さの単位で、記号は「cm」。「1センチメートル」は1mの100分の1。10mm。

そう【双】漢
「双」の旧字体「雙」は、「隹+隹+又(手)」から成

そう▶そく

り、ペアとして扱われるもの（前後・左右・男女・雌雄など）を数えます。「手袋1双」「屏風1双」「籠手1双」　→隻　→対

そう【層】漢

❶ 重なりを数えます。「2層の防水シート」「64層のパイ生地」　→重ね

❷ 建物の階数を数えます。「階」に同じです。「1層の楼」　→階

❸ 数詞「一」を伴い、程度が増すことを表します。「一層の努力をする」

そう【槍】漢

槍で相手を攻撃する回数を数えます。「一槍で仕留める」

そう【槽】漢

水槽・浴槽・洗濯槽を数えます。「2槽式洗濯機」

そう【艘】漢

「艘」は、細長い船を表し、船舶を数えます。ボートのように走行性の低い船は「隻」よりも「艘」で数える傾向があります。「公園の池にボートが3艘浮かんでいる」「2艘の笹舟を小川に流す」　競技用のヨットは「艇」「杯」で数えます。　→隻　→艇

そく【束】漢

❶ ＜単位＞紙を数える単位。半紙200枚で「1束」といいます。

一束一本
杉原紙1束（10帖、200枚）と扇1本のことです。武家時代にこれらを礼物とする習慣がありました。

❷ ＜単位＞稲を数える単位。稲10把で「1束」といいます。　→把

❸ ＜単位＞釣りで、魚を数える単位。100尾で「1束」といいます。

❹ ＜単位＞鏑目の矢を数える単位。20本で「1束」といいます。

❺ ＜単位＞矢の長さの単位。親指以外の指4本の幅、ひと握り分の長さに相当します。「大矢と申す定の物の、十五束におとって引くは候はず」〔平家物語・五〕

一束切り
髻をひと握り程度の長さに切った髪のことです。

❻ 1・10・100・1000などを表す江戸時代の隠語。「無銭なら一束でも貰ておくわい」〔滑・浮世風呂・四〕

❼ 髻を数えます。

二束三文
「二束」の「束」は、もともとは「足」のことです。草鞋2足でわずか3文という安値だということから、価値のないものを表します。

そく【足】漢

❶ 両足（先）をおおう、左右が対になっているものを数えます。ソックス・足袋・ストッキングなどの靴下類、靴・サンダル・ブーツ・草履・下駄などの履物の左右ひとそろいを数えます。「靴下1足洗う」「二足の草鞋を履く」　まれに足以外に身につけるものに使うことがあります。靴下類が片方のときは「靴下1枚」、靴類は「靴1個」と数えますが、ふつう「片方の靴下（靴）」といいます。

❷ 俗語でするめを数えます。イカ1杯（匹）分の足10本をまとめて「1足」と捉え、するめ10枚を「10足」と数えます。

❸ 蹴鞠で鞠を蹴る回数を数えます。

❹ 両足をそろえて飛ぶ回数を数えます。数詞は「一」を伴い、しばしば「一足飛び」の表現で用います。

漢＝漢語数詞〔一（いち）、二（に）、三（さん）…〕などに付く　　和＝和語数詞〔一（ひと）、二（ふた）、三（み）…〕などに付く

そく【則】 漢
列挙した条文などを数えます。しばしば接頭語の「第」を伴って、「会規の第5則」のようにいいます。

そく【息】 漢
呼吸を数えます。「一息」は、わずかの息のことを表します。

そく【速】 漢
自動車などのギアの切り替えを数えます。「第2速で交差点を曲がる」

ぞく【粟】 漢
＜単位＞尺貫法の容積の単位。「1粟」は1勺の1万分の1で約0.0018ml。粟粒程度の微量なものを表します。
大海の一粟
　広大な所に非常に小さいものがあること。

そなえ【具】 和
→具

そろい【揃い】 和
夜具や茶器など、使用する時に不便のないようにそろったものを数えます。「揃え」ともいいます。「具」「装い」に同じです。「夜具ひと揃い」「三つ揃いの背広」　→具　→装い　→組

そん【尊】 漢
❶ 仏像を数えます。
❷ 石仏・地蔵を数えます。
❸ 本尊を数えます。

た行

だ【打】 漢
❶ 野球で、得点につながるプレーとして球(ボール)を打つことを数えます。「一打逆転の場面」　試合の流れを決定づける打数は「発」でも数えます。　→発¹
❷ ゴルフでボールを打つことを数えます。反則をしてスコアに加えられるペナルティーは「罰打」で数えます。
❸ 「ダース(dozen)」の当て字。　→ダース

だ【朶】 漢
木の枝についている花ぶさや、雲・山のかたまりを雅語的に数えます。「朶」は木の枝が垂れ下がるという意味です。「万朶の花」「五朶の雲」

だ【駄】 漢
❶ ＜単位＞「駄」は、馬に乗せた荷物のことで、馬1頭に負わせる重量を単位にして、その数量を表します。36貫(近世では40貫)で「1駄」。　→貫
❷ ＜単位＞酒3斗5升入りの樽2樽を単位にして、その数量を表します。油や醤油では8升入りの樽8樽を単位に、その数量を表します。　→樽

ダース【dozen・打】 漢
＜単位＞12のものをひと組にして数える単位。「打」の字を当てることもあります。「鉛筆半ダース(＝6本)」

たい【体】 漢
❶ 石神や仏像を数えます。「仏像3体を納める」1体の仏は「一仏」といいます。　→仏
❷ 人間の形状を模した彫像類を数えます。モ

英 ＝英語数詞〔1(ワン)、2(ツー)、3(スリー)…〕などに付く　→類似・関連する助数詞および単位などへ

たい ▶ たて

アイ・雪だるま・埴輪(はにわ)なども数えます。
❸ 身元不明の人間や動物の死体（遺体）を数えます。「身元不明の遺体を2体収容」
❹ 書体を数えます。「楷行草三体」

たい【袋】 漢
❶ 物の入った袋類(ふくろ)を数えます。「袋」ともいいます。「茶20袋(ふくろ)」→袋
❷ <単位>袋詰めされた材料の分量を表す単位。セメント「1袋」は25kg、小麦粉「1袋」は22kg。

たい【隊】 漢
まとまった人間の集まり、特に軍隊・部隊を数えます。「2隊に分かれて進む」

だい【代】 漢
❶ 家系における世代を表します。
a. 1人の天皇・君主・領主・戸主などがその地位にとどまっている間を「1代」といいます。「徳川三代将軍」
b. 家・店・会社・流派の長として、その地位にある期間を数えます。接尾語「目」を伴って、順番を示します。「老舗の技を継承する5代目主人(しにせ)」
❷ 年齢・年数の範囲を示します。10年刻みで年代を表します。「20代」「80年代のファッション」

だい【台】 漢
❶ 物や人を載せるもの、載せたものを数えます。
a. 台や卓を数えます。「踏み台1台」「テーブル2台」「鉢載せ台3台」「ベッド4台」
b. 物を収納する家具などを数えます。「チェスト1台」「書類棚2台」

c. 丸ごとのケーキやパイを数えます。「バースデーケーキ1台」
d. 床に置いて演奏する大型楽器を数えます。「ハープ1台」「ピアノ2台」
❷ 乗り物を数えます。 →コラム⑦に関連事項（p.131）
a. 牛馬や人が引く、人や物を乗せて運ぶ台座や車を数えます。荷台・人力車・大八車・リヤカー・馬車などを数えます。
b. 自動車を数えます。
c. 橇(そり)、スキー板（2枚合わせて）を数えます。
d. ロープウエー・観覧車のゴンドラ・スキーリフトなどを数えます。
❸ 機械類・機器類を数えます。家庭や個人で扱うことができる機械類（家電・通信機器・精密機器など）を数えます。据えてある大型の機械類は「基」でも数えます。「1台の冷蔵庫」「2台のパソコン」→基　マウスやイヤホンなど、本体の機械がなければ機能しないものは「台」では数えない傾向があります。
❹ 印刷や製本で、16ページ分・32ページ分などを「1台」として、その数を数えます。

だい【題】 漢
❶ 題・タイトル・見出しを数えます。
❷ 設問や課題の数を数えます。「問」と同じです。「難しい数学の問題を2題解く」「作文のテーマが3題示される」→問(もん)
❸ 落語などの演目を数えます。

たく【卓】 漢
台・食卓・テーブルを数えます。「台」と同じです。
→台(だい)　レストランなどでは、テーブルごとに「1卓」「2卓」と番号をふって、注文・配膳・支払いの目安にします。

たて【立て】 漢

漢=漢語数詞〔一（いち）、二（に）、三（さん）…〕などに付く　　和=和語数詞〔一（ひと）、二（ふた）、三（み）…〕などに付く

連敗した際、その負け数を数えます。「日本シリーズは4立てで負けた」

たな【棚】 和
＜単位＞薪炭材やパルプ材などを積み重ねた体積の単位で、木と木の隙間にできる空間も含みます。108立方尺（長さ3尺×幅6尺×高さ6尺）のものを「ひと棚」とすることが多いようです。1914年以後は、100立方尺（長さ2尺×幅10尺×高さ5尺）を「ひと棚」としました。

たば【束】 和
ひとまとめに束ねたものを数えます。野菜・薪の束・花束・新聞紙の束などを数えます。札束・千羽鶴なども数えます。

「一束(ひとたば)」と「一把(いちわ)」の違い
「把」は、片手で束ねた程度の大きさのものを数えます。「束」は、束ねてあるものなら、大きいものも小さいものも、サイズに関係なく数えます。

たび【度】 和
→度¹

たま【玉】 和
❶玉状のものを数えます。
a. 丸い果実を数えます。丸々としたさまやみずみずしさを強調する際にも用いられます。「トマト1玉」「桃3玉」
b. 平面的な物が寄り重なって球状になった葉物野菜を数えます。「レタス2玉」「キャベツ3玉」 まれに白菜も数えます。レタスやキャベツは「個」でも数えます。 →個
c. 細長い物が寄り集まって塊状になったものを数えます。「毛糸1玉」「うどん2玉」「糸こんにゃく3玉」
d. パチンコ玉を数えます。
❷＜単位＞桐材を数える単位。「1玉」は長さ6尺4寸（約1.94m）で末口の内径が6寸（約18.18cm）。

たらし【垂らし】 和
油・液体調味料・ペンキ・化粧水・水薬などを少々使う際、その分量の目安を表します。「ひと垂らし」の目安は、容器を1秒程度傾けて出る分量。「最後にゴマ油をひと垂らしする」

たり【人】 和　読み方注意
人数を数える際、和語数詞について人を数えます。「1人（ひとり：独り）」「2人（ふたり：双り）」「3人（みたり）」「4人（よたり｜よったり）」など。現代では数詞が「ひとり」と「ふたり」の場合に限り、「人（り）」を用います。 →人

たる【樽】 和
❶樽を数えます。「ご祝儀に5樽の日本酒」
❷＜単位＞酒や醤油などの量を測る単位。酒3斗5升入りの樽2樽で「1駄」、油や醤油では8升入りの樽8樽で「1駄」。 →駄
❸＜単位＞セメントや釘の量を測る単位。「ひと樽」は、セメント170kg、釘60kgに相当します。

たれ【垂れ】 和
垂らして使う簾・暖簾・蚊帳・幕などを数えます。

たん¹【反】 漢
❶（専門的に）刺し網を数えます。
❷（専門的に）船の帆を数えます。

たん²【反・段】 漢
❶＜単位＞布の大きさの単位。「端」とも書き

たん ▶ ちつ

ます。古代中国の長さの単位をもとに作られた成人一人分の衣料に相当する布の分量です。「1反」は、織物の種類によって異なりますが、ふつう、布では並幅（鯨尺9寸5分または1尺）で、長さ鯨尺2丈6尺または2丈8尺。現在の着尺物（着物用）「1反」は、メートル法に換算され、幅36.1cm、長さ11.4m以上、その他の織物「1反」は、幅36.1cm、長さ7.6m以上。

❷＜単位＞距離の単位。「1段」は6間で約10.91m。

❸＜単位＞大宝律令以後の土地面積の単位。太閤検地以前の「1反」は360歩、以後の「1反」は300歩（10分の1町）で約991.7m²。 →歩 →尺

たん【担】 漢

❶ひとりの人がになう荷物を数えます。

❷＜単位＞重量の単位。「ピクル」に同じです。 →ピクル

だん【団】 漢

人や物のグループ・集まり・群れを数えます。「一団となって行進する」 数詞はもっぱら「一」を用います。 →群

だん【段】 漢

❶階段の段数を数えます。「1段抜かしで階段を駆け上がる」

❷上下に複数重ねたものを数えます。「2段ベッド」「3段組の紙面」「3段式ロケット」

❸整理ダンスの引き出しの数を数えます。「3段目の引き出し」

❹武道・囲碁・将棋・書道・珠算などで、技量によって与えられた等級を表します。「柔道二段」 最初の段位だけは「一段」とはいわず、「初段」といいます。 →級

そこから、技量や器量の格をたとえて表します。「相手の方が一段上だ」

❺箏曲・地歌などの楽曲の構成単位。「六段の調べ」

だん【弾】 漢

❶弾丸を数えます。また、弾丸で攻撃した回数を数えます。発射された弾丸は「発」でも数えます。 →発¹

❷次々に繰り出す商業的企画や計画を打ち出す弾丸にたとえて「弾」で数えます。「セール第1弾」

たんい【単位】 漢

大学などでの学習量を表します。指定された授業時間を経た後、課された試験や課題を修めて認定されます。「卒業まであと16単位必要」

だんかい【段階】 漢 和

❶順序・等級を数えます。「3段階評価」

❷レベル・区切りを表します。「運転免許取得の第3段階に入った」

だんらく【段落】 漢 和

❶文章の段落（パラグラフ）を数えます。「1段落を暗唱する」

❷物事の区切りを表します。「ひと段落する」

ち【個・箇】 和

「つ」と同じです。20歳（はたち）の「ち」。 →つ

ちつ【帙】 漢

「帙」は和装の書物を包む覆いのことです。そこから帙に入れた書物や文書（主に和文）を数えます。「和本3帙」

漢=漢語数詞〔一（いち）、二（に）、三（さん）…〕などに付く　　和=和語数詞〔一（ひと）、二（ふた）、三（み）…〕などに付く

ちゃく【着】 漢

「着」は、あるものがあるものに接触することを表します。「著」と書くこともあります。

❶ 衣服を数えます。
a. 一揃いの衣類(背広・スーツ類)を数えます。「スーツ2着で5万円」
b. 上半身に身につける上着(ジャケット・コート類)を数えます。「コート3着」
c. ワンピース・ドレスなどを数えます。これらは「枚」でも数えます。 →枚
d. 着物を数えます。「振袖1着」

❷ 装束・甲冑などを数えます。これらは「領」でも数えます。 →領

❸ 競走などで、競技者の到着順序を数えます。最も早く到着したものが「1着」。

❹ 囲碁で、盤面に碁石を配置することを表します。「第1着」 →手

ちょう【丁】 漢

❶ 「丁」は、偶数を表し、切り出した食品などを数えます。
a. 豆腐の小売単位を表します。「豆腐2丁」かつては「豆腐1丁」で2個分を指しました。
b. 豆腐の数え方からの派生で、高野豆腐・がんもどき・こんにゃく・はんぺんなどを数えます。
c. マグロの頭と背骨を落とした半身を、さらに半分に切ったものを数えます。

❷ 「丁」は、盛んであるさまを表し、景気付けのために数詞に添えます。
a. 注文の主となる飲食物を数えます。大衆的な飲食店で店の雰囲気を活気づけるために用いられる傾向があります。「ラーメン1丁」数詞が「2」の場合は「2丁」と言う場合もあります。もっぱら客よりも店の人が使います。

→コラム⑰に関連事項(p.313)
b. 思い切って起こす行動を、景気付けていうのに「一丁」を用います。「一丁勉強でもするか」
c. 勝負の手合わせを数えます。「もう一丁お手並み拝見」
d. 唯一身につけているもの、所有しているものを強調して、威勢の良さを示します。「ふんどし一丁」

❸ <単位>書籍(和装本)の紙数を数える単位。表裏2ページで「1丁」。

❹ <単位>米相場の呼び値の単位の俗称。「1丁」は1銭。1円は「100丁」。

❺ <単位>距離の単位。 →町

❻ 「挺(丁)」と同じです。 →挺

ちょう【町】 漢

❶ <単位>尺貫法による土地の面積の単位。「1町」は10反(3000歩)で約9917m²。 →歩 →尺 →アール

❷ <単位>尺貫法による距離の単位。「丁」とも書きます。「1町」は60間で約109.1m。 →尺

❸ <単位>平城京・平安京における長さおよび面積の単位。「1町」は400尺および400尺平方。1里の36分の1。 →里

ちょう【挺・丁】 漢

「挺」は、まっすぐな棒を表し、手に持って使う道具類を数えます。「挺」と読むこともあります。漢字は「丁」「梃」とも書きます。

❶ 道具や武器を数えます。
a. 刃物を数えます。「包丁1挺」
b. 槍を数えます。
c. 弓を数えます。弓は「張」でも数えます。 →張

ちょう▶つ

d. 艪（船を漕ぐ用具）を数えます。
e. 鋤・鍬を数えます。
f. 火熨斗（炭を入れて使う昔の金属製のアイロン）を数えます。
g. 銃類を数えます。「短銃3挺押収」

❷ 弓で弾く楽器や、弦の部分を押さえて演奏する楽器を数えます。
a. 弓で弾く楽器（バイオリン・ビオラなど）を数えます。バイオリンは提琴と呼ばれたことから、「バイオリン1挺」と数えるようにもなりました。
b. 三味線を数えます。
c. ギターを数えます。

❸ 棒をかついだり、引いたりする乗り物を数えます。
a. 駕籠を数えます。
b. 御輿を数えます。
c. 人力車を数えます。

❹ 時間をかけて消費する棒状のものを数えます。
a. 墨を数えます。墨「1挺」は約15g。
b. ろうそくを数えます。「2挺のろうそく」

ちょう【張】 漢
弦・布・皮・紙などを張った状態で使用する道具を数えます。「張り」ともいいます。
❶ 弦を数えます。
❷ 弓幹に弦を張ったもの、すなわち弓を数えます。弓は他に「挺」でも数えます。　→挺
❸ 琴（古くは弦楽器の総称）を数えます。琴は「張り」「面」でも数えます。　→張り →面
❹ 太鼓を数えます。
❺ 幕や蚊帳を数えます。これらは「張り」でも数えます。「緞帳1張」　→張り
❻ 提灯を数えます。　→張り

ちょう【貼】 漢

「貼」は、病の症状を落ち着かせるものを数えます。現代では、紙に包んだ薬を数えます。「散薬3貼」→服 →包

ちょう【調】 漢
❶ 曲のバランスをとるために入れられる演奏、特に能の部分演奏を数えます。長唄囃子で、小鼓による独奏を「一調」といいます。
❷ 軍隊や物資を動かして調整することから、双六など、こまを動かして遊ぶ遊戯を数えます。

つ【個・箇】 和　数詞は1〜9に限る

「つ」は、1から9までの和語数詞に添える接尾語ですが、限られた数詞につく特殊な助数詞として位置づけられます。現代語では、数詞がゼロ、小数点を含む場合、そして10以上の場合は「つ」は現れず、数詞は助数詞を伴わずに用います。「9つの市町村」→「10の市町村」

❶ 抽象的な事物を数えます。「1つの可能性」「2つの謎」「3つの選択肢」
❷ 影・跡・しみなど、形状がつかみにくい物を数えます。「1つの影」「2つの足跡」
❸ 「個」と同じく、三次元的な物体を数えます。「おにぎり1つ」「グラス2つ」 生物や二次元的な物体は数えません。口語では「個」を始めとする助数詞を簡略化するために「つ」を用いることがあります。　→個
❹ 口語で、他の助数詞の代用として「つ」を用います。「駅ひとつ（ひと駅）乗り過ごす」「ビールをひとつ（1杯）注文」
❺ 1歳から9歳までの年齢を表します。また、口語で年齢差を表します。「子供は2つになった」「1つ違いの兄」　→歳
❻ 目録や条文などで、項目や文章を列挙します。「目録、一（ひとつ）、記念品、一（ひとつ）、

記念樹一株……」

❼「ひとつ」の形で、
a. ばらばらだったものが、集まりまとまることを表します。「皆の心がひとつになる」
b. 同じであることを表します。「ひとつ屋根の下で暮らす」「ひとつ布団で眠る」
c. 唯一のもの、限られたものを表します。「身ひとつで転がり込む」
d. 否定の語を伴い、わずかなことさえしないことを表します。「まばたきひとつしない」「文句ひとつ言わない」「手伝いひとつしない」
e. 少々、ちょっと、の意味で副詞的に用います。「ひとつよろしく」「ひとつやってみるか」

つい【対】 漢

2つそろって対をなすものを数えます。形状・色相・性質・用途が同じ、または似ていて統一感のある2つのものを数える傾向があります。2個組のセット。「仏花1対」「1対の夫婦茶碗」 →双

つう【通】 漢

❶相手に向けて通知を目的として届けられる文書やメッセージを数えます。
a. 郵便物（葉書・手紙など）を数えます。「暑中見舞い3通」「10通の手紙が届く」 葉書や封筒自体を数える際は「枚」を用います。葉書は「葉」でも数えます。 →葉
b. 相手に宛てて残された文書・遺書・遺言書などを数えます。「メモが1通、机の上にあった」「家族にあてた2通の遺書」
c. 意見書や投書を数えます。「市長に800通の意見書が寄せられた」
d. 電報を数えます。「祝電20通」
e. 電子メールのメッセージを数えます。「毎日電子メールを10通前後受信する」「メールを2通送る」 携帯電話を用いた簡単なメッセージのやりとりは「件」「つ」でも数えられます。「携帯メールが1{件｜通｜つ}届く」 インターネット上での発言や投稿は「件」で数えます。 →件
f. ファックスのやりとりを数えます。「番組に寄せられたファックス3000通」 同じ内容の文書がファックスで送られてきた場合は「回」で数えます。「間違って同じファックスが4回も届いた」 →回

❷呼びかけに対する応対を数えます。
a. 募集に対する応募数を数えます。応募の方法は問いません。「懸賞に1万通の応募」 →口
b. アンケートの回答を数えます。「全国アンケートに対して12万通の回答」

❸通達・証明する文書を数えます。
a. 公的機関の発行する証明書類を数えます。「住民票を2通作成する」「在学証明書1通」
b. 調書を数えます。「支払い調書2通作成」
c. 免許やパスポートを数えます。「国際免許11通が偽造される」
d. 成績通知表を数えます。「通知表30通を紛失」
e. 銀行通帳を数えることで、銀行口座の数を表します。「貯金通帳5通（5口座）」

つか【束】 和

片手でひと握り分の長さを「ひと束」といい、古くは長さの目安にしました。「束の間」は、わずかな時間を表します。

❶〈単位〉矢の長さの単位。指を4本並べた程度の長さで、約8cmに相当します。「八束」「十束」
❷〈単位〉古代の稲の量の単位。重さ1斤の稲を1把とし、10把で「1束」。 →束

つがい【番】 和
鳥の雌雄のように、常に連れ立っているペアを数えます。「水鳥ひと番（つがい）」→組（くみ）

つかみ【掴み】 和
片手でむしりとってつかんだ、物の分量の目安を表します。「綿ひとつかみ」「藁（わら）ふたつかみ」
→握り

つき【月】 和
1年を12に区分した、暦上の単位を数えます。「箇月（かげつ）」と同じです。 →月（がつ） →月（げつ）

つつ【筒】 和
筒状のもの・筒状の容器に入っているものを数えます。「とう」とも読みます。「茶杓（ちゃしゃく）ひと筒（つつ）」

つつみ【包み】 和
❶包装した物（贈答品や買い求めた商品）を数えます。「菓子ふた包み」
❷包んだ金品を数えます。「小遣いをひと包み持たせる」→包（ほう）
❸＜単位＞綿10枚（3kgまたは3.75kg）をひとまとまりとして包装したものを数えます。

つづり【綴り】 和
複数の紙や券がつなぎ合わされた、ひとつづきの紙片を数えます。「食券ひと綴り」「クーポンふた綴り」

つぶ【粒】 和
丸くて小さいもの・粒状のものを数えます。「粒（りゅう）」ともいいます。人差し指と親指の2本の指の間でつまみ上げられる程度の大きさの物を数えます。 →顆（か）

❶ブドウの実・梅の実・サクランボウ・イチゴ・ナッツ類など、指先でつまめる程度の大きさの実を数えます。「イチゴ5粒をケーキに飾る」「個」よりも「粒」の方が、商品としての付加価値が高まる傾向があるようです。「1粒1粒手摘みのアーモンド」→コラム⑯に関連事項（p.285）
❷小さい穀物・種子類の個々を数えます。「頬（ほお）にご飯が2粒ついている」
❸ひと口で食べられる食品を数えます。「チョコレート1粒」「ワンタン10粒」
❹宝石や真珠を数えます。「5粒の真珠をあしらったブローチ」「2粒のダイヤモンドが入った指輪」
❺錠剤を数えます。「錠」が薬を数えるのに対し、「粒」は健康補助剤を数える傾向があります。「サプリメント3粒」→錠（じょう）
❻しずくや気泡を数えます。「1粒の涙」→滴（てき）

一粒種（ひとつぶだね）
（大切にしている）ひとりっ子。

一粒の麦（ひとつぶのむぎ）
他人の幸せのために犠牲になる人のことです。新約聖書に、ひと粒の麦は地に落ちてやがて多くの実がなるという教えがあることに由来します。

つぼ【坪】 和
❶＜単位＞土地面積の単位。「歩（ぶ）」と同じです。主に宅地や建物の広さを表します。「1坪」は6尺平方で約3.31m²。 →歩（ぶ） →尺（しゃく）
❷＜単位＞墓地の面積の単位。9平方尺（約0.83m²）または16平方尺（約1.50m²）で「1坪」。
❸＜単位＞錦（にしき）・金箔（きんぱく）などの高価な織物や金属板、入墨などの面積の単位。「1坪」は1寸平方で約9.18cm²。
❹＜単位＞皮革の加工・写真・印刷製版の面

積の単位。「1坪」は1寸平方で約9.18cm²。
❺ 土木関係で慣用的に用いる土砂の体積の単位。「立坪(りゅうつぼ)」ともいいます。「1坪」は6尺立方で約6.01m³。
❻ <単位>古代条里制における土地区画のひとつ。平城・平安京において「1坪」は「1町(ちょう)」。→町

つぼ【壺】 和
壺(つぼ)を数えます。また、壺に入った食物を数えます。「水飴(みずあめ)ひと壺」

つまみ【摘み】 和
❶ 料理や調味をする際、粉状や顆粒(かりゅう)状の調味料や香辛料を使用する量の目安を表します。一般的に指先で一度に軽く挟み込める分量。「ゆで汁に塩をひとつまみ入れる」
❷ 軽くやわらかいものの一部を、片手の指先でつまみあげた分量を表します。「花鰹(はながつお)ひとつまみ」

て【手】 漢 和
❶ 武道の術・決まり手・勝つために仕掛ける技を数えます。「相撲の四十八手」
❷ 碁や将棋での石の置き方や駒(こま)のさし方を数えます。ひとつさすことを「1手」といいます。「次の1手を考える」
❸ 舞の手さばき、踊りなどの一連の手順を表します。「一手(ひとて)舞う」
❹ 仕事や作業のにない手を表します。「家事を一手(いって)に引き受ける」「ふた手に分かれて探す」
❺ 弓術で甲矢(はや)・乙矢(おとや)各1本をひと組として数えます。「とがりや一、鏑(かぶら)一手射残してありたる」[義経記]

てい【邸】 漢
「邸」は、立派な屋敷を表します。不動産業者などが、マンションや建売住宅を売る際、「戸」よりも高級感を持たせるために「邸宅」の「邸」を使って販売住居を数えます。比較的新しい用法です。「静かな住宅街に新築10邸発売」→戸(こ) →軒(けん) →コラム⑯に関連事項(p.285)

てい【挺】 漢
「挺(丁)」と同じです。→挺(ちょう)

てい【幀】 漢
「幀」は、書物を仕立てることを表し、掛け軸を数えます。「とう」とも読みます。

てい【艇】 漢
「艇」は直進する細長い小船を表し、主に競技用のボートやヨットを数えます。「海洋横断にヨット4艇が成功」 サーフボードを船に見立て、「艇」で数えることもあります。 →隻(せき) →艘(そう)

てい【蹄】 漢
❶「蹄」はひづめを数えます。馬の脚(あし)にはそれぞれ1蹄ずつあるので、馬1頭を「4蹄」といいます。
❷ シカやイノシシなど、ひづめのある動物1頭を「1蹄」と数えることがあります。

デカール【decare】 漢
<単位>面積の単位。「1デカール」は10アール。 →アール →ヘクタール

てき【滴】 漢
❶ ある高い位置にある場所から、したたり落ちるしずくを数えます。しずくは「点」でも数えます。 →点¹
❷ スポイトやチューブから垂らす液体のしずくを数えます。「瞬間接着剤を2滴垂らす」
❸ 目薬やうがい薬などを使用する際の分量の

目安を表します。「コップ1杯の水にうがい薬を3滴入れる」→滴

てつ【跌】漢

「跌」は、つまずきを表します。数詞「一」を伴い、失敗・失策を表します。「一跌の失策」

デニール【denier】漢

〈単位〉繊度、すなわち生糸や人絹糸・ナイロン糸などの太さを表す単位。ストッキングやタイツの厚さを示します。長さが450m、重さ0.05gの糸の太さが「1デニール」。「番手」とは異なり、数が増えるごとに糸は太くなります。女性用タイツは通常50デニール前後です。→番手

てん【店】漢

店舗を数えます。チェーン店の数をいう場合にも用います。「軒」「店舗」と同じです。「首都圏に21店展開」→軒 →店舗

てん¹【点】漢

❶ 試験などで評価の目安としてつける点数を表します。「テストで100点を取る」
❷ 試合・品評会などでの得点を数えます。「審査員がそれぞれ10点をつけた」「試合は2点差で逆転」→ポイント
❸ 垂らし落とすしずくを表します。「目薬を2点さす」 水時計(漏刻)での時刻も表します。「一点」は30分。「辰の三点」

てん²【点】漢

❶ 点・地点を数え示します。「2点を結ぶ直線」
❷ 支点を数えます。「4点で台座を支える構造」
❸ 品物・商品などを数えます。「文具やOA機器合わせて10点を購入」 売買の対象となる唯一の品物は「一点もの」といいます。→

アイテム →品
❹ 押収品・証拠品・盗難品などを数えます。「証拠品100点押収」
❺ 文学作品・芸術作品を数えます。「200点の彫刻作品を展示」「作家の代表作品3点」作品は「作」「作品」でも数えます。→作 →作品

てん【纏】漢

天秤棒のかつぎ手の人数を数えます。ふたりでかつぐと「2纏」、3人でかつぐと「3纏」といいます。「天」とも書きます。

てんぽ【店舗】漢 和

店舗を数えます。「1店舗あたりの売り上げ」店は「店」「軒」でも数えます。→店

と【斗】漢

〈単位〉尺貫法の容量の単位。「1斗」は10升で約18.04リットル。→尺

ど¹【度】漢

❶ 経験や体験を数えます。「1度会ったことがある」「2度ほど海外旅行をした」
❷ 連続した行為や規則的に反復する行為を数えます。「回」「遍」と同じです。「たび」とも読みます。「三度繰り返す」→回 →遍
❸ 繰り返されることが予測・期待されない(されにくい)行為や催しを数えます。接尾語「目」を伴うことができます。「2度目の挑戦」「5度の優勝」「2度目の離婚」
❹ 行為の分割数を数えます。「2度に分けて食べる」(ただし、数詞は1~3程度に限られます)
❺ 確率をいいます。「3度に1度は失敗する」
❻ 「一度」の形で、未経験のことに対し、試して

漢=漢語数詞〔一(いち)、二(に)、三(さん)…〕などに付く　　和=和語数詞〔一(ひと)、二(ふた)、三(み)…〕などに付く

みることを勧めたり、希望したりする際に用います。「一度食べてみるといい」「一度アフリカに行ってみたい」

❼「一度に」の形で、ある行為を休まず、あるいは分割せずに一気に行うことを表します。「一度に5個も餅を食べた」

❽「二度と」の形で、もう経験したくないことに対し、否定の語を伴い拒否感を表します。「入院は二度としたくない」

「度」は、「回」よりも用法が狭い

「度」と「回」では用法の違いがあります。
・「度」は接頭語の「第」「全」「計」を伴うことができません。
例「全10{○回|×度}のドラマ」「第2{○回|×度}大会」「往復計50{○回|×度}」
・「度」はゼロや小数を伴うことができません。
例「市民図書館の利用0{○回|×度}」「平均3.8{○回|×度}の来店」
・「度」は「〜につき」「〜ごと」を伴うことができません。
例「利用1{○回|×度}につき100円」「着用1{○回|×度}ごとに洗う」

ど² 【度】 漢

❶ <単位>温度の単位。「絶対零度は−273.16度」

❷ <単位>角度の単位。円周を360等分した、その1単位の円周に対する中心角が「1度」。

❸ <単位>経度・緯度の単位。地球の円周を360等分した、その1単位の円周に対する中心角が「1度」。

❹ <単位>アルコール濃度の単位。アルコール性飲料において、アルコール分の占める割合をパーセントで表したものです。ビールはアルコール分5度(5%)前後。

❺ <単位>水の濁度(濁り具合)の単位。土木などで用いられます。1リットルの純水中に精製カオリン1mgを含むものを「1度」といいます。上水道の濁度は2度まで許容されます。

❻ <単位>水の硬度の単位。水100cm³中に酸化カルシウム1mgに相当するカルシウム塩とマグネシウム塩が含まれる場合、その濃度を「1度」といいます。

❼ <単位>眼鏡のレンズやコンタクトレンズの屈折力の単位。焦点距離をメートルで表した数の逆数で、「度数」ともいいます。レンズの屈折力を凸レンズでは「+」、凹レンズでは「−」で示します。

❽ <単位>音程の単位。譜表上で同じ高さにある音を「1度」といいます。全音階で、各音のへだたりの大きさを表します。

とう【灯】 漢

電灯・ガス灯・街灯・船尾灯・水銀灯・電球・ヒーターなどを数えます。「街灯10灯設置」 据えてある照明灯は「基」でも数えます。 →基

とう【投】 漢

❶ 砲丸投げ・槍投げ・円盤投げなど、相手が投げた物を受け取らない競技で、試技回数を数えます。「槍投げ2投目で大会新記録」

❷ 釣りで、水の中に釣り糸を入れた回数を数えます。接尾語「目」を伴う傾向があります。「1投目からあたりがきた」

とう【套】 漢

「套」は、かぶせ包むものを表し、和装の書物を包む覆い(帙)を数えます。

とう【島】 漢

文語で、島を数えます。「伊豆七島」

とう【盗】 漢

文語で、野球の盗塁数を数えます。「1イニングで2盗を決める」 また、二塁に盗塁することを「二盗」、三塁に盗塁することを「三盗」ということもあります。

とう【塔】 漢

文語で、塔を数えます。塔は「基」でも数えます。
→基

とう【棟】 漢

❶「棟」は、家の頂上を通る棟木を表し、建物や家屋を数えます。「棟」とも読みます。人が生活していない離れの小屋(手洗い所・書庫・物置)や車庫なども数えます。　→棟　→軒

❷建売り住宅の販売・建築戸数を数えます。「1区画10棟販売」

❸鉄筋コンクリートなどで建てられたビルや集合住居を数えます。「新築マンション3棟竣工」

とう【湯】 漢

温泉地・湯治場を数えます。「リウマチに効く温泉100湯のリスト」

とう【等】 漢

順位・等級・グレードなどを数えます。「1等賞」「2等船室」

とう【筒】 漢

<単位>注射の容量の単位。「1筒」は$1cm^3$。現在は、容量に関係なく1回の注射、もしくはアンプル1本分の意味で用います。

とう【統】 漢

「統」は、全体につながる糸筋を表し、(専門的に)沿岸の魚群の通路に設置する定置網(建網)を数えます。

とう【頭】 漢

❶大形の動物を数えます。

a. 成育した大きさが人間が抱きかかえられないほどの大形の哺乳動物を数えます。「馬2頭」「象8頭」「クジラ15頭」 犬は、大形犬に限り「頭」で数えますが、通常は「匹」で数えます。ただし、盲導犬・警察犬・救助犬といった、人間が訓練を施した犬は、その大きさに関わらず「頭」で数える傾向があります。「麻薬探知犬5頭」→匹¹ →コラム⑫に関連事項(p.211)

b. ワニ・トカゲ・恐竜などの大形爬虫類を数えます。これらは「匹」でも数えます。「ワニ5{頭|匹}捕獲」

c. まれにダチョウなどの大形の鳥類を数えます。これらはもっぱら「羽」で数えます。「ダチョウ6{羽|頭}」→羽

❷大きさに関わらず、専門的・慣用的に、動物を数えます。

a. 専門的に、実験の対象となる動物を数えます。「実験には10頭のラットを使用」

b. 希少な動物及び昆虫類を「頭」で数えます。「絶滅に瀕したヤマネコ5頭確認」「希少な個体3頭を発見」

c. 人間にとって、貴重なもの・高価な小動物・昆虫類などを数えます。「貴重なクワガタ1頭1万円」 かつて、養蚕業では蚕を「頭」で数えました。

d. 慣用的にチョウを数えます。　→コラム⑩に関連事項(p.189)

e. 人間にとって、脅威を与える生物を数えます。「田を食い荒らすジャンボタニシ100頭捕獲」

どう【洞】 漢
文語で、鍾乳洞・洞穴を数えます。

どう【堂】 漢
文語で、聖堂・礼拝堂・講堂・ホールなどを数えます。

どう【道】 漢
❶「道」は、照らし進んでいく方向を表し、文語で、光線を数えます。「一道の光明」
❷芸や学問などに打ち込むべき道を示します。数詞はもっぱら「一」を伴います。「一道に携わる」「一道に長じる」

どう【銅】 漢
古く、銅貨を数えました。「嚢中に四文銭が三銅」〔浄・彦山権現誓助剣・七〕

とおし【通し】 和
印刷機に紙が通る回数を数えます。1色機の場合は、「ひと通し」。

とおり【通り】 和 漢
方法・様式の種類を数えます。数詞は和語・漢語数詞のどちらも用います。「{ふた通り｜2通り}のやり方がある」

とき【時】 漢 和
＜単位＞昔の時間を計る単位。「一時」は、現在の約2時間。 →時

とこ【床】 和
「床」は、元来、家の台や台座に乗せられた家具を表す語です。「床」ともいいます。 →床
❶寝台を数えます。「床」と同じです。
❷細長い板を並べて作られたいかだを数えます。

ところ【所・処】 和
❶場所を数えます。「箇所」と同じです。「ひと所に集まる」
❷「所」は、地位や場所を表し、直接指し示すのが恐れ多い、神仏や貴人を数えました。「方」と同じです。「女御子たちふた所この御腹におはしませど」〔源氏物語・桐壺〕 →方

どすう【度数】 漢
❶カードなどの使用できる回数を示します。「50度数のテレホンカード」
❷温度や角度などの数値を表します。「度」と同じです。 →度²
❸眼鏡のレンズやコンタクトレンズの度の強さを表します。 →度²

とせ【年・歳】 和
＜単位＞年齢や年を数える雅語。「三年の月日」「千歳(1000年)」 →歳 →年

とまえ【戸前】 漢
「戸前」は、「蔵前」「蔵の入り口の戸の前」を表し、土蔵・酒蔵・倉庫を数えます。「3戸前の蔵が並ぶ旧家」

トン【ton・噸・瓲】 漢
❶＜単位＞貨物の質量の単位。記号は「t」。メートル法の「1トン」は1000kg。ほかに英トン・米トンがあります。 →ヤード
❷＜単位＞貨物の容積の単位。木材は40立方フィート、石材は16立方フィートで「1トン」。 →フィート

な行

ながれ【流れ】 和
❶ 旗・幟などの風になびくものを数えます。「白旗二十余流れ」［平治物語・中］→ 旒
❷ 文字列のように縦に並んでいるものを数えます。「文字三流れ」→ 行
❸ 水の流れ・川・小川を数えます。

なべ【鍋】 和
鍋ごと食卓に出す料理（鍋料理）を数えます。「ちゃんこひと鍋を平らげる」「雑炊ふた鍋」

なん【男】 漢
息子の数や男児の出生順を示します。「1男1女をもうける」「3男坊」→ 女

にぎり【握り】 和
片手で握った粉や砂などの分量の目安を表します。→ 握 → 掴み

にち【日】 漢
日数を数えます。「1日は24時間」「四十九日」「8月11日」→ 日 → 日

「いちにち」と「ついたち」

「1日」は時間としての長さをいう場合、「いちにち」と読み、暦の日付をいう場合は「ついたち」と読みます。「ついたち」は、「月立」の変化した語で、かくれていた月が出始めるという意味です。

にん【人】 漢　読み方注意
❶ 人間・人数を数えます。「友達3人」「4人兄弟」数詞が「1・2」のときは「人」で数えます。→ 人　参加者・出席者、および名簿に登録されている人数を数える際には「名」を用います。→ 名

読み方

1人	ひとり
	＊「前」がつくと「1人（いちにん・ひとり）前」
2人	ふたり
	＊「前」がつくと「2人（ににん・ふたり）前」
3人	さんにん・みたり
	＊「前」がつくと「さんにん前」
4人	よにん・よったり
	＊「前」がつくと「よにん前」
5人	ごにん
6人	ろくにん
7人	ななにん・しちにん
	＊「前」がつくと「7人（ななにん・しちにん）前」
8人	はちにん
9人	きゅうにん
10人	じゅうにん

❷ 人間に付随して生じるものも数えます。「5人の影」「3人の足跡」
❸ 高い知能を持ち、人間に近い生活を送る動物を、研究者などが人間にたとえて数えます。「4{匹｜頭｜人}のチンパンジー」
❹ 人間に似た形の物をたとえて数えます。
a. 人形を数えます。「着せ替え人形3人分の衣装」
b. 人間に似た形状をした（架空の）ものを数えます。「2人の天使」「7人の妖精」→ コラム④に関連事項（p.75）
c. 人間に似た姿・振る舞いをするロボットを数えます。「歩行型ロボット2人」→ コラム⑱に関連事項（p.325）

一人前
❶ 大人になること。また、大人として扱われること。「一人前に扱う」
❷ 人並みに技芸や学問を習得したこと。未習得の場合は「半人前」といいます。「一人前の

漢 ＝漢語数詞〔一（いち）、二（に）、三（さん）…〕などに付く　　和 ＝和語数詞〔一（ひと）、二（ふた）、三（み）…〕などに付く

医者」

* 本来は、1人に割り当てる分量、ひとり分の意味です。「1.5人前の料理」のような小数点を使った言い方もできます。

にんく【人工】 漢
職人の手間を数えます。作業や工事の見積もりに使われ、漢語数詞を伴います。「3.5人工」のように小数点も使います。ひとりの職人が1時間でやる仕事量は「人時(にんじ)」、ひと月でやる仕事量は「人月(にんげつ)」といいます。

ネット【net】 漢 和 英
ネット(網)に入った商品を数えます。「玉ねぎ1ネット」

ねん【年】 漢
❶ 年を数えます。現代の暦では元日(1月1日)から大晦日(12月31日)までを1年とします。「3年間」「平成16年」
❷ <単位>地球や月の運動をもとに、時を計るのに用いる単位。
「1太陽年」は、地球が太陽の周囲を1周する時間で、約365日5時間48分46秒。
「1太陰年」は、月が地球の周囲を12周する時間。1太陽年より約11日短くなります。
❸ <単位>惑星がその軌道を1周する時間のことです。
❹ 年齢や学年を数えます。「人生80年」「中学1年」

の【幅・布】 和
❶ <単位>布の幅を数える単位。「一幅(ひとの)」は、ふつう鯨尺で8寸(約30cm)または1尺(約38cm)。
❷ 布団のサイズをいうときに用います。はぎ合わせた布の部分を数えます。「三幅布団(みの)」「四

幅布団」

のう【能】 漢
技能や才能を雅語的に数えます。「芸」に同じです。「一能に秀でる」→芸

は行

は【羽】 漢
→羽

は【把】 漢
→把

は【波】 漢
❶ 波・津波・波紋を数えます。「第2波の津波」
❷ 空襲を数えます。「第3波の空襲」
❸ 波のように押し寄せるものをたとえて数えます。「デモ行進の一波が通る」
❹ 電波を数えます。「14波を送るタワー」

は【派】 漢
流派・派閥を数えます。組織の中での立場・利害・思想を共にする小グループを数えます。「党内で2派に分かれる」

ば【場】 漢
戯曲・芝居の区切りを数えます。「齣(こま)」「幕(まく)」に同じ。「第1場」→齣 →幕

はい【杯】 漢
❶ 「盃」とも書き、古くはさかずきに入れたものを数えました。現代では、器物に満たした物の分量の目安を表します。「バケツ1杯」「塩小さじ2杯」
❷ 「杯」はふっくらとふくらんだ形の器を表し、

それに似ている胴体・殻を持つ魚介類を数えます。　→コラム①に関連事項(p.21)

a. イカを数えます。釣りで、イカ2杯（以上）が同時に釣れることを「1荷」といいます。　→荷
b. タコを数えます。
c. カニを数えます。
d. アワビを数えます。

❸ 船の胴部がふくらんでいることから、船・軍艦・競技用ヨットなどを数えます。「黒船四杯で夜も眠れず」
❹ ＜単位＞芝居小屋で、ひとまとまりの見物人を数えます。50人で「1杯」。
❺ ＜単位＞錦絵の刷りを数えます。200枚で「1杯」。
❻ ＜単位＞江戸時代、「両」に相当する単位として用いました。「祝儀は…宿へ三歩あるひは一杯」〔浮・元禄太平記〕

ばい【貝】 漢
→貝

ばい【倍】 漢
数の倍数を数えます。「層」「層倍」ともいいます。「入試倍率4.5倍」は、例えば定員100人に対して受験者が450人いること。

バイト[byte] 漢
＜単位＞コンピューターの情報量・記憶容量の単位。「1バイト」は、通常8ビット。コンピューターの内部で情報処理を行うとき、1つの単位として処理される情報記号（ビット）のまとまりをいいます。半角文字は1バイト、全角文字は2バイト。

はく【拍】 漢
「拍」は、手を叩くこと、そこから手を叩いてリズムをとることを表します。

❶ 拍子の中の部分を数えます。「1拍休む」→拍子
❷ ＜単位＞音韻論上の単位で、「モーラ」ともいいます。

特殊拍

撥音「ん」＝1拍
促音「っ」＝1拍
長音「ケーキ」の「ー」＝1拍
拗音「きゃ」「きゅ」「きょ」「しゃ」「しゅ」「しょ」「ふぁ」「ふぃ」「ふぇ」「ふぉ」など＝それぞれ2文字（「きゃ」）で1拍。

例えば、「リンゴ」は3拍、「しゅっぱん（出版）」は4拍、「キャンペーン」は5拍の語です。

はく【泊】 漢
❶ 旅中の宿泊数を数えます。「箱根に2泊」　旅行日程を「日」と共に、「3泊4日の旅程」などといいます。
❷ レンタルビデオなどの貸し出し期間を宿泊にたとえて表します。「7泊8日レンタル」

はけ【刷毛】 和
ペンキや絵の具などを含んだ刷毛で塗る回数を数えます。「ペンキをひと刷毛塗る」

はこ【箱】 和
❶ 角形で、木・紙・プラスチック・竹などで作った、物を収納・運搬・保管するための入れ物を数えます。「野菜を100箱仕入れる」「押収書類は段ボール30箱分」　進物や食べ物が入っている折り箱は「折」で数えます。「仕出し弁当10折注文」→折

箱の中身の有無

中身が入っていない空の箱を数える場合には

「個」（箱が折りたたまれた状態なら「枚」）を用います。
例「空のダンボールが1個ある」「引越しの際はダンボールを10{°枚｜×箱}サービスします」

❷〈単位〉江戸時代、金・銀の分量を表しました。金1000両、銀10貫目で「ひと箱」。
❸〈単位〉板ガラスの生産・出荷量を表します。「1箱」は2mmの厚さのガラス9.29m²にほぼ相当します。

はしら【柱】 和

❶古く、木には神が宿ると言われたことから、日本古来の神・神体・神像を数えます。「二柱の神」
❷位牌・遺骨を数えます。「位牌2柱」
❸英霊を数えます。
❹高貴な人を数えます。

ばしん【馬身】 漢

競馬で、例えば1着と2着の差がどれくらいあったかを馬の鼻先から尻までの長さを目安に表します。「10馬身の差をつけて重賞制覇」「2分の1馬身足りず惜敗」

はつ¹【発】 漢

❶「発」は、弓や弾丸を放つことを表し、発砲数や爆発物を数えます。
a. 弾丸・弾痕を数えます。「現場には4発の弾痕が発見された」
b. 発砲・発砲音を数えます。弾丸が命中したかどうかは関係ありません。「1発の銃声が響いた」 弾丸を発射しない場合は「回」でも数えられます。「徒競走でピストルが2{発｜回}鳴ったらフライング」
c. 国や組織などが保有する爆弾・ミサイル・核兵器などを数えます。「1000発余りのミサイルを保有」
d. 爆発した爆発物・地雷を数えます。「時限爆弾2発が爆発」 爆発する前のものは「個」「本」でも数えます。「地雷2000個を撤去」「ダイナマイト10本を仕掛ける」
e. 打ち上げ花火を数えます。「1万発の花火が打ち上げられた」

❷スポーツの試合などで、放たれた決定打を数えます。
a. 野球の試合で得点につながるホームランやヒットを数えます。「代打の1発を浴びて4失点」 累積の成績に「発」は用いません。「A選手の本塁打は今期これで20{°本｜×発}目」
b. サッカーの試合で得点につながるシュートを数えます。「B選手のシュート2発で2得点」
c. ボクシングの試合での勝敗に有効なパンチを数えます。「挑戦者の2発の右フックが勝負を決めた」

❸俗語で、冗談の発された回数や、くしゃみ・おなら・射精（性交）の回数などを数えます。

はつ²【発】 漢

発動機を数えます。飛行機のエンジンの数を「単発」「双発」「3発」などで表します。

パック【pack】 和 漢 英

数詞は、和語・漢語・英語のいずれも用います。
❶包装・密閉された状態で市販されている商品を数えます。「袋」で数えるよりも密閉性が高い傾向があります。「レトルトカレー5パック」→袋 また、発泡スチロールのトレー（皿）に盛られた生鮮食品や、プラスチックの容器に入っている惣菜類の小売単位としても用います。「挽肉2パックで380円」「焼きギョーザ3パック」 食品の盛られていない

はしら▶パック

助数詞・単位一覧

英=英語数詞〔1（ワン）、2（ツー）、3（スリー）…〕などに付く　→類似・関連する助数詞および単位などへ

空のパックやトレーは「枚」で数えます。→ 枚

❷ 同じ商品をまとめて販売する際の売買の単位。「ティッシュ5箱でひとパック」「卵ふたパック」→ 個

❸ イギリスで、トランプひと組を「1パック」といいます。

はね【刎】 和

「刎」は（首を）はねることを表す語で、古くは敵方の兜を数えました。「鎧二領に兜二刎」［謡・碇潜］

はら【腹・肚】 和

❶ 瓶や壺などの、胴部のふくらんだ器物を数えます。「酒八はら」

❷ 魚類の産卵前のはららごなどを数えます。「たらこひと腹」「白子ふた腹」

❸ 鳥類や爬虫類が1回の産卵で生む卵の量を表します。「ワニはひと腹で16個から80個の卵を生む」

はり【針】 和

傷口や切開手術の縫合数を数えます。また、傷の大きさも表します。「転んで額をふた針縫った」　専門的には「針」で数えます。

はり【張り】 和

❶ 布・紙・革を張って使う道具類を数えます。
a. テントや幕（紅白幕・横断幕など）を数えます。「テント2張り設置」
b. 蚊帳を数えます。「蚊帳ひと張り」
c. 提灯を数えます。「提灯2張り」　行灯も「張り」で数えることがあります。

❷ 弦、および弦を張って使うものを数えます。
a. 弦を数えます。弦は「本」でも数えます。→ 本

b. 弓を数えます。弓は「張」「挺（丁）」でも数えます。→ 張　→ 挺

c. 琴を数えます。琴は「張」「面」でも数えます。→ 張　→ 面

ハロン【furlong】 漢

＜単位＞日本で、競馬の距離を表す際に用いる単位。記号は「F」。「1ハロン」は約200m。8分の1マイル（201.17m）をファーロング（furlong）といったことに由来します。「上がり3ハロン（ゴールまでの残り約600mの走破タイム）34秒の新馬戦」のように用います。

はん【犯】 漢

法をおかして、これまでに刑罰を受けた回数を数えます。「前科5犯の強盗」

はん【判】 漢

用紙・書籍・雑誌などの大きさの規格を示します。A・Bふたつの判型があります。「B5判」

はん【版】 漢

出版物の改版が行われた回数を表します。「第1版」は初版ともいいます。内容が変わらない場合は「刷」で数えます。「第1版第5刷」→ 刷

はん【班】 漢

特定の役割が与えられた、全体をいくつかに分割した小規模なグループを数えます。「2班に分かれて作業する」「自治会第5班」

はん【斑】 漢

文語で、獣の体にある、まだら模様を数えます。
一斑を見て全豹を卜す
豹の皮の一部だけを見ただけで、豹の美しさを推量する、という意味から、物事の一部で全体を推量することをいいます。

漢 ＝漢語数詞〔一（いち）、二（に）、三（さん）…〕などに付く　　和 ＝和語数詞〔一（ひと）、二（ふた）、三（み）…〕などに付く

はん【飯】 漢

❶ 食事を数えます。
❷ 椀に盛った飯を数えます。　→膳

ばん¹【番】 漢

❶ 事物の順序・等級を表します。通常、最良・最高のものを「一番」といいます。「1番の成績で卒業」→位
❷ 「番」は、ふたつでひと組のもの、ひとつがいのものを表します。そこから、二者の勝負を数えます。「相撲の結びの一番」
❸ 囲碁・将棋などの連続して行う試合を数えます。「三番勝負」
❹ 舞曲・楽曲の数を数えます。「2番の歌詞を歌う」「交響曲第9番」「六百番歌合」「二番舞う」

ばん²【番】 漢

❶ ＜単位＞針金・糸・針の太さを表します。「番手」ともいいます。　→番手
❷ ＜単位＞鋼板・鉄線・セロファンの厚さの番数を表します。
❸ ＜単位＞銃の口径を表します。「1番」は口径41.72mm。

ばんて【番手】 漢

❶ 「番手」は、交代で城の番をする警固の武士を表し、陣立てで、隊伍の順序を示します。転じて順番に行われる物事が何番目に巡ってくるかを数えます。「二番手のピッチャー」また「二番手」には控えの選手や人員の意味があります。
❷ ＜単位＞糸の太さを表す単位。「番」ともいいます。「1番手」は、重さ1ポンド(約453.6g)で1綛のもの。「デニール」とは逆に、番手が上がるほど糸が細くなります。　→綛　→デニール

ひ【匕】 漢 和

❶ 「匕」は、肉を切るための、先端がとがっている道具を表し、短剣・懐剣を数えます。
❷ 「匕」は匙のことで、薬などの分量の目安を表します。「1匕の薬」

ひ【日】 和 漢

❶ 日数を数えます。和語数詞を伴って「ひと日」「ふた日」と数えます。　→日　→日
❷ 日付を示します。漢語数詞を伴います。特に、辞令などが出る、月の初日を「一日」という習慣があります。

び【尾】 漢

尾びれのついた魚類や、エビ類を数えます。
❶ 釣りの獲物や鮮魚店などで尾びれがついた魚を数えます。「ブラックバスを10尾釣る」「タイ20尾を仕入れる」→匹¹
❷ エビ類を数えます。「エビ10尾の背ワタをとる」
❸ ペットショップで売買される魚類を数えます。「アロワナ5尾を販売」

ピース【piece】 漢 英 和

❶ 「切れ」と同様に、切り取ったり、切り分けたものを数えます。「ケーキ10ピース」→切れ
❷ 英語数詞を伴って、一揃いの洋服の構成数を表します。「ツーピースのスーツ」
❸ パズルのピースを数えます。ピース数が多くなるほど、難易度の高いパズルになります。「1000ピースのジグソーパズル」

ひき¹【匹・疋】 漢

元来「匹」は、ふたつのものが対になっているも

ひき ▶ ビット

のを表し、ふたつに割れた尻(しり)を持つ生き物(馬や牛)を数えました。そこから、鳥以外の生き物を広く「匹」で数えました。やがて大きさに応じて「頭」と「匹」を分けて動物を数えるようになりました。　→コラム⑫に関連事項(p.211)

❶鳥類以外の、大形ではない生物全般を数えます。

a. 人間の成人が抱きかかえられる程度のサイズ、またはそれよりも小さい動物を数えます。「ネコ3匹」「ハムスター5匹」　慣用的にウサギは「羽(わ)」で数えます。大型犬は「頭」でも数えます。　→頭(とう)　→コラム②に関連事項(p.31)

b. 魚類を数えます。「金魚1匹」　釣りの獲物や商品としての魚類はその形状に応じて「本」「枚」などで数えることもあります。　→尾(び)

c. 爬虫(はちゅう)類を数えます。「カメ1匹」「トカゲ2匹」「ヘビ3匹」　大形の爬虫類は「頭」でも数えます。「ワニ1〔頭|匹〕」「恐竜100〔頭|匹〕」

d. 昆虫類を数えます。「チョウ5匹」「カマキリ10匹」「ノミ2匹」　チョウや貴重な種類の昆虫は「頭(とう)」で数えることがあります。　→頭(とう)
　→コラム⑩に関連事項(p.189)

e. 鳥類は「羽(わ)」で数えますが、鳥類を含めた動物類をまとめて数える際には「匹」でも数えます。「この動物園では鳥獣合わせて1万匹を飼育」　→羽(わ)

f. まれに人間を数えます。粗暴で無鉄砲であるといった動物的な性質をたとえて表現します。「男一匹」「三匹(さむらい)の侍」

❷生き物でなくても、動物的な性質を持つものをたとえて数えます。

a. 動物のようにふるまうロボットを数えます。「ロボット犬3匹」「ネコ型ロボット1匹」　→コラム⑱に関連事項(p.325)

b. コンピューター上で扱うバーチャルペット類を数えます。「メールを運ぶペット2匹」

c. コンピューターウイルスを生き物にたとえて数えます。「悪質ウイルス5匹発見」

d. 漫画などで、動物的な性質を持つキャラクターを数えます。「モンスター151匹」

ひき² 【匹・疋】 漢

❶＜単位＞銭(ぜに)の単位。古くは銭10文を、後に銭25文を「1匹」としました。

❷＜単位＞布類の単位。古くは4丈、のちに5丈2尺を単位としました。布帛(ふはく)2反(たん)で「1匹」。

❸＜単位＞縫い針の単位。50本で「1匹」。

ピクセル 【pixel】 漢
→画素(がそ)

ピクル 【picul】 漢

＜単位＞重量の単位。「担(たん)」「ピコル」ともいいます。かつて中国沿岸から東南アジアにかけて、海運で用いました。一人でかつげる重量のことで、約60kgで「1ピクル」。

ひつ 【筆】 漢

❶しばしば数詞「一」を伴って、署名や添え書きを書くことを表します。「サインを一筆する」「推薦文を一筆添える」

❷書籍を雅語的に数えます。「書籍を一筆献上する」

❸筆で書いた書画を数えます。また、筆の動きも数えます。「一筆揮毫(きごう)する」　→筆(ふで)

❹登記簿上の土地の区画を数えます。「一筆の土地」

ビット 【bit】 漢

＜単位＞コンピューターの情報量・記憶容量の最小単位。「1ビット」は、ふたつの状態を0か1かで表現する情報の1組で、通常これを8桁(けた)並べた1バイトが単位として用いられます。　→

バイト

ひょう【俵】 漢
❶ 俵を数えます。「米100俵」
❷ <単位>俵に入ったものを数える単位。米は、ふつう4斗（約72.16リットル）を「1俵」とします。
❸ <単位>俵の体積や質量を表す単位。米や大豆は約60kg、木炭は15kgを目安とします。

ひょう【票】 漢
❶ 選挙・採決などで意思を表示した札・紙片を数えて、投票数を示します。「80万票獲得」
❷ 挙手の多数決で賛否を決める場合、挙手数を数えます。

ひょう【瓢】 漢
文語で、ヒョウタンの実、または、それをくりぬいて作った水や酒などの入れ物を数えます。「一瓢携える」

びょう【秒】 漢
❶ <単位>時間に関する単位。「秒」とは稲の穂先の毛、きわめて微細なものを表します。「1秒」は1分の60分の1。
❷ <単位>角度・経緯度の単位。「1秒」は1度の3600分の1。

ひょうし【拍子】 漢
「拍子」を数えます。「拍子」は、リズムの基礎となる一定の拍のひとまとまりのことです。拍の数により「2拍子」「3拍子」などといいます。 →拍

ひら【片・枚】 和
❶ 雪・花びら・紙吹雪などの、薄く平らで、宙に舞うほどの小さいものを数えます。「ひとひらの雪」 花びらは「弁」でも数えます。 →片 →弁
❷ 古くは、紙・葉・筵などを数えました。「枚」と同じです。「畳ふたひらばかり敷くほどにて」〔栄花物語・煙の後〕 →枚

ひろ【尋】 和
❶ 古い習慣的単位で、もともと両手を左右に広げた時の両手先の間の距離を表しました。「仞」と同じ。「尋」は「広」の意。「千尋」
❷ <単位>長さ、特に水深・縄・釣り糸を測る単位。 →尋

ひん【品】 漢
❶「品」ともいい、売買の対象となる商品項目を数えます。商品は「点」でも数えます。「ご贈答にはこの1品」→点²
❷ 料理の品数や種類を数えます。「前菜3品盛り合わせ」

びん【便】 漢 和
❶ 飛行機や定期船、長距離路線バスなどの交通手段の（往復を前提とした）運行数を数えます。運行数をいう頻度の時間枠は、1日や1週間など。「ロサンゼルスには週5便のフライトがある」
❷ 配達や輸送の数や順番を数えます。「明日の第1便で荷物を送る」

びん【瓶】 和
瓶に入ったものを数えます。「塩辛1瓶」「ジャム2瓶」 細長い瓶（ボトル）に入ったものは「本」でも数えます。「ビール1{本|瓶}追加」→瓶

ひんもく【品目】 漢
❶ 品物の種目を数えます。「輸入100品目」

❷ 食物（食材）の種類を数えます。健康や栄養素を意識した文脈に多く使われます。「健康のために1日30品目以上食べる」

ふ【節・編】 和

❶ 畳・薦・筵などを編んだ編み目・結い目を数えます。「大君の王子の柴垣八ふ結り」〔古事記下・歌謡一〇九〕

❷ 節を数えます。「七ふ菅手に取り持ちて」〔万葉集・四二〇〕 →節

ぶ【分】 漢

❶ ある物を10等分した際の割合の目安を示します。例えば「桜は五分咲き」とは、満開の桜を10とした場合、まだ半分程度しか咲いていないことを表します。

❷ ＜単位＞体温の単位。「1分」は1度の10分の1。「平熱は36度5分」

❸ ＜単位＞歩合・利率などの単位。全体の100分の1。1割の10分の1。「歩」と同じです。「勝率5割5分」 →歩

❹ ＜単位＞長さの単位。「1分」は1寸の10分の1で約0.303cm。「一寸の虫にも五分の魂」 →寸

❺ ＜単位＞足袋や靴などの底の長さの単位。「1分」は1文の10分の1で0.24cm。 →文

❻ ＜単位＞重さの単位。「1分」は1匁の10分の1で0.375g。

❼ ＜単位＞江戸時代の貨幣単位。「1分」は金1両の4分の1、銀1匁の10分の1。

ぶ【歩】 漢

❶ ＜単位＞土地面積の単位。主に田畑・山林の面積の単位として用いられます。「1歩」はふつう、6尺平方で、1坪（約3.31m²）に同じ。 →坪

❷ 示した面積に端数のないことを表します。「1町歩」のように「町」「反（段）」などの下につけます。

❸ 歩合・利率などの単位。「分」と同じ。 →分

❹ 右の足と左の足を交互に1回ずつ前に出して進んだ長さを表します。「1歩」は6尺で約1.82m。 →尺

ぶ【部】 漢

❶ 区分けした部分を数えます。

a. あるひとくくりのものを、複数の部分や種類に分けた場合、その部分の数を数えます。「二部構成」 また、ある共通点やテーマに沿って作られたものをまとめて数えます。「喜劇三部作」

b. 音楽の合唱のグループや楽器のグループの組み合わせなどを数えます。「二部合唱」

c. 数詞の「一」を伴って、全体に対する部分を示します。「問題の一部は解けた」「一部の人から不満が出る」

❷ 書籍やひとまとまりの文書を数えます。

a. 書物や印刷物などの、複製した数を数えます。「100万部のベストセラー小説」「コピーを20部作成する」

b. 数冊の書籍を一括して数えるのに用います。「1部5冊」 →冊

フィート【feet・呎】 漢

＜単位＞ヤード・ポンド法の長さの単位。記号は「ft」「′（＝ダッシュ）」。足の長さに由来し、フット（foot）の複数形。「1フィート」は3分の1ヤードで12インチ、30.48cm。漢字では「呎」を当てます。「身長6フィート（約183cm）」「高度1万フィートを飛行する」 →インチ →ヤード

ふう【封】 漢

書状・包物などの封じたものを数えます。「金一

封」

ふく【服】 漢

「服」は、ぴったり身につけて離さないさまを表します。転じて薬を常用して離さない、体内に薬を取り込む、という意味です。

❶ 薬を服用する回数を数えます。特に1回分の粉薬を包んだものを数えます。「包」と同じです。「粉薬は食後に1｛服｜包｝」「毒薬を一服盛る」 →包 →貼

❷ 煙草・茶をのむ回数を数えます。もっぱら休憩の意味で「一服する」といいます。

ふく【幅】 漢

「幅」は、織物の横の幅を表します。

❶ 掛け物・軸物・絵画一般・レリーフなどを数えます。「書幅1幅」 二つ揃いのものは「二幅対」「対幅」といい、三つ揃いのものを「三幅対」といいます。

❷ 雅語的に火影を数えます。織物がかかっているさまに火影がたとえられることに由来します。「幅」と読むこともあります。

ふくろ【袋】 和

❶ 物の入った袋類を数えます。古くは「叺」でも数えました。物の入っていない袋類は「枚」で数えます。「ゴミ袋3枚」 バッグやカバン類は中身の有無に関わらず「袋」では数えません。 →叺 →袋

❷ 袋を単位として、それに入っている物を数えます。「粉薬1袋」「パン粉2袋」

❸ ミカンなどの果肉を包む薄い皮を数えます。「房」でも数えます。「ミカン1個に10｛袋｜房｝程度入っている」 →房

ふさ【房】 和

❶ 紐などで作った房を数えます。「四房（青房・赤房・黒房・白房）の下がる大相撲の吊り屋根」

❷ 房状になって垂れ下がる花を数えます。「フジの花1房」

❸ 房状になった果物を数えます。「バナナ2房」「ブドウ3房」 ミカン類の個々の袋も「房」で数えます。 →袋

ふし【節】 和

❶ 竹や葦などの茎にある節を数えます。
❷ ひと続きの物事の区切りを数えます。「人生のひと節」
❸ 1年を季節などで区切ったものを数えます。
❹ 歌の曲節・旋律を数えます。「ひと節歌う」
❺ 浄瑠璃の節章を数えます。その際、「フシ」と書きます。
❻ 大きな魚の身を、縦に4つに切り分けたもののひとつひとつを「節」で数えます。鰹節も数えます。「マグロを4節におろす」

ぶせ【伏せ】 和

矢の長さをはかる単位。指1本分の幅が「ひと伏せ」。「十二束三伏、忘るるばかり引きしぼりて」[太平記・一]

ぶつ【仏】 漢

文語で、仏を数えます。1体の仏のことを「一仏」といいます。

ふで【筆】 和

❶ 墨や絵の具を筆に含ませる回数を数えます。
❷ 文字や絵を描く際に、筆の動きを数えます。筆以外の筆記用具で書いた際も用いることができます。「ひと筆書き」 →筆

ふね【舟】 和

ふり ▶ ヘクタール

舟形の容器に入った食物を数えます。「たこ焼き1舟」「刺身の盛り合わせ2舟」

ふり【口】 和

「口」は、刀を振り下ろして切り口をつけるという意味があります。「振り」と同様に刀剣類を数えます。「口(くち)」ともいいます。　→振り　→口

ふり【振り】 和

❶振り下ろすもの、振り回すものを数えます。
a. 竹刀(しない)や刀を振り下ろす回数を数えます。
b. 刀剣類を数えます。長刀(なぎなた)や竹刀も刀の一種として「振り」で数えます。「口」と書くこともあります。
c. バットやラケットなどの振る回数を数えます。素振りの回数も数えます。
d. 野球のヒットやホームランの数をたとえて表します。「ひと振りで逆転サヨナラ」

❷調味料の使用量の目安を表します。
a. 料理や調味をする際、調味料や香辛料を使用する量の目安を表します。「塩ひとふり」
b. 瓶などから粉状や液状の調味料や香辛料を振り出す回数を表します。「ペッパーソースふたふり」　→コラム⑪に関連事項(p.191)

ふん【分】 漢

❶＜単位＞時間の単位。「1分(ふん)」は1時間の60分の1。60秒。
❷＜単位＞角度および経緯度の単位。「1分(ふん)」は1度の60分の1。
❸＜単位＞尺貫法の質量の単位。「1分(ぶん)」は1匁(もんめ)の10分の1。

ぶん【文】 漢

文を数えます。「1文が長すぎるので2文に分ける」

ぶんせつ【文節】 漢 和

文を区切って読む際、意味を成す最小の言語単位のことで、「文素」ともいいます。例えば、「わたしは、ほんを、よむ」は3文節から成ります。

へい【柄】 漢 和

❶槍などの柄のある武器を数えます。　→柄(から)
❷文語で、扇子を数えます。　→柄(から)

へい【瓶】 漢

❶文語で、瓶(びん)などの容器(花瓶)に入れたものを数えます。　→瓶
❷生け花を数えます。「生け花2瓶」

ページ【page・頁】 漢

❶書籍やひとまとまりの書類に順番に打たれた番号を表します。通常、紙1枚の片面で1ページ。「3ページ目を参照」　紙を「葉(よう)」で数えるときには、漢字の「頁」を当てることがあります。これは、近代漢語で「葉」と「頁」が同じ音(ie)であることに由来します。　→葉(よう)
❷書類や書籍の分量を表します。「100ページの報告書を提出」　原稿の段階では「枚」で数えます。「書き下ろし原稿400枚」

ベース【base】 英

野球のベース(塁)を数え示します。ヒットを打った打者がどの塁まで走ることができたかは、英語数詞と「ヒット」と共に、「ツーベースヒット(2塁打)」「スリーベースヒット(3塁打)」といいます。　→塁(るい)

ヘクタール【hectare】 フランス 漢

＜単位＞面積の単位。記号は「ha」。「1ヘクタール」は1アールの100倍で1万m²。山林や田畑の面積を表します。　→アール　→デカール

漢＝漢語数詞〔一(いち)、二(に)、三(さん)…〕などに付く　　和＝和語数詞〔一(ひと)、二(ふた)、三(み)…〕などに付く

べつ【別】 漢

文語で、別れ・別離の回数を数えます。数詞はもっぱら「一」を伴います。「一別以来の再会」

へん【片】 漢

「片」は、かけら・取るに足らないもの、という意味で、小さな紙切れ・破片・切片などを数えます。「切れ」よりも形が定まっていないものを数える傾向があります。価値の失われた、使用済みの切手・切符・外れ馬券・花びらなどを数えます。「2、3片の花びらが舞う」→片

へん【辺】 漢

ふち・へりを数えます。多角形を形作る線を数えます。「1辺が4cmの正方形」

へん【遍・返】 漢

「遍」は、始点から終点まで、ひととおり行き渡るという意味で、動作・行為・経験の回数を数えます。会話や成句で用いられ、数詞は1～3を伴う傾向があります。「回」や「度」よりも、動作の(うんざりするような)繰り返しを誇張していう際に用いられます。「一遍言えば分かるものを」「三遍回ってワンと鳴く」→回 →度¹

へん【編・篇】 漢

「篇」は、つづり合わせた竹簡に記したものを表します。現代は「篇」を「編」と表記します。

❶ 書物及び書籍の大きく分けたそれぞれの部分を数えます。「上巻第1編」
❷ 詩・文章・随筆・小説などの完結した文書を数えます。「随筆5編」「短編24編収録」
❸ 業績としての論文を数えます。論文は「本」でも数えます。「論文3{編|本}提出」→本¹

べん【弁】 漢

「弁」は花びらを表し、文語で花のがくに付いた花弁を数えます。散る花弁は「片」でも数えます。「5弁の花」→片

ほ【歩】 漢

❶ あゆみの足を運ぶ回数を数えます。また、歩いたときのひとあゆみの長さの目安を表します。「名前を呼ばれて1歩前へ出る」
❷ 物事の進度や発達・学習段階をたとえて表します。「一歩一歩努力して学習する」

ほ【畝】 漢

<単位>中国の田地面積の単位。6尺四方を1歩とし、古くは100歩、後には240歩を「1畝」としました。現行の「1畝」は15分の1ヘクタールで、約0.67アール。日本の土地面積を表す「畝」とは別の単位です。→畝

ほ【舗・鋪】 漢

「舗」は、敷き並べることを表し、畳んである状態から広げて使う地図や書籍類を数えます。「地図1舗」

ポイント【point】 漢 英

❶ 特定の部分や場所を数えます。目立たせるもの・要所を数えます。「ワンポイントアクセサリー」 また、支える箇所を数えます。「ツーポイントフレーム」
❷ 点数・得点を数えます。また、集めたスタンプやシールの合計数を表します。「200ポイント獲得」→点¹
❸ <単位>ポイント活字の大きさの単位。活字の一辺の長さを表し、「1ポイント(1ポ)」はアメリカ式が0.3514mm(ヨーロッパ式は0.376mm)。活字の大きさは「ポイント」以外に「号」「級(Q)」でも表します。→号 →級
❹ <単位>百分率の増減値を示す単位。パーセントで示される数値を表します。「前年比

英=英語数詞〔1(ワン)、2(ツー)、3(スリー) …〕などに付く　→類似・関連する助数詞および単位などへ

ほう ▶ ほん

2ポイント物価が上昇」

ほう【包】 漢

❶ 包んだもの・包みを数えます。→包み
❷ 粉薬を包んだものを数えます。「服」でも数えます。「薬を1{包|服}飲む」→服
❸ 平らに成形した綿を数えます。綿10枚で「1包」。

ほう【法】 漢

方法・やり方を数えます。「一法を案ずる」

ほう【峰】 漢

「峰」は、三角形のようにとがった山、その頂を数えます。「東山三十六峰」→嶺

ほう【報】 漢

❶ 知らせ・情報・報告を数えます。「事故の第2報が伝えられた」
❷ 報告書・レポート類などを数えます。

ぼく【木】 漢

雅語的に樹木を数えます。樹木は「樹」でも数えます。「一木一草」→樹

ほん¹【本】 漢 読み方注意

「本」は、細長いものを数えます。

読み方	※は俗な読み方(発音)
1本	いっぽん
2本	にほん
3本	さんぼん
4本	よんほん・しほん
5本	ごほん
6本	ろっぽん
7本	ななほん・しちほん(※ヒチホン)
8本	はっぽん・はちほん
9本	きゅうほん
10本	じっぽん(※ジュッポン)
100本	ひゃっぽん・ひゃくほん

❶ 細長い物を数えます。
a. 「鉛筆1本」「傘3本」「紐5本」「樹木3本」など。目安として、数える物の横の長さに対して縦の長さが1:2程度なら「個」、横:縦の比が1:3程度だと「本」で数えます。

「個」　「個/本」　「本」

b. 中身が入っている細長い容器を数えます。「缶ジュース1本」「消火器2本」「ビール1本」→コラム③に関連事項(p.67)

c. 高層ビルやタワーなど、大きいが細長いと感じる建造物を数えます。「橋を2本架ける」「副都心の高層ビルが遠くに4本見える」「タワー3本」

d. トンネル・井戸・油田などを数えます。

e. 細長いテープが巻き込まれているものを数えます。「カセットテープ3本」「ビデオテープ2本」「フィルム2本」→巻き

使うと減る巻き物の数え方

カセットテープやビデオテープは使ってもテープ部分は減っていきませんので「本」で数えますが、**使用するにしたがって巻かれた部分が減っていくテープ類は「本」では数えません。**

例「粘着テープ1{×本|○巻き}」
アルミホイルのように巻きつける部分が細長い物は巻かれた部分が減っても「本」で数えます。トイレットペーパーは「ロール」でも数えます。

f. 弦楽器・管楽器を数えます。「クラリネット2

本」 ピアノやハープのように大形の楽器は「台」で数えます。 →台

❷相手との交信数を数えます。

a. 電話で交信した回数を数えます。電話は、ダイヤルをして、相手に用件が伝わった時点で「本」で数えます。「お祝いの電話が5本あった」

> 相手につながった電話は「本」

電話をかけるだけの行為、かけても用件が伝わらない場合、そして相手が電話に出ない場合などは「回」で数えます。
例「3{○回|×本}電話したが誰も出ない」
留守番電話に残したメッセージは「件」、電子メールやファックスでの交信は「通」で数えます。

b. 便りを数えます。主に消息を知らせる葉書や短い手紙などを数えます。「都会に出た息子は葉書一本よこさない」

❸乗り物の運行、特に電車の運行数を数えます。「この事故で中央線の20本に遅れが出た」「この駅からの始発列車は毎朝5本」 飛行機や定期船の運航数は「便」で数えます。 →便

❹スポーツで、攻撃や得点につながるプレーや試技を数えます。

a. 野球で、ホームラン・ヒットを数えます。「ホームラン年間40本」「ヒット3本」

b. サッカーやバスケットボールで、シュートや成功したパスを数えます。「2本のシュートが決まる」「パスが3本つながる」

c. バレーボールではサーブやアタックを、テニスや卓球ではサーブやスマッシュを数えます。これらは失敗しても「本」で数えます。「サーブは2本とも失敗」

d. 柔道・剣道などで、勝負の決め手となる技を数えます。「柔道の固技(かためわざ)は29本ある」 技が決まることを「一本取る」といいます。

> 世界語になった"Ippon"

柔道・剣道などの「1本」は、心・技・体が一本化したときに決まるものとされ、「道」を表します。現在、柔道や剣道は世界の約200か国以上で行われており、"Ippon"は、すでに世界語として定着しています。

e. スキーのジャンプ・走り高跳び・水泳の飛び込みなどの記録を競うスポーツでのでの試技の回数を数えます。「1本目のジャンプ」

❺始まりと終わりがあるひと続きの作品や出し物を「本」で数えます。

a. 出し物(上演作品・演目・講演)を数えます。「新作手品2本を披露」「講演を1本引き受ける」「演劇2本立て」

b. 文芸作品や論文を数えます。主として個人の業績や仕事をいう場合に用います。「学生時代、論文を3本書いた」

c. 映画の作品数や上映数を数えます。細長い映画のフィルムが巻かれた状態で1つの作品として扱われることにも由来しているといわれます。「洋画2本立て」

d. テレビ・ラジオ番組を数えます。番組制作者や出演者のスケジュールやキャリアを指す場合もあります。「週3本のレギュラー番組に出演」

❻広告数を数えます。

a. 新聞・雑誌に掲載された広告を数えます。「新聞の広告欄に2本の広告が入る」 チラシなどの広告媒体を数える場合は「枚」を用います。

b. テレビ・ラジオのコマーシャル(CM)を数えます。「このタレントは今年30本のCMに出演」

ほん ▶ まい

❼ 項目を数えます。
a. 新聞や雑誌に掲載された記事を数えます。「強盗に関する記事は今月すでに15本」
b. 番組でのニュースや話題の項目を数えます。「手短にニュースを3本伝える」

❽ 商品を数えます。
a. コンピューターやゲームのソフトウエアの商品を数えます。「ソフトウエア3本」「ゲームソフト2本」 ソフトウエアが入っているディスクは「枚」で数えます。
b. 販売者側から見た商品を数えます。「輸入ベッド20本を完売」

❾ 達成するのに時間や努力を要する課題を数えます。
a. ノルマを数えます。主として個人の作業や努力によって達成されるものを数えます。「営業回り3本」「レポート4本」「連載を5本抱える」
b. 企画や計画を数えます。「つ」でも数えられます。「これまで6{本|つ}の再建プロジェクトを手がけた」
c. スポーツや演技などの練習メニューを数えます。主に時間をかけて決められた手順で行われる基礎練習のセットを指します。「腿(もも)上げ100本」「発声練習10本」

❿ 懸賞の当籤(とうせん)数を数えます。
a. 福引きや抽籤(ちゅうせん)などでの当籤数を数えます。くじに細長い棒を使うことに由来します。「1等10本、2等30本」
b. 勝負の懸賞を数えます。「懸賞が16本かかる」

⓫「一本」の形で、
a. 植物が生長して、自身の幹や茎だけで立つことから、自立することを「一本立ち」といいます。
b. 俗語で、線香1本が燃える時間が芸妓(げいぎ)の料金の目安としたことから、芸妓として一人前になることを「一本になる」といいます。
c. 生涯をかけて打ち込むことを「仕事一本」のように「一本」で表します。「ひと筋」と同じです。

ほん² 【本】 漢
❶ <単位>取引単位。漢方薬600gで「1本」、テングサは25kgで「1本」。
❷ <単位>氷の塊(かたまり)135kgないしは180kgで「1本」。
❸ <単位>俗語で、鮨屋のシャリ(すし)(飯)2升で「1本」といいます。
❹ <単位>江戸時代、四文銭を100個つないだ銭差しを「1本」といいました。

ポンド[pond オランダ・pound] 漢
<単位>ヤード・ポンド法の質量の単位。記号は「lb」。「1ポンド」は16オンスで、約453.6g。常用ポンド。金銀や薬剤を量るトロイ-ポンドおよび薬用ポンドの場合は、「1ポンド」は12オンスで約373.2g。 →オンス →ヤード

ま行

ま 【間】 和
古く、屛風などで仕切った空間を「間」といいました。現在は、ふすまや障子で仕切った(日本風の)部屋の数を数えます。「6畳ふた間のアパート」 →室(しつ)

まい 【枚】 漢

もともとは「枚」は、「個」と同様に、物や人間の全般を数えるのに用いました。現代では、平面的な物を数えるのに用います。

❶ 平面的な物を数えます。
a. 板・板状のものを数えます。表札・看板・黒板・

漢=漢語数詞〔一(いち)、二(に)、三(さん)…〕などに付く　　和=和語数詞〔一(ひと)、二(ふた)、三(み)…〕などに付く

まな板・屋根・床・畳・窓・天井・戸・襖（ふすま）など。
b. 平坦（へいたん）なものを数えます。皿・コイン・メダル・レコード・CD・DVDなど。小皿・コイン・メダルは「個」でも数えます。　→個

「枚」と「個」の使い方の目安は以下のようになります。

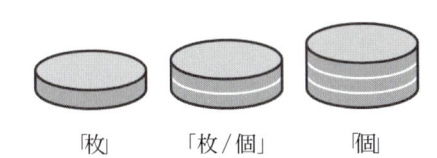

　「枚」　　「枚／個」　　「個」

c. 紙および紙類を数えます。和紙2000枚で、ひと締め。洋紙1000枚で1連。紙に書かれたものや印刷されたものも数えます。「原稿1000枚」「ポスター 10枚」　紙片は「枚」よりも「片」で数えます。　→片（へん）
d. 紙やキャンバスに描かれた絵画を数えます。作品として数える場合は「点」を用います。壁画は「面」でも数えます。
e. カード状のものを数えます。名刺・葉書・写真・めんこ・ラベル・クレジットカードなど。葉書と写真は「葉」でも数えることがあります。　→葉（よう）
f. シート状のもの・敷物を数えます。カバー・カーテン・筵（むしろ）・茣蓙（ござ）・マット・じゅうたんなど。
g. フィルム状のものを数えます。セロファン・広げたラップ・アルミ箔（はく）など。
h. 布、布状のものを数えます。ハンカチ、タオル、手拭（てぬぐ）いなど。手拭いは「本」でも数えます。
i. 着物や洋服を数えます。上着やスーツは「着」でも数えます。　→着（ちゃく）
j. 布団や寝具を数えます。掛け布団・敷布団・マットレス・毛布など。
k. 草鞋（わらじ）・草履（ぞうり）・下駄（げた）・雪駄（せった）などの片方を数えます。「草履2枚で1足」
❷ある位置や役割のある人間を数えます。

a. 役や仕事をになう対象として人を数えます。「一枚噛（か）む（＝仕事や企みに一役買う）」「二枚肩（かたくらひとやく）」は、駕籠（かご）の棒の両端をになう2人を表し、現代では組織をになう2人の人を指す。
b. 役者や芸者を数えます。看板で出演者を、右を上位として1枚の板に1人ずつ順に役者の名前を記したことに由来します。看板の2枚目に記される役者は色男、3枚目には滑稽（こっけい）や道化役が記されました。
c. 相撲の番付を数えます。「幕内昇進まであと1枚」　東西で同じ番付の場合、東の方が半枚上。「前頭1枚目」とはいわず、「前頭筆頭（むすびせきとう）」といいます。横綱と三役（小結・関脇・大関）の番付は「枚」では数えません。
❸区切ったり、切り取ったりした部分を数えます。「畑1枚（1区画）」「魚を3枚（上身・中骨・下身の3つの部分）に下ろす」
❹飲食物やその注文数を数えます。「丁」よりも古い用法です。「ざる蕎麦（そば）1枚」「ギョーザ1枚」　ざるや皿を「枚」で数えたためともいわれます。　→丁（ちょう）

マイル[mile・哩] 漢

＜単位＞ヤード・ポンド法の距離の単位。記号は「mil」「mi」。「1マイル」は1760ヤードで、約1609m。英里。　→ヤード

まき[巻き] 和

❶細長いものを巻いてまとめたものを数えます。「たこ糸ひと巻き」「粘着テープふた巻き」　→ロール　→本[1]（ほん）
❷細長いものを巻いた回数を数えます。「マフラーを首にふた巻きする」

まく[幕] 和 漢

❶芝居の演技や出し物のひと区切りを数えます。「芝居の第1幕」「2幕目が面白い」

ます ▶ メートル

❷実際あった印象的な場面を「ひと幕」といいます。「卒業式で、いつもは怒ってばかりの先生が涙ぐむひと幕もあった」

ます【升・枡】和
❶升目を数えます。「100升計算」
❷升で計った分量を表します。

まる【丸】和
〈単位〉和紙の取引単位。紙の種類によって基準が異なります。「1丸」は、半紙6締め（1万2000枚）、奉書紙は10束（5000枚）。

まわり【回り・廻り・周り】和
❶ある地点やコースをまわる回数を表します。「周」と同じ。「公園をひとまわりする」→周
❷ある周期を単位として、巡回する回数や頻度を表します。
a. 12年を1期として年齢の差を数えます。生年を十二支に配当することに由来します。「兄とはひと回り（12歳）も違う」
b. 担当などが巡ってくる回数を数えます。「同窓会の幹事がひと回りした」→巡
c. 服薬・湯治などで、7日間を1期として数えます。「3まわり（21日）分の薬」
❸ある物の周囲の長さを表します。
a. 両腕で抱くほどの大きさの目安を「ひと回り」といいます。
b. ものの大きさの程度を漠然と表します。「樹木がひと回り大きくなった」

みね【峰】和
→峰

むね【棟】和
建物・家屋を数えます。「棟」とも読みます。「木造アパート1棟が全焼」→棟

むら【叢・疋】和
巻いた織物を数えます。「綾を二むら包みてつかはしける」[後撰集・恋三・詞書]

むら【群・叢・簇】和
むらがったもの、群生しているものを数えます。
❶林・茂みを数えます。
❷群れをなして咲く花を数えます。「小菊ひとむら」
❸群集を数えます。→群 →団

め【目】和
❶縫い目・編み目・升目・網目などを数えます。
❷さいころの目を数えます。
❸数詞「一」を伴って、「ひと目会いたい」のように「一度」と同じ意味で使います。

めい【名】漢
人数を数えます。「人」とは異なり、順番を表す接尾語「目」を伴うことができません。「3{○人目|×名目}」 一方、敬称「様」を伴うことができます。「3{○名様|×人様}のご予約」→人 →人
❶参加者・出席者・該当者・採用者・登録者などを数えます。「このツアーは3名から施行します」「現在の会員は500名」
❷店などで、「人」よりも丁寧に客の人数を数えます。「お客様4名ご来店です」

メートル【mètre フランス】漢
〈単位〉長さの単位で、記号は「m」。国際単位系（SI）の基本単位です。尺度を意味するギリシャ語に由来します。漢字で「米」（音訳）とも書きます。 →尺 →ヤード

「1メートル」とは？

初め地球の赤道から北極に至る経線の長さ

の1000万分の1とフランスで定義され、1875年、国際メートル原器が作られました。1960年にはクリプトン86という原子の出す光の波長に基づいた定義が採択され、1983年には光が真空中で1秒の2億9979万2458分の1に伝わる行路の長さと定められました。

めん【面】 漢

❶ 顔をおおう面（能面・狂言面・仮面など）を数えます。そこから、両眼をおおう双眼鏡やオペラグラスも数えます。

❷ 表面部分で演奏する日本古来の楽器を数えます。

a. 太鼓を数えます。

b. 琴や琵琶を数えます。「琴1面」「琵琶2面」

❸ 表面に物を映し出したり、表示したりする働きのあるものを数えます。

a. 鏡・硯など表面を使う硬く平らな用具を数えます。「青銅鏡を5面発掘」

b. 大型テレビ画面・モニター・ビルの壁面や塔に設置されているような時計の大型文字盤を数えます。「大型モニター25面設置」「ソーラー時計3面故障」

c. 新聞のページを表します。元来、新聞の紙面の第1面で最も重要な記事、第3面に社会記事および雑記を載せたことに由来して、紙面が増えた現在では、習慣的にトップ記事を「1面」と呼び、社会面を「3面」と呼んでいます。「3面記事から目を通す」

❹ 表面で勝負を行う場所や遊戯物を数えます。

a. 碁盤や将棋盤を数えます。

b. コート・グラウンド・プール・リングなどを数えます。「2面のテニスコート」

c. 転じて、テレビゲームなどでクリアすべき場面や段階を数えます。「射撃ゲーム2面クリア」

❺ 田畑・水田（跡）などを数えます。　→枚

もう【毛】 漢

❶「毛」は、地面に生える作物を表します。1年間に耕作地で作物を栽培する回数を数えます。「二毛作」

❷ 文語で、毛髪を数えます。「一毛を損じる」

❸ ＜単位＞「1毛」は、きわめて細かく小さいものという意味から、1000分の1を表します。

a. 歩合・利率等の単位。「1毛」は1割の1000分の1。

b. 長さの単位。「1毛」は1寸の1000分の1。

c. 重さの単位。「1毛」は1匁の1000分の1。

d. 貨幣の単位。「1毛」は1銭の1万分の1。1厘の10分の1。

もく【目】 漢

❶ 項目・升目・格子の目を数えます。　→目

❷ 碁盤の目を数えます。また、碁盤に配した石の数を数えます。「二目置く」

❸ ちらっと見る、目をやる回数を表します。数詞はもっぱら「一」を伴います。「一目散に逃げる」「一目置く（＝相手を認め、一歩譲る）」

もじ【文字】 和 漢

❶ 書かれている（使われている）文字を数えます。「字」とは異なり、文字が入るべき空欄は「文字」では数えません。「400 {○字｜×文字} 詰め原稿用紙」　→字

❷ 和歌などで、仮名で示される字（音節）の数を数えます。

もと【本】 和

❶「本」と同じで、草木などを雅語的に数えます。「一本の松」　→本¹

❷ 古くは鷹狩りに使うタカを数えました。「連」とも書きます。「いづくよりとなく大鷹一本そ

れて来たり」[咄・醒酔笑・五]

もり【盛】 和

盛り合わせたものを数えます。「ミカン1盛」「供え物2盛」　→山

もん【文】 漢

❶＜単位＞貨幣の最小単位。銭を数えます。江戸時代には、寛永通宝1枚を「1文」としました。「1文」は1貫の1000分の1。100文で「ひと結い」。　→貫

❷＜単位＞足袋の底の長さを計るのに用いる語。転じて、靴や靴下のサイズを表す単位。1文銭（直径約2.4cm）が足の裏に縦に何枚並ぶかを数えたことに由来します。例えば、10文は約24cm、16文は約38.4cm。

もん【門】 漢

❶門に飾るものや飾り門を数えます。松飾り・楼門などを数えます。

❷「門」は、かろうじて通ることのできる狭い口を表し、転じて大砲・火砲・バズーカ砲・高射砲などを数えます。「大砲1門」

もん【問】 漢

設問・質問を数えます。「2問出題」「10問正解」

もんめ【匁・文目】 漢

❶＜単位＞尺貫法の重さの単位。「匁」は「文メ」をくずしてできた字です。「1匁」は1貫の1000分の1で3.75g。160匁で1斤。　→貫　→斤　→尺

❷＜単位＞「1匁」は、江戸時代の秤量貨幣である銀貨の単位。「1匁」は小判1両の60分の1。

❸銭の単位。「文目」と書きます。「1文目」は銭1枚のこと。　→文

や行

や【夜】 漢

❶夜を数えます。和語数詞を伴って「夜」ともいいます。「{一夜｜一夜}限りの祭り」　芝居やテレビ番組（ドラマなど）で続けて夜に公演・放送するものを「3夜連続」などといいます。

❷旧暦での夜を数えます。「十五夜」

ヤード【yard・碼】 漢

＜単位＞ヤード・ポンド法の長さの単位。記号「yd」。主にイギリス・アメリカで用います。「1ヤード」は3フィートで、91.44cm。

ヤード・ポンド法

基本単位として、長さに「ヤード」、質量に「ポンド」、容積に「ガロン」、時間に「秒」などを採用する単位系です。古くイギリスに発生し、メートル法が国際的に採用される以前に使用されました。現在は主にイギリス・アメリカの度量衡の体系です。

長さ		
1インチ		2.54cm
1フィート	12インチ	30.48cm
1ヤード	3フィート	91.44cm
1マイル	1760ヤード	約1609m
面積		
1エーカー		約4047m²
体積		
1英ガロン		約4.546リットル
1米ガロン		約3.785リットル
質量		
1オンス		約28.35g
1ポンド	16オンス	約453.6g
1英トン	2240ポンド	約1016kg
1米トン	2000ポンド	約907.2kg

漢＝漢語数詞〔一（いち）、二（に）、三（さん）…〕などに付く　和＝和語数詞〔一（ひと）、二（ふた）、三（み）…〕などに付く

やま【山】 和

❶ 山を数えます。「ふた山越えて隣村に行く」困難な時期を乗り越えることをたとえて「ひと山越える」といいます。　→山

❷ 山の形に盛り上げたものを数えます。主として小売店で販売単位として積み上げられた青果類や乾物類を数えます。「トマト1山300円」　→盛

ゆ【湯】 和
→湯

ゆい【結い】 和

＜単位＞銭を数える語。銭100文を「ひと結い」としました。　→文

ユニット【unit】 英 和 漢

❶ 物事の構成単位、単元を数えます。「3ユニットで構成されるプログラム」「5ユニットの組み立て家具」

❷ 俗語で、ふたり（以上）で構成されるグループを数えます。「有名アーチスト3ユニット共演」　→組

よ【夜】 和
→夜

よう【葉】 漢

❶ 薄く平たいものを数えます。葉のように手に取ることができる程度の大きさで、折りたたまれていないものを数えます。手にとって眺めていたいようなもの、例えばスナップ写真・葉書・しおり・カード類などを数えます。「枚」で数えるよりも、貴重でノスタルジックな意味を醸し出す効果があります。「子供時代の1葉の写真」「思い出の2葉の葉書」　→枚　→コラム⑧に関連事項（p.133）

❷ ページを数えます。紙を「葉」で数えるときには、漢字の「頁」を当てることがあります。これは、近代漢語で「葉」と「頁」が同じ音（ie）であることに由来します。　→ページ

❸ 舞い散るものとして、塵を雅語的に数えます。

❹ 葉のように揺れ動く小舟を雅語的に数えます。身をまかせるのが不安なさまをたとえて表します。「一葉の舟の中の万里の身」［和漢朗詠集・下］

よう【腰】 漢

「腰」は、腰の位置で締め上げる衣類を表し、袴を数えます。「腰」に同じです。「袴1腰」　→腰

よく【翼】 漢

❶ 詩的に、鳥を数えます。　→羽

❷ 「翼」には、助けるという意味があり、転じて持ち場・部署・役割を数えます。「一翼を担う」

よそい【装い】 和

❶ 衣服・調度などのそろったものを数えます。「装束ひと装い」　→具

❷ 「装い」には食事を整える、という意味があることから、器に盛った飲食物を数えます。「杯」と同じですが、「装い」は盛る動作に焦点を置いた表現です。「味噌汁ひと装い」　→杯

より【度】 和

動作や行為を数えます。「度」に同じです。「僧も俗もいまひと度とよみて、額をつく」［紫式部日記］　→度

よろい【具】 和

「具」には、必要なものをそろえるという意味があり、弓矢や硯箱など、そろえたものを数えま

す。「具」に同じです。「棚厨子九具」［宇津保物語・吹上下］「衣箱一具」［落窪物語・三］「屛風一具」［義経記・五］ →具
現代では仕事や作業を行うためにそろえる用具を数えます。

ら行

ラウンド【round】 漢 英
❶ 順番がひとめぐりすることを表します。「トランプで1ラウンドする」
❷ ボクシングやゴルフなどの競技における勝負を数えます。ボクシングは3分で「1ラウンド」、ゴルフは通常18ホールで「1ラウンド」。

り【人】 和
→人

り【里】 漢
❶ ＜単位＞距離を測る単位。「1里」は36町で約3.93km。「1里塚」 →尺
❷ ＜単位＞律令制の地方行政区画の一種。大化改新以後、50戸で「1里」としました。
❸ ＜単位＞古代の条里制で正方形の地積を表す単位。「1里」は、6町（約654m）四方で36町歩。

リットル【litre フランス・立】 漢
＜単位＞メートル法の体積の単位。記号「l」「lit」。かつて「1リットル」は、1気圧下で最大密度となるセ氏4度の純水1kgの体積（1.000028dm³）とされましたが、1964年から1dm³に改められました。「1リットル」は1mlの1000倍。約5合5勺。漢字で「立」とも書きます。

りゅう【粒】 漢
穀物の種子や小さな固体を数えます。「粒」に同じです。 →粒

一粒万倍
ひと粒の種子もまけば万倍となるという意味で、少しのものも粗末にしてはいけないということのたとえです。また、稲の別称として使います。

りゅう【旒・流】 漢
「旒」は、風に揺れる旗足（旗のへりにつけた飾り）・吹流しを表し、旗・幟などを数えます。「1旒の軍旗」 →流れ

りょう¹【両】 漢
❶ ＜単位＞江戸時代の貨幣単位。金「1両」は慶長小判1枚とし、1両の4分の1を1分としました。公定相場で「1両」は、銀60匁・銭4貫と同価とされました。
❷ ＜単位＞大宝令（701年）以来、近世まで用いた質量の単位。「1両」は1斤の16分の1で、約41〜42g。
❸ ＜単位＞薬の質量の単位。「1両」は4匁で15g。種類によっては4匁4分や5匁のものもあります。 →匁
❹ ＜単位＞布帛の大きさの単位。2反で「1両」。

りょう²【両】 漢
❶ 台の両側に車輪がついているものを数えます。「輛」とも書きます。
a. 馬車を数えます。「三輛の待合馬車」 →台
b. 現代では電車の車両を数えます。「5両編成で運転」
❷「両」は、ふたつで対になるものを表し、古くは装束などで対になるものを数えました。「錦の襪（足袋の一種）4両」

りょう【領】 漢
「領」はうなじ・首・襟を表し、甲冑などを数え

ます。「両」とも書きます。「鎧1領」 襟を持って衣をたたんだことから、十二単・羽織・打ち掛け・袈裟なども数えます。「式服3領」

りん【厘】 漢

❶ ＜単位＞歩合・利率などの単位。「1厘」は1割の100分の1。
❷ ＜単位＞長さの単位。「1厘」は1寸の100分の1。
❸ ＜単位＞重さの単位。「1厘」は1匁の100分の1。
❹ ＜単位＞貨幣の単位。「1厘」は1円の1000分の1。1銭の10分の1。

りん【輪】 漢

❶ 車輪を数えます。「4輪の馬車」 また、車についている車輪の数から、車種を表します。「二輪車」「四輪駆動」
❷ 車輪のような丸いものを数えます。特に輪を数えます。「五輪」
❸ 花を数えます。
a. 個々の花を数えます。梅や桜のように、花びらが開く花が典型です。「梅が一輪咲く」
b. 1本の茎に1つの花（もしくは花房）がついている切り花を数えます。「輪」で数える場合は、比較的少ない数を数えます。数が多くなる場合、切り花は「本」で数える方が適当です。「1輪差しの花瓶」「菊1輪」→ **本**¹
c. 花輪を数えます。

りん【鱗】 漢

❶ うろこを数えます。
❷ 魚を雅語的に数えます。

るい【塁】 漢

野球のベース（塁）を数え示します。1塁・2塁・3塁・本塁（ホーム）があります。ヒットを打った打者がどの塁まで走ることができるかを、「打」を伴って「2塁打」「3塁打」で示します。 → ベース

れい【礼】 漢

会釈の回数を数えます。「来賓に一礼する」

れい【嶺】 漢

高い峰続きを数えます。「嶺」ともいいます。「中国五嶺（広東省北部の連山）」→ **峰**

レース【race】 漢 和 英

競走（レース）を数えます。「第1レースで波乱」「3レースで優勝」

れつ【列】 漢

列を数えます。「1列に陳列する」「2列に並んで待つ」

れん¹【連】 漢

❶ 連ねたものを数えます。「聯」とも書きます。
a. 真珠や数珠など、丸い珠を連ねたものを数えます。「真珠の2連ネックレス」「数珠1連」
b. 連なって作られたり、干されたりした食べ物を数えます。コンブ・鰹節・タコの干物も数えることがあります。「ソーセージ3連」「高野豆腐2連」「目刺し1連」「冷凍ミカン1連」
❷ 編み連ねたものを数えます。「簾1連」
❸ 古くは、狩りに連れて行く鷹を数えました。「連」とも読みます。「鷹1連」→ **本**

れん²【連】 漢

❶ ＜単位＞洋紙を数える単位。「嗹」とも書きます。英語の、紙を数える単位reamの当て字。平判では1000枚、巻き取り紙では規定枚数の1000枚分、板紙では100枚を、それぞれ「1連」といいます。

英＝英語数詞〔1（ワン）、2（ツー）、3（スリー） …〕などに付く　→ 類似・関連する助数詞および単位などへ

ろう▶ワード

❷＜単位＞セロファンの取引単位。「1連」は500m²。

ろう【浪】 漢
入学試験や難関資格試験に不合格となり、正式な所属のないまま、次の試験に備える年数を数えます。1年浪人すると「1浪」。「志望校には2浪して合格」

ロール【roll】 漢 和 英
平面的なもの（主として紙類）を巻いて作られた円筒状の塊を数えます。「FAX用紙2ロール」「トイレットペーパー12ロール」→巻き

ろせん【路線】 漢
鉄道路線やバス路線を数えます。「本」でも数えます。→本¹

わ行

わ【羽】 漢 読み方注意
❶鳥類を数えます。飛ぶことができない鳥も「羽」で数えます。コウモリを鳥に見立てて「羽」で数えることがあります。

> 「羽」は、羽の数を数えるにあらず

鳥は羽があるので「羽」で数えますが、羽のある生き物すべてを「羽」で数えるわけではありません。トンボやセミのように羽があって飛ぶ昆虫や、羽のある空想上の動物のペガサスを「羽」で数えることはできません。

読み方　※は俗な読み方（発音）

1羽	いちわ
2羽	にわ
3羽	さんば・さんわ
4羽	よんわ
5羽	ごわ
6羽	ろくわ
7羽	ななわ・しちわ（※ヒチワ）
8羽	はっぱ・はちわ
9羽	きゅうわ
10羽	じっぱ（※ジュッパ）・じゅうわ
100羽	ひゃっぱ・ひゃくわ

→コラム⑬に関連事項(p.217)

❷慣習的にウサギを数えます。現在ではウサギは「匹」で数えます。鳥類とウサギをまとめて数える場合に「羽」を用いることもあります。「校庭でインコとウサギ合わせて10羽飼育」→コラム②に関連事項(p.31)

わ【把】 漢　読み方については前項目参照
人間の片手で握った程度の太さの束を数えます。→束

❶稲束を数えます。「稲10把」→束
❷野菜（主に葉野菜）の束を数えます。小売単位にも用います。「ホウレンソウ2把」「小松菜1把」「三つ葉2把」
❸線香の束を数えます。「線香3把」
❹そうめんの束を数えます。
❺薪の束を数えます。
❻（片手で握ることのできる）棒を数えます。
❼＜単位＞射芸で矢を数えます。矢51本で「1把」。

わ【話】 漢
❶説話（物語・民話・神話・伝説など）を数えます。
❷続き物の話を区切って1回分を「話」で数えます。また、ドラマなどのストーリーのひと区切りを数えます。「10話完結のドラマ」

ワード【word】 漢 英
語数を数えます。「30ワードで英文を要約する」

漢=漢語数詞〔一（いち）、二（に）、三（さん）…〕などに付く　　和=和語数詞〔一（ひと）、二（ふた）、三（み）…〕などに付く

わかし【盃・沸】 和

＜単位＞（専門的に）焼酎の原料となる醪の量を数えます。醪を蒸留する際、1升で「ひと盃」といいます。

わく【枠】 漢 和

❶ 枠を数えます。「1枠に2文字入れる」
❷ 競馬で、出走する馬が入るゲートの番数を表します。1枠から8枠まであります。「8枠の2頭が本命」

わり【割】 漢

＜単位＞歩合・利率などの単位。10分の1を表します。「1割」は10％にあたります。「2割増し」「三割打者」

わん【椀】 和

椀に盛った飲食物を数えます。「味噌汁ひと椀」
→杯

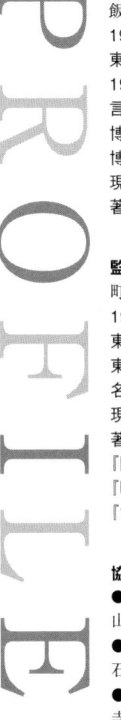

著者
飯田朝子（いいだ あさこ）
1969年、東京都生まれ。
東京女子大学、慶應義塾大学大学院を経て、
1999年、東京大学人文社会系研究科
言語学専門分野博士課程修了。
博士（文学）取得。
博士論文は『日本語主要助数詞の意味と用法』。
現在は中央大学商学部教授。
著書に『数え方もひとしお』（小学館）など。

監修
町田健（まちだ けん）
1957年、福岡県生まれ。
東京大学大学院人文科学研究科博士課程単位取得。
東京大学文学部助手、北海道大学助教授、
名古屋大学大学院文学研究科教授などを経て、
現在は名古屋大学名誉教授。
著書に『言語学が好きになる本』（研究社出版）、
『間違いだらけの日本語文法』（講談社現代新書）、
『町田教授の英語のしくみがわかる言語学講義』（研究社）、
『ソシュール入門　コトバの謎解き』（光文社）など多数。

協力者
●装丁・本文デザイン
山口了児-ZUNIGA
●本文デザイン
石川恵-ZUNIGA
●口絵＋カバーイラスト
寺越慶司
●コラムイラスト
豆画屋亀吉
●DTP組版・編集協力
株式会社日本レキシコ
●印刷
文唱堂印刷　黒澤元男　布施芳樹

小学館
●制作
直居裕子
●販売
窪康男
●宣伝
野中千織
●編集
板倉俊　大江和弘

数え方の辞典

| 2004年4月1日 | 初版第1刷発行 |
| 2022年11月16日 | 第13刷発行 |

著　者　　飯田朝子
監修者　　町田健
発行者　　飯田晶宏
発行所　　株式会社　小学館
　　　　　〒101-8001　東京都千代田区一ツ橋2-3-1
　　電話　編集(03)3230-5170
　　　　　販売(03)5281-3555
印刷所　　文唱堂印刷株式会社
製本所　　株式会社若林製本工場

本書の無断での複写(コピー)、上演、放送等の二次利用、翻案等は、
著作権法上の例外を除き禁じられています。
本書の電子データ化などの無断複製は著作権法上の例外を除き禁じられています。
代行業者等の第三者による本書の電子的複製も認められておりません。

造本には十分注意しておりますが、印刷、製本など製造上の不備がございましたら、
「制作局コールセンター」(フリーダイヤル0120-336-340)にご連絡ください。
(電話受付は土・日・祝休日を除く　9:30～17:30)

©Asako Iida 2004 Printed in Japan
ISBN4-09-505201-5

小学館国語辞典編集部のホームページ
http://www.web-nihongo.com/